D0278629

De bibliothecaresse van Auschwitz

www.boekerij.nl

Antonio Iturbe

De bibliothecaresse van Auschwitz

ISBN 978-90-225-6643-5
ISBN 978-90-6023-682-2 (e-boek)
NUR 302

Oorspronkelijke titel: *La bibliothecaria de Auschwitz*
Oorspronkelijke uitgever: Editorial Planeta, Barcelona
Vertaling: Joke Mayer
Omslagontwerp: Will Immink Design
Omslagbeeld: Jill Battaglia | Arcangel Images
Zetwerk: Steven Boland

De vertaler heeft voor citaten van bestaande werken gebruik gemaakt van de volgende boeken: Jaroslav Hašek, *De lotgevallen van de brave soldaat Švejk*, vertaling Roel Pieters, Pegasus 2010; Alberto Manguel, *Bibliotheek bij nacht*, vertaling Ton Heuvelmans. Ambo | Anthos 2007; Thomas Mann, *De Toverberg*, vertaling van Hans Driessen, Arbeiderspers 2013; H.G. Wells, *Een korte geschiedenis der wereld*, vertaling C.F. van der Horst, N.V. Ontwikkeling 1926.

Aan Dita Kraus

Tijdens zijn bestaan huisvestte blok 31 (in vernietigingskamp Auschwitz) zeker vijfhonderd kinderen, samen met een aantal gevangenen die waren aangesteld als 'adviseur', en ondanks de strenge bewaking was er tegen alle verwachtingen in ook een clandestiene kinderbibliotheek. De bibliotheek was minuscuul: ze bestond uit acht boeken, waaronder *Een korte geschiedenis der wereld* van H.G. Wells, een Russisch schoolboek en een boek over analytische meetkunde. [...] Tegen het einde van de dag werden de boeken, samen met andere waardevolle voorwerpen zoals medicijnen en voedselresten, toevertrouwd aan een van de oudere meisjes, wier taak het was ze iedere avond op een andere plek te verstoppen.

ALBERTO MANGUEL, *De bibliotheek bij nacht*

Wat literatuur doet, is hetzelfde als een lucifer in de nacht op een open vlakte. Een lucifer geeft nauwelijks licht, maar laat ons zien hoe groot de duisternis eromheen is.

JAVIER MARÍAS, vrij naar Faulkner

1

Auschwitz-Birkenau, januari 1944

Die officieren in hun zwarte uniform die de dood met de onbewogenheid van een doodgraver benaderen, weten niet dat Alfred Hirsch daar, op de donkere, drassige kleigrond waarin alles wegzakt, een schooltje heeft opgericht. Zij weten het niet, en dat moet ook zo blijven. In Auschwitz-Birkenau is een mensenleven niets waard; het heeft zo weinig waarde dat er al niemand meer wordt gefusilleerd, want een kogel is meer waard dan een mens. Nu zijn er gemeenschappelijke ruimtes waarin Zyklon-gas wordt gebruikt, dat is goedkoper omdat er met één enkel blik gas honderden mensen gedood kunnen worden. De dood is een industrie geworden die alleen rendabel is als je met grote hoeveelheden werkt.

De leslokalen in de houten barak worden gevormd door krukken die in kringen opgesteld staan. Muren zijn er niet, evenmin als schoolborden, dus de leraren tekenen gelijkbenige driehoeken, accents circonflexes en zelfs de loop van de rivieren in Europa met hun vinger in de lucht. Zo zijn er een stuk of twintig kringetjes die zo dicht op elkaar staan dat de leraren fluisterend les moeten geven om te voorkomen dat het verhaal van de tien plagen van Egypte het zachte gebrom van de tafels van vermenigvuldiging overstemt.

Sommigen dachten dat het niet mogelijk was en vonden Hirsch gek of naïef. Hoe kun je in een gruwelijk vernietigingskamp waar alles verboden is, kinderen les geven? En dan glimlachte hij. Hirsch kon zo mysterieus glimlachen, alsof hij iets wist wat anderen niet wisten.

Het maakt niet uit hoeveel scholen de nazi's sluiten, antwoordde hij. Steeds wanneer iemand ergens een verhaal gaat staan vertellen en er wat kinderen komen luisteren, is er weer een nieuwe school bij gekomen.

Plotseling gaat de deur van de barak open en rent Jakopek, een assistent van de bewakers, naar de kamer van *Blockältester* Hirsch. Er vallen korreltjes vochtige klei van zijn klompen en de behaaglijke luchtbel van geborgenheid van blok 31 spat uiteen. Vanuit haar hoekje kijkt Dita Adlerova gebiologeerd naar de minuscule korreltjes klei. Misschien stelt het niets voor, maar ze bezoedelen alles met werkelijkheid, net zoals een inktdruppel een hele kom melk kan bezoedelen.

'Zes, zes, zes!'

Dat is het teken dat de ss-bewakers naar blok 31 komen, en meteen is de hele barak in rep en roer. In de vernietigingsmachinerie van Auschwitz-Birkenau, waar de ovens dag en nacht in bedrijf zijn met lichamen als brandstof, is blok 31 een rariteit. Of eerder een afwijking. Een succes van Fredy Hirsch, die voorheen een eenvoudige jeugdtrainer was en nu een atleet die het op de hindernisbaan van Auschwitz opneemt tegen de grootste levensverdelger aller tijden. Hij was erin geslaagd de Duitse kampautoriteiten ervan te overtuigen dat de ouders van BIIb hun werk beter konden doen als de kinderen in een aparte barak werden beziggehouden. Kamp BIIb, dat 'familiekamp' werd genoemd omdat in de rest van het kamp kinderen net zo zeldzaam waren als vogels. In Auschwitz zijn geen vogels, die worden geëlektrocuteerd door het schrikdraad van de omheiningen.

De kampcommandant had het idee van een kinderbarak goedgekeurd – misschien had hij zoiets zelf ook al in gedachten – onder voorwaarde dat er alleen gespeeld werd. Elke vorm van onderwijs was streng verboden.

Hirsch steekt zijn hoofd om de deur van de kamer die hij als blokoudste heeft gekregen en hoeft verder niets te zeggen tegen de assistenten en de leraren, die hem afwachtend aankijken. Hij geeft een haast onzichtbaar hoofdknikje. Zijn blik is dwingend. Hij doet altijd wat hij moet doen en verwacht dat ook van anderen.

De lessen worden afgebroken en gaan over in onbeduidende liedjes in het Duits of in raadspelletjes zodat het lijkt of alles in orde is wanneer de Arische wolven hun opwachting maken. Normaal gesproken gaat het om een routinecontrole door een patrouille van enkele soldaten en meestal blijven ze bij de deur staan. Dan kijken ze even naar de kinderen, applaudisseren soms zelfs na een liedje of strijken een kind over het hoofd en gaan dan snel verder met hun ronde.

Maar Jakopek voegt nog iets toe aan het gewone noodsein.

'Inspectie! Inspectie!'

Inspectie is een heel ander verhaal. Dan moeten ze in het gelid gaan staan terwijl de barak wordt doorzocht. Soms worden de kleinsten apart genomen en ondervraagd met de bedoeling om ze informatie te ontfutselen. Maar de kinderen hebben nooit iets losgelaten. Ook de allerjongsten begrijpen meer dan hun snotterige snuitjes doen vermoeden.

Iemand sist: 'De Priester!' De ruimte vult zich met geschrokken gemompel. Dat is de bijnaam van een onderofficier van de SS (een *Oberscharführer*) omdat hij net als een priester zijn handen altijd verborgen houdt in de mouwen van zijn uniformjasje, hoewel het enige geloof dat hij belijdt dat van de wreedheid is.

'Kom op, snel! Juda, vooruit! Zeg: "Ik zie ik zie wat jij niet ziet...!"'

'Wat zie ik dan, meneer Stein?'

'Maakt niet uit! In godsnaam, jongen, zeg dan wat!'

Twee leraren kijken angstig op. Ze hebben iets in hun handen wat streng verboden is in Auschwitz en als ze ermee gesnapt worden kunnen ze ter dood veroordeeld worden. Maar met die voorwerpen die zo gevaarlijk worden gevonden dat op het bezit ervan de hoogste straffen staan, kun je niet schieten, steken, snijden of slaan. Waar deze meedogenloze bewakers van het Derde Rijk zo bang voor zijn, zijn gewoon een stel boeken: oude boeken zonder omslag die bijna uit elkaar vallen, waar pagina's uit ontbreken. Maar de nazi's zoeken, vinden en verbieden ze, ze zijn er volkomen door geobsedeerd. Alle dictators, tirannen en onderdrukkers van de geschiedenis, of ze nu Arisch, zwart, oosters, Arabisch, of Slavisch waren, wat voor huidskleur ze ook hadden, of ze nu de revolutie van het volk, de privileges van de adel, Gods geboden of de strenge militaire discipline verdedigden, wat voor ideologie ze ook aanhingen... één ding hadden ze gemeen: de fanatieke jacht op boeken. Want die vormen een groot gevaar, ze zetten aan tot denken.

De kinderen zitten in hun groepjes te neuriën in afwachting van de bewakers, maar één meisje verstoort de harmonie van de altijd zo vreedzame kinderbarak en begint wild tussen de krukken door te rennen.

'Dita! Ga terug naar je plaats!'

'Wat doe je? Ben je niet goed snik?' schreeuwen ze tegen haar.

Een leraar grijpt haar bij de arm om haar tegen te houden, maar ze maakt zich los en rent buitelend door, juist op het moment dat ze allemaal rustig moeten blijven om niet op te vallen. Ze klimt op een muurtje van ongeveer een meter hoog dat de barak in de lengte in twee helften verdeelt en komt met een plof aan de andere kant neer. Ze gaat nog harder rennen en stoot een lege kruk omver, die met zo'n oorverdovend lawaai over de grond rolt dat iedereen verstijft.

'Ben je soms gek geworden?! Zo verraad je ons allemaal!' schreeuwt een rood aangelopen mevrouw Krizková. Achter haar rug om noemen de kinderen haar 'mevrouw Lubbervel'. Zij weet niet dat het meisje waartegen ze loopt te schreeuwen die bijnaam heeft verzonnen. 'Ga achterin bij de assistenten zitten, stom kind!'

Maar ze luistert niet, ze blijft als een dolle rondrennen zonder zich iets van de afkeurende blikken aan te trekken. Veel kinderen kijken gefascineerd toe hoe ze met die in gestreepte wollen kousen gestoken spillebenen rondrent. Ze is heel dun maar ziet er niet ziekelijk uit, en ze heeft halflang kastanjebruin haar dat heen en weer zwiept terwijl ze als een tornado tussen de groepen door raast. Dita Adlerova loopt tussen de mensen door maar is toch alleen. We zijn altijd alleen.

Al zigzaggend bereikt ze het midden van de barak en komt ze al struikelend in een groepje terecht. Ruw schuift ze een kruk opzij; een klein meisje valt op de grond.

'Hé, doe eens normaal!' schreeuwt het meisje vanaf de grond naar Dita.

De lerares uit Brno kijkt verbaasd naar de jonge bibliothecaresse die buiten adem voor haar staat. Zonder iets te zeggen grist Dita het boek uit haar handen, waarna de lerares zich ineens een stuk lichter voelt. Wanneer ze haar even later wil bedanken, is Dita alweer met grote passen verder gerend. Het zal niet lang meer duren voordat de nazi's eraan komen.

Ingenieur Marody, die het tafereel heeft gadegeslagen, staat haar al op te wachten. Snel geeft hij haar het algebraboek alsof het een estafettestokje is. Dita rent als een bezetene op de assistenten af, die achter in de barak staan en doen alsof ze aan het vegen zijn.

Ze is nog maar halverwege als ze merkt dat de stemmen in de groepjes even stokken, als een kaarsvlam die begint te flakkeren wanneer het raam opengaat. Ze hoeft niet om te kijken om te weten dat de deur open is en de SS-bewakers naar binnen komen. Meteen laat ze zich tussen een groepje jongere meisjes vallen. Ze stopt de boeken onder haar jurk en kruist haar armen over haar borst om te voorkomen dat ze eronderuit vallen. De meisjes werpen steelse blikken op haar, terwijl de nerveuze lerares de kinderen met een korte beweging van haar kin een teken geeft dat ze door moeten gaan met zingen. Bij de ingang van de barak blijven de SS'ers nog even staan kijken en dan klinkt een van hun favoriete kreten.

'*Achtung!*'

Het wordt stil. De liedjes en het 'ik zie ik zie wat jij niet ziet' verstommen. De bewegingen bevriezen. In die stilte is echter heel duidelijk te horen dat iemand de Vijfde Symfonie van Beethoven fluit. De Priester is een onverschrokken sergeant, maar nu lijkt zelfs hij een beetje zenuwachtig omdat degene die hij bij zich heeft nog angstaanjagender is.

'God, sta ons bij,' hoort Dita de lerares fluisteren.

Voor de oorlog speelde Dita's moeder piano, daarom herkent

ze Beethovens muziek meteen. Ze bedenkt dat ze deze manier van fluiten, met die melomanische precisie, al eens eerder heeft gehoord. Dat was nadat ze drie dagen lang zonder eten en drinken opeengepakt in de goederenwagon hadden gezeten waarmee ze uit Theresienstadt waren gekomen. Daar hadden ze vier jaar gewoond nadat ze uit Praag waren gedeporteerd. Het was al nacht toen ze in Auschwitz-Birkenau aankwamen. Nooit zal ze het geknars van de metalen wagondeur vergeten. Nooit zal ze de eerste hap ijskoude lucht vergeten die rook naar verschroeid vlees. Nooit zal ze dat verblindende licht vergeten, dat in de nacht extra fel leek en waardoor het perron er als een helverlichte operatiekamer uitzag. Dan de bevelen, de klappen met de kolven van geweren tegen de wagons, de schoten, het fluiten, het schreeuwen. En in al die verwarring die symfonie van Beethoven, haarzuiver en dodelijk kalm gefloten door een kapitein, een *Hauptstormführer* die zelfs door de SS'ers werd gevreesd.

Die dag liep de officier vlak voor Dita langs, en zij zag zijn onberispelijke uniform, zijn witte, brandschone handschoenen en het IJzeren Kruis op zijn jasje; een onderscheiding die alleen in oorlogen wordt toegekend. Bij een groepje moeders met kinderen bleef hij staan en met zijn gehandschoende hand gaf hij een van de kleintjes een vriendelijk schouderklopje. Hij glimlachte zelfs. Toen wees hij een tweeling van veertien aan, Zdenek en Jirka, en een korporaal haalde hen meteen uit de rij. De moeder greep de bewaker bij zijn jasje, knielde neer en smeekte hem haar zoons niet mee te nemen. De kapitein kwam ijzig kalm tussenbeide.

'Ze zullen nergens zo worden behandeld als bij oom Josef.'

En in zekere zin was dat ook zo. Niemand in heel Auschwitz krenkte de tweelingen die dokter Josef Mengele verzamelde voor zijn experimenten ook maar een haar. Niemand zou ze behandelen zoals hij, met zijn gruwelijke genetische experimenten waarmee hij onderzocht hoe Duitse vrouwen tweelingen konden baren om zo het aantal Arische geboorten op te schroeven. Het meisje herinnert zich Mengele die met de kinderen aan zijn hand wegliep, terwijl hij onverstoorbaar bleef fluiten.

Dezelfde melodie die nu in blok 31 klinkt.

Mengele...

De deur van de kamer van het hoofd van blok 31 gaat licht piepend open en Blockältester Hirsch komt quasi verheugd uit zijn kamertje. Hij salueert naar de officier en slaat zijn hakken hard tegen elkaar. Daarmee toont hij niet alleen respect voor de superioriteit van de militair, maar ook zijn strijdlustige, onverschrokken houding. Mengele keurt hem amper een blik waardig; hij is afwezig en blijft met zijn handen op de rug fluiten, alsof hij met het hele gebeuren niets te maken heeft. De sergeant, of de Priester, zoals hij door iedereen genoemd wordt, speurt met zijn bijna doorschijnende ogen de barak af, nog steeds met zijn handen in de mouwen van zijn uniformjasje, die langs zijn lichaam neerhangen, vlak bij de holster van zijn pistool.

Jakopek had gelijk.

'Inspectie,' fluistert de Oberscharführer.

De SS'ers die hem vergezellen herhalen zijn bevel en doen dat zo hard dat het zich als een schreeuw in de trommelvliezen van de gevangenen boort. Dita staat midden tussen de meisjes en huivert, drukt haar gekruiste armen tegen haar borst en hoort het zachte schuren van de boeken tegen haar ribben. Als ze wordt gesnapt met de boeken, is alles afgelopen.

'Dat zou niet eerlijk zijn,' mompelt ze.

Ze is veertien en heeft nog een heel leven voor zich, ze moet alles nog meemaken. Het moet allemaal nog beginnen. Ineens moet ze denken aan wat haar moeder al jaren tot vervelens toe herhaalt: Het is oorlog, Edita... het is oorlog.

Ze was zo klein dat ze haast niet meer weet hoe de wereld eruitzag toen er nog geen oorlog was. Op dezelfde plek waar al hun bezittingen zijn afgenomen verbergt ze de boeken onder haar jurk en beheert ze een heel fotoalbum van herinneringen in haar hoofd. Ze sluit haar ogen en probeert terug te halen hoe de wereld eruitzag toen ze nog geen angst kende.

Ze ziet zichzelf begin 1939 als negenjarig meisje in Praag tegenover de astronomische klok van het raadhuis staan. Vanuit haar ooghoek keek ze naar het oude skelet dat over de stad waakte met zijn oogkassen als grote zwarte vuisten.

Op school had ze geleerd dat de grote klok een ongevaarlijk ingenieus mechaniek was dat meer dan vijf eeuwen geleden door meester Hanus was ontworpen. Maar het verhaal dat de oude mensen vertelden vond ze eng. Zo zou de koning Hanus opdracht hebben gegeven figuren bij het astronomisch uurwerk te maken die op elk heel uur in parade voorbijtrokken. Nadat de klok voltooid was, werden Hanus' ogen uitgestoken zodat hij nooit meer zo'n uurwerk voor een andere vorst kon maken. Uit wraak stak de klokkenmaker zijn hand in het uurwerk, waardoor het onbruikbaar werd, want toen de hand door het raderwerk werd vermalen liep het mechaniek vast en het kon pas jaren later gerepareerd worden. Soms droomde ze 's nachts hoe die geamputeerde hand tussen de tandwielen van het uurwerk door kronkelde. Zodra het skelet een klokje luidde, begon het mechanische spektakel. Dan kwam er een stoet van apostelen voorbij om de mensen eraan te herinneren dat de minuten elkaar ongeduldig op de hielen zitten en de uren elkaar opvolgen, net als die poppen die al eeuwen de revue passeren in die reusachtige speeldoos. Maar nu ze weet wat echte angst is, beseft ze dat een negenjarig meisje daar nog geen notie van heeft, dat ze denkt dat de tijd als dikke lijm is, een onbeweeglijke, stroperige zee waarin je niet vooruitkomt. Daarom zijn klokken op die leeftijd alleen maar griezelig als er een skelet naast de wijzerplaat staat.

Terwijl Dita de oude boeken waarvoor ze regelrecht naar de gaskamer gestuurd kan worden stevig tegen zich aan houdt, kijkt ze weemoedig naar het meisje dat ze vroeger was. Wanneer ze met haar moeder meeging boodschappen doen in de stad bleef ze graag even voor de astronomische klok op het plein bij het raadhuis staan, niet om het mechanische spektakel gade te slaan – want ze was veel banger voor dat skelet dan ze wilde toegeven –, maar om de voorbijgangers te observeren, meestal vreemdelingen die in de hoofdstad op doorreis waren en in spanning wachtten op het moment waarop de marionetten tevoorschijn kwamen. Dan kon ze haar lachen nauwlijks inhouden bij de verbaasde grimassen en de onnozele vreugdekreten van de toeschouwers en verzon meteen allerlei bijnamen voor hen. Ze herinnert zich met lichte weemoed dat dat een van haar favoriete bezigheden was, bijnamen verzinnen voor Jan en alleman, vooral voor kennissen van haar ouders en de mensen uit de buurt. De lange, dunne mevrouw Gottlieb, die haar hals altijd heel erg lang maakte om zichzelf letterlijk meer aanzien te geven, noemde ze 'mevrouw Langnek'. En de christelijke tapijthandelaar van de winkel beneden, die een lang, smal en volledig kaal hoofd had, noemde ze bij zichzelf 'meneer Punthoofd'. Ze herinnert zich ook nog dat ze eens een eindje achter de tram aan rende, dat het belletje rinkelde toen de tram bij het Staromětské-plein de bocht om ging en al slingerend in de Josefov-buurt verdween en hoe zij daarna naar de winkel van meneer Ornest holde, waar haar moeder stof kocht om jassen en rokken voor de winter te maken. Ze weet nog goed hoe mooi ze die winkel vond, vooral de lichtreclame met lampjes rondom die telkens opnieuw een voor een aangingen.

Als ze niet een meisje was geweest dat met die typische in zichzelf gekeerde kinderlijke blijdschap door het leven huppelde, had ze misschien gezien dat er een lange rij klanten bij de krantenkiosk stond en dat de *Lidové Noviny* die er hoog opgestapeld lag, met de kop met een ongewoon groot lettertype over vier kolommen niet zozeer meedeelde maar eerder van de voorpagina schreeuwde: REGERING LAAT DUITSE LEGER IN PRAAG TOE.

Dita opent haar ogen en ziet de ss'ers achter in de barak rondgesnuffelen. Zelfs de tekeningen die zijn opgehangen met spijkers gemaakt van ijzerdraad halen ze van de muur om te kijken of er iets onder verborgen zit. Niemand zegt wat, en het gerommel van de bewakers klinkt hard in die barak die naar vocht en schimmel ruikt. En naar angst. Het is de geur van de oorlog. Een van de weinige herinneringen uit haar kindertijd is dat vrede rook naar de dikke kippensoep die de hele vrijdagnacht stond te trekken. Hoe kon ze de smaak van gebraden lam vergeten, of van eierpasta met noten? Lange schooldagen, en na schooltijd hinkelen en Anna Maria Koekoek spelen met Margit en andere schoolvriendinnen die ze zich niet meer zo goed voor de geest kan halen. Totdat alles steeds meer bergafwaarts ging.

De veranderingen kwamen niet plotseling maar sluipenderwijs. Hoewel er wel een dag was waarop haar kindertijd zich sloot als de grot van Ali Baba en onder het zand begraven bleef. Die dag kan ze zich nog goed herinneren. Zelf weet ze de datum niet meer, maar het was op 15 maart 1939. Praag ontwaakte sidderend.

De kristallen druppels van de kroonluchter in de woonkamer trilden, maar ze begreep meteen dat het geen aardbeving was omdat niemand wegrende of schrok. Haar vader dronk zijn thee en las quasi onaangedaan de krant, alsof er niets aan de hand was.

Ze liep met haar moeder naar school en de stad schudde op haar grondvesten. Ze hoorde ook het lawaai toen ze het Wenceslausplein naderden, waar de grond zo hevig trilde dat ze het aan haar voetzolen voelde kriebelen. Naarmate ze dichterbij kwamen werd het doffe gebrom steeds luider en Dita was razend nieuwsgierig naar dat vreemde verschijnsel. Toen ze aankwamen konden ze de straat, die zwart zag van de mensen, niet oversteken en keken ze slechts tegen een muur van ruggen, jassen, nekken en hoeden aan.

Plotseling bleef haar moeder staan. Haar gezicht verstarde en zag er ineens veel ouder uit. Ze nam haar dochter bij de hand en wilde omkeren en via een andere weg naar school gaan, maar Dita kon haar nieuwsgierigheid niet bedwingen en maakte zich met een ruk los van de hand die haar vasthield. Omdat ze klein en tenger was kostte het haar geen moeite om zich door die dichte menigte op het trottoir te wurmen en op de eerste rij te belanden, precies op de plek waar politieagenten een cordon hadden gevormd.

Het lawaai was overdonderend: de grijze motoren met zijspan kwamen een voor een voorbij met soldaten in glanzend leren uniformjassen en met motorbrillen op. Ze droegen glimmende helmen, die regelrecht uit de fabrieken in Midden-Duitsland kwamen, er zat nog geen krasje op, geen spoor van gevechten. Daarachter reden de pantserwagens met die enorme kanonnen, gevolgd door de tanks, die met de dreigende traagheid van een kudde olifanten door de straten denderden.

Ze weet nog dat ze dacht dat het een stoet marionetten was zoals die van het astronomisch uurwerk van het raadhuis en dat ze even later achter een deurtje zouden verdwijnen. En dat de trillingen op zouden houden. Maar deze keer ging het niet om marionetten die een mechanische optocht vormden, maar om mensen. In die jaren zou ze leren dat het verschil tussen mensen en marionetten niet altijd even duidelijk is.

Ze was nog maar negen, maar leerde toen al wat angst was. Er was geen fanfare, geen gelach en gejuich, geen gefluit… Het was een stille optocht. Waarom liepen die mannen in uniform daar? Waarom lachte er niemand? Ineens deed dat zwijgende defilé haar denken aan een rouwstoet.

De ijzeren hand van haar moeder sleurde haar tussen de menigte vandaan. Ze liepen de andere kant uit en Praag verscheen weer voor haar ogen als de bruisende stad die ze altijd was geweest. Het was alsof ze uit een nare droom ontwaakte en opgelucht kon zien dat alles nog bij het oude was gebleven.

Maar de grond trilde nog steeds onder hun voeten. De stad beefde. Haar moeder beefde ook. In paniek trok ze Dita mee van de optocht vandaan alsof ze op haar elegante lakschoenen wilde ontkomen aan de reusachtige klauwen van de oorlog. Dita zucht terwijl ze haar boeken stevig tegen zich aan gedrukt houdt. Verdrietig bedenkt ze dat niet de dag van haar eerste menstruatie, maar die dag het einde van haar kindertijd inluidde, omdat ze vanaf dat moment niet meer bang werd van skeletten of oude verhalen over spookhanden, maar van mensen.

2

De ss'ers zijn begonnen de barak te doorzoeken zonder de gevangenen een blik waardig te keuren en kijken naar muren, grond en voorwerpen. Zo gestructureerd zijn de Duitsers: eerst de opstal en dan de inboedel. Dokter Mengele wendt zich tot Hirsch, die de hele tijd al roerloos in de houding staat. Dita vraagt zich af waarover ze het hebben. Wat zegt Hirsch toch tegen die officier voor wie zelfs de ss'ers bang zijn? Die hoort hem onbewogen aan en geeft geen krimp, al lijkt hij alles wel in de gaten te houden. Maar heel weinig Joden zouden zich zo zelfverzekerd tot die man durven richten die ook wel de Engel des Doods wordt genoemd, heel weinigen zouden dat kunnen zonder dat hun bevende stem of nerveuze gebaren hen zouden verraden. Maar van die afstand lijkt Hirsch net zo ongedwongen in gesprek als wanneer hij op straat een bekende zou tegenkomen.

Sommigen zeggen dat Hirsch een man zonder vrees is. Anderen zeggen dat hij goed ligt bij de Duitsers omdat hij zelf ook Duitser is, en weer anderen insinueren zelfs dat hij iets verbergt achter dat onberispelijke uiterlijk van hem.

De Priester, die de inspectie leidt, maakt een gebaar dat ze niet begrijpt. Als ze nu het bevel krijgen om op te staan en ze in de houding moeten gaan staan, hoe moet ze dan de boeken vasthouden zodat ze niet onder haar jurk uit vallen?

Het eerste advies dat elke oudgediende een nieuweling geeft is dat je je op één ding moet richten: overleven. Een paar uur overleven, vervolgens een dag, een week... En zo ga je door. Nooit grote plannen maken, jezelf geen verheven doelen stellen, alleen maar elk moment overleven. Leven is een werkwoord waarvan je alleen de tegenwoordige tijd moet gebruiken.

Dit is haar laatste kans om de boeken onopgemerkt onder haar jurk vandaan te halen en een eindje verderop onder ecn lege kruk te leggen. Zodra iedcreen in de rij staat, kunnen ze haar niets meer maken, dan kan iedereen schuldig zijn. En ze kunnen hen niet allemaal naar de gaskamer sturen. Maar blok 31 zou zeker gesloten worden. Ze vraagt zich af of dat echt zo erg zou zijn. Ze heeft gehoord dat sommige leraren in het begin hun bedenkingen hadden: waarom zouden de kinderen iets moeten leren als de kans dat ze Auschwitz levend zouden verlaten nihil was? Waarom zouden ze over ijsberen vertellen of hen de tafels van vermenigvuldiging op laten dreunen, moesten ze niet met hen over de schoorstenen praten die een eindje verderop de zwarte rook van de verbrande lichamen uitbraakten? Maar Hirsch heeft hen met zijn autoriteit en enthousiasme kunnen overtuigen. Hij zei dat blok 31 een oase voor de kinderen zou zijn.

Een oase of een fata morgana? vragen sommigen zich nog steeds af.

Eigenlijk zou ze zich van die boeken moeten ontdoen, moeten kiezen voor haar eigen leven. Maar ze twijfelt.

De onderofficier gaat in de houding staan voor zijn superieur en hoort de bevelen aan, die hij meteen op autoritaire toon doorgeeft:

‘Opstaan! Geef acht!’

Nu staat iedereen op en ontstaat er wat tumult. Dit is het moment van verwarring dat ze nodig heeft om zichzelf in veiligheid te brengen. Omdat ze haar armen minder strak tegen haar borst had gedrukt zijn de boeken onder haar jurk naar haar onderbuik gezakt. Ze drukt ze weer tegen zich aan, maar dat doet ze zo hard dat ze ze zelfs hoort kraken, alsof ze botten hebben. Elke seconde dat ze aarzelt om zich van de boeken te ontdoen, loopt haar leven meer gevaar.

De ss'ers manen autoritair tot stilte en schreeuwen dat niemand van zijn plaats mag komen. Waar de Duitsers absoluut niet tegen kunnen is chaos. Dat vinden ze ondraaglijk. In het begin, toen ze de Endlösung begonnen uit te voeren, veroorzaakten de bloedige executies veel weerstand onder de ss-officieren. De kluwens dode en halfdode lichamen, het genadeschot dat ze elk van de gefusilleerden moesten geven, de plassen bloed waarin ze stapten als ze tussen de lichamen door liepen, de handen van de stervenden die zich als lianen om hun laarzen klemden, het was allemaal te belastend. Maar nu ze een manier hebben gevonden om de Joden op een efficiënte manier uit te roeien, waarbij het ordelijk verloopt in centra als Auschwitz, is de vanuit Berlijn gedicteerde grootschalige misdaad niet problematisch meer. Het is een routineuze oorlogshandeling geworden.

De meisjes voor Dita zijn opgestaan, dus de ss'ers kunnen haar niet zien. Ze steekt haar rechterhand onder haar blouse en pakt het meetkundeboek. Ze voelt de ruwe bladzijden en gaat met haar duim over de ribbeltjes Arabische gom op de afgescheurde rug. Ze bedenkt dat die kale rug net een geploegde akker is.

Dan sluit ze haar ogen en drukt de boeken stevig tegen zich aan. Ze weet wat ze vanaf het begin heeft geweten: dat ze het niet gaat doen. Zij is de bibliothecaresse van blok 31. Ze zal Fredy Hirsch niet in de steek laten, ze heeft hem immers zelf gevraagd, geëist bijna, vertrouwen in haar te hebben. En dat deed hij, hij liet haar de acht clandestiene boeken zien en zei: 'Dit is jouw bibliotheek.'

Na een tijdje staat ze voorzichtig op. Ze houdt één arm stevig over haar borst gekruist zodat de boeken niet op de grond vallen. Ze gaat midden in de groep meisjes staan, die haar enigszins afdekken, maar zij is groter en ze probeert net iets te duidelijk niet op te vallen.

Voordat hij met de controle van de gevangenen begint, deelt de sergeant enkele bevelen uit en verdwijnen twee ss'ers in de kamer van de blokoudste. Ze denkt aan de rest van de boeken die daar verborgen ligt en beseft dat Hirsch nu gevaar loopt. Als ze de boeken vinden, is hij er geweest. Maar ze zijn volgens haar wel goed verstopt. De kamer heeft een houten vloer en in een hoek zit een losse plank. Daaronder is een gat voor het bibliotheekje gegraven. Omdat de boeken er precies in passen klinkt het niet hol als je eroverheen loopt of erop klopt, dus er is niets wat daar een kleine opslagplaats doet vermoeden.

Hoewel Dita nog maar een paar dagen bibliothecaresse is, heeft ze het gevoel dat ze het werk al weken of maanden doet. In Auschwitz vliegt de tijd niet bepaald, die kruipt voorbij. Het ritme daar is oneindig veel trager dan in de rest van de wereld. In een paar dagen Auschwitz wordt een nieuweling een oudgediende, of een jongen een oude man, en een sterke kerel een uitgemergeld hoopje ellende.

Terwijl de Duitsers binnen de boel doorzoeken, blijft Hirsch roerloos staan. Mengele staat een eindje verderop met zijn handen op zijn rug en fluit een melodie van Liszt. Een paar SS'ers staan te wachten tot de anderen klaar zijn met de inspectie en bewegen verveeld hun hoofd. Hirsch blijft kaarsrecht staan, alsof hij een vlaggenstok heeft ingeslikt. Hij is ook een vlag. Hoe meer zij verslappen, hoe strakker hij gaat staan. Hij zal elke gelegenheid aangrijpen om subtiel te laten zien hoe sterk de Joden zijn. Hij is ervan overtuigd dat zij veel sterker zijn dan de nazi's, daarom zijn ze ook bang voor hen. Daarom willen ze hen uitroeien. Ze zijn alleen maar verslagen omdat ze geen eigen leger hebben, maar hij weet dat ze die fout nooit meer zullen maken. Hij weet het zeker, zodra dit alles voorbij is krijgen ze een eigen leger en dat zal het sterkste aller tijden zijn.

De twee SS'ers komen de kamer uit. De Priester heeft wat papieren in zijn hand. Dat is zo te zien het enige verdachte wat ze hebben gevonden. Mengele werpt er een vluchtige blik op en slingert de papieren met een minachtend gebaar naar de sergeant. Het zijn de rapportages over het functioneren van blok 31 die de blokoudste voor de kampleiding schrijft. Mengele kent ze precies, want ze worden voor hem geschreven.

De handen van de Priester verdwijnen weer in de mouwen van zijn enigszins afgedragen jasje. Hij deelt op gedempte toon wat orders uit, waarna de bewakers energiek opveren en de jacht inzetten. De mannen lopen op de gevangenen af en schoppen alle krukjes die in de weg staan bruut omver. De kinderen en de nieuwe leraren kunnen hun angst niet meer onderdrukken en hier en daar ontsnapt er een snik of angstkreet. De oudgedienden zijn rustiger. Hirsch blijft nog steeds roerloos staan. Van een afstandje ziet Mengele de exercitie onbewogen aan.

De oudgedienden weten dat het geen plotselinge aanval van vernielzucht is; de nazi's zijn niet ineens gek geworden en zullen ook niet wild in het rond schieten met hun machinepistolen. Dit hoort bij de oorlog: tegen stoelen aan trappen is onderdeel van de werkwijze. Net als schreeuwen. Of met geweerkolven slaan. Het is niet persoonlijk. Spullen vertrappen is een manier om te laten weten dat ze met hetzelfde gemak levens kunnen vertrappen. In tijden van oorlog is moord en doodslag ook routine.

Zodra de horde het eerste groepje bereikt, komt ze abrupt tot stilstand. De leider recht zijn rug en ze beginnen als in slow motion te zoeken. Ze blijven steeds staan en nemen de gevangenen vorsend op, van top tot teen. Sommigen worden gefouilleerd, en de Duitsers kijken ongedurig alle kanten op alsof ze zelf niet weten waarnaar ze op zoek zijn. Ze doen allemaal alsof ze recht vooruit kijken maar gluren vanuit hun ooghoek naar de collega naast hen.

Een van de leraressen moet naar voren komen, het is een lange vrouw die handenarbeid geeft en de kinderen wonderen laat verrichten met oude veters, houtspaanders, gebroken lepels of versleten doeken. Dita begrijpt niet wat ze zeggen, ze kan de woorden niet goed verstaan, maar de soldaten schreeuwen tegen de lerares en een van hen schudt haar door elkaar. Waarschijnlijk is er geen enkele reden voor. Schreeuwen en door elkaar schudden zijn ook aan de orde van de dag. De lerares lijkt met haar lange, slanke lichaam een rietstengel die ieder moment met een droge knak kan breken. Ten slotte krijgt ze een duw en een snauw en mag ze terug naar haar plek in de groep.

De bewakers gaan weer verder. Dita's arm wordt moe, maar ze drukt de boeken nóg steviger tegen haar borst. Ze blijven een paar meter verder bij de groep naast haar staan. De Priester steekt zijn kin omhoog en beveelt een man om naar voren te komen.

Het is de eerste keer dat Dita zich bewust is van meneer Morgenstern, een onschuldig uitziende man die, te oordelen naar de plooien onder zijn kin, ooit flink mollig moet zijn geweest. Hij heeft grijzend krulhaar, draagt een versleten streepjespak dat hem te wijd zit en een ronde bril omlijst zijn kleine, bijziende ogen. Dita hoort niet goed wat de Priester tegen hem zegt, maar ze ziet hoe meneer Morgenstern zijn bril aan hem geeft. De Oberscharführer pakt hem aan en bekijkt hem onderzoekend. Gevangenen mochten hun persoonlijke bezittingen niet houden, maar niemand had gevonden dat voor een bijziende een bril overbodige luxe was. Desondanks kijkt de SS'er er aandachtig naar, alsof hij niet weet dat het niet bepaald een gouden bril is maar slechts een hulpmiddel waarmee de oude man nog iets kan zien. Hij reikt hem de bril weer aan, maar op het moment dat de onderwijzer zijn hand uitstrekt om hem aan te pakken, laat de Priester hem vallen waardoor hij tegen een kruk klettert en op de grond valt.

'Klungel! Uilskuiken!' schreeuwt de sergeant.

Meneer Morgenstern bukt gedwee om zijn gehavende bril op te pakken. Wanneer hij weer wil opstaan, vallen er een paar verkreukelde papieren vogeltjes uit zijn zak en moet hij weer bukken. Dan laat hij zijn bril weer vallen. De Priester ziet het met nauwelijks verholen irritatie aan, slaat hard zijn hakken tegen elkaar en vervolgt de inspectie.

Mengele staat alles van een afstand te observeren en mist geen detail. Met hun pet schuin op het hoofd en hun allesverpletterende laarzen, gaan de SS'ers heel langzaam door en loeren bloeddorstig naar de gevangenen. Dita hoort ze naderen, ze durft zelfs niet vanuit haar ooghoeken te kijken. Ongelukkigerwijs stoppen ze precies voor haar groep en de Priester gaat vlak voor haar staan. Dita ziet de meisjes voor haar beven als een rietje. Het koude zweet staat op haar rug. Ze weet dat het onvermijdelijk is. Zij steekt boven de andere meisjes uit en is de enige die niet met haar armen strak langs haar lichaam in de houding staat. Haar merkwaardige houding – het is overduidelijk dat ze iets onder haar arm geklemd houdt – verraadt haar.

Ze kijkt recht vooruit, maar voelt de priemende blik van de Priester op zich gericht. Van angst krijgt ze een prop in haar keel, ze krijgt geen lucht meer, stikt haast. Ze hoort een mannenstem en bereidt zich er al op voor dat ze naar voren moet komen.

Alles is voorbij…

Maar nee, nog niet. Ze houdt zich stil want ze realiseert zich dat het niet de stem van de Priester is die haar roept, maar een andere, veel benauwdere stem. Het is de verwarde meneer Morgenstern.

'Neemt u mij niet kwalijk, sergeant, zou ik misschien terug mogen naar mijn plek in de rij? Als u het goed vindt natuurlijk, anders blijf ik hier staan tot u zegt dat ik weg mag. Het laatste wat ik wil, is u op wat voor manier dan ook overlast bezorgen.'

De Priester draait zijn hoofd en maakt een woedend gebaar naar dat onbeduidende mannetje dat het heeft gewaagd zich tot hem te wenden zonder dat hij toestemming had om iets te zeggen. De oude onderwijzer heeft zijn bril, waarvan een glas bekrast is, weer opgezet en terwijl hij daar buiten de rij staat, kijkt hij met zijn onnozele, oneindig goeiige gezicht naar de SS'ers. De Priester komt met grote stappen op hem af, gevolgd door de bewakers. Voor het eerst verheft hij zijn stem:

'Stomme ouwe Jood! Als je niet binnen drie tellen op je plaats staat, schiet ik je overhoop!'

'Tot uw orders, zoals u wilt,' antwoordt meneer Morgenstern gedwee. 'Neemt u me alstublieft niet kwalijk, ik wilde u niet tot last zijn, ik wilde eerst vragen of het mocht, want ik houd van goede manieren en ik wil zo goed mogelijk meewerken…'

'Terug naar je plaats, schlemiel!'

'Ja meneer, tot uw orders meneer. Nogmaals mijn excuses. Het was niet mijn bedoeling u te onderbreken, juist…'

'Kop dicht, voordat ik er een kogel doorheen jaag!' schreeuwt de nazi buiten zichzelf van woede.

De leraar loopt langzaam naar zijn plek achterin terwijl hij een overdreven buiging met zijn hoofd maakt. De Priester heeft niet gezien dat zijn eigen bewakers achter hem zijn gaan staan, en wanneer hij zich woedend omdraait botst hij keihard tegen hen op. Een scène die in een komische film niet zou misstaan: een stel nazi's die als biljartballen tegen elkaar ketsen. Sommige kinderen grinniken zachtjes en de geschrokken onderwijzers stoten hen vermanend aan.

De sergeant, die zichtbaar van zijn stuk is gebracht, kijkt zijdelings naar zijn superieur, de sinistere kapitein die nog steeds met zijn handen op de rug in een donkere hoek staat. De Priester kan zijn gezicht niet zien, maar vermoedt zijn minachtende blik. Er is niets wat Mengele zo minacht als middelmatigheid en incompetentie.

De onderofficier duwt zijn mannen geïrriteerd weg en gaat verder met de inspectie. Hij komt bij de rij waar Dita staat en ze spant haar slapende arm aan. En haar kaken. Ze spant alles aan wat ze kan aanspannen. Als ze zou kunnen, zou ze zelfs haar oren aanspannen. Maar omdat de Priester uit zijn doen is en denkt dat hij deze groep al heeft gecontroleerd, gaat hij door naar de volgende. Nog meer geschreeuw, geduw, een enkele fouillering... en dan verdwijnt de stoet langzaam uit haar buurt.

De bibliothecaresse kan weer ademhalen, maar pas wanneer ze de barak uit zijn is het gevaar echt geweken. Het zijn net giftige slangen: als je denkt dat je van ze af bent, komen ze soms ineens weer terug. Ze drukt de boeken tegen haar lichaam en voor het eerst is ze blij dat ze geen grote borsten heeft. Nu kan ze de boeken onopvallend onder haar jurk verbergen. Ze heeft kramp in haar arm omdat ze hem de hele tijd zo stijf tegen zich aan moet houden, maar durft zich niet te bewegen omdat ze bang is dat de boeken dan op de grond kletteren. Om zichzelf af te leiden denkt ze terug aan hoe het toeval haar naar blok 31 heeft gevoerd.

De aankomst van het transport waarmee ze in december hierheen kwam, viel samen met de laatste voorbereidingen voor een theatervoorstelling van *Sneeuwwitje en de zeven dwergen.* Het was een manier om Chanoeka te vieren, het feest waarmee de overwinning van het leger van de Joodse Makkabeeën tegen de Grieken werd herdacht. Voor het ochtendappèl kwam haar moeder een kennis uit Theresienstadt tegen, mevrouw Turnovská, een fruitverkoopster uit Zlín. Dat was een lichtpuntje in al die ellende.

Deze vriendelijke vrouw, die aan het begin van de oorlog weduwe was geworden, vertelde haar dat ze had gehoord over een barak annex school waar kinderen tot dertien jaar les kregen. Toen haar moeder zei dat Edita veertien was, antwoordde mevrouw Turnovská dat het schoolhoofd zo slim was geweest om de Duitsers ervan te overtuigen dat hij assistenten nodig had om de orde in de barak te kunnen handhaven. Zo had hij wat kinderen van veertien tot zestien een baantje gegeven.

'Daar wordt 's ochtends de presentielijst in de barak nagelopen, dan worden ze niet nat en hebben ze het niet zo koud. En ze hoeven niet de hele dag te werken. Zelfs het eten is er iets beter.'

Mevrouw Turnovská, die altijd van alles op de hoogte was, had gehoord dat Miriam Edelstein adjunct-hoofd zou worden van de school van Fredy Hirsch.

'Ik ken haar, ze slaapt in dezelfde barak als ik. We kunnen wel met haar gaan praten.'

Ze zagen haar in de *Lagerstrasse*, de hoofdstraat die dwars door het kamp liep. Ze had haast en was in een slecht humeur. Sinds het transport vanuit het getto van Theresienstadt, waar haar man Yakub voorzitter van de Joodse Raad was geweest, had het alleen maar tegengezeten. Meteen na aankomst hadden ze hem uit de groep gehaald en bij de politieke gevangenen in Auschwitz I opgesloten.

Mevrouw Turnovská begon hoog op te geven van Dita's kwaliteiten, alsof ze op de markt kersen stond te verkopen, maar nog voordat ze uitgerateld was, onderbrak Miriam Edelstein haar.

'We hebben al meer dan genoeg assistenten en er zijn er nog meer die het eerder hebben gevraagd dan u.'

Ze liep snel verder.

Maar net voordat ze in de drukte van de Lagerstrasse verdween, stopte ze en kwam op haar schreden terug. De drie vrouwen stonden nog steeds beteuterd op dezelfde plek.

'Zei u dat het meisje perfect Tsjechisch en Duits spreekt, en dat ze heel goed kan lezen?'

Het toeval wilde dat de souffleur van het toneelstuk dat die avond in blok 31 zou spelen die nacht was overleden.

'We hebben dringend een souffleur nodig. Zou zij het aankunnen?'

Alle ogen waren op Dita gericht.

Natuurlijk kon zij het aan!

Die middag kwam ze voor het eerst in blok 31. Op het eerste gezicht was het gewoon een van de 32 barakken van kamp BIIb die in twee lange rijen aan weerszijden van de Lagerstrasse stonden, als je die modderpoel tenminste een straat kon noemen. Zo'n rechthoekige keet met een vloer van aangestampte aarde die in de lengte in tweeën werd gedeeld door een stenen muurtje met aan weerszijden een schoorsteen die als kachel moest fungeren. Maar ze zag al snel dat barak 31 anders was: in plaats van drielaags stapelbedden stonden er alleen krukken; en in plaats van verrot hout zag je aan de wanden tekeningen van eskimo's en de dwergen van Sneeuwwitje.

De krukken stonden in theateropstelling en er heerste een vrolijke chaos van in- en uitlopende vrijwilligers die de mistroostige barak in een waar theater omtoverden. Sommige zetten de krukken in rijen neer, andere waren in de weer met kleurige doeken en weer andere waren teksten aan het repeteren met de kinderen, die hun uiterste best deden ze uit het hoofd te leren. Achter in de barak probeerden de assistenten van kussens een klein toneel te maken, en een paar vrouwen hingen de groene doeken op die het bos van *Sneeuwwitje* moesten voorstellen. Op dat moment moest Dita ineens denken aan het laatste boek dat ze had gelezen voordat ze Praag verliet. Het heette *Microbenjagers* en de schrijver, Paul de Kruif, vertelde over het leven van grote onderzoekers op het gebied van bacteriën en microscopisch kleine wezens. In die barak voelde ze zich een beetje als Koch, Grassi of Pasteur, die door een vergrootglas naar het gekrioel van minuscule beestjes keken die zich koortsachtig bewogen in een wereld die niet groter was dan een waterdruppel. Tegen alle verwachting in kon het leven, dat soms meer weg had van een schimmelcultuur, ook op deze godvergeten plek zijn weg vinden.

Tegenover het toneel was een klein hokje van zwartgeverfd karton voor haar gemaakt. Rubícheck, de regisseur, kwam naar haar toe en zei dat ze goed op de kleine Sarah moest letten, want als ze nerveus was kon ze geen woord Duits meer uitbrengen en schakelde ze zonder dat ze het in de gaten had over op het Tsjechisch. Een van de voorwaarden van de nazi's was dat het stuk in het Duits gespeeld moest worden.

Ze weet nog hoe zenuwachtig ze was voor het begin van de voorstelling, hoe de verantwoordelijkheid op haar drukte in die barak die uitpuilde van de toeschouwers, onder wie zich tot haar schrik enkele hoge officieren van Auschwitz II bevonden, zoals kampcommandant Schwarzhuber en dokter Mengele. Ze keek door een gaatje in het karton en zag hen tot haar verbazing hard lachen en applaudisseren. Ze leken enthousiast over de voorstelling. Waren dit dezelfde mensen die elke dag weer duizenden kinderen de dood in joegen? Ja, het waren dezelfde mensen.

Van alle stukken die werden opgevoerd was *Sneeuwwitje* van december 1943 het stuk dat niemand die erbij was geweest en het kon navertellen ooit is vergeten.

Op een bepaald moment begon de magische spiegel, die tegen de boze stiefmoeder moest zeggen wie de mooiste in het land was, te stotteren.

'De m-m-m-mooiste dat bent u, ma-ma-ma-majesteit.'

In de zaal klonk gelach. Ze dachten dat het een grapje was dat erbij hoorde. Dita zat te zweten in haar kartonnen souffleurshokje. Dat gestamel stond niet in het script, het kwam door de zenuwen van de jongen, maar elk beetje humor werd uitgelaten ontvangen omdat plezier in Auschwitz zo schaars was als brood. En als ze ergens behoefte aan hadden, dan was het plezier.

Toen Sneeuwwitje in het bos werd achtergelaten, hield het gelach op. Ze werd gespeeld door een meisje met een verdrietig gezicht. Doordat ze rode wallen onder haar ogen hadden geschminkt zag ze er nog verdrietiger uit. Ze kwam zo kwetsbaar over toen ze door het bos doolde en met haar zachte stemmetje om hulp riep, dat Dita's hart brak omdat zij zichzelf net zo hulpeloos voelde in dit kamp in Polen, moederziel alleen in een bos vol wolven in uniform.

Het gegiebel om vergeten teksten, of de scène waarin de jager, die Sneeuwwitje in het bos achterlaat, struikelde (de stakker viel bijna voorover het publiek in), hield abrupt op toen de kleine Sneeuwwitje begon te zingen. Degenen die niet begrepen waarom dat kleine meisje met haar bleke poppengezichtje voor deze rol was uitgekozen – er waren genoeg andere gegadigden –, kregen nu hun antwoord. Haar stem had een prachtig timbre en de mierzoete liedjes, die uit de film van Walt Disney waren overgenomen, klonken zo smartelijk dat veel toeschouwers hun emoties niet meer de baas waren. Wanneer mensen als dieren in een hok worden gestopt, worden gebrandmerkt en geofferd, gaan ze uiteindelijk nog geloven dat ze dieren zijn. Het feit dat ze lachen en huilen, herinnert hen er tenminste aan dat ze nog steeds mensen zijn.

Onder luid applaus verscheen ten slotte de prins om haar te redden. Hij was veel groter dan de andere acteurs, had brede schouders en zijn natte haar was achterovergekamd. Het was Fredy Hirsch zelf. Sneeuwwitje ontwaakte met behulp van het oudste medicijn ter wereld en het stuk eindigde met een staande ovatie van het publiek. Zelfs de altijd onbewogen dokter Mengele applaudisseerde, al hield hij wel zijn witte handschoenen aan.

Dezelfde dokter Mengele die nu met zijn handen op zijn rug in een hoek van blok 31 het hele spektakel als een buitenstaander observeert. De Priester leidt zijn rouwstoet van bewakers de hele barak door terwijl ze krukken omverschoppen en iedereen de stuipen op het lijf jagen. Soms roept hij een paar gevangenen naar voren, eerder om ze angst aan te jagen dan om ze te daadwerkelijk te fouilleren. Gelukkig hebben ze geen enkele aanleiding kunnen vinden om iemand te pakken. Het is voorbij, althans voorlopig.

De nazi's zijn zo goed als klaar met de inspectie. Nog even. De sergeant draait zich om naar de kapitein, maar die is er niet meer, hij lijkt in rook opgegaan. De bewakers zouden blij moeten zijn dat ze geen onderaardse gangen, wapens of andere verboden dingen hebben gevonden. Maar ze zijn juist woedend nu ze geen aanleiding hebben om iemand te straffen. Bij wijze van uitsmijter schreeuwen ze nog wat, schudden een arme assistent door elkaar, uiten links en rechts doodsbedreigingen en verdwijnen dan via de achterdeur. Deze keer hebben de wolven alleen maar wat aan het struikgewas gesnuffeld. Ze zijn nu weg, maar vast niet voor lang.

Zodra de deur achter hen dichtgaat, klinkt er opgelucht gemompel. Fredy Hirsch brengt het fluitje dat hij altijd om zijn nek heeft hangen naar zijn lippen en blaast er hard op ten teken dat iedereen uit de rij kan. Dita's arm slaapt zo erg dat ze hem bijna niet kan bewegen. Hij doet zo'n pijn dat de tranen haar in de ogen springen, maar ze is zo opgelucht dat de nazi's weg zijn, dat ze lacht en huilt tegelijk.

Er heerst een koortsachtige spanning in de barak. De leraren hebben er behoefte aan hun gevoelens te uiten, elkaar te vertellen wat iedereen al gezien heeft. De kinderen maken gebruik van het moment om rond te rennen en uit te razen. Dita ziet mevrouw Krizková naderen. Ze komt als een dolle stier op haar af. Bij elke stap die ze zet trillen de lapjes huid onder haar kin, net als bij een kalkoen. Ze blijft pal voor Dita staan.

'Zeg meisje, ben je niet goed snik? Je weet toch dat je bij de assistenten moet gaan staan als het bevel wordt gegeven, en niet als een krankzinnige rond moet gaan rennen? Snap je dan niet dat je zo opgepakt en vermoord kan worden? Snap je niet dat zoiets ons allemaal het leven kan kosten?'

'Ik deed wat ik dacht dat het beste was...'

'Wat jíj dacht... Wie denk je wel dat je bent om je niet aan de regels te houden die we met elkaar hebben opgesteld? Denk je soms dat jij het beter weet?' De vrouw fronst zo diep dat haar gezicht in duizend plooien lijkt te vallen.

'Het spijt me, mevrouw Krizková...'

Dita doet haar uiterste best om haar tranen binnen te houden. Dat plezier gunt ze haar niet.

'Ik zal dit rapporteren.'

'Dat is niet nodig.'

Het is een uiterst mannelijke stem die dit in het Tsjechisch met een zwaar Duits accent zegt. Hij klinkt rustig en stellig tegelijk. Wanneer ze zich omdraaien staan ze oog in oog met een piekfijn geschoren en gekamde Hirsch.

'Mevrouw Krizková, de lessen zijn nog niet afgelopen, u hoort uw kinderen bezig te houden, die lopen nu maar wat te vervelen.'

De onderwijzeres denkt dat de groep meisjes die zij onder haar hoede heeft dankzij haar degelijkheid het ijverigst en braafst van heel blok 31 is. Ze zegt niets, maar werpt een woedende blik naar de blokoudste. Dan draait ze zich om en loopt met rechte rug en opgeheven hoofd verontwaardigd terug naar haar leerlingen. Dita haalt opgelucht adem.

'Dank u, meneer Hirsch.'

'Zeg maar Fredy.'

'Het spijt me dat ik me niet aan de regels heb gehouden.'

Hirsch glimlacht naar haar.

'Een goede soldaat wacht niet op bevelen omdat hij altijd weet wat zijn plicht is.'

En voordat hij wegloopt wendt hij zich even tot haar en kijkt naar de boeken die ze tegen haar buik houdt.

'Ik ben trots op je, Dita. Moge God je genadig zijn.'

Wanneer ze hem energiek weg ziet lopen denkt ze aan de avond dat *Sneeuwwitje* werd opgevoerd. Terwijl de assistenten het toneel afbraken kwam ze uit haar souffleurshokje en liep naar de uitgang met het idee dat ze misschien nooit meer zou terugkeren in deze barak die soms ineens een theater werd. Maar een enigszins vertrouwde stem riep haar terug.

'Meisje...'

Fredy Hirsch' gezicht was nog wit van de schmink. Het verbaasde Dita dat hij nog wist wie ze was. In het getto van Theresienstadt had Hirsch voor de jeugdafdeling van het *Aufbaukommando* gewerkt. Daar had ze hem een paar keer vluchtig ontmoet toen ze als hulpje van de bibliothecaresse met de boekenkar de huizen van die gevangenisstad langsging.

'Je was voorbestemd om naar dit kamp te komen,' zei hij.

'Voorbestemd?'

'Jazeker!' Hij gebaarde haar mee te lopen naar het achterste deel van het toneel, waar geen mensen waren. Van dichtbij hadden Hirsch' ogen een vreemde combinatie van zachtheid en arrogantie, en hij sprak Tsjechisch met een zwaar Duits accent. 'Ik heb dringend een bibliothecaresse nodig voor ons kinderblok.'

'Neemt u mij niet kwalijk, meneer, ik denk dat dit een misverstand is. Mevrouw Sittigová was de bibliothecaresse, ik hielp haar alleen maar de boeken rond te brengen.'

De toezichthouder van blok 31 liet die typische glimlach van hem zien, vriendelijk en een tikje minzaam.

'Ik heb je in de gaten gehouden. Jij was degene die de boekenkar duwde.'

'Ja, omdat het heel zwaar was voor haar en de wieltjes steeds tussen de kasseien vastliepen. Dat was eigenlijk alles.'

'Jij bent degene die de kar trok. Je had ook de hele tijd op je matras kunnen blijven liggen, met je vriendinnen kunnen kletsen of iets voor jezelf kunnen doen. Maar in plaats daarvan ging je met die kar rond om mensen boeken te bezorgen.'

Ze keek hem stomverbaasd aan, maar Hirsch duldde geen tegenspraak. Met dezelfde ernst als waarmee een verzetsleider tegen een boer zegt: 'Jij wordt kolonel', zei hij die middag in die aftandse barak tegen Dita: 'Jij wordt bibliothecaresse.'

Maar hij voegde eraan toe: 'Het is wel gevaarlijk, heel gevaarlijk. Hier boeken beheren is geen spelletje. Als de SS'ers je snappen, ben je er geweest.'

Terwijl hij dat zei stak hij zijn duim omhoog en zijn wijsvinger naar voren. Hij richtte dat denkbeeldige pistool op Dita's voorhoofd. Ze probeerde te doen alsof het haar niets deed, maar werd toch zenuwachtig van die plotselinge verantwoordelijkheid.

'U kunt op me rekenen.'

'Het is een groot risico.'

'Dat maakt me echt niet uit.'

'Het kan je je leven kosten.'

'Dat kan me niet schelen.'

Dita probeerde stellig te klinken, maar dat lukte niet. Ze slaagde er ook niet in om haar knikkende knieën in bedwang te houden, waardoor het alleen maar erger werd.

'We hebben een moedig persoon nodig die de bibliotheek beheert...'

Dita begon te blozen omdat haar benen maar niet wilden stoppen met trillen. Hoe meer ze haar best deed ze stil te houden, hoe harder ze tekeergingen. En haar handen beefden ook al, deels door de gedachte aan de nazi's en deels uit angst dat Hirsch zou denken dat ze bang was en haar niet zou aannemen. Als je angst bij angst optelt, gaat het alleen nog maar verder bergafwaarts.

'D-dus ik mag het niet doen?'

'Je bent een heel moedig meisje.'

'Maar ik sta helemaal te trillen!' antwoordde ze beteuterd.

Toen glimlachte Hirsch weer op die typische manier van hem, alsof hij de wereldproblemen vanuit een gemakkelijke stoel bekeek.

'Daaruit blijkt juist dat je moedig bent. Degenen die geen angst kennen zijn geen moedige mensen. Die zijn roekeloos, ze ontkennen het gevaar en nemen risico's zonder aan de gevolgen te denken. Iemand die zich van geen gevaar bewust is kan iedereen in zijn omgeving in gevaar brengen. Dat soort mensen wil ik niet in mijn team. Waar ik behoefte aan heb zijn mensen die beven maar niet terugdeinzen, mensen die zich van de gevaren bewust zijn en toch doorgaan.'

Dita merkte dat het trillen van haar benen minder werd terwijl ze naar hem luisterde.

'Moedige mensen zijn mensen die hun eigen angsten kunnen overwinnen. Jij bent zo iemand. Hoe heet je?'

'Ik heet Edita Adlerova, meneer Hirsch.'

'Welkom in blok 31, Edita. God zegene je. En noem me alsjeblieft Fredy.'

Ze kan zich nog helder voor de geest halen hoe ze die avond stilletjes wachtten tot iedereen weg was. Toen ging Dita de kamer van Fredy Hirsch binnen, een pijpenla met een oud, gammel bed en een paar oude stoelen. Overal lagen geopende pakketten, lege dozen, papieren met officiële stempels, lappen stof die waren overgebleven van het decor van *Sneeuwwitje*, een paar gebutste kommen en Hirsch' spaarzame maar keurig opgevouwen kleren.

Nadat Hirsch had gevraagd of er iets gedaan kon worden aan het armzalige voedsel dat de kinderen kregen, had dokter Mengele onverwacht mild het bevel gegeven dat de voedselpakketten die door familieleden aan reeds overleden gevangenen waren gestuurd naar blok 31 gebracht moesten worden. In de ziekenbarak werden vaak mensen opgenomen en er gingen elke dag wel mensen dood. Van de

5007 gedeporteerden die in september waren aangekomen, waren er eind december al ongeveer 1000 overleden. Behalve luchtwegaandoeningen zoals bronchitis en longontsteking, heerste er geelzucht en wondroos, en door de ondervoeding en het gebrek aan hygiëne werd het alleen maar erger. Nadat de verweesde pakketten de SS'ers waren gepasseerd, kwamen ze vaak half leeggeroofd bij blok 31aan, zodat er soms alleen nog wat kruimels en lege verpakkingen in zaten. Soms waren er echter nog een paar koekjes, een stukje worst of een beetje suiker overgebleven... Dat waren welkome aanvullingen op het voedsel van de kinderen en er werden wedstijdjes en prijsvragen georganiseerd waarbij je een halve ui, een stukje chocola of een handje griesmeel kon winnen.

Hirsch vertelde haar iets waarvan ze aanvankelijk vreemd opkeek: ze hadden een wandelende bibliotheek. Een paar leraren die een literair werk uit het hoofd kenden waren als het ware menselijke boeken geworden. Ze gingen de verschillende groepen langs om de kinderen de verhalen die ze kenden te vertellen.

'Magda is heel goed in *Nils Holgerssons wonderbare reis*, de kinderen genieten ervan als ze zich voorstellen dat ze op de rug van een gans boven Zweden vliegen. Shashek kan prachtig vertellen over de indianen en het Wilde Westen. En Dezo Kovak vertelt verhalen over de patriarchen, hij lijkt wel een sprekende Bijbel.'

Maar Fredy Hirsch had nog meer verrassingen voor haar. Hij vertelde dat de boeken geleidelijk aan clandestien het kamp in waren gebracht. Een timmerman die Mietek heette had er drie meegenomen, en een Slowaakse elektricien nog twee. Dat waren gevangenen die onderhoudstaken hadden en zich daarom vrijer konden bewegen tussen de verschillende kampen. Uit het enorme Canada-magazijn, waar de in beslag genomen bezittingen van de gevangenen werden opgeslagen, wisten ze een paar boeken mee te smokkelen, waarvoor Hirsch hen beloonde met voedsel uit de pakketten die hij had gekregen.

Het was Dita's taak om de boeken te beheren, bij te houden wie ze geleend had, ze na de lessen weer op te halen en aan het eind van de dag op te bergen in de geheime bergplaats in Hirsch' kamer.

De kamer was propvol, maar niet rommelig. Het was hooguit een door Hirsch zelf zorgvuldig geënsceneerde wanorde waardoor dingen die niet gezien mochten worden aan het oog onttrokken werden. De blokoudste liep naar een hoek waar lappen stof op een hoop lagen en schoof er een paar opzij. Hij nam een plank uit de vloer en daar lag ineens een stel boeken. Dita kon haar opwinding niet onderdrukken en begon te applaudisseren alsof het om een goocheltruc ging.

'Dit is je bibliotheek. Het stelt niet veel voor.' Hij keek vanuit zijn ooghoek hoe ze reageerde.

Het was geen uitgebreide bibliotheek. Ze bestond uit acht boeken, waarvan sommige in slechte staat waren. Maar het waren boeken. Dita nam ze een voor een in haar handen met dezelfde behoedzaamheid als waarmee je een pasgeboren baby oppakt. Het eerste boek was een atlas zonder omslag waaruit bladzijden ontbraken en waarin een Europa werd getoond van obscure landen en imperia die lang geleden uiteen waren gevallen. De levendigheid van de staatkundige kaarten die mozaïeken van frisse kleuren vormden – vermiljoenrood, lichtgroen, oranje, hemelsblauw – stond in fel contrast met de grauwheid van Dita's omgeving: het donkerbruin van de klei, het vale oker van de barakken, het grijs van de van as doortrokken hemel. Ze bladerde de atlas door en het was alsof ze boven de wereld vloog: ze stak oceanen over, rondde kapen met exotische namen – De Goede Hoop, Hoorn, De punt van Tarifa –, vloog over bergen, sprong over zeestraten waarvan de zijden elkaar leken te raken – zoals die van Bering, Gibraltar of Panama –, voer met haar vinger over de Donau, de Wolga, en daarna over de Nijl. Al die miljoenen vierkante kilometers zee, bos, alle bergketens van de wereld, alle rivieren, de steden en alle landen in zo'n minuscule ruimte vatten, was iets wat alleen een boek kon.

Fredy Hirsch keek zwijgend toe; het deed hem goed te zien dat ze de atlas zo aandachtig en met open mond doorbladerde. Als hij al twijfels had gehad over het verantwoordelijkheidsgevoel van dit Tsjechische meisje, waren die nu wel verdwenen. Hij wist dat Edita heel goed voor de bibliotheek zou zorgen. Ze had die speciale band met boeken die sommige mensen hebben. Een betrokkenheid die hij zelf miste, hij was te actief om zich te laten vangen door die pagina's vol gedrukte regels. Fredy hield meer van actie, van lichamelijke oefening, van zingen, discussiëren... Maar hij begreep dat Dita het inlevingsvermogen had van iemand voor wie een bundeltje papier een heel persoonlijke wereld op zich vormt.

Minder gehavend was het boek *Elementaire meetkunde*, waar weer een andere geografie uit sprak: een landschap van gelijkbenige driehoeken, van achthoeken en cilinders, getallen die in het gelid stonden als soldaten, verzamelingen als wolken en parallellogrammen die iets van mysterieuze cellen weg hadden.

Bij het derde boek zette ze enorm grote ogen op. Dat was *Een korte geschiedenis der wereld* van H.G. Wells. Een boek dat bevolkt werd door primitieve volkeren en Egyptenaren, Romeinen, Maya's... beschavingen die grote rijken stichtten die weer uiteenvielen en plaatsmaakten voor andere.

De vierde titel was *Russische spraakkunst.* Ze begreep er geen woord van, maar ze raakte gefascineerd door de raadselachtige letters die gemaakt leken om prachtige verhalen te vertellen. Nu Duitsland ook met Rusland in oorlog was, waren de Russen haar vrienden. Dita had gehoord dat er veel Russische krijgsgevangenen in Auschwitz waren en dat de nazi's hen buitensporig wreed hadden behandeld. En dat klopte.

Er zat ook nog een zwaar beschadigde roman in het Frans bij, met vochtplekken en ontbrekende pagina's. Dita kende geen Frans, maar dacht dat ze wel een manier zou vinden om het geheim van het verhaal te ontrafelen. Verder een verhandeling met de titel *Inleiding tot de psychoanalyse* van een professor genaamd Freud. En nog een roman in het Russisch, zonder omslag. Het achtste boek ten slotte was een Tsjechische roman die in erbarmelijke staat verkeerde, een stapeltje papier dat door een paar overgebleven draadjes van de rug bij elkaar werd gehouden. Ze wilde het boek pakken, maar Fredy Hirsch was haar voor. Ze keek hem aan met een zojuist aangemeten blik van verontwaardigde bibliothecaresse. Ze wilde dat ze zo'n hoornen bril had zodat ze hem als een echte bibliothecaresse over de rand heen kon aankijken.

'Dit is helemaal kapot, daar hebben we niets meer aan.'

'Ik zal het wel repareren.'

'Bovendien... is het niet geschikt voor kinderen. En al helemaal niet voor meisjes.'

'Met alle respect, meneer Hirsch, ik ben veertien jaar. Denkt u nu echt dat ik, nu ik 's ochtends de lijkenkarren voorbij zie komen en elke dag tientallen mensen de gaskamers in zie gaan, nog van slag kan raken door wat er in een roman kan staan?'

Verbluft keek Hirsch haar aan. Hij legde uit dat het ging om *De lotgevallen van de brave soldaat Švejk*, dat was geschreven door een alcoholist en godslasteraar genaamd Jaroslav Hašek, die stuitende ideeën had over politiek en religie, en er een uiterst dubieuze moraal op na hield die zeker niet geschikt was voor kinderen van haar leeftijd. Maar Hirsch realiseerde zich dat hij bezig was zichzelf op een weinig overtuigende manier te bewijzen, en dat het meisje met de priemende groenblauwe ogen hem streng aankeek. Hirsch wreef over zijn kin alsof hij zijn stoppelbaard wilde wegvegen. Hij zuchtte diep. Hij streek zijn haren naar achteren en gaf ten slotte toe. Hij gaf haar ook dat van ellende aan elkaar hangende boek.

Dita bekeek de boeken niet zozeer, maar streelde ze vooral. Ze waren gerafeld, beduimeld, hadden roodachtige vochtkringen en sommige waren zelfs beschadigd, maar ze waren als een schat. Hun kwetsbaarheid maakte ze nog waardevoller. Ze besefte dat ze deze boeken moest koesteren als oude mensen die een ramp hebben overleefd, want ze waren van onschatbare waarde. Zonder boeken zou de wijsheid van eeuwen beschaving verloren kunnen gaan. De geografie, die ons heeft geleerd hoe de wereld eruitzag; de literatuur, die het leven van de lezer eindeloos verrijkt; de wetenschappelijke vooruitgang die door de wiskunde is geboekt; de geschiedenis, die ons eraan herinnert waar we vandaan komen en ons misschien kan helpen beslissen waar we heen moeten; de grammatica, waarmee je de communicatielijnen tussen mensen kunt trekken... Meer dan bibliothecaresse werd ze die dag boekenverzorgster.

3

Ze eet haar koolsoep heel langzaam omdat ze heeft gehoord dat het zo meer vult, maar hoe lang ze er ook over probeert te doen, ze is er snel doorheen en ze heeft nog steeds honger. Onder het eten praten de leraren met hun groepjes over het ongelukkige voorval met de warrige meneer Morgenstern.

'Het is zo'n vreemde man, de ene keer praat hij honderduit en andere keer zegt hij geen boe of bah.'

'Hij kan beter helemaal zijn mond houden. Hij praat alleen maar onzin. Hij is niet meer van deze tijd.'

'Het was pijnlijk om te zien hoe nederig hij het hoofd boog voor de Priester.'

'Hij is nou niet wat je noemt een verzetsheld.'

'Ik snap niet waarom Hirsch zo'n halvegare les laat geven.'

Dita hoort het van een afstandje aan en heeft medelijden met de oude man, die haar aan haar grootvader doet denken. Ze ziet hem in zijn eentje achter in de barak zijn soep eten, hij praat ook nog in zichzelf. Alsof hij in een of ander paleis met aristocraten aan tafel zit, brengt hij met een plechtig gebaar zijn lepel naar zijn mond en steekt daarbij zijn pink omhoog met een gratie die volkomen misplaatst is in die zwijnenstal.

Zoals gewoonlijk wordt de middag besteed aan sport- en spelactiviteiten voor de kinderen, maar zij kan niet wachten tot de schooldag voorbij is en ze na het avondappèl snel naar haar ouders kan gaan. De nieuwtjes gaan als een lopend vuurtje door het familiekamp en uiteindelijk zijn ze vaak helemaal verdraaid.

Zodra ze de kans krijgt haast ze zich naar haar moeder, die vast al over de inspectie van blok 31 gehoord heeft. Wie weet wat ze haar verteld hebben. Terwijl ze door de Lagerstrasse rent, loopt ze haar vriendin Margit tegen het lijf.

'Ditinka, ik heb gehoord dat jullie inspectie hebben gehad in barak 31!'

'Ja, die walgelijke Priester.'

'Waarom ben je toch altijd zo grof?' vraagt Marit, maar ze moet toch een beetje giechelen.

'Walgelijk is niet grof, het is de waarheid. Als je hem ziet voel je alleen maar... walging! Hoe kan iets wat waar is nou grof zijn?'

'Hebben ze iets gevonden? Is er iemand gearresteerd?'

'Helemaal niets, er is daar helemaal niets te vinden,' zegt ze met een knipoog. 'Mengele was er ook.'

'Dokter Mengele? Mijn god! Dan hebben jullie wel geluk gehad. Er worden vreselijke dingen over hem gezegd. Hij is gek. Om te kijken of hij mensen met blauwe ogen kan krijgen, heeft hij bij 36 kinderen blauwe inkt in de ogen gespoten. Het is toch verschrikkelijk, Ditinka. Sommige kinderen zijn doodgegaan omdat ze ontstekingen kregen en andere zijn blind geworden.'

De meisjes zwijgen. Margit is haar beste vriendin en weet van haar werk in de clandestiene bibliotheek, maar Dita heeft haar gevraagd het niet aan haar moeder te vertellen. Die zou zeker proberen haar ervan af te brengen, ze zou zeggen dat het te riskant was, misschien zou ze in huilen uitbarsten en dreigen alles aan haar vader te vertellen. Ze is niet echt gelovig, maar ze zou tot God gaan bidden of zo. Nee, ze kan het beter voor zichzelf houden. En ze moet niets zeggen, vooral niet tegen haar vader, die is toch al zo neerslachtig. Om van onderwerp te veranderen vertelt ze Margit lachend over het voorval met meester Morgenstern.

'Wat een toestand was dat! Je had het gezicht van de Priester moeten zien toen alles uit Morgensterns zakken viel toen hij bukte.'

'O, ik weet al wie je bedoelt, die oude man met dat gestreepte pak die altijd zijn hoofd buigt als hij een vrouw tegenkomt... En er zijn veel vrouwen hier, dus hij lijkt wel zo'n jaknikker! Ik denk dat die man een beetje raar is.'

'Ja, wie is dat niet hier?'

Wanneer ze bij de barak aankomt, zitten haar ouders tegen de zijmuur uit te rusten. Het is koud, maar binnen is het stampvol. Dita ziet dat ze moe zijn, vooral haar vader.

Ze maken lange dagen. Ze worden voor zonsopgang gewekt, dan moeten ze buiten een ellenlang appèl doorstaan en vervolgens de hele dag werken. Dita's vader maakt draagbanden voor geweren, daarom heeft hij vaak zwarte handen en blaren op zijn vingers van de giftige harsen en de lijm. Haar moeder is in een werkplaats ingedeeld waar ze petten maken, dat is lichter werk. Ze krijgen slecht te eten, maar werken in elk geval binnen en kunnen zitten. Er zijn mensen die het slechter hebben getroffen en bijvoorbeeld karren met lijken naar het crematorium brengen, latrines schoonmaken, greppels uitbaggeren of de hele dag met zwaar materiaal lopen te sjouwen.

Haar vader knipoogt naar haar en haar moeder staat meteen op wanneer ze haar ziet.

'Alles goed met je, Edita?'

'Jaha.'

'Echt?'

'Ja natuurlijk! Dat zie je toch wel?'

Op dat moment komt meneer Tomashek langs.

'Hans! Liesl! Hoe is het met jullie? Ik zie dat jullie dochter nog steeds de mooiste glimlach van heel Europa heeft.'

Dita bloost en zegt dat ze een eindje om gaat met Margit, en de twee meisjes laten de volwassenen alleen.

'Wat is meneer Tomashek toch een aardige man!'

'Ken jij hem ook, Margit?'

'Ja, hij komt vaak bij mijn ouders langs. De meeste mensen hier zijn erg op zichzelf, maar meneer Tomashek bekommert zich tenminste om de anderen. Hij vraagt hoe het met ze gaat, hij is echt geïnteresseerd.'

'En hij kan luisteren...'

'Het is een goed mens.'

'Gelukkig zijn er nog mensen in deze hel die niet helemaal verrot zijn.'

Margit zwijgt. Hoewel ze twee jaar ouder is dan Dita voelt ze zich ongemakkelijk bij de directe manier waarop Dita de dingen zegt, ook al weet ze dat ze gelijk heeft. De mensen in het bed naast je stelen je lepel, je kleren of wat dan ook. Zodra de moeders even niet opletten, pakken ze het brood van de kinderen af en ze verklikken elke kleinigheid bij de kapo's om nog een extra lepel soep te krijgen. Auschwitz is niet alleen dodelijk voor onschuldige mensen, maar ook voor de onschuld zelf.

'Het is hartstikke koud en je ouders zitten daar buiten, Dita. Straks krijgen ze nog een longontsteking.'

'Mijn moeder heeft geen zin in haar bedgenote. Dat is zo'n irritant mens... maar die van mij is zo mogelijk nog erger!'

'Maar jullie hebben nog geluk, jullie slapen in een bovenbed. Wij liggen verspreid in benedenbedden.'

'Dan heb je zeker veel last van optrekkend vocht, zo dicht bij de grond.'

'O Ditinka, Ditinka. Wat er van de grond opstijgt is niet het ergste, maar wat er soms van boven komt. Je bovenburen kunnen misselijk worden en als ze moeten braken hebben ze geen tijd om te kijken waar ze dat doen. Of ze hebben dysenterie en laten alles lopen. Het loopt dan in stralen naar beneden, Dita, ik heb het echt zien gebeuren.'

Dita staat even stil en wendt zich met een ernstig gezicht tot haar vriendin.

'Margit...'

'Ja?'

'Misschien kun je voor je verjaardag een paraplu vragen.'

Haar vriendin, die een stuk groter is maar wel een kindergezichtje heeft, schudt haar hoofd. Haar moeder heeft gelijk als ze zegt dat Dita ontzettend grappig is. Ze kan overal grappen over maken!

De meisjes zwijgen. De veteranen van september waren niet

alleen Tsjechen maar ook bekenden, vrienden en zelfs vrienden van degenen die net als zij gedeporteerd waren uit Theresienstadt. Maar niemand was blij de nieuwkomers te zien. De komst van nog eens vijfduizend nieuwe gevangenen in het kamp betekende dat ze het dunne straaltje water uit de kraan moesten delen, dat de appèls buiten in de kou eindeloos lang gingen duren en de barakken overvol raakten.

'Toen mijn moeder en ik in de barak kwamen die ons was toegewezen en wilden kijken of we een bed konden delen met een oudgediende, was het daar een vreselijke toestand.'

Margit knikt. Zij herinnert zich ook de ruzies in haar barak, het geschreeuw en de vechtpartijen om een vieze deken of een groezelig kussen.

'In mijn barak,' vertelt Margit, 'was een doodzieke vrouw die alsmaar hoestte, en als ze probeerde op een stromatras te gaan zitten duwde haar bedgenote haar op de grond. Toen begon de vrouw nog harder te hoesten en terwijl ze jammerend probeerde op te staan, begon de kapo te schelden. "Stelletje nietsnutten!" schreeuwde ze. "Denken jullie dat je gezond bent? Denken jullie dat het uitmaakt of je een zieke in je eigen bed of in dat ernaast hebt?"'

'Dat was best een redelijke kapo dan.'

'Welnee! Na die uitbrander haalde ze meteen een stok tevoorschijn en begon in het wilde weg om zich heen te slaan. Ze sloeg zelfs de vrouw die op de grond was geduwd, voor wie ze zogenaamd opkwam.'

Dita denkt terug aan het geschreeuw, geren en gejammer en vervolgt: 'Mijn moeder wilde meteen weer weg uit die barak tot het weer rustig zou worden. Het was koud buiten. Een vrouw zei dat er niet genoeg stromatrassen waren, zelfs niet als we ze allemaal zouden delen, dat sommigen op de grond moesten slapen.'

'En wat deden jullie toen?'

'Buiten kou lijden.' Je kent mijn moeder, ze staat niet graag in het middelpunt van de belangstelling. Als ze door een tram zou worden overreden, zou ze niet gillen om maar geen aandacht te trekken. Maar ik was op van de zenuwen. Dus ik vroeg niet of het mocht, want dan zou ze me tegenhouden. Voordat ze ook maar iets kon zeggen ging ik ervandoor en rende naar binnen. En toen bedacht ik ineens iets...'

'Wat dan?'

'Dat de bovenbedden allemaal bezet waren, dus dat moesten wel de beste zijn. Ik wist niet precies waarom, maar je moet hier goed letten op wat de oudgedienden doen.'

'Ik heb een keer een oudgediende gezien die anderen tegen betaling in haar bed liet slapen. Een vrouw kreeg het voor elkaar om voor een appel een plek te bemachtigen.'

'Een appel is een godsvermogen,' antwoordt Dita. 'Ze kende er vast de waarde niet van. Met een halve appel kun je ongelooflijk veel voor elkaar krijgen.'

'Had jij iets te bieden?'

'Helemaal niets. Ik keek welke oudgedienden geen bedgenote hadden. In de bedden waar er al twee sliepen zaten de vrouwen met hun benen over de rand om hun territorium af te bakenen. Sommige vrouwen van ons transport liepen een plek te zoeken, of het nu onder of boven of waar dan ook was, en vroegen of ze alsjeblieft ergens bij mochten. Ze zochten de minst gefrustreerde gevangenen in de hoop dat die hen op hun stromatras lieten slapen. Maar de aardige oudgedienden hadden al iemand in hun bed.'

'Bij ons ging het net zo,' zegt Margit. 'Gelukkig vonden we ten slotte een buurvrouw uit Theresienstadt die mijn moeder, mijn zus en mij heeft geholpen.'

'Ik kende hier niemand. En ik had niet één plaats nodig, maar twee.

'Heb je uiteindelijk een aardige oudgediende gevonden?'

'Het was al laat. Er waren alleen nog egoïstische en gemene vrouwen. En weet je wat ik toen deed?'

'Nee.'

'Ik zocht de ergste van allemaal uit.'

'Waarom?'

'Omdat ik wanhopig was. Ik zag een oudgediende van een jaar of vijftig met kort haar met allemaal happen eruit, die op haar stromatras op het bovenbed zat. Ze keek heel grimmig. Er liep een donker litteken dwars over haar gezicht en aan een blauwe tatoeage op de rug van haar hand zag je dat ze in de gevangenis had gezeten. Een vrouw liep naar haar toe en begon te smeken, en zij snauwde haar af en stuurde haar weg. Ze probeerde haar zelfs nog een trap na te geven met die smerige voeten van haar. Wat een grote, lelijke voeten had die vrouw!'

'En wat deed jij toen?'

Ik ging heel stoer voor haar staan en zei: "Hé jij daar!"'

'Dat zal wel! Ik geloof er niets van! Je zit gewoon op te scheppen! Er is daar een oudgediende die eruitziet als een misdadigster en dan ga je zomaar op haar af en zeg je zonder blikken of blozen "Hé jij daar"?'

'Wie zegt dat ik dat zonder blikken of blozen deed? Ik was doodsbang! Maar tegen zo'n vrouw kun je niet zeggen: "Goedenavond beste mevrouw, denkt u dat de abrikozen dit jaar op tijd rijp zijn?" Ze zou je er meteen van langs geven. Om tot haar door te dringen moest ik haar in haar eigen taal aanspreken.'

'En drong je inderdaad tot haar door?'

'Eerst keek ze me vernietigend aan. Waarschijnlijk zag ik lijkbleek, maar ik probeerde mijn angst te verbergen. Ik zei dat de kapo de vrouwen die nog geen slaapplek hadden over de bedden zou verdelen: "Buiten staan er nog twintig of dertig, en je weet nooit wie jij krijgt. Er zit een hele dikke bij, die zou je helemaal platdrukken. En er is er nog een waarvan ik niet weet wat harder stinkt, haar slechte adem of haar zweetvoeten. Dan zijn er nog van die oudjes die last hebben van hun darmen en smerige winden laten," zei ik ook nog.'

'Jij bent me er een, Dita! En wat zei ze?'

'Ze keek me woedend aan. Maar die vrouw kan gewoon niet vrolijk kijken, al zou ze dat willen. Enfin, ze liet me uitpraten. Dus toen zei ik: "Ik weeg nog geen 45 kilo. Van het hele transport is er niemand die zo dun is als ik. Ik snurk niet, ik was me elke dag en ik weet wanneer ik mijn mond moet houden. Zo'n makkelijke bedgenote vind je in heel Birkenau niet, ook al ga je met een vergrootglas op zoek."'

‘En hoe reageerde ze?’

‘Ze strekte haar nek uit en bekeek me alsof ik een vlieg was en zij niet wist of ze hem moest doodslaan of niet. Als ik niet zo stond te trillen was ik hard weggerend.’

‘Ja, oké, maar wat zei ze nou?’

‘Ze zei: “Goed, je mag bij mij slapen.”’

‘Dus je plannetje was gelukt!’

‘Nee, nog niet helemaal. Toen zei ik: “Zoals je ziet ben ik een prima bedgenoot, maar ik kom alleen bij jou als je me helpt om voor mijn moeder een plek in een bovenbed te krijgen.” Nou, toen werd ze me toch woest! Ze vond het natuurlijk maar niks dat zo’n brutale snotmeid haar vertelde wat ze moest doen. Maar ik had wel gezien hoe minachtend ze naar de vrouwen keek die in de barak op zoek waren naar een slaapplaats. Weet je wat ze me toen doodleuk vroeg?’

‘Wat dan?’

‘“Plas je in bed?” “Nee mevrouw, nooit,” antwoordde ik. “Des te beter,” zei ze toen met haar zware drankstem. Daarna draaide ze zich om naar de vrouw die alleen in het bed naast haar lag.

“Hé, Boskovic,” zei ze, “heb je niet gehoord dat we orders hebben gekregen om ons bed te delen?” Die andere vrouw aarzelde. “Dat zullen we nog wel eens zien. Erg overtuigend klink je niet.”’

‘En wat deed jouw oudgediende toen?’

‘Die wist haar uiteindelijk wel te overtuigen. Ze rommelde wat tussen het stro van de matras en haalde er een krom stuk ijzerdraad uit van een centimeter of twintig met een vlijmscherpe punt eraan. Met de ene hand leunde ze op het bed van haar buurvrouw en met de andere hand zette ze haar het stuk ijzerdraad op de keel. Reken maar dat ze toen overstag ging. Ze bond meteen in en knikte geschrokken. Van paniek had ze zulke grote ogen opgezet dat het leek of ze ieder moment uit hun kassen konden vallen!’ Dita begon te lachen.

‘Ik vind het helemaal niet grappig. Wat een vreselijke vrouw! Moge God haar straffen.’

‘Nou, ik heb de christelijke tapijthandelaar die zijn winkel onder ons huis had eens horen zeggen dat God recht schrijft met kromme lijnen. Misschien zijn kromme stukken ijzerdraad ook wel goed. Ik bedankte haar en zei: "Ik heet Edita Adlerova. Wie weet worden we nog echte vriendinnen."'

'En wat zei ze toen?'

'Niks. Ze vond waarschijnlijk dat ze al te veel tijd aan mij had besteed. Ze draaide zich naar de muur en liet nauwelijks ruimte voor mij over, zodat ik met mijn hoofd bij haar voeten moest liggen.'

'En verder zei ze niks?'

'Ze heeft nooit meer een woord tegen me gezegd, Margit. Kun je het je voorstellen?'

'O Ditinka, ik geloof alles wat je zegt. Moge God ons behoeden.'

Het is tijd voor het avondeten. De meisjes nemen afscheid en gaan ieder naar hun eigen barak. Het is al donker en het kamp wordt slechts verlicht door het oranje schijnsel van de lantaarns. Ze ziet twee kapo's praten in de deuropening van een van de barakken. Je kunt zien dat het kapo's zijn omdat ze betere kleren dragen en een bruine mouwband om hebben – voor speciale gevangenen – en de driehoek voor niet-Joden. De rode driehoek is voor politieke gevangenen, meestal communisten of sociaaldemocraten. De bruine driehoek is voor zigeuners, de groene voor misdadigers en wetsovertreders. Zwart is de kleur van de asociale elementen, de gehandicapten en de lesbiennes. Homoseksuelen dragen een roze driehoek. Je ziet bijna nooit kapo's met een zwarte of roze driehoek in Auschwitz, dat zijn gevangenen van de laagste categorie, bijna als Joden. Maar in sector BIIb zijn uitzonderingen haast regel. De twee kapo's die daar staan te praten, een man en een vrouw, dragen een zwarte en een roze driehoek. Waarschijnlijk wil verder niemand iets met hen te maken hebben.

Ze strijkt met haar vingers over haar gele ster, loopt naar haar barak en denkt aan het stuk brood dat ze straks krijgt. Voor haar is het een delicatesse, het enige vaste voedsel van de dag, want de soep is een waterig goedje waarmee je slechts voor even je dorst kunt lessen.

Een schim die donkerder is dan alle andere komt haar in de Lagerstrasse tegemoet. De mensen gaan voor hem opzij, ze geven hem alle ruimte om door te lopen. Je zou haast zeggen dat het de dood is, en dat is het ook. Tergend langzaam banen flarden van Wagners 'Walkurenrit' zich een weg door de duisternis.

Dokter Mengele.

Zodra hij in haar buurt komt wil Dita zoals iedereen haar hoofd buigen en opzijgaan. Maar de kamparts stopt en kijkt haar doordringend aan.

'Jou zocht ik.'

'Mij?'

Mengele kijkt haar vorsend aan.

'Gezichten vergeet ik nooit.'

Hij spreekt met een akelige grafstem. Als de dood kon praten, zou hij dat in precies datzelfde ijzige ritme doen. Dita denkt aan wat er die middag in blok 31 is gebeurd. Omdat de Priester door die toestand met de malle leraar uiteindelijk geen aandacht aan haar had besteed, dacht ze dat ze de dans was ontsprongen. Maar ze heeft niet op dokter Mengele gerekend. Die heeft er een eindje vandaan gestaan, maar heeft haar zeker gezien. Hij moet wel hebben gezien dat ze niet op de juiste plek stond, een arm over haar borst had gekruist, dat ze iets verborgen hield. Ze kan het zien aan zijn kille ogen, die ongewoon flets zijn voor een nazi.

'Nummer?'

'67894.'

'Ik hou je in de gaten. Ook als je me niet ziet, heb ik je in het vizier. Als je denkt dat ik je niet hoor, luister ik naar je. Ik weet alles. Als je ook maar een beetje afwijkt van de kampregels, kom ik erachter en eindig je op de autopsietafel. Autopsie op een levend mens is heel interessant.'

Als hij is uitgesproken knikt hij, alsof hij alleen maar tegen zichzelf praat.

'Je ziet het laatste bloed dat het hart rondpompt in de maag lopen. Dat is een bijzonder fraai gezicht.'

Mengele mijmert nog wat en denkt aan het schitterende forensisch laboratorium dat hij in crematorium 2 heeft ingericht en waar hij over het modernste gereedschap beschikt dat er bestaat. Hij is opgetogen over de roodcementen vloer, de snijtafel van gepolijst marmer en de gootstenen met nikkelen kranen. Dat is zijn wetenschappelijke altaar. Hij is trots. Ineens bedenkt hij dat hij daar nog een paar zigeunerkinderen heeft waarmee hij een hersenexperiment wil uitvoeren. Hij beent weg want hij mag hen natuurlijk niet laten wachten.

Dita blijft verbouwereerd staan. Haar spillebenen beven als rietjes. Daarnet liepen er nog massa's mensen door de Lagerstrasse, maar nu staat ze daar helemaal alleen. Ineens lijkt iedereen verdwenen. Niemand komt haar vragen of ze iets nodig heeft, of alles goed is. Dokter Mengele heeft haar besmet. Een paar gevangenen die op veilige afstand toekeken, vinden het naar haar zo geschrokken en in de war te zien. Een vrouw kent haar zelfs nog uit Theresienstadt. Maar ze besluiten door te lopen. Overleven is het belangrijkst. Dat is een bevel van God.

Ze komt weer enigszins tot rust en vervolgt haar weg naar de barak. Ze vraagt zich af of hij haar nu echt gaat bespioneren. Ze hoeft alleen maar aan die ijskoude blik te denken om het antwoord te weten. Er komen talloze vragen in haar op. Wat moet ze nu doen? Ze kan haar functie van bibliothecaresse maar beter neerleggen. Hoe moet ze de boeken beheren met de Engel des Doods op de hielen? Er is iets aan hem wat haar de stuipen op het lijf jaagt, iets wat niet helemaal normaal is. Ze heeft de laatste jaren veel nazi's gezien, maar deze is anders. Ze vermoedt dat hij een wel heel bijzondere voorliefde voor het kwaad heeft.

Ze wenst haar moeder gehaast goedenacht zodat die haar zenuwen niet opmerkt en gaat voorzichtig naast de stinkvoeten van de oudgediende liggen. Haar zachte 'welterusten' glipt weg door de kieren van het dak.

Ze kan niet slapen, en bewegen kan ze zich ook niet. Ze moet haar lichaam stilhouden, maar haar hoofd loopt om. Mengele heeft haar gewaarschuwd. En misschien heeft ze nog geluk gehad, want er zullen vast niet meer waarschuwingen komen. De volgende keer zal hij een injectienaald in haar hart steken. Ze kan niet langer voor de boeken van blok 31 blijven zorgen. Maar ze kan de bibliotheek toch ook niet in de steek laten?

Als ze dat doet, zullen ze denken dat ze bang is. Ze zal het allemaal uitleggen met overtuigende en redelijke argumenten. Iedereen die ook maar een beetje verstand heeft zou hetzelfde doen. Maar ze weet ook dat nieuwtjes in Auschwitz sneller van bed tot bed gaan dan luizen. Als in het eerste bed wordt verteld dat iemand een glas wijn heeft gedronken, heeft hij tegen de tijd dat het nieuws het laatste bed heeft bereikt een heel vat achterovergeslagen. Het is niet kwaad bedoeld. Het zijn allemaal fatsoenlijke vrouwen. Mevrouw Turnovská, een keurige vrouw die heel goed voor haar moeder zorgt, heeft daar ook een handje van met haar scherpe tong.

Dita hoort het al rondgaan: 'Ach ja, dat meisje werd natuurlijk bang...' En ze zeggen het vast op zo'n minzaam, zogenaamd begrijpend toontje, onuitstaanbaar vindt ze dat. Het ergste is nog dat er ongetwijfeld iemand zal zeggen: 'Arme meid, het is ook wel begrijpelijk. Ze is natuurlijk geschrokken. Het is ook nog maar een kind.'

Een kind? Dat zeker niet! Om kind te kunnen zijn moet je een jeugd hebben.

4

Een jeugd...

Tijdens een van die slapeloze nachten in het kamp is ze op het idee gekomen om van haar herinneringen foto's te maken en van haar hoofd een album dat niemand haar kan afpakken. Nadat de nazi's Praag waren binnengevallen, hadden ze hun etage in het 'elektrische huis' moeten verlaten. Ze hield van dat huis omdat het de modernste woning van de hele stad was, met een wasmachine in het souterrain en een intercom waar al haar schoolvriendinnen jaloers op waren. Ze ziet nog voor zich hoe haar vader in de woonkamer stond toen ze die dag uit school kwam; in zijn grijze colbert met dubbele rij knopen zag hij er even stijlvol uit als altijd, maar deze keer was hij ongewoon ernstig. Hij vertelde haar dat ze hun droomhuis gingen verruilen voor een etage vlak bij het kasteel van Hradčany.

Het is daar veel lichter, had hij gezegd zonder haar aan te kijken. Hij maakte niet eens grapjes, wat hij meestal deed als hij ergens luchtig over wilde doen. Haar moeder bladerde zwijgend in een tijdschrift.

'Ik wil hier helemaal niet weg!' schreeuwde Dita.

Haar vader boog verslagen zijn hoofd, en haar moeder stond op, liep naar haar toe en gaf haar zo'n harde klap dat de afdruk van haar vingers zichtbaar bleef op haar wang.

'Mama!' riep Dita, die niet zozeer gekwetst was maar eerder verbaasd omdat ze haar moeder kende als iemand die gewoonlijk niet eens haar stem verhief. 'Jij had toch gezegd dat dit appartement in het elektrische huis je grote droom was...'

Liesl omhelsde haar.

'Het is oorlog, Edita, het is oorlog.'

Een jaar later stond haar vader in die andere woonkamer, in hetzelfde colbert met de dubbele rij knopen. Toen kreeg hij al minder werk van de nationale verzekeringsbank, waar hij advocaat was, en zat hij hele middagen thuis geconcentreerd landkaarten te bestuderen en aan zijn globe te draaien. Hij vertelde haar dat ze naar de wijk Josefov gingen verhuizen. Alle Joden moesten daarheen op bevel van de *Reichsprotektor*, die in het hele land de macht had. Ze kregen met haar grootouders een piepklein, uitgewoond appartement in de Elisky Krásnohorské-straat toegewezen. Het lag vlak bij die bizarre synagoge die ze goed kende doordat haar vader als ze erlangs kwamen altijd vertelde dat hij in Spaanse stijl was gebouwd. Ze stelde geen vragen meer en liet haar gesputter ook achterwege.

Het is oorlog, Edita, het is oorlog.

En in die onontkoombare maalstroom waarin het gewone leven terecht was gekomen, kregen ze op een middag een dagvaarding van de Joodse Raad van Praag waarin ze werden gesommeerd opnieuw te verhuizen, naar een onderkomen buiten Praag. Ze moesten naar Theresienstadt, een dorpje dat vroeger een militair fort was geweest en dat nu als Joods getto was ingericht. In het begin vond ze het er vreselijk, maar nu verlangt ze er haast naar terug; het kon nog ellendiger, zoals bleek toen ze kennismaakten met de drassige kleigrond en de as van Auschwitz. Erger kon het niet worden.

Of misschien toch wel...

Na die winter van 1939 waarin het allemaal begon, het jaar waarin de nazi's als een griepvirus sluipenderwijs haar leven binnendrongen, begon alles langzaam maar zeker bergafwaarts te gaan. De rantsoenbonnen, al die beperkingen, zoals het verbod om in cafés te komen, om tegelijk met de 'anderen' in de winkel te zijn, om een radio te hebben, naar theater en bioscoop te gaan, appels te kopen... Later mochten Joodse kinderen niet meer naar niet-Joodse scholen. Zelfs parken werden verboden terrein. Het was alsof ze de kinderen wilden verbieden kind te zijn.

Dita glimlacht... Dat is dus niet gelukt.

Er verschijnt een foto in haar denkbeeldige album. Twee kinderen wandelen hand in hand over de oude Joodse begraafplaats van Praag, ze lopen langs graven waarop kiezelstenen liggen die moeten voorkomen dat de wensbriefjes wegwaaien. Het was niet verboden de begraafplaats te bezoeken die al sinds de vijftiende eeuw bestond. Een van de plannen die aan Hitlers ordelijke, krankzinnige geest waren ontsproten was het idee om van de synagoge en de begraafplaats een museum te maken; het Joodse ras zou dan uitgeroeid zijn. Een antropologisch museum waar de Joden als een soort dinosauriërs tentoongesteld zouden worden en door – natuurlijk Arische – schoolkinderen met een mengeling van nieuwsgierigheid en afgrijzen zouden worden bekeken.

De Joodse kinderen, die niet naar school of het park mochten, hadden zich de oude begraafplaats als speelterrein toegeëigend. Ze renden heen en weer tussen de eeuwenoude grafstenen met hun baarden van onkruid die door de stilte van het verleden werden omgeven.

Onder de kastanjeboom die achter twee flinke, sterk hellende grafstenen stond, wees Dita haar klasgenoot Erik op een nog grotere zerk waarop de naam JEHOEDA LÖW BEN BECADEL te lezen was. De jongen wist niet wie dat was en zij vertelde hem het verhaal. Ze kende het omdat haar vader het haar vaak had verteld wanneer ze naar de begraafplaats gingen.

Jehoeda Löw Ben Becadel was een rabbijn uit het getto van Josefov, waar ook vroeger alle Joden moesten wonen. Daar bestudeerde hij de kabbala en ontdekte hoe je een lemen beeld tot leven kon wekken.

'Dat kan niet!' onderbrak Erik haar lachend.

Toen – ze moet er nog om lachen – gebruikte ze de truc van haar vader: ze ging zachter praten, bracht haar hoofd dicht bij het zijne en fluisterde met een griezelstem: 'De Golem.'

Erik trok wit weg. Iedereen in Praag had gehoord van de reusachtige Golem, het stenen monster.

Dita vertelde dat de rabbijn het heilige woord wist te ontcijferen dat Jahweh gebruikte om het beeld tot leven te wekken. Hij maakte een kleine figuur van klei en deed een papiertje met het heilige woord erop geschreven in zijn mond. Het figuurtje groeide en groeide tot hij een reus werd en tot leven kwam. Rabbijn Löw had hem toen niet meer in de hand en de hele wijk raakte in de ban van die angstaanjagende lemen man zonder hersens. Het was een woeste reus en hij leek onverslaanbaar. Er was maar één manier: wachten tot hij sliep en dan alle moed bij elkaar rapen en als hij snurkte je hand in zijn open mond steken en het papiertje eruit halen zodat hij weer een zielloos wezen werd. Zo gezegd, zo gedaan, de rabbijn scheurde het papier met het magische woord erop in duizend stukjes en begroef de Golem.

'Waar?' vroeg Erik in spanning.

'Dat weet niemand, ergens op een geheime plek. En hij zei dat als het Joodse volk in moeilijkheden zou zijn, er een door God verlichte rabbijn verschijnt die het magische woord weer ontcijfert en dat de Golem dan terugkomt om ons te redden.'

Vol bewondering keek Erik naar Dita omdat ze van die mysterieuze verhalen kende. Hij aaide zachtjes over haar wang, en in de geborgenheid van de eeuwenoude muren van de begraafplaats en hun onderling vertrouwen drukte hij onbevangen zijn lippen op haar wang.

Ze glimlacht bij de herinnering.

Je eerste kus, hoe onbeduidend ook, vergeet je nooit, misschien omdat je daarmee de eerste liefdeslijn tekent op een onbeschreven blad. Ze denkt met plezier aan die middag terug en verbaast zich erover dat geluk zelfs te midden van de dorheid van een oorlog kan bestaan. Volwassenen kunnen hun hele leven krampachtig op zoek zijn naar een soort geluk dat ze nooit zullen vinden, maar bij kinderen welt het gewoon op uit hun hart.

Dita voelt zich echter geen kind, maar vrouw. Ze is niet van plan zich als een meisje te laten behandelen. Ze zal niet opgeven. Ze gaat door, want dat moet nu eenmaal. Dat is wat Hirsch zei: je proeft je angst, kauwt erop en slikt hem in. En je gaat door. Voor moedige mensen werkt angst als brandstof. Nee, ze zal de bibliotheek niet in de steek laten.

Ze zal niet wijken...

Dat plezier gunt ze die valse oude roddeltantes niet, en ook die duivelse dokter Mengele niet. Als hij haar in de lengte wil opensnijden, moet hij dat vooral doen.

Na dat moment van trots doet ze haar ogen weer open en bij de confrontatie met de sombere barak zwakt het vuur van haar bezieling af tot een waakvlammetje. Gehoest, gesnurk, gekreun van een vrouw die wellicht stervende is. Misschien wil ze tegenover zichzelf niet toegeven dat het haar niet zoveel uitmaakt wat haar medegevangenen zullen zeggen, of dat nu mevrouw Turnovská is of wie dan ook. Waar ze zich echt zorgen over maakt is wat Fredy Hirsch ervan zal denken.

Een paar dagen geleden heeft ze hem een aantal volwassenen van zijn atletiekteam horen toespreken. Hij laat hen elke middag rondjes om de barak rennen, of het nu sneeuwt, regent, koud is of vriest. Hirsch rent met hen mee en gaat steevast op kop.

'De sterkste atleet is niet degene die het eerst bij de finish is. Dat is de snelste. De sterkste is degene die altijd opstaat als hij valt. Degene die niet stopt als hij steken in zijn zij krijgt. Degene die niet opgeeft ook al is de finish nog ver. Wanneer die renner over de eindstreep komt is hij een winnaar, ook al eindigt hij als laatste. Soms heb je het niet in de hand en ben je niet de snelste omdat je benen niet zo lang zijn of je kleinere longen hebt. Maar je kunt er altijd voor kiezen de sterkste te zijn. Dat hangt alleen van jezelf af, van je wilskracht, je inzet. Ik vraag jullie niet de snelste maar de sterkste te zijn.'

Ze weet zeker dat hij heel beleefd zal reageren, haar zelfs zal troosten als ze hem vertelt dat ze ophoudt met de bibliotheek... maar ze weet niet zo zeker of ze zijn teleurgestelde blik zal kunnen verdragen. In Dita's ogen is hij onoverwinnelijk, net als die Golem die hen allen ooit zal redden.

Fredy Hirsch…

Ze roept hem aan om zichzelf moed in te spreken in deze inktzwarte nacht.

Tussen de beelden die ze in haar hoofd bewaart is er een van een paar jaar geleden, van het zachte grasland van Strašnice, net buiten Praag. Daar konden Joodse jongeren een beetje op adem komen, weg van de stad met zijn strenge regels. Daar lagen de sportvelden van Hagibor.

Op die foto is het een warme zomerdag; de meeste jongens hebben geen shirt aan. Midden in een kring kinderen en jongeren staan drie mannen naast elkaar. Links een mollige jongen van een jaar of dertien met een bril en een witte korte broek. In het midden een goochelaar die zich heel theatraal voorstelt als Borghini en een buiging maakt. Hij ziet er mooi uit met zijn overhemd, colbert en gestreepte das. Daarnaast staat een jongeman op sandalen met alleen een korte broek aan. Zijn magere atletische lichaam mag gezien worden. Die dag hoorde ze dat hij Fredy Hirsch heette en jeugdleider was in Strašnice. De jongen met de bril houdt het ene uiteinde van een veter vast, de goochelaar het midden en Hirsch het andere uiteinde. Dita kan zich nog levendig herinneren hoe de jeugdleider erbij stond: met een hand zelfbewust in zijn zij terwijl hij met zijn andere hand de veter vasthield. Hirsch kijkt de goochelaar met een licht sarcastische glimlach aan.

Ze vond Hirsch erg knap, maar dat was niet de reden waarom ze haar ogen niet van hem kon afhouden. Het waren niet alleen zijn regelmatige gelaatstrekken of zijn atletische bouw, maar vooral ook de sierlijke bewegingen van zijn handen, de trefzekerheid van elk woord dat hij uitsprak, de doordringende blik waarmee hij je aankeek, waarmee hij iedereen apart aankeek. Er zat een zekere strijdlust in zijn krachtige gebaren, maar ook beheersing zoals bij een balletdanser. Hij sprak zo gedecideerd, vertelde met zo'n aanstekelijk enthousiasme over de wandelingen die ze naar de Golanhoogten zouden maken en dat ze trots mochten zijn dat ze Joods waren, dat je koste wat kost bij zijn team wilde horen. Hij sprak niet als een rabbijn, hij was veel bevlogener en veel minder orthodox. Misschien was het vanwege zijn lichaamsbouw dat hij eerder een kolonel leek die zijn jeugdtroepen toespreekt, een idealistisch leger dat zich laat meevoeren door zijn verhalen.

Toen begon de voorstelling. De dappere Borghini probeerde zijn toverkunsten tegen de verwoestende oorlog in te zetten: kleurige sjaals die uit zijn mouw tevoorschijn kwamen tegen kanonnen; klaverazen tegen jachtbommenwerpers. Het bijzondere was dat op die vrolijke, verrassende momenten de magie zegevierde.

Een meisje met een stapel papier in haar hand kwam kordaat op Dita af en reikte haar een blaadje aan.

'Als je wilt, kun je ook lid worden. We organiseren zomerkampen in Bezpraví, aan de oever van de Orlice. We doen aan sport en versterken de Joodse geest. Hier kun je alles lezen over de activiteiten.'

Haar vader hield niet van dat soort dingen. Ze had gehoord hoe hij tegen haar oom zei dat je politiek en sport gescheiden moest houden. Er werd gezegd dat ene Hirsch oorlogsspelletjes organiseerde voor kinderen, dat ze loopgraven maakten van waaruit ze zogenaamd schoten en dat hij hun gevechtstechnieken leerde alsof hij leiding gaf aan een legereenheid.

Met Hirsch als commandant is zij bereid in alle mogelijke loopgraven te vechten. Ze zit er toch al tot over haar oren in. Ze zijn Joden, die zijn niet makkelijk op andere gedachten te brengen. Haar krijgen ze niet klein, Hirsch krijgen ze niet klein. Ze geeft de bibliotheek niet op... maar ze moet wel voorzichtig zijn, goed om zich heen kijken, alert zijn op de schimmige figuren die overal rondlopen, want een van hen kan Mengele zijn en ze wil niet gesnapt worden. Als meisje van veertien staat ze tegenover de machtigste militaire vernietigingsmachine die ooit heeft bestaan, maar ze laat zich niet intimideren. Niet meer. Ze gaat door.

Koste wat kost.

Dita is niet de enige in het kamp wier gedachten over elkaar heen tuimelen en haar uit haar slaap houden.

Als hoofd van blok 31 heeft Fredy Hirsch het voorrecht om in een aparte kamer te slapen, hij heeft zelfs een hele barak voor zichzelf. Nadat hij een tijdje aan zijn verslagen heeft gewerkt, loopt hij zijn kamer uit en wordt hij geconfronteerd met een stilte waarin de stemmen en de drukte van de dag nog nagalmen. Het geroezemoes is verstomd, de boeken zijn gesloten, de liedjes zijn gezongen... Zodra de kinderen naar buiten rennen wordt de barak weer een akelige houten keet.

'Zij zijn het dierbaarste wat we hebben,' zegt hij bij zichzelf.

Het is een dag en een inspectie later. Elke dag die voorbijgaat is als een gewonnen veldslag. Hij zakt ineen. Zijn atletische borst loopt leeg als een ballon en zijn sleutelbeenderen verzinken in zijn schouders. Hij ploft apathisch op een kruk neer en sluit zijn ogen. Ineens beseft hij hoe moe hij is. Hij is uitgeput, maar dat mag niemand weten. Hij is de leider. Hij mag niet verslappen. Ze vertrouwen op hem, hij mag hen niet teleurstellen.

Ze moesten eens weten...

Hij leidt iedereen om de tuin. Als ze wisten wie hij echt was, zouden zijn bewonderaars niets dan minachting voor hem hebben.

Hij staat op, gaat met zijn handpalmen naar beneden op de grond liggen en begint zich op te drukken. Hij zegt het zo vaak tegen zijn teams: als je je inspant, gaat de vermoeidheid vanzelf over.

Op en neer, op en neer.

Het fluitje dat hij altijd om zijn nek heeft hangen tikt ritmisch tegen de grond. Dat hij dingen verbergt geeft hem het gevoel dat hij dag en nacht een ijzeren kogel aan zijn enkel meesleept, maar tegelijkertijd beseft hij dat hij niet anders kan, dat hij wel moet, net zoals het nodig is je tanden op elkaar te zetten als je armen pijn doen bij het opdrukken. Hij moet doorgaan, op en neer, op en neer.

Het getik van het fluitje op de grond mag niet ophouden. Tanden op elkaar.

Op en neer.

Zwakte is een zonde, fluistert hij haast buiten adem.

Hij denkt dat je vrij wordt als je de waarheid vertelt. Het staat goed om open en eerlijk te zijn, dat is wat dappere mensen doen. Maar soms maakt de waarheid alles kapot. Daarom houdt hij zijn kaken op elkaar. Hij begint nog een serie push-ups. Terwijl het zweet over zijn rug loopt bedenkt hij dat het feit dat hij die vreselijke waarheid voor zich houdt, en daarmee de anderen niet in verlegenheid brengt, ook een daad van grootmoedigheid kan zijn. Van grootmoedigheid of van lafheid? Is hij soms niet doodsbang om die bewondering te moeten missen die hij met zoveel moeite heeft geoogst? Hij denkt er maar liever niet meer over na; hij gaat verder met het tellen van zijn push-ups en zet zijn tanden op elkaar.

Daarom heeft hij sporten nooit als een opgave ervaren, maar eerder als een uitlaatklep. In Aken, waar hij in 1916 werd geboren, gingen alle kinderen lopend naar school. Hij was de enige die rende, terwijl hij ook nog zijn boek en schrift op zijn rug met een riem bijeengebonden had. De winkeliers riepen hem vaak lachend na waarom hij zo'n haast had, en hij groette hen dan heel beleefd maar bleef rennen. Het was niet omdat hij laat was of om een andere reden haast had, hij voelde zich er gewoon prettig bij. Wanneer een volwassene hem vroeg waarom hij altijd zo rende, antwoordde hij dat hij lopen vermoeiend vond en dat hij juist energie kreeg als hij rende.

Hij kwam met een vaart aan op het pleintje voor de hoofdingang van de school. Op dat moment zaten er geen oudjes op het bankje in de zon en kon hij zich uitleven door met een grote boog over het bankje heen te springen, net als bij het hordelopen. Hij droomde ervan om professioneel atleet te worden en vertelde dat aan iedereen die het maar horen wilde.

Toen hij tien was spatte de luchtbel van zijn jeugd, gevuld met hardlopen en voetbal, uiteen door de dood van zijn vader. Nu hij op een krukje in de barak uitrust, probeert hij het beeld van zijn vader op te roepen, maar zijn geheugen laat hem in de steek. Wat hij zich vooral nog herinnert is het gat dat zijn overlijden achterliet. Die leegte, die hem heel diep raakte, is nooit opgevuld. Zelfs nu nog heeft hij dat onbehaaglijke gevoel van eenzaamheid, ook al zijn er mensen om hem heen.

Hij kreeg steeds minder energie, hij had zelfs niet genoeg fut om te rennen of te voetballen. Hij was van slag. Zijn moeder werkte de hele dag en omdat ze niet wilde dat hij veel alleen zou zijn of ruzie zou maken met zijn oudere broer, schreef ze hem in bij de Jüdischer Pfadfinderbund Deutschland (JPD), bij de sportafdeling die Maccabi Hatzair heette.

De eerste keer dat hij in het grote, enigszins haveloze gebouw kwam, waar de huisregels met een punaise op de deur zaten geprikt, rook het er naar chloor. Hij weet het nog goed en zal ook nooit vergeten dat hij zijn tranen maar net kon bedwingen. Toch vond de kleine Fredy Hirsch bij de JPD na verloop van tijd de warmte die hij in zijn eigen lege huis niet kreeg, met een vader die er niet meer was en een bijna altijd afwezige moeder. Daar vond hij zijn plek. De kameraadschap, de spelletjes op regenachtige dagen of de excursies; en altijd was er wel iemand die gitaar speelde of een mooi verhaal vertelde over de martelaren van Israël. Voetballen, basketballen, zaklopen of atletiek waren de strohalmen waaraan hij zich kon vasthouden. Op zaterdag, als iedereen thuis bij zijn familie bleef, ging hij in zijn eentje naar het sportveld om te basketballen, zijn dribbel- en werptechniek te trainen, of deed hij net zolang buikspieroefeningen tot zijn shirt droop van het zweet.

Door hard te trainen kon hij zijn zorgen vergeten en zijn onzekerheid overwinnen. Hij stelde zichzelf bescheiden doelen: vijf keer heen en weer naar de hoek van de straat binnen drie minuten, tien keer opdrukken en bij de laatste keer in zijn handen klappen, de bal vanaf een bepaald punt vijf keer in de basket werpen, liefst in één keer... Zolang hij geconcentreerd bezig was dacht hij nergens anders aan. Je zou zelfs kunnen zeggen dat hij dan gelukkig was en vergat dat hij zijn vader had verloren toen hij hem het hardst nodig had.

Zijn moeder hertrouwde, maar Fredy voelde zich bij de JPD meer op zijn gemak dan thuis. Na school ging hij er direct heen. Hij had altijd wel een smoes klaar voor zijn moeder om pas heel laat thuis te komen: vergaderingen van het jeugdbestuur; het organiseren van excursies; sporttoernooien; onderhoudswerkzaamheden aan het gebouw... Naarmate hij ouder werd kreeg hij moeilijker contact met zijn leeftijdgenoten. Ze konden zich niet vinden in zijn fanatieke zionistische mystiek die hem ertoe had gebracht de terugkeer naar Palestina als een missie op te vatten, en hadden ook moeite met zijn overdreven drang om zoveel te sporten. Aanvankelijk werd Fredy nog wel uitgenodigd voor feestjes waar de eerste stelletjes ontstonden, maar hij voelde zich er ongemakkelijk bij en begon smoezen te verzinnen om niet te hoeven gaan; uiteindelijk werd hij niet meer uitgenodigd.

Hij ontdekte dat hij het liefst trainingen en toernooien voor jonge kinderen organiseerde, dat ging hem goed af. Het enthousiasme waarmee Fredy volleybal- en basketbalteams formeerde werkte aanstekelijk op de pupillen. Zijn teams vochten altijd tot het uiterste door.

'Kom op! Vooruit! Harder, harder!' schreeuwde hij vanaf de zijlijn naar de jongens. 'Als je niet vecht voor de overwinning, moet je ook niet huilen als je verliest!'

Fredy Hirsch huilt niet. Nooit.

Op en neer. Op en neer. Op en neer.

Huilen doen alleen zijn spieren, die onophoudelijk en werktuiglijk aanspannen en ontspannen tot hij de lange serie push-ups beëindigt; ze huilen druppels zweet. Hij staat op en is tevreden over zichzelf. Voor zover iemand die de waarheid verzwijgt tevreden kan zijn.

5

De Slowaak Rudi Rosenberg is al twee jaar in Birkenau en dat is een wapenfeit te noemen. Door een merkwaardig toeval is hij op zijn negentiende al een oudgediende en is hij als registrator aangesteld, wat inhoudt dat hij de administratie van inkomende en uitgaande gevangenen moet bijhouden op een plek waar het verplaatsen van mensen een hartverscheurende constante is. Het is een functie waaraan de nazi's, die zelfs bij het doden uiterst nauwgezet zijn, veel belang hechten. Daarom draagt Rudi Rosenberg niet het gestreepte uniform van de gewone gevangenen. Hij loopt trots rond in een rijbroek die op elke andere plek een afdankertje zou lijken, maar in Auschwitz een luxeartikel is. Behalve de kapo's, de koks en degenen die vertrouwensposten bekleden, zoals de registrators en blokoudsten, dragen bijna alle gevangenen – uitgezonderd die in het familiekamp – de groezelige gestreepte gevangenispakken.

Hij passeert de controlepost van het quarantainekamp waar hij werkt en trakteert de bewakers op zijn vriendelijkste modelgevangene-glimlach. Ze maken geen enkel bezwaar wanneer hij zegt dat hij wat lijsten naar kamp BIId moet brengen.

Hij loopt over de weg die de verschillende kampen van Birkenau met elkaar verbindt en kijkt naar het bos dat in de verte ligt en op dit uur van de dag niet meer dan een vage vlek is. Een windvlaag brengt hem iets van de zoetige geur van vochtig kreupelhout, paddenstoelen en mos. Even sluit hij zijn ogen en hij snuift het aroma op. Vrijheid ruikt naar vochtige bossen.

Ze hebben hem opgeroepen voor een clandestiene vergadering over dat mysterieuze familiekamp. De jonge registrator denkt terug aan een voorval van een paar maanden geleden, hoewel hij op deze onwerkelijke plek eerder het gevoel heeft dat het zich in een lang vervlogen, niet nader te duiden tijdperk heeft afgespeeld. Zoals de wijzer van een kompas in de buurt van de Noordpool op hol slaat, raken in Auschwitz de kalenders van slag.

Het was een ochtend in september. Rudi Rosenberg zat achter zijn bureau en bereidde zich voor op het inmiddels bekende tafereel: een hele stoet terneergeslagen mensen in gevangeniskleding en met kaalgeschoren hoofd, volkomen verbijsterd over de met prikkeldraad omheinde wereld van Auschwitz waarin ze terechtgekomen waren en waar het naar verbrand vlees rook. Ze hadden allemaal dezelfde verslagen uitdrukking op hun gezicht; in situaties van ontreddering zijn alle mensen gelijk. Toen hij opkeek van zijn bureau viel zijn blik op het onbevangen gezicht van een meisje met sproeten en twee blonde vlechten dat haar teddybeer stevig vasthield. Hij raakte van zijn stuk. Het meisje bleef hem aankijken. Hij had al zoveel wreedheid gezien dat hij was vergeten dat je de wereld ook op die manier kon bekijken: zonder angst, zonder rancune, zonder sporen van krankzinnigheid. Een kind van zes dat nog in leven was, in Auschwitz. Dat vond hij opmerkelijk.

Hijzelf noch het verzet begreep waarom de nazi's de kinderen uit Theresienstadt in leven hadden gelaten. Dat gebeurde immers alleen in het *Zigeunerlager*, waar dokter Mengele zijn rassenexperimenten uitvoerde, maar bij de Joden had hij dat nog nooit gezien. In december was er nog een transport aangekomen, eveneens uit Theresienstadt.

Bij alle transporten die in Auschwitz aankomen wordt dezelfde procedure gevolgd. De mensen worden hardhandig uit de wagons geduwd en getrapt. Mannen en vrouwen worden van elkaar gescheiden. Meteen op het perron moeten ze langs een arts die ze naar links of rechts stuurt. In de linkerrij komen de gezonde mensen, die als werkkracht kunnen worden ingezet. In de rechterrij ouderen, kinderen, zieken en zwangere vrouwen, die het eigenlijke kamp niet eens bereiken: zij worden meteen naar het achterste deel van het kamp geleid waar de crematoria staan, die dag en nacht in bedrijf zijn. Daar worden ze vergast.

Als Rudi Rosenberg op het ontmoetingspunt aankomt, achter een barak in kamp BIId, staan er twee mannen op hem te wachten. Een van hen, een Pool, draagt een keukenschort en ziet ongezond bleek. Hij stelt zich voor als Lem, meer niet. De ander, David Schmulewski, was ooit dakdekker en is nu assistent van de blokoudste van barak 27 in kamp BIId. Hij draagt gewone kleren: een versleten ribfluwelen broek en een trui die er net zo verfomfaaid uitziet als zijn gezicht. Alle tegenspoed die hij in zijn leven heeft gehad is van zijn gegroefde gelaat af te lezen.

De twee hadden al wat informatie over het decembertransport naar familiekamp BIIb ontvangen, maar wilden dat Rosenberg zoveel mogelijk details gaf. Deze bevestigt de komst van vijfduizend Joden uit Theresienstadt. Net zoals in september hebben ze hun eigen kleren mogen houden en is zelfs hun hoofd niet kaalgeschoren. Kinderen mogen blijven.

De twee verzetslieden horen Rudi Rosenburg zwijgend aan. Het zijn feiten die ze al kenden, maar die ze maar moeilijk kunnen bevatten. De leiding van de grote vernietigingsmachine Auschwitz-Birkenau, waar de gevangenen als slaven worden uitgebuit, gaat nu een deel van het kamp inrichten als familiekamp, iets waar geen winst mee te behalen valt. Wat zit daarachter?

'Ik begrijp er niets van,' mompelt Schmulewski. 'De nazi's mogen dan psychopaten en misdadigers zijn, maar dom zijn ze niet. Wat moeten ze met kleine kinderen in een werkkamp? Die moeten eten, nemen ruimte in en leveren niets op.'

'Zou het weer zo'n experiment van die gestoorde Mengele zijn?'

Niemand heeft enig idee. Rosenberg roert een ander, nog mysterieuzer onderwerp aan. Op de formulieren van het septembertransport stond een bijzondere opmerking: SONDERBEHANDLUNG

NACH SECHS MONATEN. En de nummers op de armen bevestigden het, want bij het nummer stond SB6.

'Is er meer bekend over die "speciale behandeling"?'

De vraag blijft in de lucht hangen en niemand gaat er verder op in. De Poolse kok is druk bezig om een stukje opgedroogd vet van zijn smoezelige schort te krabben. Vuil van zijn schort krabben is een soort verslaving voor hem geworden, zoals roken dat is voor anderen. Schmulewski fluistert wat alle anderen denken: dat de behandeling hier zo speciaal is dat je die niet overleeft.

'Maar waarom doen ze het pas dan?' vraagt Rudi Rosenberg. 'Als ze toch dood moeten, waarom nemen ze dan de moeite om ze zes maanden lang te eten te geven? Het is gewoon niet logisch.'

'Toch moet er een verklaring voor zijn. Als het werken met die lui je iets duidelijk maakt, is het wel dat er achter alles wat ze doen een logische gedachte zit, ook al is die nog zo afschuwelijk of wreed... Dingen gebeuren nooit zomaar, niets is toevallig. Overal is een reden voor. Voor de Duitsers moet alles kloppen.'

'En als die speciale behandeling nou inhoudt dat ze naar de gaskamers worden gebracht... wat zouden we dan kunnen doen?'

'Voorlopig niet veel. We weten niet eens zeker of het zo is.'

Op dat moment voegt zich nog een man bij hen. Hij is lang en gespierd en maakt een nerveuze indruk. Ook hij draagt geen gevangenisuniform; zijn coltrui is een curiositeit onder de gevangenen. Rudi wil de anderen niet tot last zijn en maakt aanstalten om te vertrekken, maar de Pool gebaart hem te blijven.

'Fijn dat je bent gekomen, Shlomo. We krijgen maar weinig informatie over het *Sonderkommando*.'

'Ik kan niet lang blijven, Schmulewski.'

Terwijl de jongeman praat, gebaart hij druk. Hieruit leidt Rudi af dat hij ergens uit het Middellandse Zeegebied komt, en inderdaad, Shlomo komt uit de Joods-Italiaanse gemeenschap van Thessaloniki.

'We weten niet goed wat er precies gebeurt bij de gaskamers.'

'Vanochtend waren het er weer driehonderd, alleen al in het tweede crematorium. Bijna allemaal vrouwen en kinderen.' Shlomo zwijgt even en kijkt de anderen aan. Hij vraagt zich af of hij zoiets onvoorstelbaars wel kan uitleggen. Druk gesticulerend kijkt hij omhoog: een betrokken lucht. 'Ik moest een meisje helpen haar schoenen uit te trekken omdat haar moeder een baby op de arm had en ze naakt naar binnen moesten. Terwijl ik haar sandalen uitdeed, lachte ze en stak haar tong naar me uit, volgens mij was ze nog geen vier jaar oud.'

'En ze hebben niets in de gaten?'

'Moge God me vergeven... Ze hebben net een reis van drie dagen achter de rug, op elkaar gepakt in een gesloten wagon. Ze zijn in de war en bang. Een SS'er met een machinepistool zegt tegen hen dat ze ontsmet worden, dat ze onder de douche gaan, en ze geloven hem. Wat moeten ze anders? Ze moeten hun kleren aan haken hangen en krijgen zelfs te horen dat ze het nummer goed moeten onthouden zodat ze hun spullen later kunnen terugvinden. Daarom denken ze dat ze terugkomen. Ze laten ze zelfs hun schoenen aan elkaar binden zodat ze niet door elkaar raken. Op die manier is het naderhand gemakkelijker de schoenen netjes geordend te verzamelen en naar het Canada-blok te brengen, waar ze de beste spullen uitkiezen om naar Duitsland te sturen. Zo praktisch zijn ze, die Duitsers, ze slaan overal een slaatje uit.'

'Kun jij die mensen dan niet waarschuwen?' valt Rudi tegen hem uit.

Meteen voelt hij de strenge blik van Schmulewski op zich gericht. Rudi heeft daar niets te vertellen. Maar Schlomo reageert op die typische sombere toon van hem, vergeving vagend voor elk woord dat over zijn lippen komt.

'God vergeef me, nee, ik waarschuw ze niet. Wat heeft dat voor zin? Wat zou zo'n moeder met twee kleine kinderen doen? In opstand komen tegen gewapende bewakers? Ze zouden haar in het bijzijn van haar kinderen slaan en schoppen. Ze zijn sowieso hardhandig en agressief. Als iemand iets vraagt, slaan ze hem met de loop van hun geweer de tanden uit de mond, zodat hij niets meer kan zeggen. Dan durft niemand zijn mond meer open te doen en kijkt iedereen de andere kant op. De SS'ers dulden niet dat iemand de gewone gang van zaken verstoort. Op een keer kwam er een keurig geklede, fiere oude vrouw met haar kleinzoon, een jochie van een jaar of zeven. Die vrouw wist het gewoon, vraag me niet hoe, maar ze wist dat ze gedood zouden worden. Ze wierp zich voor de voeten van een SS'er en smeekte hem haar te doden en haar kleinzoon in leven te laten. Weet je wat die wachter deed? Hij deed zijn broek naar beneden, haalde zijn geslacht tevoorschijn en begon zomaar over haar heen te plassen. De vrouw ging verslagen terug naar haar plaats. En vandaag was er een heel elegante vrouw, vast uit een goede familie. Ze vond het vreselijk zich uit te moeten kleden. Ik ben voor haar gaan staan, met mijn rug naar haar toe, om haar een beetje dekking te geven. Ze vond het duidelijk gênant om naakt voor ons te staan en trok haar dochter naar zich toe zodat die haar uit het zicht kon houden, maar ze glimlachte toch dankbaar naar me...'

Hij stopt even en de anderen zwijgen, ze buigen zelfs het hoofd alsof ook zij hun blik gegeneerd afwenden van de naakte moeder en haar dochter. 'Ze zijn met de anderen naar binnen gegaan... God vergeef me. Ze worden helemaal op elkaar gedrukt. Er gaan er meer in dan erin passen. Als er gezonde mannen bij zijn, laten ze die tot het laatst wachten en dan slaan ze hen met stokken en dwingen hen om naar binnen te gaan en tegen de anderen aan te duwen zodat ze er ook bij kunnen. Dan gaat de deur dicht; er hangen een paar douchekoppen zodat ze geen argwaan krijgen en blijven denken dat ze onder de douche gaan.'

'En dan?'

'We openen een luik en dan gooit een SS'er een blik zyklon B naar binnen. Vervolgens moeten we vijftien minuten wachten, of soms minder... Dan wordt het stil.'

'Lijden ze?'

Eerst een zucht, gevolgd door een blik naar de hemel.

'God vergeef me... jullie hebben geen idee hoe het is. Wanneer je binnenkomt zie je een hele berg lijken liggen. Velen zijn ongetwijfeld gestikt en doodgedrukt. Als dat gas vrijkomt moeten ze het vreselijk benauwd krijgen, met verstikkingsverschijnselen, krampen, stuiptrekkingen... De lichamen zitten onder de uitwerpselen. De ogen puilen uit, er komt overal bloed uit, alsof ze zijn ontploft. En dan die armen, die zien eruit als verkrampte klauwen die wanhopig om andere lichamen heen geklemd zitten. En hun halzen zijn zo ver uitgestrekt in de hoop op een beetje lucht, dat ze bijna lijken open te barsten.'

'Wat is jouw taak eigenlijk?'

'Ik moet hun haar afknippen, vooral de lange haren en vlechten. Daarna worden ze in een vrachtwagen geladen. Omdat ik betrekkelijk licht werk heb, ga ik soms collega's helpen met het uittrekken van de gouden tanden. Ook help ik de lijken verslepen naar de heftruck waarmee ze in de ovens worden gekieperd. Dat is afschuwelijk. Eerst moet je de lichamen uit elkaar halen, want het is één grote kluwen van armen die onder het bloed en alles zitten. Je trekt ze eruit aan een hand, maar die is nat. Dus heb je zelf al snel zulke gladde handen dat je niets meer vast kunt houden. Uiteindelijk gebruiken we de wandelstokken van de ouderen die al dood zijn en trekken we de lichamen bij de nek eruit, dat is het makkelijkst. En dan worden ze verbrand.'

'Ik heb gehoord dat ze soms ook wapens gebruiken.'

'Dat is alleen voor de zogenaamde bezemwagen. Die komt helemaal aan het eind en neemt degenen mee die niet meer kunnen lopen: invaliden, zieken, bejaarden. De wagen stopt voor het crematorium, kantelt de laadbak en gooit de mensen als een hoop grind op de grond. Het zou te veel werk zijn om ze uit te kleden en naar de gaskamer te brengen, dus moeten we ze bij een oor en een arm ophouden en dan schiet een SS'er ze door het hoofd. Daarna moeten we dat hoofd meteen loslaten, want het bloed spuit eruit en als het op een SS'er terechtkomt wordt die boos en krijgen we straf. Hij kan je ook zomaar ter plekke neerschieten.'

'Over hoeveel moorden per dag hebben we het hier eigenlijk?'

'Geen idee. Er is een dagploeg en een nachtploeg, het gaat maar door. Minstens twee- of driehonderd mensen per keer, en dat is dan alleen nog maar ons crematorium. Soms komt er één lichting per dag, soms zijn het er twee. De crematoria kunnen het vaak niet bolwerken en dan moeten we de lijken naar een open plek in het bos brengen. We laden ze op een vrachtwagen en later moeten we ze er weer afhalen.'

'Begraven jullie ze?'

'O nee, geen sprake van, dat is veel te veel werk! Moge God me vergeven. Ze worden overgoten met benzine en dan verbrand. Daarna moeten we de as in de vrachtwagen scheppen. Ik geloof dat het als mest wordt gebruikt. En de heupbeenderen zijn te groot, die verbranden niet. Die moeten we fijnhakken.'

'Mijn god...' mompelt Rudi.

'Ik weet niet of jullie het in de gaten hebben,' zegt Schmulewski op ernstige toon, 'maar we zijn hier in Auschwitz-Birkenau.'

Terwijl die naargeestige vergadering plaatsvindt, komt Dita twee kampen verderop bij barak 22 aan, die naast het blok met latrines staat. Ze kijkt om zich heen: geen bewakers of andere verdachte personen te zien. Desondanks bekruipt haar het gevoel dat ze bespioneerd wordt. Toch gaat ze de barak in.

Die ochtend na het appèl was haar oog op een oudere vrouw gevallen die tegen de voorschriften in bij het hek rondhing. Mevrouw Turnovská, die ze de bijnaam Radio Birkenau heeft gegeven, had haar moeder verteld dat die vrouw meer vrijheid had gekregen van de bewakers. Het is de naaister, en iedereen kent haar als Dudine omdat ze uit die Zuid-Slowaakse stad komt. Bij het hek zoekt ze naar kleine stukjes afgebroken ijzerdraad, die ze met een steen slijpt en er geïmproviseerde naalden van maakt.

Dita is vastbesloten om verder te gaan als bibliothecaresse, maar ze moet een manier vinden om het minder gevaarlijk te maken. Het beste moment om zaken te doen is ná het laatste appèl en vóór de avondklok. Dan ontvangt Dudine haar klanten. Ze zegt dat niemand in Polen goedkoper verstelwerk verricht dan zij: jas inkorten, halve portie brood; broekband repareren, twee sigaretten; jurk maken (inclusief stof) hele portie brood.

Dudine zit met een sigaret tussen haar lippen op haar stromatras terwijl ze een lap stof afmeet met een centimeter die ze zo te zien zelf heeft gemaakt van een reep leer. Wanneer ze opkijkt om te zien wie er in haar licht staat, ziet ze een mager meisje met een warrige haardos en een vastberaden blik.

'Ik wil graag dat u twee binnenzakken maakt in deze blouse, aan de zijkanten. Ze moeten sterk zijn.'

De vrouw neemt een flinke haal van haar sigaret.

'Ik snap het al, een okselstuk onder je kleding. En waar ga je die geheime zakken voor gebruiken?'

'Ik zei niet dat ze geheim waren...'

Dita glimlacht geforceerd in een poging zich van de domme te houden. De vrouw kijkt haar met opgetrokken wenkbrauwen aan.

'Ja zeg, ik ben ook niet van gisteren.'

Dita begint spijt te krijgen dat ze is gekomen. In het kamp gaan genoeg verhalen rond over verraders die hun lotgenoten verlinken voor een kom soep of een half pakje sigaretten. En ze ziet hoe de naaister rookt, als een aan lager wal geraakte femme fatale.

Madam Peuk, doopt Dita haar in gedachten.

Maar ze bedenkt ook dat ze niet elke avond in die slecht verlichte barak zou hoeven naaien als ze een verklikster was, dan zou ze privileges hebben. Ze krijgt haast medelijden met haar.

Nee, beter Madam Stoplap...

'Nou ja, het is een beetje geheim. Ik wil wat dingen van mijn overleden grootouders bij me dragen.'

Dita zet haar onschuldige gezicht weer op.

'Luister, ik zal je een goede raad geven. Gratis en voor niks. Als je niet beter leert liegen, kun je voortaan beter de waarheid zeggen.'

De vrouw neemt zo'n diepe haal van haar sigaret dat de gloeiende punt bijna tot haar gelige vingers komt. Dita begint te blozen en slaat haar ogen neer. Nu glimlacht de oude Dudine, als een grootmoeder om haar ondeugende kleindochter.

'Hoor eens meisje, het maakt mij geen moer uit wat je erin doet, voor mijn part is het een pistool. Deed je dat maar, dan kon je een paar van die ellendelingen overhoopschieten.' Ze spuwt donker speeksel op de grond. 'Ik vraag het alleen maar omdat ik wil weten of je er iets zwaars in doet, want dan gaat je blouse scheef hangen en kun je het zo zien. In dat geval moet ik de zakken extra stevig maken en bij de zijnaden vastzetten zodat het niet opvalt.'

'Ja, het is zwaar. Maar helaas, het is geen pistool.'

'Het is al goed. Het maakt mij niet uit. Ik wíl het niet eens weten. Dit is trouwens wel veel werk. Heb je stof bij je? Nee, natuurlijk niet. Goed, tante Dudine heeft nog wel een lapje over, hoor. Het gaat je een halve portie brood met margarine kosten en nog een kwart portie voor de stof.'

'Akkoord,' zegt Dita.

De naaister kijkt haar weer verbluft aan. Dit meisje zit echt vol verrassingen, denkt ze.

'Ga je niet afdingen?'

'Nee. U doet uw werk en dat heeft zijn prijs.'

De vrouw begint te lachen en te hoesten tegelijk. Vervolgens spuwt ze naar opzij.

'Jullie jongeren ook! Jullie weten niets van het leven. Heb je dat van die knappe leraar van je geleerd? Nou ja, het is ook niet verkeerd dat er nog iets van fatsoen overblijft. Weet je, ik hoef die boter niet, ik ben dat vette spul eigenlijk wel beu. Een halve portie brood is genoeg. En die stof stelt niet veel voor, die krijg je van me.'

Het is al donker wanneer ze bij Madam Stoplap weggaat en ze haast zich naar haar barak. Ze heeft op dit uur geen behoefte aan nog meer onverwachte ontmoetingen. Maar dan voelt ze een hand op haar arm en begint hysterisch te gillen.

'Ik ben het maar! Margit!'

Dita haalt opgelucht adem en haar vriendin kijkt haar bezorgd aan.

'Dat was me een gil, zeg. Wat is er toch met je? Je doet zo vreemd, Dita. Is er iets gebeurd?'

Margit is de enige aan wie ze het kan vertellen.

'Het komt door die ellendige dokter...' Ze kan niet eens een bijnaam voor hem verzinnen, haar hersens weigeren dienst zodra ze aan hem denkt. 'Hij heeft me bedreigd.'

'Wie bedoel je?'

'Mengele.'

Margit slaat geschrokken een hand voor haar mond alsof ze het over de duivel in eigen persoon heeft.

'Hij heeft gezegd dat hij me niet uit het oog zal verliezen, en als hij me betrapt op iets verdachts, snijdt hij me open als een rund in het slachthuis.'

'Mijn god, wat afschuwelijk! Je moet goed uitkijken hoor!'

'Hoe doe je dat dan, uitkijken?'

'Geen ondoordachte dingen doen.'

'Doe ik ook niet.'

'Gisteren heb ik bij de latrines iets vreselijks gehoord!'

'Wat dan?'

'Ik hoorde een vriendin van mijn moeder zeggen dat Mengele aan duivelsverering doet, dat hij 's nachts met zwarte kaarsen het bos in gaat.'

'Wat een onzin!'

'Nee, dat zeiden ze echt, hoor. Ze hadden het van de kapo. Die zei dat het populair is bij de nazi's, omdat ze verder geen geloof hebben.'

'Ze zeggen zoveel.'

'Heidenen doen dat soort dingen. Ze vereren Satan.'

'Nou, wij worden toch door God beschermd. Tenminste...'

'Dat mag je niet zeggen, dat brengt ongeluk! Natuurlijk beschermt God ons.'

'Ik voel me anders niet bepaald beschermd hier.'

'Hij leert ons ook dat we voor onszelf moeten zorgen.'

'Dat doe ik ook.'

'Die man is de duivel in eigen persoon. Ze zeggen dat hij bij zwangere vrouwen de buik zonder verdoving opensnijdt en daarna ook de foetus. Hij spuit gezonde mensen in met tyfusbacteriën om te kijken hoe de ziekte zich ontwikkelt. Hij heeft een keer zoveel röntgenfoto's van een groep Poolse nonnen gemaakt dat ze verbrandden. Er wordt gezegd dat hij tweelingzussen dwingt gemeenschap te hebben met tweelingbroers om erachter te komen of ze dan ook tweelingen krijgen. Kun je je voorstellen hoe walgelijk dat is? Hij heeft huidtransplantaties gedaan en toen zijn de patiënten bezweken aan koudvuur...'

Zwijgend stellen ze zich voor hoe het er in Mengeles gruwellaboratorium aan toegaat.

'Je moet echt voorzichtig zijn, Dita.'

'Ik heb toch al gezegd dat ik uitkijk!'

'Echt heel voorzichtig.'

'We zijn hier in Auschwitz. Wat wil je dat ik doe, een levensverzekering afsluiten?'

'Je moet die dreigementen van Mengele echt serieus nemen. Je moet bidden, Dita.'

'Margit...'

'Wat?'

'Je lijkt mijn moeder wel.'

'Is dat slecht?'

'Weet ik niet.'

De meisjes zwijgen en na een tijdje verbreekt Dita de stilte.

'Mijn moeder mag hier niets van weten, Margit. Hoe graag je het haar ook wilt vertellen. Ze zou zich alleen maar zorgen maken, niet meer kunnen slapen en dat zou weer aan mij vreten.'

'En je vader?'

'Het gaat niet goed met hem, ook al zegt hij dat er niets aan de hand is. Ik wil hem er niet mee belasten.'

'Ik zal niets zeggen.'

'Oké.'

'Maar ik vind wel dat je het aan je moeder moet vertellen...'

'Margit!'

'Oké, oké, het is jouw leven.'

Ze glimlacht. Margit is als de oudere zus die ze nooit heeft gehad.

Ze loopt terug naar de barak met als enige gezelschap het gekraak van haar voetstappen in de bevroren modder. Dan krijgt ze ineens het gevoel dat er ogen in haar rug priemen, maar als ze zich omdraait zijn de enige ogen die ze in de duisternis ontwaart de roodachtige steekvlammen uit de schoorstenen van de crematoria. Van deze afstand zien ze er onwerkelijk uit, als in een onheilspellende droom. Ze komt veilig en wel bij de barak aan en nadat ze haar moeder een kus heeft gegeven, nestelt ze zich naast de enorme voeten van de oudgediende. Het lijkt of de vrouw haar benen wat opzij legt om haar wat meer ruimte te geven, maar als Dita haar goedenacht wenst, antwoordt ze niet. Ze weet dat het lastig wordt om de slaap te vatten, maar ze sluit haar ogen en knijpt ze dicht om zichzelf het tegendeel te bewijzen. Door die koppigheid lukt het haar uiteindelijk in slaap te vallen.

Na het ochtendappèl meldt ze zich als eerste in de kamer van de blokoudste. Ze klopt met tussenpozen drie keer op de deur zodat Hirsch weet dat het de bibliothecaresse is. Hij laat haar snel binnen en sluit meteen de deur achter haar. Dita haalt de plank uit de vloer en pakt de boeken die voor die dag zijn aangevraagd. Ze kan er hooguit vier meenemen. Als er meer aanvragen zijn, moeten die tot de volgende dag wachten, meer passen er niet in de geheime zakken van haar jurk.

Om de boeken in de binnenzakken te kunnen doen, moet ze een paar knopen van het bovenstuk van haar jurk losmaken. Fredy kijkt naar haar en aarzelt even. Een net meisje zou niet alleen in de kamer van een man mogen zijn, en al helemaal niet als ze haar jurk openknoopt waar hij bij is. Het zou rampzalig zijn als haar moeder hierachter kwam. Maar er is geen tijd te verliezen, het is te gevaarlijk, er kan elk moment iemand op de deur van de blokoudste kloppen. Ze knoopt haar jurk los en een van haar kleine borsten wordt zichtbaar. Hij ziet het en draait zijn hoofd naar de deur. Ze bloost, maar ze is ook trots. Hirsch begrijpt dat hij haar niet als een klein meisje kan zien.

Aan de canvas binnenzakken zit een lint ter hoogte van haar buik waarmee ze de boeken kan vastbinden zodat ze niet gaan schuiven. De vier boeken zijn nauwelijks zichtbaar onder de wijde jurk die een paar maten te groot is. De blokoudste knikt tevreden, hij vindt het een goed idee van het meisje de boeken zo te verbergen. Voor deze ochtend zijn er slechts twee aanvragen gedaan: het algebraboek en *Een korte geschiedenis der wereld.*

Wanneer ze uit Hirsch' kamer komt is er niets vreemds aan haar te zien, de boeken zitten keurig onder haar jurk verstopt. Niemand die haar die kamer in en uit heeft zien gaan, kan ook maar vermoeden wat ze daar heeft gedaan. Terwijl de kinderen hun groepjes opzoeken loopt ze snel naar achteren. Ze verbergt zich achter een stapel hout en haalt de boeken onder haar jurk uit. Even later loopt ze met de boeken in haar hand naar voren. De kinderen weten niet waar ze die vandaan heeft gehaald. Het is een mysterieuze truc waarmee ze alom bewondering wekt. Zij zien een soort goochelaar in haar.

Meneer Avi Ofir, die de oudste kinderen onder zijn hoede heeft, heeft het wiskundeboek aangevraagd. Dita ziet zichzelf als een van de velen, als een onopvallend, te onopvallend meisje. Soms zou ze willen dat ze langer was en meer rondingen had. Toen ze nog maar net bibliothecaresse was, dacht ze dat niemand haar opmerkte als ze naar een groep toe liep om de leraar een boek te geven. Maar ze had het mis.

Zodra ze in de buurt komt houden zelfs de drukste kinderen op met waar ze mee bezig zijn en ze volgen haar bewegingen begerig en nieuwsgierig tegelijk; ze kijken hoe ze haar hand uitstrekt en een boek aanreikt. De leraar pakt het aan en slaat het open. Een boek openslaan is bijna een plechtig ritueel.

De meeste kinderen hadden een hekel aan boeken toen ze nog gewoon op school zaten. Boeken stonden symbool voor saaie vakken, eindeloos lange lessen, leesuren onder het strenge toezicht van de leraar, huiswerk waardoor ze niet buiten konden spelen. Maar in blok 31 werkt een boek als een magneet. Ze kunnen hun ogen er niet van afhouden. Veel kinderen lukt het zelfs niet om op hun kruk te blijven zitten en ze lopen naar Avi Ofir om het boek aan te raken. Dat zorgt voor onrust en de leraar roept streng dat iedereen weer moet gaan zitten.

Dita kijkt naar Gabriel, een roodharige, ondeugende jongen met een gezicht vol sproeten. Hij kan niet stilzitten en is in staat om midden in de les ineens dierengeluiden na te doen, een meisje aan haar haren te trekken of een andere streek uit te halen. Maar nu heeft hij net als de andere kinderen slechts oog voor het boek.

Aanvankelijk snapte ze niet waarom zelfs de minst ijverige kinderen ineens zoveel belangstelling hadden voor de boeken, maar later begreep ze dat boeken niet alleen stonden voor examens, huiswerk maken en andere minder leuke kanten van school, maar ook voor een leven zonder gevangenschap en angst. Zelfs degenen die vroeger hun boeken met tegenzin openden, zien er nu een bondgenoot in. Het is niet voor niets dat de nazi's ze hebben verboden, ze vinden boeken bedreigend.

Door met boeken te werken komen ze dichter bij het normale leven en dat is waar ze allemaal van dromen. Als de kinderen met gesloten ogen hun gebed opzeggen, vragen ze niet om speelgoed of grote dingen. Wat ze God vragen is of ze op het dorpsplein verstoppertje mogen spelen, of ze water uit een fonteintje in het park mogen drinken.

Wanneer ze het tweede boek overhandigt, ziet ze dat andere leraren haar wenken en gebaren dat ze ook een boek willen. Ten slotte komt ze bij de onderdirecteur van het schooltje, Lichtenstern, en ze zegt verbaasd: 'Ik weet niet hoe het komt, maar ik heb ineens zoveel aanvragen...'

'Ze hebben in de gaten dat de bibliotheek goed werkt.'

Ze glimlacht enigszins opgelaten vanwege het compliment, maar ook vanwege de verantwoordelijkheid die ze voelt. Nu heeft iedereen hoge verwachtingen van haar, terwijl ze toch maar een meisje van veertien is dat ook nog eens in de gaten wordt gehouden door een gestoorde nazi die nooit een gezicht vergeet!

Maar dat doet er nu even niet toe.

'Meneer Lichtenstern, ik heb een plan. Heeft meneer Hirsch u verteld dat ik een manier heb gevonden om boeken onder mijn kleren te verstoppen?'

'Jazeker, hij vond het een heel goed idee.'

'Op deze manier is het gemakkelijker als er ineens een inspectie komt. Wat ik wil voorstellen is dat we nog een paar van die binnenzakken laten maken voor een andere assistent. Op die manier zouden de leraren de hele dag over de boeken kunnen beschikken. Dan zou het pas een echte bibliotheek zijn.'

Lichtenstern kijkt haar strak aan.

'Ik geloof dat ik het niet helemaal begrijp...'

'Ik zou de boeken tijdens de ochtendlessen op het tussenmuurtje kunnen zetten en dan kunnen de leraren ze bij het wisselen van de les komen lenen. Eén leraar zou zelfs meerdere boeken op een dag kunnen lenen. En als er een inspectie komt, verstoppen we de boeken in de geheime binnenzakken.'

'Wil je de boeken op het muurtje zetten? Dat is veel te gevaarlijk. Ik vind het niet goed.'

'Denkt u dat meneer Hirsch het ook niet goed vindt?'

Ze vraagt het op zo'n overdreven argeloze toon dat de onderdirecteur des duivels wordt. Denkt die snotneus nu echt dat ze zijn gezag kan ondermijnen? Dat lijkt er wel op, maar hij wil het zelf met Hirsch bespreken voordat die brutale meid hem overhaalt.

'Ik zal het met de directeur overleggen, maar je kunt er wel van uitgaan dat het niet mag. Ik ken Hirsch.'

Dat heeft hij mis. Niemand kent Hirsch' ware aard.

Hier kent niemand elkaar echt.

6

Lichtenstern is de enige in het kamp die een horloge heeft en aan het einde van de ochtend slaat hij op een metalen kom ten teken dat de lessen afgelopen zijn. Het is tijd voor de soep. Een halve liter bitter water waarin soms een sliertje kool of, op hoogtijdagen, een stukje aardappel drijft. Ook al kunnen de kinderen nauwelijks wachten om iets van hun ergste honger te stillen, ze moeten eerst netjes in de rij staan bij de latrines, waar ze bij de metalen troggen die dienstdoen als wasbakken hun handen moeten wassen.

Dita loopt naar meneer Morgenstern om het boek van H.G. Wells op te halen. Hij heeft het gebruikt om de val van het Romeinse Rijk te behandelen. Met zijn verwarde witte haardos, lange grijze baard en ruige, bossige wenkbrauwen lijkt hij wel een haveloze kerstman. Hij loopt parmantig rond in een oud, versleten colbert met gescheurde naden en zonder knopen. Zijn manieren zijn ouderwets en overdreven beleefd. Zo noemt hij zelfs de allerkleinsten meneer en mevrouw.

Dita pakt het boek snel met beide handen aan om te voorkomen dat die klunzige man het laat vallen. Met dat incident tijdens de inspectie, dat haar heel goed uitkwam om aan de Priester te ontkomen, heeft hij haar belangstelling en sympathie gewekt, en soms gaat ze 's middags even bij hem langs. Meneer Morgenstern staat altijd meteen op als hij haar ziet aankomen en maakt dan een hoffelijke buiging voor haar. Ze vindt het grappig dat hij soms ineens zonder aanleiding ergens over begint te praten.

'Weet je wel hoe belangrijk de afstand tussen je wenkbrauwen en je ogen is?' vraagt hij. 'Het is moeilijk om mensen te vinden bij wie hij precies goed is, niet te groot maar ook niet te klein.'

Hij spreekt heel enthousiast over de gekste onderwerpen, maar kan ook ineens zwijgen en naar het plafond of in het oneindige staren. Als hij wordt onderbroken, gebaart hij dat hij niet gestoord wil worden.

'Ik luister naar de radertjes in mijn hersenen,' zegt hij dan bloedserieus.

Aan het eind van de dag mengt hij zich niet in de gesprekken van de leraren. Hij zou ook niet vriendelijk worden ontvangen. De meesten denken dat hij niet goed snik is. Wanneer zijn leerlingen 's middags achter de barak met kinderen van andere groepen spelen, zit hij meestal alleen. Van gebruikt papier, dat pas wordt weggegooid als het helemaal is volgeschreven, vouwt hij vogeltjes.

Wanneer Dita die middag bij hem langskomt houdt hij op met vouwen, staat snel op en maakt een buiging, waarbij hij haar door zijn gekraste bril aankijkt.

'Mejuffrouw de bibliothecaresse, wat een eer...'

Ze moet een beetje lachen om die ontvangst en voelt zich gevleid en volwassen. Even vraagt ze zich af of hij haar voor de gek houdt, maar ze verwerpt die gedachte meteen weer. Hij kijkt heel vriendelijk naar haar. De leraar vertelt over gebouwen want 'voor de oorlog was ik architect'. Wanneer zij zegt dat hij dat nog steeds is en dat hij na de oorlog weer gebouwen zal ontwerpen, glimlacht hij minzaam.

'Ik heb geen puf meer om wat dan ook te maken en ik ben zelf nauwelijks vooruit te branden.'

Vóór Auschwitz had hij al een paar jaar zijn beroep niet kunnen uitoefenen omdat hij Joods was en nu zegt hij dat zijn geheugen hem in de steek begint te laten.

'Ik ken de formules om de belasting van constructies te berekenen niet meer en mijn handen trillen zo erg dat ik zelfs geen plattegrond van een zwembad meer zou kunnen tekenen.'

Morgenstern glimlacht weer.

Hij biecht op dat hij haar soms om een boek vraagt maar dan in de les over iets anders begint te vertellen en het boek uiteindelijk niet openslaat.

'Waarom vraagt u er dan om?' zegt ze op verwijtende toon. 'Snapt u dan niet dat er maar weinig boeken zijn en dat ze niet zomaar kunnen worden aangevraagd?'

'U hebt gelijk, mejuffrouw Adlerova, u hebt alle gelijk van de wereld. Ik bied u mijn verontschuldigingen aan. Ik ben een oude egoïst die niet weet wat hij wil.'

Dan zwijgt hij en Dita weet niet wat ze daarop moet zeggen. De man lijkt echt ontdaan. Maar even later kijkt hij ineens weer opgewekt. Zachtjes fluisterend, alsof hij een geheim wil delen, zegt hij dat hij zich pas een echte leraar voelt met een boek op zijn knieën terwijl hij de kinderen vertelt over de geschiedenis van Europa of de exodus van de Joden.

'Dan luisteren ze beter naar me. Niemand neemt een oude gek serieus, maar als hij uit een boek vertelt... Boeken herbergen de wijsheid van degenen die ze hebben geschreven. Boeken vergeten niets.'

En hij buigt zijn hoofd naar Dita toe om haar een groot geheim toe te vertrouwen. Nu vallen die warrige grijze baard en die kleine oogjes haar pas echt op.

'Mejuffrouw Adlerova... boeken weten alles!'

Dita laat hem alleen, waarna hij zich weer verdiept in zijn papiervouwkunst; hij probeert nu iets te maken wat op een papieren zeehond lijkt. Volgens haar heeft de oude leraar ze niet allemaal op een rijtje, maar toch... wat hij zegt is zowel absurd als zinnig. Ze weet eigenlijk niet of hij gek is of juist heel wijs.

Lichtenstern gebaart nerveus dat ze moet komen. Hij kijkt net zo geïrriteerd als wanneer hij geen sigaretten meer heeft.

'De directeur heeft gezegd dat hij akkoord gaat met je voorstel.'

De onderdirecteur kijkt naar haar en verwacht een triomfantelijke reactie, maar Dita is geen klein meisje meer, ze weet haar blijdschap goed te verbergen. Sterker nog, ze zet een ernstig gezicht op, terwijl hij kijkt als een boer die kiespijn heeft. Maar ze is dolblij en haar hart gaat als een gek tekeer.

'Hij heeft ja gezegd, dus dan zal het wel goed zijn. Hij is de baas, maar als er ook maar het minste vermoeden is dat er een inspectie komt, moeten de boeken meteen worden opgeruimd. En daarvoor ben jij verantwoordelijk.'

Ze knikt.

'Er was één ding dat ik pertinent niet wilde,' zei hij al wat opgewekter, alsof hij daarmee zijn gekrenkte trots kon goedmaken. 'Hirsch stond erop de blouse met binnenzakken te dragen als er een inspectie zou komen. Ik heb hem ervan overtuigd dat dat gekkenwerk was. Hij moet de bewakers te woord staan, hij staat vlak bij hen, dus hij mag die boeken niet bij zich dragen. Hij bleef maar eigenwijs volhouden, je weet, hij is een Duitser, hè. Maar ik ben een Tsjech. Hij is koppig maar ik ben een doorbijter. En ik heb mijn zin gekregen. Je krijgt elke dag een andere assistent in de bibliotheek.'

'Maar dat is geweldig, meneer Lichtenstern! Morgen gaat de openbare bibliotheek open!'

'Ik vind dat gedoe met die boeken echt waanzin.' Zuchtend loopt hij weg. 'Maar wat is hier geen waanzin?'

Opgetogen maar ook nerveus verlaat ze de barak. Terwijl ze loopt na te denken hoe ze de uitleen goed kan laten verlopen, komt ze Margit tegen. Uit de ziekenbarak aan de overkant zien ze een man komen die een kar voortduwt waarop een lijk ligt met een laken eroverheen. Ze zijn zo gewend geraakt aan die dodenkarren dat ze er nauwelijks meer op letten. De twee meisjes kijken elkaar zwijgend aan; wat valt er te zeggen? Ze lopen stil door tot ze René tegenkomen, een roodharig meisje waarmee Margit in de rij voor de soep vriendschap heeft gesloten. Na een dag werken in de greppels zitten haar kleren onder de modder, en door de wallen onder haar ogen ziet ze er ouder uit dan ze is.

'Wat heb je toch een pech met het werk, René!'

'Ik word achtervolgd door het ongeluk...' De toon waarop ze het zegt wekt de nieuwsgierigheid van de twee anderen.

Ze wenkt haar vriendinnen en loopt een steeg tussen twee barakken in. Achter een van de barakken zoeken ze een plek vlak bij een groepje mannen die het vermoedelijk over politiek hebben, te oordelen naar hun gefluister en de achterdocht waarmee ze naar de meisjes kijken. De drie gaan dicht bij elkaar zitten om het minder koud te hebben en René begint te vertellen.

'Er is een bewaker die steeds naar me kijkt.'

Dita en Margit wisselen een verbaasde blik. Margit weet niet wat ze moet zeggen en Dita reageert sarcastisch.

'Daar worden ze voor betaald, René, om de gevangenen in de gaten te houden.'

'Maar hij kijkt anders... hij staart me aan. Hij wacht tot ik uit de rij ga na het opnoemen van de namen en volgt me met zijn ogen, dat voel ik. En bij het avondappèl gaat het net zo.'

Dita staat op het punt om te zeggen dat ze wel wat veel eigendunk heeft... maar René kijkt zo ongerust dat ze haar mond maar houdt.

'Eerst besteedde ik er geen aandacht aan, maar toen hij vanmiddag zijn ronde over het kamp deed, week hij af van zijn route over de Lagerstrasse en kwam hij naar de greppel waar wij aan het werk waren. Ik durfde me niet om te draaien, maar ik voelde dat hij vlak langs liep. Toen liep hij weer verder.'

'Misschien wilde hij alleen het werk in de greppel controleren.'

'Maar hij liep direct terug naar de Lagerstrasse. Ik heb hem nog een tijdje nagekeken maar hij bleef verder de hele tijd in de straat lopen. Het lijkt wel of hij alleen mij controleert.'

'Weet je zeker dat het steeds dezelfde is?'

'Ja, hij is best klein, je herkent hem zo.' Ze slaat haar handen voor haar gezicht. 'Ik ben bang.'

René loopt stilletjes terug naar haar moeder.

'Dat kind maakt zich druk om niks,' zegt Dita enigszins minachtend.

'Ze is geschrokken. Ik ook trouwens. Ben jij nooit bang, Dita? Jij wordt zeker in de gaten gehouden. Als er iemand bang moet zijn, ben jij dat, maar dat ben je juist helemaal niet. Je bent zo dapper.'

‘Wat een onzin! Natuurlijk ben ik bang! Maar dat gaat niemand wat aan.’

‘Soms moet je wel over je gevoelens praten.’

Ze zitten nog een tijdje zwijgend naast elkaar en nemen dan afscheid. Dita gaat terug naar de Lagerstrasse en loopt naar haar barak. Het is gaan sneeuwen en iedereen zoekt langzaamaan zijn barak op. Het zijn smerige stallen, maar het is er in elk geval iets minder koud dan buiten. Van ver ziet ze dat het stil is bij haar barak. Op dit uur tussen het appèl en de avondklok staan er gewoonlijk wel wat echtparen die nog even samen willen zijn. Even later begrijpt ze waarom er niemand buiten staat. Een melodie uit Puccini’s opera *Tosca* klinkt zachtjes. Dita herkent hem want *Tosca* is een van haar vaders lievelingsopera’s. Iemand fluit de akkoorden exact na en als ze wat beter kijkt ziet ze een gestalte met een platte SS-pet op tegen de deurpost staan.

‘Mijn god…’

Zo te zien wacht hij op iemand. Maar niemand wil door hem worden opgewacht. Dita blijft midden op de Lagerstrasse staan. Ze weet niet of hij haar gezien heeft. Op dat moment komt er een groepje druk pratende vrouwen aanhollen om voor de avondklok binnen te zijn. Dita bukt en met een paar grote passen komt ze precies achter de vrouwen terecht zodat ze uit zijn blikveld blijft. Ter hoogte van de barak schiet ze, nog steeds gebukt, voor hen uit en rent naar binnen.

In een boek over Afrikaanse dieren heeft ze eens gelezen dat je, als je oog in oog staat met een leeuw, nooit moet gaan rennen maar juist heel langzaam moet bewegen. Misschien heeft ze nu een fatale fout gemaakt door naar binnen te rennen, maar ze bedenkt dat er in het boek, waarin je alles over leeuwen te weten kwam, niet stond hoe je op psychopaten van de SS moet reageren. Gebukt en met gebogen hoofd is ze naar binnen geglipt om minder op te vallen, maar ze kon het niet laten om vanuit haar ooghoek even naar de kamparts te gluren. Lang geleden kwam een veteraan uit de Grote Oorlog haar vader opzoeken. Hij had een glazen oog omdat hij een granaatscherf in zijn gezicht had gekregen. Ze is die onbestemde blik van dat oog nooit vergeten, een oog dat in feite helemaal niet keek omdat het dood materiaal was. De blik van Mengele is precies zo, alsof je in een paar ijskoude glazen ogen zonder leven of gevoel kijkt.

Ze denkt dat de hongerige leeuw achter haar aan komt. Ze rent naar haar bed en klimt er snel op. Voor het eerst is ze blij om de oudgediende met haar enge litteken te zien en ze nestelt zich tussen haar vieze voeten met het idee dat ze zich daar kan verstoppen. Ze hoort geen snelle passen, geen bevelen in het Duits. Mengele komt haar niet achterna, en even is ze opgelucht.

Haar moeder ziet hoe onrustig ze is en zegt dat ze zich niet druk moet maken, dat het nog even duurt voordat de avondklok ingaat. Dita knikt, ze krijgt het zelfs voor elkaar om te glimlachen en te doen alsof er niets aan de hand is.

Ze zegt welterusten tegen haar moeder en daarna ook tegen de vieze sokken van de oudgediende. Maar die reageren niet.

Ze vraagt zich af wat Mengele daar deed, bij de ingang van haar barak. Als hij haar stond op te wachten, als zo'n machtig iemand als hij denkt dat Dita misschien iets voor de kampleiding verbergt... waarom houdt hij haar dan niet meteen aan? Mengele snijdt de buik van duizenden mensen open en kijkt verlekkerd naar hun binnenkant, maar niemand weet wat er in zijn hoofd omgaat.

De lichten gaan uit en eindelijk voelt ze zich veilig. Maar dan begint ze te piekeren en beseft ze dat ze een fout heeft gemaakt. Nadat Mengele haar had bedreigd, wist ze niet goed of ze het aan de leiding van blok 31 moest vertellen. Als ze dat zou doen, zouden ze haar uit voorzorg ontslaan. En dan zou iedereen denken dat dat was gebeurd omdat ze bang was. Daarom heeft ze precies het tegenovergestelde gedaan, heeft ze ervoor gezorgd dat de bibliotheek juist toegankelijker en zichtbaarder is geworden. Ze heeft juist meer risico genomen, zodat niemand zich ook maar een moment afvraagt of Dita Adlerova bang is voor de nazi's.

Waar is ze eigenlijk mee bezig? vraagt ze zich af.

Als zij zelf risico loopt, brengt ze alle anderen ook in gevaar. Als ze haar betrappen met de boeken zal heel blok 31 gesloten worden. Voor vijfhonderd kinderen zou dat het einde betekenen van iets wat nog enigszins op een normaal leven lijkt. Omdat zij zich zo nodig dapper moest voelen, is ze onvoorzichtig geworden. In feite heeft ze de ene angst ingewisseld voor de andere: de angst om haar fysieke onschendbaarheid voor de angst voor wat anderen van haar denken. Ze denkt dat ze dapper is met haar boeken en haar bibliotheek, maar wat stelt dat nu helemaal voor? Ze is in staat het hele blok in gevaar te brengen en dat alleen maar omdat ze bang is voor haar reputatie. Hirsch had het over degenen die het gevaar ontkennen en daardoor anderen in problemen brengen. De roekelozen, zei hij. Die wilde hij er niet bij hebben. Daar heeft hij niets aan. Die douchen met benzine terwijl ze roken. Wanneer het goed uitpakt, krijgen ze een medaille voor hun moed en zetten ze een hoge borst op. Als het misgaat, slepen ze iedereen mee in hun val.

Ze opent haar ogen en de groezelige sokken kijken haar aan. Ze kan de waarheid niet in de binnenzakken van haar jurk wegstoppen. De waarheid drukt te zwaar op haar, ze zal door alle kieren van welke binnenzak dan ook met een smak op de grond vallen en dan is alles voorbij. Ze denkt aan Hirsch. Hij is een integer mens en ze heeft niet het recht om dingen achter te houden omdat ze zo nodig dapper moet zijn. Dat zou vals spel zijn. Dat verdient Fredy niet.

Ze besluit om de volgende dag met hem te gaat praten. Ze zal hem uitleggen dat dokter Mengele haar nauwlettend in de gaten houdt en dat hij zo misschien de bibliotheek op het spoor komt en de ware functie van blok 31 ontdekt. Hirsch zal haar natuurlijk ontslaan. En dan kijkt niemand meer met ontzag naar haar. Een treurige gedachte. Niemand prijst degenen die een stap terug doen. Ze beseft dat het gemakkelijk is om de omvang van heldendaden te meten, ze in eerbewijzen en medailles uit te drukken. Maar hoe bepaal je de moed van degenen die zich terugtrekken?

7

Rudi Rosenberg loopt naar de omheining die het quarantainekamp, waar hij zijn kantoor heeft, scheidt van het familiekamp. De registrator heeft Hirsch laten weten dat hij wat zaken met hem wil bespreken, ook al is dat met prikkeldraad ertussen. Rosenberg heeft veel respect voor het werk van de jeugdleider van blok 31. Kwade tongen beweren dat Hirsch te enthousiast meewerkt met de kampleiding, maar over het algemeen wekt hij sympathie en vertrouwen. Met die karakteristieke, rauwe stem van hem zei Schmulewski dat hij zo betrouwbaar is als iemand in Auschwitz maar kan zijn. Rosenberg heeft korte gesprekjes met Hirsch gehad en hem kleine gunsten verleend, en niet alleen omdat hij hem mag. Schmulewski heeft hem gevraagd zo discreet mogelijk meer over Hirsch te weten te komen.

Die ochtend komt er een meisje met de baas van blok 31 mee, dat zelfs in haar rok vol vlekken en haar veel te ruime wollen vest de gratie van een gazelle heeft.

Fredy heeft het over leveringsproblemen en over zijn inspanningen om betere voeding voor de kinderen te bemachtigen.

'Ik heb gehoord,' zegt Rosenberg op neutrale toon, alsof het om een onbelangrijke mededeling gaat, 'dat het toneelstuk waarmee jullie in blok 31 Chanoeka hebben gevierd een succes was en dat de SS-officieren hard hebben geklapt. Commandant Schwarzhuber heeft het schijnbaar naar zijn zin gehad.'

Hirsch weet dat het verzet hem nog steeds niet vertrouwt. Hij vertrouwt het verzet ook niet.

'Ja, ze vonden het leuk. Dokter Mengele was in een goed humeur, dus ik heb van de gelegenheid gebruikgemaakt om hem te vragen of we het magazijn naast de kleedkamer-barak mogen gebruiken om er de kinderen bezig te houden.'

'Dokter Mengele in een goed humeur?' Rosenberg zet grote ogen op, alsof hij niet kan geloven dat iemand die elke week honderden mensen zonder blikken of blozen de dood in jaagt zo menselijk kan zijn.

'Vandaag is officieel toestemming gegeven. Nu hebben de kinderen een eigen plek en leiden ze de volwassenen niet af.'

Rosenberg knikt vriendelijk. Zonder dat hij het zich bewust is, staat hij al de hele tijd naar het meisje te staren, dat zwijgend een eindje verderop staat. Hirsch kijkt op en stelt haar voor als Alice Munk, een jonge assistente van blok 31.

Rudi probeert zich weer te concentreren op wat Hirsch hem vertelt, maar zijn blik wordt steeds weer naar het meisje getrokken, dat hem glimlachend blijft aankijken. Wanneer Hirsch tegenover een stel SS-officieren staat, lukt het hem om geen spier te vertrekken en het hoofd koel te houden, maar bij het geflirt van deze twee mensen voelt hij zich ongemakkelijk. Sinds zijn tienerjaren is de liefde voor hem een bron van ellende geweest. De afgelopen jaren heeft hij zoveel mogelijk afleiding gezocht in toernooien en trainingen en heeft hij talloze evenementen georganiseerd om zijn zinnen te verzetten. Door zo druk bezig te zijn, hoeft hij niet stil te staan bij het feit dat hij uiteindelijk altijd alleen zal blijven, ook al is hij nog zo populair.

Om de twee jonge mensen, die zich duidelijk tot elkaar aangetrokken voelen, alleen te laten zodat ze even ongestoord samen kunnen zijn, zegt hij dat hij dringend weg moet.

'Ik heet Rudi.'

'Dat weet ik. Ik heet Alice.'

Nu ze alleen zijn probeert Rudi zijn beste verleidingskunsten uit, al stellen die niet veel voor. Hij heeft nog nooit een meisje gehad. Hij heeft ook nog nooit seksueel contact gehad met een vrouw. Behalve vrijheid is in Birkenau alles te koop, ook seks. Maar daarmee heeft hij zich nooit willen inlaten. Er valt een stilte. Hij haast zich die te verbreken, want ineens realiseert hij zich dat hij dat dit broodmagere meisje niet wil laten gaan, dat hij het liefst wil dat ze altijd daar blijft, aan de andere kant van het hek, en naar hem glimlacht met die rozerode van kou gebarsten lippen die hij maar al te graag met een kus zou willen verzachten.

'Hoe gaat het met het werk in blok 31?'

'Wel goed. Wij assistenten zorgen dat alles reilt en zeilt. De een stookt de kachel als er kolen of houtblokken zijn, maar dat komt niet zo vaak voor. En een ander geeft de kleintjes te eten. We vegen ook de barak aan. Ik zit nu in de potlodengroep.'

'Potlodengroep?'

'Er zijn maar heel weinig echte potloden en die worden voor bijzondere gelegenheden bewaard. Dus maken we zelf gebrekkige potloden, maar die doen het wel.'

'Hoe doen jullie dat?'

'Eerst slijpen we lepeltjes met stenen tot een soort messen. Dan slijpen we daarmee punten aan stukjes afvalhout. Ik maak het werk meestal af – ik houd de punt in het vuur en verbrand hem zodat er een koollaagje op komt. Daarmee kunnen de kinderen een paar woordjes schrijven. We moeten wel elke dag weer slijpen en branden.'

'En er zijn ook zoveel kinderen! Misschien kan ik wel wat potloden voor jullie regelen...'

'Echt?' Alice' ogen beginnen te fonkelen, tot groot plezier van Rudi. 'Maar het zal moeilijk zijn ze het kamp in te krijgen.'

Dat vindt hij nog leuker. Nu heeft hij iets om goede sier mee te maken.

'Ik heb alleen nog iemand nodig aan de andere kant van het prikkeldraad die ik kan vertrouwen... dat zou jij kunnen zijn.'

Ze knikt enthousiast. Nu kan ze zich nog nuttiger maken voor Hirsch, die ze net als alle andere assistentes adoreert.

Meteen na dit voorstel bekruipt de registrator een gevoel van twijfel. Tot dan toe is alles hem goed vergaan in Auschwitz en hij heeft een bevoorrechte positie omdat hij het slim heeft gespeeld. Hij heeft de invloedrijke gevangenen voor zich weten te winnen en is zo verstandig geweest geen onnodige risico's te nemen. Hij handelt alleen in spullen waarmee hij weinig gevaar loopt en die gunstig zijn voor zijn status. Je komt niet zomaar aan potloden, daar moet hij natuurlijk wel iets voor terugdoen. En behalve dat deze inspanning hem niets oplevert, is het ook nog eens riskant.

'Over drie dagen. Zelfde plaats, zelfde tijd.'

Alice zegt ja en rent opgetogen weg, haar blonde haar wappert in de koude ochtendwind. Rudi kijkt haar vertederd na, maar het zit hem niet lekker dat hij van zijn gebruikelijke strategie is afgeweken. Hij moet geen gunsten meer verlenen waar niets tegenover staat. Als de winst klein is, is het verlies dichtbij. En in Auschwitz kun je het je niet permitteren om te verliezen. Met dat meisje heeft hij het niet slim aangepakt, en toch is hij blij. Onderweg naar zijn barak in kamp BIIa voelt hij zich zwak, hij loopt te trillen op zijn benen. Hij heeft nooit geweten dat verliefdheid zoveel op griep lijkt.

Ook Dita Adlerova's benen trillen. Ze staat met knikkende knieen in haar bibliotheek. De kinderen en leraren druppelen binnen en zien de bibliothecaresse achter het muurtje staan met daarop een rijtje boeken. Het lijkt wel of ze achter een toonbank staat om ze te verkopen. Ze hebben al maanden, in elk geval sinds Theresienstadt, niet zoveel boeken bij elkaar gezien. De leraren komen naar haar toe en proberen de letters op de ruggen te ontcijferen, vragen of ze er even in mogen bladeren. Dita knikt, maar ze houdt hen in de gaten. Wanneer een vrouw het boek over psychoanalyse te ruw openslaat, vraagt Dita haar voorzichtig te doen. Eigenlijk is het meer een bevel, maar ze glimlacht erbij. De lerares raakt geïrriteerd omdat ze door een veertienjarige assistente wordt terechtgewezen.

'Ze zijn heel kwetsbaar,' zegt Dita met een geforceerde glimlach.

De boeken moeten na elke les teruggebracht worden zodat ze kunnen rouleren en zij het overzicht houdt. Gedurende de ochtend houdt ze goed in de gaten wie de boeken heeft. Helemaal achter in de barak ziet ze een lerares met het meetkundeboek zwaaien. Vlak naast zich ziet ze een atlas tegen een krukje staan, dat is het grootste boek van de collectie, maar het past toch nog in haar binnenzak.

Ze onderscheidt met gemak het groen van het Russische grammaticaboek, dat soms wordt gebruikt om de kinderen het mysterieuze cyrillische schrift te laten zien. De romans zijn minder gewild. Sommige leraren willen ze wel lezen, maar ze mogen niet uit blok 31 worden meegenomen.

Als iedereen aan het eind van de ochtend de boeken weer inlevert, is Dita net zo opgelucht als een dochter die haar bejaarde ouders na een wandelingetje weer thuis ziet komen. Ze kijkt afkeurend naar de leraar die haar een boek iets beschadigder teruggeeft dan het was. Inmiddels kent ze van elk boek alle scheurtjes en vouwen, kortom alle littekens. Wanneer ze de boeken terugkrijgt inspecteert ze die als een strenge moeder die de knieën van haar kind na het buitenspelen op schrammen controleert.

Met wat papieren in zijn hand loopt Fredy Hirsch ogenschijnlijk gehaast langs het boekenkraampje. Toch blijft hij even staan en kijkt naar de kleine bibliotheek. Fredy is zo iemand die altijd haast heeft en toch even tijd maakt.

'Zo meisje, mooie bibliotheek heb je daar.'

'Ik ben blij dat u hem mooi vindt.'

'Dit ziet er goed uit. Het Joodse volk is altijd heel ontwikkeld geweest.' Hij lacht naar haar. 'Als ik iets voor je kan doen, zeg je het maar hoor.'

Hirsch draait zich om en loopt met energieke tred weg.

'Fredy!' Dita vindt het nog steeds moeilijk om hem bij zijn voornaam te noemen, maar hij staat erop. 'Er is wel iets...'

Hij kijkt haar vragend aan.

'Kunt u plakband, lijm en een schaar voor me regelen? Deze arme boeken moeten nodig wat opgelapt worden.'

Hirsch knikt. Glimlachend loopt hij naar buiten. Hij kan het niet genoeg herhalen tegen iedereen die het maar horen wil: kinderen zijn het beste wat we hier hebben.

Wanneer het die middag ophoudt met regenen trotseren de kinderen de kou en gaan buiten in de drassige klei tikkertje doen of spoorzoekertje. De volwassenen hebben de krukken in een grote halve cirkel opgesteld. Dita heeft de boeken opgeborgen en komt erbij zitten. In het midden van de kring staat Hirsch, hij vertelt over een van zijn favoriete onderwerpen: de alia, de emigratie naar Palestina. Ze luisteren vol aandacht naar hem. Ondanks hun kwetsbaarheid, hun altijd lege maag en de doodsdreiging waaraan ze voortdurend worden herinnerd door de alomtegenwoordige geur van verbrand vlees, weet de blokoudste hen toch een gevoel van onoverwinnelijkheid te geven.

'De alia is veel meer dan een emigratie. Het is niet verhuizen naar Palestina om daar een nieuw leven te beginnen, zoals je naar iedere willekeurige plek op de wereld zou kunnen gaan. Nee, dat is het niet.' Hij zwijgt even en er ontstaat een gespannen stilte. 'Het is een reis die ons verbindt met de kracht van onze voorouders. Het is de draad oppakken waar hij is gebroken. Het is *hagshama*, en dat gaat veel dieper. Misschien hebben jullie het niet in de gaten, maar binnen in je schijnt licht. Nee, kijk maar niet zo gek naar me, je hebt een lichtje binnen in je... Jij ook, Markéta! Maar het lichtje is gedoofd. Dan zul je zeggen: "Wat maakt het uit? Ik heb het altijd zonder gedaan en ik heb niets gemist." Natuurlijk kun je leven zoals je tot nu toe gedaan hebt, maar dat zal altijd een middelmatig leven zijn. Het verschil tussen leven met of zonder dat licht is hetzelfde als dat tussen het verlichten van een donkere grot met een lucifer of met een groot vuur. Als je de alia volbrengt en de reis naar de grond van onze voorouders maakt, zal dat licht bij aankomst in het land van Israël heel fel gaan branden en je vanbinnen verlichten. Dat is iets wat ik niet kan uitleggen, je moet het zelf ervaren. Pas dan zul je alles begrijpen, dan zul je weten wie je bent.'

Ze hangen aan zijn lippen. Ze hebben hun ogen wijd open en sommigen strijken onbewust over hun borst, alsof ze op zoek zijn naar een knopje waarmee ze het licht kunnen ontsteken dat ze volgens Hirsch in zich dragen.

'We kijken naar de nazi's met hun moderne wapens en hun schitterende uniformen, en we denken dat zij sterk zijn, onoverwinnelijk zelfs. Maar nee. Laat je niet misleiden. In zo'n schitterend uniform zit niets. Het is een lege huls. Wij hoeven niet vanbuiten te schitteren, wij willen vanbinnen schitteren. En uiteindelijk zullen we daarmee overwinnen. Onze kracht zit niet in uniformen, maar in het geloof, in onze trots en vastberadenheid.'

Fredy pauzeert even en kijkt naar zijn publiek, dat hem met grote ogen aanstaart.

'Wij zijn sterker dan zij omdat ons hart sterker is. Wij zijn beter dan zij omdat ons hart meer kracht heeft. Daarom zullen ze ons niet kleinkrijgen. Daarom zullen we terugkeren naar Palestina en zullen we weer opstaan. En niemand zal ons meer vernederen. Want we zullen ons wapenen, met trots, maar ook met zwaarden, heel scherpe zwaarden. Wie zegt dat we een volk van boekhouders zijn, liegt. We zijn een volk van strijders en we zullen alle klappen en alle aanvallen dubbel en dwars betaald zetten.'

Dita zit er een tijdje zwijgend bij en vertrekt dan stilletjes. Hirsch' woorden laten niemand onberoerd. Ook haar niet.

Zodra iedereen weg is, wil ze met hem gaan praten. Ze wil geen pottenkijkers in de buurt als ze hem over het voorval met Mengele vertelt. Er staan nog te veel leraren en assistenten links en rechts te kletsen. Ze herkent een paar oudere meisjes die staan te lachen. En een groepje jongens die eruitzien als puisterige kalkoenen, zoals die Milan, die denkt dat hij heel wat is. Nou ja, hij is misschien best aardig, maar als zo'n sufferd denkt dat hij indruk op haar kan maken, heeft hij het mooi mis. Ze weet ook wel dat hij nooit naar zo'n mager meisje als zij zou omkijken. Ondanks het slechte eten zijn er in het kamp meisjes met ronde heupen en een flinke boezem.

Ze verstopt zich in het hoekje achter een stapel hout, waar de oude Morgenstern zich soms verborgen houdt, en gaat daar op een krukje zitten. Er schuurt een stukje papier langs haar hand: een rank maar gekreukeld vogeltje. Ze heeft zin om het fotoalbum in haar hoofd open te slaan en terug te gaan naar Praag; als je niet over de toekomst kunt dromen, is er altijd nog het verleden om over te mijmeren.

Er is één foto die eruit springt: haar moeder die zo'n afschuwelijke gele ster op een prachtige marineblauwe blouse naait. Wat ze het schokkendst vindt aan dat beeld is het gezicht van haar moeder: geconcentreerd en onbewogen kijkt ze naar de naald, alsof ze een zoom in een rok naait. Ze weet nog dat haar moeder, toen ze woedend vroeg wat ze met haar lievelingsblouse aan het doen was, slechts antwoordde dat het toch niet uitmaakte of er een stoffen ster op zat. Ze keek niet eens op van haar werk. Dita weet nog dat ze haar vuisten balde en rood werd van kwaadheid omdat zo'n gele ster van dikke stof slecht paste bij het satijn van haar blauwe jurk, en nog lelijker stond op haar groene shirt. Het was haar een raadsel hoe haar moeder die lelijke stukken stof op haar kleren kon naaien. Ze had toch gevoel voor stijl had, sprak Frans en las van die mooie Europese tijdschriften die ze in het krantenrekje van de salontafel bewaarde. Het is oorlog, Edita... het is oorlog, fluisterde ze zonder op te kijken van haar naaiwerk. En Dita zweeg, ze aanvaardde het als iets onvermijdelijks, net als haar moeder en de andere volwassenen al hadden gedaan. Het was oorlog, er was niets aan te doen.

Ze zoekt een ander beeld, dat van haar twaalfde verjaardag. Ze kan het appartement zien, haar ouders, haar grootouders, haar ooms en tantes en een paar neven en nichten. In het midden staat ze op iets te wachten en de hele familie staat in een kring om haar heen. Ze toont haar typische melancholieke glimlach, de glimlach van de verlegen Dita die haar façade van stoere meid van zich af heeft geschud. Vreemd genoeg lacht er verder niemand.

Ze kan zich dat verjaardagsfeest, haar laatste, nog goed herinneren, haar moeder had een heerlijke taart gebakken. Daarna was het afgelopen. Nu is het al feest als je een stuk aardappel vindt in dat zoute slootwater dat voor soep moet doorgaan. Die taart was wel veel kleiner dan normaal, maar ze had er niets van gezegd omdat ze had gezien dat haar moeder de hele week allerlei winkels was afgegaan op zoek naar meer rozijnen en appels. Het was geen doen geweest. Elke dag stond ze met een lege boodschappentas aan de schoolpoort en liet geen greintje ergernis blijken.

Zo was haar moeder, ze klaagde nooit, alsof het ongepast was om te vertellen waar je je zorgen over maakte. Ze bedenkt nu dat ze haar graag had gezegd: mam, stort je hart maar uit, vertel me alles... maar haar moeder was een vrouw uit een andere tijd, van ander materiaal gemaakt, zoals die aardewerken potten die geen warmte doorgeven en alles binnenhouden. De twaalfjarige Dita vond het heerlijk om iedereen alles te vertellen, ze genoot ervan te praten en toegesproken te worden, een handstand tegen de muur te maken en te slurpen als ze soep at. Ze was een gelukkig meisje en nu ze er goed over nadenkt gelooft ze dat ze dat op een bepaalde manier nog steeds is.

Haar moeder kwam de woonkamer binnen met een nerveuze glimlach om haar lippen en het cadeau in haar hand. Dita's ogen begonnen te fonkelen want ze dacht dat het een schoenendoos was en droomde al maanden van nieuwe schoenen: lichte schoenen met een gesp en als het even kon met een hakje.

Ongeduldig maakte ze de doos open en staarde naar een paar saaie, zwarte dichte schoenen. Toen ze wat beter keek zag ze dat ze niet eens nieuw waren. Op een van de neuzen zat een kras die met schoensmeer was gecamoufleerd. Ineens werd het doodstil. Haar grootouders, ouders, ooms en tantes keken vol spanning toe. Ze glimlachte breed en zei dat ze erg blij was met haar cadeau. Ze kuste haar moeder, die haar stevig omhelsde, en daarna haar vader, die met zijn subtiele gevoel voor humor zei dat ze bofte, want dat najaar zou bijna iedereen in Parijs dichte zwarte schoenen dragen.

Ze glimlacht bij de herinnering. Maar ze had zelf ook nog een plan voor haar twaalfde verjaardag. Toen haar moeder 's avonds naar boven kwam om haar goedenacht te wensen, vroeg ze nog een cadeau. Nog voordat haar moeder kon protesteren, zei ze dat het niets kostte. Ze was nu twaalf en wilde een boek voor volwassenen lezen. Haar moeder zweeg, stopte haar in en ging zonder een woord te zeggen naar beneden.

Even later – ze was al bijna in slaap gevallen – hoorde ze de deur zachtjes opengaan en zag ze dat haar moeder *De citadel* van A.J. Cronin op haar nachtkastje legde. Zodra ze de kamer uit was legde Dita haar peignoir tegen de kier onder de deur zodat niemand kon zien dat er licht brandde. Die nacht sliep ze niet.

Op een namiddag in oktober 1924 keek een sjofel geklede jongeman afwezig door het raampje van een derdeklascompartiment in de vrijwel lege trein die vanuit Swansea moeizaam door de Penowell-

vallei omhoog ploegde. Manson was al de hele dag onderweg; hij was uit het noorden gekomen, in Carlisle en Shrewsbury overgestapt, en hoewel de reis eentonig was, was hij euforisch; hij verheugde zich op het doel van zijn reis – de eerste stap in zijn medische carrière – naar dat vreemde, onherbergzame gebied.

Dita nestelde zich naast de jonge dokter Mason in het compartiment en reisde met hem naar Drineffy, een armoedig mijnwerkersdorp in de bergen van Wales. Ze was in de trein van de literatuur gestapt. Die nacht deed ze een spectaculaire ontdekking: het maakte niet uit hoeveel ellende er over haar heen kwam, als ze een boek opensloeg kon ze dat allemaal aan.

Bij de herinnering aan *De citadel* krullen haar lippen tot een vertederde, zelfs dankbare glimlach. Zonder dat haar moeder ervan wist, stopte ze het boek in haar schooltas zodat ze in de pauzes verder kon lezen. Door dat boek werd haar opstandige natuur aangewakkerd.

De jonge, idealistische en talentvolle dokter Manson, die er rotsvast van overtuigd was dat ziekten volgens de regels van de wetenschap bestreden moesten worden, trouwde met Christine, de bekoorlijke schooljuffrouw uit Drinnefy, en verhuisde naar een grotere stad. Toen hij na verloop van tijd door de elite werd geaccepteerd, stond alles in het teken van veel geld verdienen en zocht hij zijn patiënten onder vermogende dames wier enige echte kwaal verveling was.

Dita schudt haar hoofd. Waar was die pedante dokter Manson mee bezig? En dan verwaarloosde hij Christine ook nog eens!

Het was ook het eerste boek waar ze om moest huilen.

Toen een patiënt door de nalatigheid van een van zijn nieuwe collega's overleed, kwam dokter Manson eindelijk bij zinnen. Hij ging door het stof en vroeg Christine om vergeving. Manson besloot te breken met deze oppervlakkige wereld en als een echte arts mensen te helpen, of ze de rekening nu konden betalen of niet. Hij werd weer de lovenswaardige man die hij eerst was en ook Christine lachte weer. Volgens de eisen van het genre sloeg het noodlot alsnog toe en stierf de goede vrouw korte tijd later.

Ze glimlacht als ze aan dat verhaal denkt. Vanaf dat moment wist ze dat haar leven rijker zou worden omdat je door te lezen meerdere levens leert kennen en kennismaakt met mensen als Andrew Manson, of beter nog, Christine, een vrouw die zich nooit heeft laten verblinden door rijkdom en luxe, die haar principes nooit heeft verloochend, altijd sterk blijft en weigert onrecht te accepteren.

Sindsdien wilde Dita net zoals mevrouw Manson zijn. Zíj zou zich niet door de oorlog laten ontmoedigen, want uit de roman bleek dat als je maar trouw blijft aan je overtuigingen, het recht ondanks alles zal zegevieren. Dita begint te knikkebollen en valt uiteindelijk in slaap in haar schuilhoekje.

Wanneer ze wakker wordt is het aardedonker en is de barak in diepe rust. Even raakt ze in paniek bij de gedachte dat ze de sirene van de avondklok niet gehoord heeft. Niet op tijd in haar barak zou de fout kunnen zijn waar Mengele op wacht om laboratoriummateriaal van haar te maken. Maar als ze goed luistert hoort ze nog mensen buiten rondlopen en dat stelt haar gerust. Ze hoort ook stemmen dichterbij en beseft dat ze daarvan wakker is geworden. Er wordt Duits gesproken.

Ze steekt haar hoofd uit haar schuilhoek en ziet dat de deur van Hirsch' kantoor openstaat en het licht brandt. Hirsch loopt met iemand mee naar de uitgang van de barak en doet voorzichtig de deur open.

'Wacht even, er zijn mensen hier.'

'Wat kijk je zorgelijk, Fredy.'

'Volgens mij vermoedt Lichtenstern iets. We moeten er alles aan doen om te voorkomen dat hij of wie dan ook uit blok 31 erachter komt, anders ben ik er geweest.'

De ander lacht.

'Kom kom, niet zo benauwd. Wat kunnen ze doen? Het zijn ook maar Joodse gevangenen... ze zullen je heus niet doodschieten!'

'Als ze achter mijn geheim komen zijn er zeker wel een paar die dat zouden willen.'

Ten slotte verlaat de andere man de barak en kan Dita een vluchtige blik op hem werpen. Hij is forsgebouwd en draagt een wijde regenjas. Ze ziet ook dat hij zijn capuchon op heeft ook al regent het niet, alsof hij niet herkend wil worden. Aan zijn voeten heeft hij niet de de klompen die de gevangenen dragen, maar een paar glimmende laarzen.

Wat doet een SS'er hier incognito? vraagt ze zich af.

In het licht dat uit Hirsch' kantoor komt kan ze zien dat hij met gebogen hoofd naar zijn kamer terugloopt. Ze heeft hem nog nooit zo terneergeslagen gezien. Die fiere man die zijn hoofd buigt.

Ontdaan staat ze in haar schuilhoek. Ze begrijpt niet wat ze zojuist heeft gezien, of nee, ze is bang om het te begrijpen. Ze heeft heel goed gehoord wat Hirsch heeft gezegd: hij bedriegt hen.

Maar waarom?

Dita is in de war en gaat weer op het krukje zitten. Ze schaamt zich omdat ze Hirsch niet de hele waarheid heeft verteld... maar ondertussen verzwijgt hij dat hij in het geheim met SS'ers in vermomming afspreekt.

Mijn god...

Ze slaakt een diepe zucht en brengt haar handen naar haar hoofd.

Hoe kan ik nu de waarheid zeggen tegen iemand die zelf de waarheid verbergt? Als Hirsch niet te vertrouwen is, wie dan wel?

Wanneer ze opstaat, voelt ze zich duizelig, en zodra Hirsch zich opsluit in zijn kantoor, sluipt Dita de barak uit.

Op dat moment gaat de sirene voor de avondklok. De achterblijvers, die de avondkou en de toorn van hun kapo's hebben getrotseerd, rennen naar hun bed. Dita heeft niet eens de kracht om te rennen. Vragen tollen door haar hoofd. Haar benen voelen zwaar.

En als degene met wie hij sprak nu geen SS'er was maar iemand van het verzet? Maar waarom zou hij dan bang zijn dat de mensen van blok 31 het te weten zouden komen, het verzet staat toch aan onze kant? En hoeveel verzetslieden praten er met zo'n bekakt Berlijns accent?

Hoofdschuddend loopt ze naar haar barak. Ze kan er niet omheen. Het was een SS'er. Hirsch heeft met hen te maken, dat is waar. Maar dit was geen officiële ontmoeting. De nazi was vermomd en sprak op vertrouwelijke, haast vriendschappelijke toon met hem. En dan die schuldbewuste houding van Fredy...

Mijn god...

Er gaan voortdurend geruchten dat er informanten en spionnen van de nazi's onder de gevangenen zijn. Ze huivert.

Nee, nee, laat het niet waar zijn.

Hirsch een verklikker? Als iemand dat twee uur eerder had gesuggereerd, zou ze woest geworden zijn! Hij heeft achter de rug van de nazi's om van blok 31 een school gemaakt, dus het is niet logisch dat hij een informant is. Het slaat allemaal nergens op. Ineens bedenkt ze dat hij zich tegenover de nazi's misschien voordoet als informant, maar dat de gegevens die hij verstrekt niet belangrijk zijn of niet kloppen en dat hij hen op die manier tevreden houdt.

Dat zou alles verklaren!

Maar dan herinnert ze zich hoe Hirsch met gebogen hoofd naar zijn kamer terugliep toen hij weer alleen was. Dat was geen man die trots was op zichzelf omdat hij bezig was met een missie. Hij ging gebukt onder schuldgevoel.

Als ze bij de barak komt, staat de kapo al met een stok in de deuropening om degenen die te laat komen te slaan en Dita houdt haar handen voor haar hoofd om de klap af te weren. Hij slaat heel hard, maar ze voelt de pijn nauwelijks. Wanneer ze haar bed in klautert ziet ze in het bed ernaast een hoofd omhoog komen. Het is haar moeder.

'Wat ben je laat, Edita. Is alles goed met je?'

'Ja mama.'

'Weet je het zeker? Verzwijg je soms iets voor me?'

'Neehee,' antwoordt ze geïrriteerd.

Ze vindt het vervelend dat haar moeder haar als een klein meisje behandelt. Ze zou haar het liefst toeschreeuwen dat ze inderdaad iets verzwijgt, dat iedereen in Auschwitz van alles verzwijgt. Maar het zou niet eerlijk zijn om haar woede op haar moeder af te reageren.

'Dus alles gaat goed?'

'Ja mam.'

'Koppen dicht, stelletje trutten, of ik snij jullie keel door!' brult iemand.

'Ophouden jullie!' beveelt de kapo.

Het wordt stil in de barak, maar in Dita's hoofd blijft het spoken. Dus Hirsch is niet degene voor wie hij zich uitgeeft? Wie is hij dan wél?

Ze probeert alles wat ze over hem weet op een rijtje te zetten, maar dan beseft ze dat ze helemaal niet zoveel weet. Na die vluchtige ontmoeting op de sportvelden buiten Praag zag ze hem pas weer in Theresienstadt.

Het getto Theresienstadt.

8

Dita kan zich nog levendig herinneren dat de getypte brief met het zegel van de Reichsprotektor op het donkerrood geruite tafelkleed lag in dat piepkleine appartement in de wijk Josefov. Eén velletje papier waardoor alles veranderde. Zelfs de naam van dat stadje Terezín, op zestig kilometer van Praag, stond in schreeuwerige zwarte letters in het Duits gedrukt: THERESIENSTADT. Daarnaast het woord 'Transport'.

Terezín, dat door de Duitsers hardnekkig Theresienstadt werd genoemd, was een stadje dat Hitler met een royaal gebaar aan de Joden had gegeven. Dat was althans de versie van de nazipropaganda. De Joodse regisseur Kurt Gerron maakte er zelfs een documentaire over waarin te zien was hoe blijmoedig de mensen hun werk deden, aan het sporten waren en zelfs met plezier lezingen en andere evenementen bijwoonden. Een commentaarstem benadrukte dat de Joden heel gelukkig waren in Theresienstadt. De documentaire moest aantonen dat de geruchten over Joden die gevangenzaten en gedood werden niet klopten. Meteen nadat de film was voltooid, stuurden de nazi's Kurt Gerron naar Auschwitz, waar hij in 1944 werd vergast.

Dita slaakt een diepe zucht.

Het getto van Theresienstadt...

De Joodse Raad in Praag had Reichsprotektor Reinhard Heydrich verschillende locaties voor een Jodenstad aangeboden. Maar

Heydrich had zijn zinnen op Theresienstadt gezet. Hij had daar een zwaarwegend argument voor: het was een ommuurde stad.

Ze denkt terug aan de doffe ellende van de ochtend waarop ze hun hele hebben en houden in twee koffers moesten stoppen en zich bij het ontmoetingspunt in het Stromovka-park moesten melden. De Tsjechische politie begeleidde hen naar het Bubny-station om er zeker van te zijn dat ze de trein naar Theresienstadt zouden nemen.

Ze herinnert zich een scène uit november 1942. Op het station van Bohušovice helpt haar vader haar grootvader, de oude senator, uit de trein. Op de achtergrond staat haar grootmoeder aandachtig toe te kijken. Dita kijkt boos: ze kan het niet uitstaan dat zelfs de sterkste en vitaalste mensen niet aan lichamelijke aftakeling ontkomen. Haar grootvader was altijd een rots in de branding en nu kon je hem zo omver blazen. In een hoekje ziet ze ook haar moeder staan, die zoals gewoonlijk niet op wil vallen, met dat eeuwige neutrale gezicht van haar waarmee ze lijkt te willen zeggen dat het allemaal wel meevalt. En dan valt haar oog op zichzelf als dertienjarige, een stuk kleiner dan nu en wanstaltig dik. Van haar moeder moest ze een paar truien over elkaar aantrekken. Niet vanwege de kou, maar omdat ze per persoon maar vijftien kilo bagage mochten hebben en zo wat meer konden meenemen. Achter haar stond haar vader. 'Edita, ik heb je nog zo gezegd dat je niet zo veel fazant moet eten,' merkte hij geamuseerd op, met dat uitgestreken gezicht dat hij altijd trok als hij een grapje maakte.

Nadat ze de wachtpost bij de ingang was gepasseerd en onder de poort met de leus ARBEIT MACHT FREI door was gelopen, was haar eerste indruk dat het een dynamische stad was. Met drukke straten, een ziekenhuis, een brandweerkazerne, veldkeukens, werkplaatsen, een kindercrèche, en zelfs een eigen Joodse politie, de Ghettowache, mannen die er met hun donkere uniform uitzagen als gewone politie. Maar als je beter rondkeek zag je dat de mensen rondliepen met manden zonder handvatten, met rafelige, versleten dekens om zich heen, en dat de klokken geen wijzers hadden... Ze bedenkt dat al die kapotte spullen symbool staan voor verwoeste levens. De mensen kwamen en gingen alsof ze haast hadden, maar hoe snel ze ook liepen, uiteindelijk kwamen ze altijd bij de stadsmuur uit. Dat was het bedrieglijke van alles.

Theresienstadt was een stad met straten die nergens heen gingen.

Het was ook de plek waar ze Fredy Hirsch weer tegenkwam, hoewel haar geen beeld, maar wel een geluid van die ontmoeting is bijgebleven. Het gedender van een kudde op hol geslagen bizons, zoals in de verhalen van Karl May die op de weidse Amerikaanse prairies speelden. Het was een van haar eerste dagen in het getto en ze was nog aan het bijkomen van de aankomst daar. Dita kwam terug van haar werk in de moestuin die bij de muur was aangelegd om de SS'ers van voedsel te voorzien.

Ze was onderweg naar huis toen ze in een straat verderop ineens het geluid van galopperende paarden meende te horen. Ze drukte zich tegen de gevel van het huizenblok aan om niet onder de voet gelopen te worden. Maar toen het geroffel de hoek om kwam, bleek het van een troep jongens en meisjes te zijn. Voorop liep een atletisch gebouwde man met strak naar achteren gekamd haar. Hij liep met soepele passen en in het voorbijgaan groette hij haar met een lichte hoofdknik. Dat was Fredy Hirsch. Het kon niet missen, zelfs in korte broek en hemd zag hij er nog elegant uit.

Vervolgens duurde het een tijdje voor ze hem weer ontmoette. Bij die volgende ontmoeting ging het over boeken.

Het begon allemaal toen ze ontdekte dat haar vader een boek had verstopt tussen de lakens, kleding en huisraad die haar moeder in de koffers had geperst. Als haar moeder dat had geweten, zou ze woedend zijn geworden omdat het in haar ogen te veel ruimte en gewicht innam. Bij het uitpakken van de koffers was ze dan ook stomverbaasd toen ze het dikke boek aantrof. Ze wierp haar man een bestraffende blik toe.

'Dit weegt net zoveel als drie paar schoenen, die hadden we beter mee kunnen nemen.'

'Wat moeten we met zoveel schoenen, Liesl, als we toch nergens heen kunnen?'

Ze antwoordde niet, maar Dita meende te zien dat haar moeder haar lachen inhield. Soms had ze commentaar op haar man omdat ze vond dat hij een dromer was, maar eigenlijk bewonderde ze hem daarom.

Papa had gelijk, denkt ze. Dat boek heeft me veel verder gebracht dan welk paar schoenen ook.

Ze zit op de rand van haar bed in Auschwitz en denkt vergenoegd terug aan het moment dat ze *De toverberg* opensloeg.

Als je een boek begint te lezen is het alsof je in een trein stapt en op vakantie gaat.

De roman gaat over Hans Castorp die van Hamburg naar Davos in de Zwitserse Alpen reist om zijn neef Joachim te bezoeken, die in een sanatorium van tuberculose herstelt. In het begin wist ze niet of ze zich moest identificeren met Hans Castorp, die zojuist voor een korte vakantie in het sanatorium is aangekomen, of met de zieke, respectabele Joachim.

> *'Ja, nu zitten we dan wel te lachen,' zei hij met een verdrietig gezicht, terwijl hij zo nu en dan werd onderbroken door het schokken van zijn middenrif, 'terwijl het nog lang niet duidelijk is wanneer ik hier weg kan, want als Behrens zegt "nog een halfjaar" is dat laag geschat, we moeten erop rekenen dat het meer wordt. Maar het is toch hard, zeg nu zelf, is het niet treurig voor mij? Ik was al aangenomen en de volgende maand had ik mijn officiersexamen kunnen doen. En nu zit ik hier maar wat te lummelen met een thermometer in mijn mond en de stompzinnigheden van deze mevrouw Stöhr te tellen en mijn tijd te verdoen. Op onze leeftijd telt een jaar zwaar, in het leven beneden gaat het met zoveel veranderingen en vooruitgang gepaard. En ik moet hier stagneren als een waterpoel, ja, als een troebele plas – en die vergelijking is echt niet overtrokken.*

Dita herinnert zich dat ze onder het lezen ongemerkt zat te knikken, en nu in Auschwitz ligt ze wakker op haar stromatras en knikt ze weer. Destijds vond ze dat de personages uit die roman haar beter begrepen dan haar eigen ouders, want toen ze klaagde over alle ellende in Theresienstadt (haar vader die in een ander gebouw moest slapen, het harde werken in de moestuin, de benauwenis van het leven in een afgesloten stad, het smakeloze eten...), kreeg ze te horen dat ze geduld moest hebben, dat het allemaal snel voorbij zou zijn. 'Misschien is de oorlog volgend jaar wel afgelopen,' zeiden ze dan, alsof ze geweldig nieuws brachten. Voor volwassenen stelde een jaar niet veel voor. En dan glimlachten haar ouders naar haar, en zij beet op haar lippen en was kwaad omdat ze er niets van begrepen. Als je jong bent is een jaar immers een eeuwigheid.

Wanneer haar ouders 's avonds op de binnenplaats met andere echtparen zaten te kletsen, ging zij vaak op bed liggen. Nadat ze de dekens over zich heen had getrokken voelde ze zich dan een beetje als Joachim die in het sanatorium op zijn chaise longue lag te rusten. Of eigenlijk meer als Hans Castorp, die ook besloot wat te ontspannen en mee te doen met de rustkuren, al was het voor hem als bezoeker een stuk vrijblijvender. Castorp, die voor drie weken was gekomen, begon te wennen aan de manier waarop de tijd daar gemeten werd; hij had al ontdekt dat een maand de kleinste tijdseenheid was, dat ze dan pas begonnen te tellen, en dat elk tijdsbesef vervaagde in de sleur van maaltijden en rustpauzes die elkaar dag na dag opvolgden.

Net als de twee neven lag ze in Theresienstadt ook op bed op de avond te wachten, al was haar maaltijd een stuk kariger dan de vijf gangen die in het sanatorium Berghof werden geserveerd. Ze kreeg nauwelijks meer dan een stukje brood met kaas.

Kaas! Liggend op haar stromatras in Auschwitz moet ze eraan denken. Hoe smaakte die kaas ook alweer? Het lijkt zo lang geleden. Het was zo lekker!

In Theresienstadt had ze het zelfs met haar vier truien over elkaar net zo koud als Joachim en de zieken die in hun dekens gewikkeld op het balkon van hun kamer de droge avondlucht lagen in te ademen, die heilzaam voor de longen scheen te zijn. En terwijl ze met haar ogen gesloten op bed lag, kreeg ze net als Joachim het gevoel dat de jonge jaren in een oogwenk voorbij zijn. Het was een heel dik boek. Maandenlang leefde ze mee met de gevangenschap van Joachim en zijn vrolijke neef. Ze maakte kennis met de geheimen, de roddels en het personeel van het luxueuze Berghof gedurende die ziekteperiode waarin de tijd leek te stollen. Ze werd deelgenoot van de gesprekken tussen de neven en andere patiënten en ging op de een of andere manier deel uitmaken van die wereld. De barrière die haar van de personages scheidde, die tussen de feitelijke en de gelezen werkelijkheid in stond, smolt in haar gedachten als chocolade in de zon. De werkelijkheid van het boek was veel waarachtiger en beter te bevatten dan wat zij in die ommuurde stad om zich heen zag, en ook veel geloofwaardiger dan de nachtmerrie van schrikdraad en gaskamers in Auschwitz.

Hanka, die in Theresienstadt in het bed naast Dita sliep, maar geen gesprek met haar kon aanknopen omdat ze alsmaar lag te lezen, vroeg op een avond of ze wel eens had gehoord van *Republiek SHKID* en de jongens van blok L417. Natuurlijk had ze daarvan gehoord!

Dita klapte haar boek dicht en was ineens een en al oor. Haar nieuwsgierigheid was gewekt en ze vroeg Hanka of ze mee mocht om de jongens te ontmoeten... Het half-Duitse meisje probeerde haar uit te leggen dat het eigenlijk te laat was, dat het morgen misschien wel kon, maar Dita onderbrak haar en moet er nu, bij de herinnering, nog om lachen.

'Morgen bestaat niet, we moeten nu leven!'

De twee liepen op een drafje naar blok L417, een jongensblok waar ze tot zeven uur heen mochten. In het portaal bleef Hanka staan en keek haar buurvrouw even heel ernstig aan. 'Kijk uit met Ludek... hij is heel knap! En waag het niet met hem te flirten, ik heb hem het eerst gezien.'

Met gespeelde plechtigheid stak Dita haar rechterhand op en giechelend liepen ze de trap op. Zodra ze boven waren, begon Hanka met een magere jongen te praten. Dita wist niet goed wat ze moest doen en liep op een jongen af die de aarde vanuit het perspectief van de ruimte aan het tekenen was.

'Wat zijn dat voor rare bergen daar op de voorgrond?' was het eerste wat ze hem vroeg.

'Dat is de maan.'

Petr Ginz was hoofdredacteur van *Vedem*, het clandestiene tijdschrift dat op losse vellen papier werd geschreven en op vrijdagmiddag werd voorgelezen. Het bevatte berichten over de gebeurtenissen in het getto, maar er konden ook opinieartikelen, gedichten en overpeinzingen in geplaatst worden. Petr was een groot bewonderaar van Jules Verne en een van zijn favoriete boeken was *Van de aarde naar de maan*. Als hij 's nachts in bed lag, bedacht hij hoe geweldig het zou zijn als hij net zo'n kanon had als Impey Barbicane en hij in een reusachtige kogel de ruimte in kon worden geschoten. Hij hield op met tekenen en keek onderzoekend naar het meisje dat hem zo spontaan had aangesproken. Hij was gecharmeerd van haar schrandere ogen, maar zette een strenge toon op toen hij zei: 'Jij bent wel een heel nieuwsgierig meisje.'

Dita begon te blozen; ineens kwam haar verlegen kant naar boven. Ze vond het vreselijk dat ze zo'n flapuit was. Toen veranderde Petr van toon.

'Nieuwsgierigheid is de belangrijkste eigenschap van een goede journalist. Ik ben Petr Ginz. Welkom bij *Vedem*!'

Dita vraagt zich af wat voor artikelen Petr Ginz over de activiteiten in blok 31 zou hebben geschreven. Ze vraagt zich af wat er geworden is van die gevoelige, tengere jongen die zei dat zijn ouders hem ooit Esperanto zouden leren, een taal die was ontworpen om alle mensen, waar ook ter wereld, elkaar te laten verstaan. Een idee te mooi om waar te zijn.

De dag na hun eerste ontmoeting liep Dita met Petr langs de zogeheten 'Dresden-blokken'. Toen hij vroeg of ze hem wilde helpen bij een interview voor het weekblad, hoefde ze daar niet lang over na te denken. Ze zouden de directeur van de bibliotheek gaan interviewen.

Het enthousiasme van de jongen werkte aanstekelijk. Dita vond het spannend om journalist te zijn en was zo trots als een pauw toen Petr Ginz en zij zich bij de bibliotheek in gebouw L304 meldden en vroegen of de directeur, doctor Utitz, twee journalisten van het tijdschrift *Vedem* wilde ontvangen.

Na een paar minuten verscheen Emil Utitz, die voor de oorlog docent filosofie en psychologie aan de universiteit van Praag was geweest en columns voor verschillende kranten had geschreven.

Hij vertelde dat de bibliotheek ongeveer zestigduizend boeken had, afkomstig uit honderden openbare en particuliere Joodse bibliotheken die door de nazi's waren ontmanteld en geplunderd. Hij zei ook dat ze nog niet over een leeszaal beschikten en dat de bibliotheek daarom mobiel was. Ze gingen met de boeken de huizen langs om ze uit te lenen. Petr vroeg of het klopte dat hij bevriend was geweest met Franz Kafka, wat de directeur bevestigde. Ook vroeg hij of hij een van zijn bibliothecarissen mocht vergezellen bij het rondbrengen van de boeken om in het tijdschrift over dat werk te kunnen vertellen, en Utitz stemde met plezier in.

De voormalig docent glimlachte weemoedig toen hij hen zo opgetogen zag weglopen. De herinneringen aan de bijeenkomsten in café Louvre bleven hem pijnigen, alsof hij spijt had van alles wat hij destijds niet aan Kafka had gevraagd, van alle dingen die de schrijver hem toen niet had verteld en die daardoor voor altijd verloren waren gegaan. Hij vroeg zich af wat de serieuze Franz geschreven zou hebben als hij lang genoeg had geleefd om te zien wat er nu allemaal gebeurde. En Utitz zelf had er weer geen idee van dat Kafka's zusters Elli en Valli Kafka later in de gaskamers van vernietigingskamp Chelmno zouden omkomen en dat de kleine Ottla in Auschwitz-Birkenau vergast zou worden.

In feite wist de schrijver van *De gedaanteverwisseling* eerder dan wie ook wat er zou gebeuren, dat mensen van de ene op de andere dag in monsters konden veranderen.

De bibliotheek van Theresienstadt was als een papieren octopus waarvan de tentakels zich vanuit gebouw L304 uitstrekten om de boeken in de hele stad rond te brengen. Ze werden op karren langs de verschillende huizenblokken gereden waar de mensen ze konden uitkiezen.

Petr werkte overdag op het land en toen hij op een middag na werktijd ergens poëzie moest voordragen, mocht Dita tot haar grote vreugde met mevrouw Sittigová, de bibliothecaresse, mee om de boekenkar door de straten van Theresienstadt te duwen. Na een lange dag op het land, in de werkplaats, fabriek of smelterij ontvingen de mensen het rijdende assortiment ontspanningsliteratuur met open armen. Mevrouw Sittigová had haar echter verteld dat er vaak boeken werden gestolen, en niet alleen om gelezen te worden, maar ook om als toiletpapier of brandstof te worden gebruikt. De boeken waren hoe dan ook van groot nut.

Dita vond het niet nodig om hun komst luidkeels aan te kondigen. 'Bibliotheekboeken!' Als een echo gaven de stemmen van jong en oud de boodschap door en overal kwamen mensen verheugd uit hun onderkomen om de boeken door te bladeren. Ze had er zoveel plezier in de boeken door de stad rond te brengen dat ze sindsdien elke dag meeliep. Op de dagen dat ze geen schilderles had, ging ze na haar werk de bibliothecaresse helpen.

En toen kwam ze Fredy Hirsch weer tegen.

Hij woonde in een van de gebouwen vlak bij het centrale kledingmagazijn. Hij was daar echter niet vaak te vinden omdat hij steeds druk bezig was met het organiseren van sporttoernooien of activiteiten voor de jongeren in het getto. Soms kwam hij opgewekt naar Dita's kar gelopen, goed gekleed als altijd, en groette haar met die mysterieuze glimlach die je het gevoel gaf dat je ertoe deed. Meestal zocht hij naar liedboeken of dichtbundels voor zijn bijeenkomsten op vrijdagavond, wanneer hij met groepen jongeren de sabbat vierde. Dan werd er gezongen en werden er verhalen verteld, en Fredy sprak over de terugkeer naar Israël, waar ze na de oorlog naartoe zouden gaan. Een keer probeerde hij Dita over te halen om zich bij die groepen aan te sluiten. Ze bloosde, misschien een andere keer zei ze, maar ze durfde gewoon niet en was bang dat haar ouders het niet goed zouden vinden. Diep in haar hart had ze echter graag meegedaan met zo'n groep, waar werd gezongen en op een volwassen manier werd gedebatteerd, en zelfs gezoend in afgelegen hoeken.

Dita beseft nu dat ze Alfred Hirsch eigenlijk helemaal niet goed kent, en haar leven ligt in zijn handen. Als hij tegen het Duitse opperbevel zou zeggen: 'Gevangene Edita Adlerova verbergt clandestiene boeken onder haar kleding', zouden ze haar bij de eerste inspectie op heterdaad betrappen en meteen arresteren. Maar als hij haar zou willen aangeven... waarom had hij dat dan nog niet gedaan? Waarom zou Hirsch dat doen als heel blok 31 zijn eigen initiatief was? Ze begrijpt er niets van. Ze zal zelf op onderzoek moeten uitgaan, maar wel heel discreet. Misschien wil hij gewoon het beste voor de gevangenen en dan zou zij alles verknoeien.

Ze wil Hirsch vertrouwen... Maar waarom is de blokoudste dan bang dat hij wordt ontmaskerd en iedereen hem zal haten? Hirsch kán geen verrader zijn, zegt ze bij zichzelf. Het is gewoon onmogelijk. Hirsch is degene die openlijk tegen de nazi's in gaat, die hen het meest veracht, die trots is dat hij Joods is, die zijn leven riskeert om de kinderen een school te geven.

Maar waarom is hij dan niet eerlijk?

9

Het quarantainekamp zit vol Russische soldaten. Van hun waardigheid is weinig over. Hun hoofd is kaalgeschoren en ze dragen het gestreepte gevangenisuniform. Het is een leger van bedelaars geworden. Ze lopen wat rond of zitten afwachtend op de grond, er wordt nauwelijks gepraat. Sommigen kijken door het hek en zien de Tsjechische vrouwen van het familiekamp die hun haar nog hebben, en de kinderen die in de Lagerstrasse spelen.

Als registrator van het quarantainekamp is Rudi Rosenberg druk bezig met het opstellen van de lijsten met nieuwe gevangenen. Rudi spreekt Russisch, Pools en ook wat Duits. Dat maakt het makkelijker voor de SS'ers die toezicht houden op de registratie en Rudi is zich daar goed van bewust. Die ochtend heeft hij een paar potloden in zijn zak laten verdwijnen. Hij gaat langs bij de jonge korporaal met wie hij wel eens grapjes maakt, vooral over de meisjes die met het vrouwentransport meekomen.

'Korporaal Latteck, we zitten bomvol vandaag. Als er veel werk te doen is, bent u altijd de klos!' De Duitsers moeten altijd met u worden aangesproken, ook als ze jonger zijn dan degene die het woord tot hen richt.

'Ja, heb je het ook in de gaten, Rosenberg? Ik doe al het werk. Het lijkt wel of ik de enige korporaal hier ben. Die stomme eerste sergeant moet mij altijd hebben. Het is een achterlijke boerenkinkel uit Beieren en hij heeft een hekel aan Berlijners. Ik hoop dat ik nou eindelijk eens naar het front mag.'

'Korporaal, niet om het een of ander, maar de potloden zijn op.'

'Ik zal een soldaat naar het wachtershuis sturen om er een te halen.'

'Dan kan hij toch net zo goed een hele doos meenemen?'

De SS'er kijkt hem strak aan en glimlacht dan sluw.

'Een hele doos, Rosenberg? Waar heb jij in godsnaam zoveel potloden voor nodig?'

Hij merkt dat de korporaal niet zo dom is als hij dacht. Dus hij begint ook een beetje vals te glimlachen.

'U weet toch ook dat we hier veel moeten schrijven. En ja... als we er toch genoeg hebben, kunnen we er ook een paar geven aan de mensen die in de kleedkamers werken, die moeten ook aantekeningen maken. Potloden zijn zo moeilijk te krijgen hier. Als je ze er wat bezorgt, krijg je er misschien wel een paar nieuwe sokken voor terug.'

'Of een lekker Joods mokkel.'

'Wie weet.'

'Ja ja, ik snap het al...'

De onderzoekende blik zit hem niet lekker. Als de SS'er hem aangeeft, is hij verloren. Hij moet hem snel zien te overtuigen.

'Nou ja, het kan geen kwaad om gewoon een beetje aardig te zijn. Er zijn er bij die me sigaretten geven.'

'Sigaretten?'

'Soms zit er nog een pakje in kleding die naar de wasserij wordt gebracht... Ik heb zelfs wel eens lichte sigaretten.'

'Lichte sigaretten?'

'Lichte sigaretten, ja.' Hij haalt een sigaret uit zijn zak. 'Kijk maar.'

'Je bent een schurk, Rosenberg. Een heel slimme schurk,' glimlacht de korporaal.

'Ze zijn best moeilijk te krijgen, maar misschien kan ik er een paar voor u op de kop tikken.'

'Ik ben gek op lichte sigaretten,' zegt de korporaal met een gretige blik.

'Ze smaken heel anders dan zware, ja, dat is zo.'

'Inderdaad...'

De volgende dag gaat Rosenberg met twee potloden op zak naar zijn afspraakje met Alice. Hij zal wat gunsten moeten verlenen om aan sigaretten voor de korporaal te komen, maar daarover maakt hij zich het minst zorgen. Voor hem is dat een een fluitje van een cent. Terwijl hij naar het hek loopt, vraagt hij zich opnieuw af hoe het toch zit met dat familiekamp. De Joden mochten nooit als gezin bij elkaar blijven. Wat hebben ze aan kinderen en bejaarden in een werk- en vernietigingskamp? BIIb is heel anders dan alle andere subkampen. Waarom hebben de nazi's dat zo gedaan? Die vraag houdt het verzet bezig. Misschien dat Fredy Hirsch er meer van weet dan hij laat merken. Zou hij soms een troef achter de hand hebben? Waarom niet? Niemand laat hier toch het achterste van zijn tong zien? Hijzelf zegt ook niet tegen Schmulewski dat hij met sommige SS'ers goed kan opschieten en zo een beetje kan sjacheren. Misschien hoor je dat als verzetsman niet te doen, maar hij vaart er wel bij. En Schmulewski zelf kan wel eenvoudig en beheerst overkomen, maar laat zich ook niet in de kaart kijken. Hij is ondertussen wel de rechterhand van de Duitse kapo van zijn barak. Wat voor concessies heeft de held van de Internationale Brigades moeten doen om die luizenbaan te krijgen? Hoeveel kaarten worden er in die modderpoel van Auschwitz nog achter de hand gehouden?

Hij sluipt achter de barakken langs tot hij Alice ziet en loopt dan naar het hek. De torenwacht kan elk moment de sirene laten afgaan om hen te verjagen. Alice staat aan de andere kant van het hek. Rudi hunkert al twee dagen naar dit moment en is zo blij haar te zien dat hij al zijn zorgen vergeet.

'Ga zitten.'

'Ik blijf liever staan. Het is hier hartstikke drassig!'

'Maar je moet toch gaan zitten want anders denkt de wachter dat we met een of ander vaag handeltje bezig zijn. Hij moet weten dat we gewoon wat praten.'

Terwijl ze gaat zitten waait haar rok iets omhoog en is haar – onwaarschijnlijk witte – onderbroekje even te zien. Er gaat een siddering door zijn lichaam.

'Hoe gaat het ermee?' vraagt Alice.

'Nu ik jou zie heel goed.'

Alice bloost en glimlacht tevreden.

'Ik heb de potloden bij me.'

Ze lijkt niet erg enthousiast en dat stelt Rudi een beetje teleur. Hij hoopte dat hij er indruk mee zou maken en dat ze blij zou zijn. Het meisje heeft vast geen idee hoe moeilijk het is om in het kamp aan spullen te komen, dat je het daarvoor met een SS'er op een akkoordje moet gooien.

Rudi heeft geen verstand van vrouwen. Alice is wel degelijk onder de indruk, hij hoeft haar alleen maar in de ogen te kijken om het te zien.

'En hoe krijg je ze nou bij ons in het kamp? Via een bode?'

'In deze tijden kun je niemand vertrouwen.'

'Dus?'

'Wacht maar af.'

Vanuit zijn ooghoek kijkt Rudi naar de soldaat in de wachttoren. Hij staat tamelijk ver weg en alleen zijn hoofd en een deel van zijn romp zijn zichtbaar. Maar aan het geweer dat schuin over zijn rug hangt kan Rudi zien wanneer hij met zijn rug naar hen toe staat. Dankzij dat geweer, dat fungeert als kompas, kan hij zien dat de soldaat zich telkens na een tijdje langzaam omdraait. Wanneer hij de loop van het geweer in de richting van de ingang van het kamp ziet bewegen, doet hij snel een paar stappen naar het hek. Geschrokken slaat Alice een hand voor haar mond.

'Kom! Snel!'

Hij haalt twee bundels potloden uit zijn zak en steekt ze voorzichtig door een opening van het hek; aan de andere kant vallen ze op de grond. Alice pakt ze snel op. Ze is nooit eerder zo dicht bij dat griezelige hek met zijn duizenden volts geweest. De twee doen een paar stappen terug en precies op dat moment ziet Rudi dat de loop van het geweer als een secondewijzer begint te draaien en de soldaat hen weer in het vizier heeft.

'Waarom heb je niet gezegd dat we het zo zouden doen?' zegt ze geschrokken. 'Dan had ik me erop ingesteld.'

'Op sommige dingen kun je je maar beter niet instellen. Soms moet je snel handelen.'

'Ik zal de potloden aan meneer Hirsch geven. Dank je wel.'

'Nu moeten we weg hier...'

'Ja.'

'Alice...'

'Wat is er?'

'Ik zou je graag nog eens zien.'

Ze glimlacht. Dat zegt meer dan duizend woorden.

'Morgen om deze tijd?' vraagt hij.

Ze knikt en loopt langzaam naar de hoofdstraat van haar kamp. Rudi zwaait naar haar. Ze tuit haar volle lippen en blaast een kus over het prikkeldraad. Hij vangt hem in de lucht op. Nooit had hij gedacht dat hij van zo'n simpel gebaar zo gelukkig kon worden.

Wanneer Dita die ochtend wakker wordt, twijfelt ze aan alles en iedereen. Ze let op alle gebaren, de manier waarop wenkbrauwen worden opgetrokken of kaken verkrampen, ze observeert alles net zo aandachtig als de microbenjagers uit het boek van Paul de Kruif door de microscoop keken. Als een detective probeert ze iets te ontdekken in het gedrag van de mensen. Ze wil een waarheid achterhalen die niet in woorden wordt uitgedrukt. En ze hoopt dat degenen die iets te verbergen hebben zichzelf verraden door hun manier van kijken, stotteren of slikken. Wantrouwen is net zoiets als langzaam opkomende jeuk. Als je je er eenmaal van bewust bent, kun je niet meer stoppen met krabben.

Maar het leven gaat door en Dita wil niet dat iemand haar bezorgdheid opmerkt. Daarom zit ze al vroeg op een bankje in de bibliotheek. Ze heeft de boeken op een rijtje op een ander bankje gezet. Lichtenstern heeft haar een assistent toegewezen die moet helpen met het ruilen van de boeken tijdens het wisselen van de lessen, en die ochtend zit er een bleke, zwijgzame jongen naast haar. Hij heeft nog steeds geen woord gezegd.

Als eerste verschijnt er een jonge leraar die lesgeeft aan een groepje kinderen vlak naast haar bibliotheek. Hij begroet haar met een hoofdknik. Ze heeft gehoord dat hij communist is, en ook dat hij heel ontwikkeld is, hij schijnt zelfs Engels te spreken. Ze weet niet wat ze van hem moet denken, al vermoedt ze dat er achter zijn gemaakte onverschilligheid een grote intelligentie schuilt. Hij laat zijn blik over de boeken gaan en bij het zien van het boek van H.G. Wells knikt hij tevreden. Dan valt zijn oog op het boek van Freud en hij schudt afkeurend zijn hoofd. Dita kijkt vol spanning naar hem en is bijna bang voor wat hij gaat zeggen. Hij kijkt even peinzend voor zich uit en zegt uiteindelijk: 'Als H.G. Wells zou weten dat hij Sigmund Freuds buurman was, zou hij woest op je worden.'

Dita kijkt hem met grote ogen aan en begint te blozen.

'Ik begrijp u niet...'

'Let maar niet op mij. Ik vind het alleen schokkend om een socialistische rationalist als Wells en een verkoper van fantasieën naast elkaar te zien staan.'

'Is Freud dan schrijver van fantasieverhalen?'

'Nee, helemaal niet. Freud was een psychiater uit Moravië, hij was ook Joods. Iemand die in het hoofd van mensen keek.'

'En wat zag hij allemaal?'

'Veel meer dan hem lief was. In zijn boeken legt hij uit dat het brein een voorraadkast is waar herinneringen liggen te rotten en dat mensen daar gek van worden. Hij bedacht een manier om geestesziekten te genezen. De patiënt moest op een divan gaan liggen en net zo lang praten tot zelfs zijn vroegste herinneringen bovenkwamen. Op die manier onderzocht hij hun diepste gedachten. Dat noemde hij psychoanalyse.'

'Wat is er van hem geworden?'

'Hij werd beroemd. Daardoor kon hij in 1938 uit Wenen vluchten. Een stel nazi's viel zijn praktijk binnen, ze sloegen de boel kort en klein en namen vijftienhonderd dollar mee. Toen hij dat hoorde zei hij dat een consult hem nog nooit zoveel had opgeleverd. Hij kende veel invloedrijke mensen. Desondanks lieten ze hem pas met zijn vrouw en dochter naar Londen gaan nadat hij een document had ondertekend waarin hij verklaarde dat de nazi-autoriteiten hem goed behandeld hadden en hoe geweldig het leven was in het Wenen van het Derde Rijk. Hij vroeg of hij er nog iets aan mocht toevoegen omdat het wat summier was, en toen schreef hij: *Ik kan iedereen de Gestapo van harte aanbevelen*. De nazi's vonden het geweldig.'

'Ze snappen ook niets van Joodse humor.'

'Duitsers hebben gewoon geen gevoel voor humor.'

'En toen hij in Engeland aankwam?'

'Freud stierf een jaar later, in '39. Hij was toen al oud en heel ziek.' De leraar pakt het boek van Freud en bladert het door. 'Freuds boeken waren bij de eerste die in 1933 van Hitler verbrand moesten worden. Dit boek is een enorm risico, het is niet alleen clandestien, maar ook nog verboden.'

Er gaat een lichte huivering door Dita heen en ze besluit van onderwerp te veranderen.

'En wie was H.G. Wells?'

'Een vrijdenker, een socialist, maar vooral een groot schrijver. Heb je wel eens gehoord van *De onzichtbare man*?'

'Ja...'

'Nou, die roman heeft hij geschreven. En ook *De oorlog der werelden*, waarin hij vertelt over marsmannetjes die op aarde landen. En *Het eiland van dokter Moreau*, over een gestoorde wetenschapper die mensen en dieren met elkaar kruist. Dokter Mengele zou er zijn vingers bij aflikken. Maar ik vind *De tijdmachine* zijn beste boek. Vooruitgaan en teruggaan in de tijd...' zegt hij peinzend. 'Zie je het voor je? Hoe zou het zijn om in die machine te gaan zitten, terug te keren naar 1924 en te verhinderen dat Adolf Hitler uit de gevangenis werd vrijgelaten?'

'Maar dat van die tijdmachine is niet echt waar, toch?'

'Helaas niet, nee. Romans voegen dingen toe die in het echte leven niet bestaan.'

'Als je denkt dat dat beter is, kan ik meneer Freud en meneer Wells ieder aan een uiteinde van het bankje neerzetten.'

'Nee, laat zo maar staan. Wie weet leren ze nog iets van elkaar.'

Hij zegt het op zo'n ernstige toon dat Dita niet weet of hij nou een grapje maakt of niet.

Terwijl hij weer naar zijn groepje terugloopt, bedenkt Dita dat het net een wandelende encyclopedie is. Dan zegt de assistent naast haar met een stemmetje dat zo schel klinkt als een piccolo dat die man Ota Keller heet en communist is. Ze knikt. Ze snapt nu ook waarom de jongen bijna niet praat.

Die middag leent Dita een van haar levende boeken uit, *Nils Holgerssons wonderbare reis*. Mevrouw Magda is fragiel en klein, met spierwit haar, maar als ze het verhaal begint te vertellen zíé je haar groeien. Haar stem wordt verrassend krachtig en ze spreidt ze haar armen met veel vertoon om uit te beelden hoe de ganzen met Nils Holgersson op hun rug vliegen. De kinderen volgen het verhaal met wijd open ogen. Ze worden als het ware opgetild naar die zwerm machtige vogels en vliegen zo mee door de lucht boven Zweden.

Voor de meesten is het niet de eerste keer dat ze het verhaal horen, maar hoe vaker ze het horen hoe meer ze ervan genieten. Ze kennen de verschillende gebeurtenissen en zitten zo in het verhaal dat ze al beginnen te lachen voordat er iets grappigs gebeurt. Zelfs Gabriel, de schrik van de leraren van blok 31, die normaal geen seconde stil kan zitten, luistert ademloos.

Nils is een wispelturig jongetje dat gemene grappen uithaalt met de dieren op zijn boerderij. Op een dag, als zijn ouders naar de kerk zijn en hij alleen thuis is, komt er een kabouter die genoeg heeft van zijn vervelende gedrag en hem omtovert tot een piepklein mannetje, zo groot als een duim. Op een zeker moment klimt hij op de rug van een jonge, tamme gans die zich bij een zwerm wilde ganzen voegt die de hemel boven zijn land doorklieft. Naarmate de brutale Nils op de rug van de goede Mårten langzaam tot het besef komt dat de wereld niet alleen om zijn eigen persoontje draait, stijgen de kinderen in de kring voor even uit boven hun gruwelijke werkelijkheid, waar egoïsme ook hoogtij viert, bijvoorbeeld in de rij voor de soep, waar steevast voorgedrongen wordt of iemands lepel wordt gestolen.

Wanneer Dita mevrouw Magda opzoekt om haar te zeggen hoe laat ze Nils Holgersson moet voorlezen, aarzelt de vrouw soms even.

'Maar ze hebben dat verhaal allemaal al meer dan tien keer gehoord! Zodra ze merken dat ik weer hetzelfde ga vertellen, nemen ze natuurlijk de benen.'

Maar er gaat nooit iemand weg. Het maakt niet uit hoe vaak ze het verhaal te horen krijgen, ze vinden het altijd fantastisch. En ze willen het altijd vanaf het begin horen. Uit angst dat de kinderen zich gaan vervelen, zoekt de lerares soms naar een passage die ze kan overslaan om het verhaal wat in te korten, maar dan wordt er meteen geprotesteerd.

'Zo gaat het niet!' roepen ze dan.

En dan moet ze weer helemaal van voren af aan beginnen, zonder iets over te slaan. Hoe vaker de kinderen naar het verhaal luisteren, hoe meer ze het gevoel krijgen dat het iets van henzelf is.

Het verhaal is afgelopen en in de andere groepen is er ook een eind gekomen aan de raadspelletjes of de handenarbeidlessen waarin met het weinige materiaal dat voorhanden is nog aardig wat wordt gedaan. Een groep meisjes heeft bijvoorbeeld van oude sokken en houten stokjes een paar speelpoppen gemaakt. Na het appèl verlaten de kinderen onder leiding van meneer Lichtenstern barak 31 en mogen ze weer naar hun ouders.

De assistenten maken snel hun werk af. Het vegen van de vloer met takkenbezems is eerder een ritueel of een manier om hun functie te rechtvaardigen dan echte noodzaak. Ze zijn ook snel klaar met het opruimen van de krukjes en het wegvegen van de denkbeeldige etensresten, omdat niemand ook maar een kruimel morst en de kommen tot de laatste druppel worden leeggelikt. Daarna verlaten de assistenten de barak en wordt het weer rustig in blok 31.

De leraren gaan in een hoekje op een kruk zitten en bespreken de gebeurtenissen van de dag. Dita zit in haar schuilhoekje achter de houten planken wat te lezen. Als ze haar ogen opslaat ziet ze een stok met een geïmproviseerd net tegen de muur staan. Het lijkt wel een primitief vlindernet, maar het touw is zo knullig aan de stok vastgemaakt dat een vlinder zo weg zou kunnen vliegen. Ze heeft geen idee van wie dat nutteloze geval is. En in Auschwitz zijn geen vlinders. Was het maar waar. Dan ziet ze dat er iets uit een gat in de houten wand steekt. Als ze eraan trekt, komt er een piepklein potlood tevoorschijn, een stompje met een zwarte punt. Potloden zijn zeldzaam. Ze pakt een papieren vogeltje van meneer Morgenstern van de vloer en vouwt het voorzichtig open. Het is gekreukt en er is op gekladderd, maar het blijft papier. Het is zo lang geleden dat ze heeft getekend... voor het laatst in Theresienstadt.

De vriendelijke tekenleraar die de kinderen in het getto lesgaf, zei altijd dat tekenen een manier was om een hele verre reis te maken. Hij was zo geleerd en bevlogen dat ze hem nooit heeft durven tegenspreken. Maar tekenen werkte niet zo bij haar, ze maakte geen verre reizen, maakte geen kennis met andere levens. Integendeel, als ze tekende raakte ze juist naar binnen gekeerd. Tekenen was voor haar geen manier om eropuit te gaan, lezen wel. Daarom waren de tekeningen die ze in Theresienstad maakte zo naargeestig, met die nerveus getekende sombere, donkergrijze wolkenluchten, alsof ze toen al voorvoelde dat ze later in Auschwitz slechts die luchten te zien zou krijgen, luchten met wolken van as. Op al die avonden waarop ze zich moedeloos voelde omdat haar jeugd al voorbij leek, was tekenen een manier om tot zichzelf te komen.

Ze maakt een schets van het interieur van de barak, de in kringen opgestelde krukjes, het muurtje dat als een stenen streep door de ruimte loopt, en de twee bankjes: een voor haar en een voor de boeken. Dat is haar wereld. Ze wordt er wreed uit gehaald door de opgewonden stemmen van de leraren. Mevrouw Lubbervel moppert dat ze onmogelijk het verschil kan uitleggen tussen een zeeklimaat en een landklimaat als vlak bij de barak de blaffende bevelen van de SS'ers zich vermengen met het gejammer van de net gearriveerde gedeporteerden, die onderweg zijn naar de douches, met andere woorden, de dood.

'Er komen alsmaar treinen aan en wij moeten doen alsof we niets horen en gewoon doorgaan met de les. De kinderen worden onrustig, beginnen met elkaar te fluisteren, en wij doen alsof er niets aan de hand is, alsof we van niets weten... Zou het niet beter zijn ze te vertellen wat er gaande is, als ze dat niet al doorhebben?'

Fredy Hirsch is er niet, hij verschanst zich na de lessen meestal in zijn kantoortje om te werken en laat zich steeds minder vaak zien. Als Dita de boeken komt terugleggen, treft ze hem vaak geconcentreerd schrijvend aan. Hij heeft eens verteld dat het om een rapportage voor Berlijn ging, dat ze erg geïnteresseerd waren in het experiment van blok 31. Zou dat rapport iets te maken hebben met de duistere kant die Hirsch voor de anderen probeert te verbergen? Nu hij er niet bij is, is het Miriam Edelstein die niet ingaat op de woorden van mevrouw Krizková, maar haar attent maakt op de orders van de directie.

'Denk je soms dat de kinderen niet bezorgd zijn?' komt een andere lerares tussenbeide.

'Reden te meer,' antwoordt Miriam Edelstein. 'Wat voor zin heeft het om daar de aandacht op te vestigen? Deze school heeft niet alleen een pedagogische missie, maar dient nog een ander doel: de kinderen een zo normaal mogelijk leven bieden, zodat ze niet helemaal moedeloos worden; laten zien dat het leven doorgaat.'

'Hoelang nog?' klinkt een stem en de gemoederen raken verhit. Er klinken pessimistische opmerkingen, bemoedigende commentaren, allerhande theorieën over de tatoeages op de armen van de kinderen van het septembertransport, waar iets over een speciale behandeling bij staat, en alles eindigt in gekibbel.

Dita, die als enige assistente op dat uur in de barak mag blijven, is ongewild getuige van de ruzie tussen de leraren, en het woord 'dood' klinkt haar obsceen en zondig in de oren, als iets wat niet voor de oren van een jong meisje bestemd is. Ze gaat weg. Hirsch heeft ze nog steeds nergens gezien. Hij moet zich vast voorbereiden op een bezoek van het opperbevel. Miriam Edelstein heeft de sleutel van zijn kamer en opent de deur voor Dita zodat ze de boeken weer op hun geheime plek kan terugleggen. De twee wisselen een snelle blik. Bespeurt ze iets van verraad of bedrog bij mevrouw Edelstein? Ze weet niet meer wat ze moet denken; ze ziet alleen maar groot verdriet.

Peinzend verlaat ze blok 31. Ze overweegt om met haar vader te gaan praten, hij is een redelijk mens. Ook moet ze oppassen voor Mengele, bedenkt ze, en ze kijkt snel in het rond om te zien of ze wordt gevolgd. De wind is gaan liggen en het sneeuwt. De Lagerstrasse is praktisch verlaten. Geen ss'er te bekennen. Maar in een zijpaadje tussen twee barakken ziet ze iemand springen; in een versleten colbertje en met een hoofddoek als sjaal trotseert hij de ijzige kou. Ze kijkt nog wat beter. Die witte baard, dat warrige haar, die ronde bril... Het is meneer Morgenstern.

Hij beweegt een stok met een net eraan heftig op en neer en Dita realiseert zich dat het dat rare vlindernet is dat in blok 31 tegen de muur stond. Ze blijft een tijdje naar de leraar staan kijken omdat ze niet snapt waarom hij het ding in de lucht op en neer zwaait, maar dan ineens ziet ze het: Morgenstern gebruikt het geval om sneeuwvlokken mee te vangen.

Zodra hij haar ziet, zwaait hij vriendelijk. Meteen daarna gaat hij fanatiek door met zijn ijsvlinderjacht, en steeds als hij een vlok weet te vangen legt hij hem in zijn handpalm om te zien hoe hij smelt. De baard van de oude leraar glinstert van de ijskristallen en het meisje meent hem gelukzalig te zien glimlachen.

10

Wanneer ze aan het eind van de dag naar de kamer van Fredy Hirsch gaat om de boeken op te bergen, kijkt ze hem niet aan en wil ze meteen weer weg. Ze is bang dat ze iets in zijn ogen ziet dat dat broze vertrouwen in hem tenietdoet. Ze gelooft liever blind in hem, zoals in heiligen. Maar ze is te eigenzinnig. Hoe graag ze hem ook wil vertrouwen, ze krijgt het ongemakkelijke gevoel bij dat voorval in blok 31 niet uit haar hoofd. Zoals Nils Holgersson zich aan een gans vastklampte om op reis te gaan, houdt zij zich vast aan haar bibliotheekboeken om uit dat moeras van twijfels te ontsnappen.

Geïnspireerd door Ota Kellers bevlogenheid trekt ze zich 's middags terug in haar hoekje om H.G. Wells te lezen. De lessen in de barak zijn afgelopen en de leerlingen doen spelletjes, maken tekeningen – met potloden die als bij toverslag zijn verschenen – of repeteren voor een toneelstuk. Ze had maar wat graag die spannende roman waarover de leraar vertelde in haar bibliotheek gehad.

Een korte geschiedenis der wereld had nog het meeste weg van een schoolboek. Van dat boek krijgt ze haast het gevoel dat ze weer op school zit in Praag. Ze kan het groene schoolbord zo voor zich zien en ook de lerares, met haar handen die wit zijn van het krijt.

Onze kennis aangaande de geschiedenis van onze wereld is nog steeds zeer onvolledig. Een paar honderd jaar geleden verheugden de menschen zich in het bezit van de geschiedenis van weinig meer dan de laatste drieduizend jaren. Wat vóór dien tijd gebeurd was, was stof voor legende en bespiegeling.

Wells was in feite geen historicus, maar een romanschrijver. In het boek heeft hij het over het ontstaan van de aarde, ontvouwt hij extravagante theorieën over de maan, die in het begin van de twintigste eeuw door wetenschappers werden omarmd, en neemt hij de lezer mee langs de geologische tijdperken: het precambrium met de eerste algen; het cambrium met de speelse trilobieten; het carboon, waarin zeer uitgestrekte bossen ontstaan; en het perm, waarin de eerste reptielen verschijnen.

Vol verwondering verkent Dita een planeet die te lijden heeft gehad van vulkaanuitbarstingen en daarna van grote klimaatveranderingen waardoor warme perioden en ijstijden elkaar afwisselen. Ze wordt vooral geboeid door het tijdperk van de dinosauriërs, ongekend grote reptielen die heersten op aarde.

Dit verschil tusschen de wereld van het kruipend gedierte en de wereld van ons menschelijk denken kan door ons gevoelsleven niet overbrugd worden. Ons verstand kan zich geen voorstelling vormen van de snelle regelrechte kracht die door de instinctmatige beweegreden van een reptiel in beweging worden gezet, van zijn eetlust, zijn vrees en zijn afkeer. Wij kunnen die dieren in hun eenvoudigheid niet begrijpen, omdat al onze beweegredenen samengesteld zijn, – een overschot na aftrek van tegenovergestelde kracht, – de eindsom van een samentreffende stuwing, en nooit een op zichzelf staande drang.

Ze vraagt zich af wat H.G. Wells zou zeggen als hij zag waar ze nu woonden, of hij dan ook het verschil tussen mensen en reptielen zou kunnen zien.

Op die chaotische middagen in blok 31 vindt ze rust in het boek. Het voert haar mee naar de ondergrondse gangen van de indrukwekkende piramides in Egypte, het Babylon van de Hangende Tuinen en het Assyrië van de grote veldslagen. Een grote kaart van de gebieden van de Perzische koning Darius I laat een uitgestrekt imperium zien, dat groter is dan welk huidige rijk ook. Maar wat de auteur in het hoofdstuk 'Priesters en profeten in Judea' betoogt, komt niet overeen met wat ze als kind heeft geleerd bij Bijbelse geschiedenis, en ze raakt ervan in de war.

Daarom keert ze liever terug naar het hoofdstuk over het Oude Egypte. Ze betreedt de wereld van farao's met mysterieuze namen en gaat aan boord van de grote schepen die over de Nijl varen. H.G. Wells had toch gelijk, de tijdmachine bestaat wel: in de vorm van boeken.

Wanneer haar werkdag erop zit, brengt ze de boeken snel terug om op tijd te zijn voor het appèl. Na die eindeloze marteling waarbij ze anderhalf uur lang netjes in de rij moeten staan en de namenlijst wordt gecontroleerd, verlaat ze opgelucht de barak. Ze gaat op zoek naar haar vader. Vandaag krijgt ze aardrijkskundeles van hem.

Wanneer ze langs barak 14 loopt, ziet ze Margit met René tegen de zijmuur aan zitten. Ook zij hebben zojuist appèl gehad, maar dat was buiten in de kou. Ze kijken nogal ernstig en Dita stopt even om een praatje te maken.

'Hoi, hoe gaat het? Is er iets? Jullie bevriezen hier nog!'

Margit kijkt naar René, die zo te zien iets te vertellen heeft. Het blonde meisje trekt aan een krulletje dat voor haar gezicht hangt en begint er nerveus op te sabbelen.

'Die nazi... hij volgt me de hele tijd.'

'Heeft hij je iets aangedaan?'

'Nee, nog niet. Maar vanochtend kwam hij twee keer naar me toe en ging hij recht voor me staan. Ik wist dat hij het was en wilde hem niet aankijken. Maar hij bleef maar staan. Ten slotte tikte hij me op mijn arm.'

'En wat deed jij toen?'

'Ik wist dat er geen ontkomen aan was als ik hem zou aankijken. Dus ik ging door met graven en gooide een schep aarde op de voeten van mijn buurvrouw, die begon te krijsen als een wild beest. Ze maakte er een hele toestand van en de rest van de patrouille kwam erbij. Toen liep hij zonder iets te zeggen weg. Maar hij moest mij hebben... Ik verzin het niet, Margit heeft het gisteravond ook gezien.'

'Ja, dat klopt, na het appèl. We stonden samen nog wat te praten voordat we naar de barak zouden gaan, naar onze ouders, en hij bleef vlak bij ons staan. Hij keek naar René, dat is zeker.'

'Keek hij boos?'

'Nee. Hij staarde haar maar aan, hoe moet ik het zeggen, met zo'n vieze mannenblik.'

'Vies?'

'Volgens mij wil hij met René naar bed.'

'Ben je nou helemaal, Margit?'

'Ik weet waar ik het over heb. Mannen zijn zo doorzichtig, je ziet het al aan de manier waarop ze kijken, ze staan je maar aan te gapen alsof ze je al naakt voor zich zien. Het zijn viezeriken.'

'Ik vind het eng ,' fluistert René.

Dita slaat een arm om haar heen en zegt dat ze allemaal bang zijn, dat ze zoveel mogelijk bij haar zullen zijn. Ze pakt een stokje van de grond en begint verwoed lijnen en vierkanten in de sneeuw te tekenen.

'Wat doe je?' vragen de andere twee in koor.

'We gaan hinkelen.'

'Ditinka, alsjeblieft! We zijn zestien! Hinkelen, dat doen we niet meer hoor! Dat is voor kleuters!'

Ze gaat stug door met tekenen alsof ze niets gehoord heeft. Als ze klaar is kijkt ze op naar haar vriendinnen, die haar afwachtend aankijken.

'Iedereen is al terug naar de barakken. Niemand zal ons zien!'

René en Margit schudden bedenkelijk hun hoofd terwijl Dita de grond afspeurt.

'Dit stokje is goed,' zegt ze en gooit het in een van de vakken.

Dita springt en verliest bijna haar evenwicht.

'Wat ben jij een kluns!' lacht René.

'Kun jij het soms beter in die sneeuw?' zegt Dita gespeeld boos.

René trekt haar jurk een eindje op en gooit het stokje, waarna ze onder applaus van Margit een goede sprong maakt. Als laatste gaat Margit. Zij is de onhandigste van de drie: ze struikelt en valt hard op de besneeuwde grond. Wanneer Dita haar overeind probeert te helpen, struikelt zij ook en valt achterover.

René lacht om haar vriendinnen. Liggend op de grond gooien Margit en Dita sneeuwballen naar haar hoofd. Renés haar wordt wit.

Ze lachen alle drie.

Eindelijk hebben ze weer plezier.

Dita, vrolijk ondanks haar natte pak, loopt nu snel verder om op tijd te zijn voor de aardrijkskundeles. Op maandag heeft ze wiskunde en op vrijdag Latijn. Haar vader is haar leraar en haar hoofd is haar schrift.

Ze denkt terug aan de dag dat ze thuiskwam in het appartement in Josefov waar haar vader aan tafel zat en met een vinger de wereldbol liet ronddraaien. Dita kwam binnen met de schooltas over haar schouder en wilde hem zoals elke middag een kus geven. Soms nam hij haar dan op schoot en deden ze het volgende spel. Je moest een land noemen en vervolgens een grote zwaai aan de globe geven zodat hij heel hard om zijn as draaide. Dan moest je hem stoppen en proberen het juiste land aan te wijzen. Die dag leek hij wat afwezig. Hij zei dat hij bericht van school had ontvangen: ze had vakantie. Dat woord klinkt kinderen meestal als muziek in de oren, maar door de manier waarop haar vader het uitsprak en omdat het bericht zo onverwacht kwam, klonk die muziek ineens vals. Ze weet nog hoe haar aanvankelijke blijdschap in een allesoverheersende angst veranderde toen ze begreep dat ze nooit meer school zou hebben. Haar vader gebaarde dat ze op zijn schoot moest komen zitten.

'Voortaan krijg je thuis les. Van oom Emile krijg je scheikunde en van je nicht Ruth tekenles. Ik zal eens met hen praten, wacht maar af. En ik geef je taal en wiskunde.'

'En aardrijkskunde?'

'Ach ja, natuurlijk. Let maar op, je zult de hele wereld rondreizen!'

En zo is het gegaan.

Tot dan toe had haar vader zoveel werk gehad dat hij niet veel tijd met zijn dochter had kunnen doorbrengen. Daarom vond Dita het fijn om les van hem te krijgen en van hem te leren dat de Mount Everest de hoogste berg van de wereld is of dat oases in de woestijn uit ondergrondse waterbronnen zijn ontstaan.

De lessen waren in de middag. 's Ochtends stond haar vader zoals gewoonlijk vroeg op, schoor zich, trok zijn pak aan en knoopte heel zorgvuldig zijn das. Hij gaf zijn vrouw en dochter een kus die smaakte naar aftershave en vertrok naar zijn kantoor bij de nationale verzekeringsbank. Op een ochtend, op weg naar het centrum, kwam Dita toevallig langs café Continental en zag haar vader daar zitten. Nadat ze de halve ochtend etalages had gekeken van winkels waar ze niet naar binnen mocht, kwam ze weer langs het café en daar zat haar vader nog steeds aan datzelfde ronde tafeltje, met hetzelfde lege kopje en dezelfde krant voor zich. Toen begreep ze waar haar ouders het over hadden wanneer ze zaten te fluisteren en abrupt stopten zodra zij in de buurt kwam. Haar vader was al een tijd geleden ontslagen, maar wilde niet dat zijn dochter het wist.

Ze is stilletjes doorgelopen en heeft hem nooit verteld dat ze wist dat zijn werk bestond uit het drinken van een kop thee in café Continental – waar hij de hele ochtend mee moest doen – en proberen als eerste de krant te bemachtigen. Continental was een van de weinige cafés waarvoor de eigenaar, een invloedrijke Jood, nog een vergunning had.

Zoals elke maandag, woensdag en vrijdag – als het droog is – wacht haar vader haar op naast de barak. Daar spreidt hij een oude, geblokte deken vol scheuren uit, maar hij legt hem zo neer dat ze er allebei op kunnen zitten. Dat is zijn school. Hij heeft met een stok al een wereldkaart in de modder getekend. Toen ze nog klein was zei hij dat Scandinavië het hoofd van een reusachtige slang was en Italië de laars van een heel knappe vrouw. Maar het is moeilijk een wereld te herkennen die in de drassige grond van Auschwitz is getekend.

'Vandaag gaan we de wereldzeeën leren, Edita.'

Ze kan zich niet concentreren. Ze bedenkt hoe haar vader zou genieten van de atlas of een ander boek uit haar bibliotheek, maar de boeken mogen blok 31 niet uit; met de hete adem van Mengele in haar nek durft ze daar niet eens aan te denken. Ze is te afwezig om de stof in zich op te nemen en daarbij is het ijskoud en begint het ook nog te sneeuwen. Daarom is ze blij dat haar moeder te vroeg komt.

'Het is veel te koud. Stop er maar mee voor vandaag, jullie vatten nog kou.'

Hier kan een kou al dodelijk zijn, zonder penicilline, dekens en voldoende eten.

Ze staan op en haar vader slaat de deken om haar heen.

'Laten we naar de barak gaan. Het avondeten zal zo wel uitgedeeld worden.'

'Wat een optimisme om een stuk droog brood avondeten te noemen, mama.'

'Het is oorlog, Edita...'

'Ja, dat weet ik nou wel hoor, het is oorlog.'

Haar moeder zwijgt en Dita besluit haar zorgen in bedekte termen ter sprake te brengen.

'Papa... als jij hier in het kamp een geheim aan iemand moest vertellen, wie zou je dan blind vertrouwen?'

'Je moeder en jou.'

'Ja, dat weet ik wel, maar ik bedoel andere mensen.'

'Mevrouw Turnovská is een goede vrouw, die kun je vertrouwen,' zegt haar moeder snel.

'Jazeker, je kunt erop vertrouwen dat als je haar iets vertelt zelfs de schoonmakers van de latrines het binnen de kortste keren weten. Die vrouw is een wandelende radio,' antwoordt haar man.

'Dat denk ik ook, papa.'

'De integerste persoon die ik hier heb leren kennen is meneer Tomashek. Hij kwam zojuist langs om een praatje te maken. Hij dringt niet voor in de rij voor de soep, er zijn voor hem belangrijker dingen, hij bekommert zich altijd om de anderen en heeft altijd een bemoedigend woord voor je, toont belangstelling... Er zijn hier niet veel mensen zoals hij.'

'Dus als je hem ergens zijn mening over zou vragen, denk je dan dat hij eerlijk zou zijn?'

'Natuurlijk. Waarom vraag je dat?'

'Nou, gewoon, zomaar.'

Dita knoopt het in haar oren. Misschien moet ze meneer Tomashek vragen wat hij denkt.

'Je grootmoeder zei altijd dat alleen kinderen en dwazen de waarheid zeggen,' zegt haar moeder.

Kinderen en dwazen... De kinderen weten weinig of niets over Hirsch. Maar dan krijgt ze een lumineus idee. Morgenstern... Ze kan niet zomaar bij iedere volwassene haar twijfels over een gerespecteerd iemand als Hirsch ventileren omdat ze daarop kan worden afgerekend, ten overstaan van iedereen beschuldigd kan worden van verraad of wat dan ook. Maar met Morgenstern loopt ze dat risico niet. Als de oude man het zou doorvertellen, zou zij het ontkennen en zeggen dat het weer zo'n onzinverhaal van hem is. Zou hij iets over Hirsch weten? Dat zal ze moeten uitzoeken.

Ze neemt afscheid van haar ouders met het excuus dat ze naar Margit gaat. Ze weet dat de gepensioneerde architect meestal tot de soep in blok 31 blijft, soms in het schuilhoekje waar zij 's middags ook wel eens gaat lezen om haar blik op de wereld te verruimen ondanks alle afrasteringen.

Er zit een groepje leraren te praten. Ze hebben geen oog voor haar. Ze loopt naar achteren en kijkt over de houtstapel het schuilhoekje in. Meneer Morgenstern probeert een vogeltje te vouwen van een gebruikt stukje papier.

'Goedemiddag meneer Morgenstern.'

'Kijk eens aan, mejuffrouw de bibliothecaresse! Wat een eer!'

Hij staat op en maakt een diepe buiging.

'Kan ik u ergens mee van dienst zijn?'

'Nee, niet echt. Ik was een ommetje aan het maken...'

'Goed zo. Een halfuur wandelen per dag en je leeft tien jaar langer. Een neef van mij die drie uur per dag wandelde is 114 geworden. Hij ging dood toen hij tijdens een wandeling struikelde en in de afgrond viel.'

'Meester Morgenstern... kent u meneer Hirsch al lang?'

'We zaten samen in de trein hierheen. Dat was in...'

'September.'

'Precies!'

'En wat vindt u van hem?'

'Ik vind het een keurige jongeman.'

'Dat is alles?'

'Nou, dat is anders heel wat hoor. Tegenwoordig zie je niet veel goedgemanierde mensen meer. Een goede opvoeding lijkt er niet meer zoveel toe te doen.'

Dita aarzelt, maar veel keus heeft ze niet, wie kan ze anders nog in vertrouwen nemen?

'Meneer Morgenstern... zou u denken dat Hirsch iets te verbergen heeft?'

'Ja, dat spreekt vanzelf.'

'Wat zegt u?'

'Boeken.'

'Ja, hè hè, dat weet ik ook wel!'

'Kom, kom, mejuffrouw Adlerova, u hoeft niet zo boos te worden. U stelde een vraag en ik gaf antwoord.'

'Ja, ja, neemt u me niet kwalijk. Wat ik u wilde vragen is of u denkt dat we hem kunnen vertrouwen.'

'U stelt wel heel merkwaardige vragen.'

'Ja, vergeet u maar wat ik gezegd heb.'

'Ik begrijp niet goed wat u bedoelt met of we Hirsch kunnen vertrouwen. Bedoelt u als blokoudste?'

'Niet helemaal. Ik wilde weten of u denkt dat hij zich anders voordoet dan hij werkelijk is.'

De leraar denkt even na.

'Ja, dat doet hij wel.'

'Hij doet zich anders voor dan hij is?'

'Ja. Dat doe ik ook. En u ook. Dat doet iedereen. Daarom heeft God gedachten stemloos gemaakt, zodat we ze alleen zelf kunnen horen. Niemand hoeft te weten wat we werkelijk denken. Als ik zeg wat ik denk worden mensen altijd erg boos op me.'

'Juist, ja...'

'Ik denk dat u me vraagt wie er in dit ellendige Auschwitz te vertrouwen is...'

'Ja, dat is het!'

'Tja, vertrouwen, vertrouwen, ik moet bekennen dat ik persoonlijk alleen mijn beste vriend vertrouw.'

'Dat is goed. Wie is uw beste vriend?'

'Ikzelf. Ik ben mijn eigen beste vriend.'

Dita staart de oude leraar aan, die geconcentreerd de punt van het papieren vogeltje blijft gladstrijken. Van deze man wordt ze niets wijzer.

En ik word ook nog eens gek van hem, denkt ze.

Ze komt bij haar barak. Alles is rustig. Ze heeft al een paar dagen niets van Mengele vernomen. Dat is goed. Maar ze kan er niet gerust op zijn, die man heeft overal ogen. Wanneer ze naar bed gaat, en probeert de zwaartekracht te trotseren en niet in de kuil te rollen die door het omvangrijke achterwerk van haar bedgenote wordt veroorzaakt, bedenkt ze dat ze misschien met Miriam Edelstein kan praten over Hirsch. Maar stel dat Miriam Edelstein zijn handlanger is? Haar man Yakub was voorzitter van de Joodse Raad in het getto van Theresienstadt. Hier hebben de nazi's hem van de andere Tsjechische gevangenen geïsoleerd. Miriam maakt zich grote zorgen. Je ziet dat ze verdriet heeft. Onmogelijk dat ze met de nazi's heult. Is ze soms paranoïde aan het worden?

Maar misschien zijn er meer partijen dan alleen nazi's en gevangenen en heeft ze dat niet door. Ze zal eens met meneer Tomashek gaan praten. Het is allemaal erg verwarrend, maar vlak voordat ze in slaap valt ziet ze een beeld voor zich dat ze bij haar favoriete foto's van Auschwitz zal opslaan: Margit en zij liggend op de besneeuwde grond, René die staat te kijken en zij alle drie schaterlachend. Zolang ze blijven lachen, is er nog niets verloren.

11

Eind februari 1944 kwam er in Auschwitz-Birkenau een delegatie op bezoek onder leiding van Adolf Eichmann (Obersturmbannführer en van 1941 tot 1945 hoofd Jodenaangelegenheden van de Gestapo) en de directeur van de afdeling buitenland van het Duitse Rode Kruis. Aanleiding voor het bezoek was het rapport dat de blokoudste van barak 31 had opgesteld over het functioneren van deze experimentele barak, de enige in heel Auschwitz waar kinderen verbleven.

Hirsch heeft Lichtenstern gedetailleerde instructies gegeven om te zorgen dat iedereen bij de inspectie goed voor de dag komt. Het hoofd van blok 31 is vooral gebrand op hygiëne. Elke ochtend staan de kinderen om zeven uur op, waarna de assistenten hen naar de douches begeleiden. Ze staan onder zo'n ijskoud, miezerig straaltje water dat het douchen meer pijn doet dan dat ze er schoon van worden. In de winter kan het 's ochtends vroeg wel 25 graden vriezen en soms is de waterleiding bevroren. Maar Hirsch blijft er obsessief op aandringen dat ze zich wassen, ook al is het stervenskoud. Ook is er vaak maar één handdoek om zo'n twintig tot dertig kinderen mee af te drogen.

Wanneer Hirsch in de loop van de ochtend perfect geschoren en gekamd verschijnt, staat iedereen al in rijen opgesteld. Hij is duidelijk gespannen, zijn bevelen klinken strenger dan gewoonlijk. Even later steken een paar SS'ers hun hoofd om de deur waarna ze de weg vrijmaken voor de officieren, die met al hun onderscheidingen op de borst gespeld binnentreden.

Fredy Hirsch komt naar voren, klakt de hakken van zijn schoenen tegen elkaar, die niet zo praktisch maar wel eleganter zijn dan de klompen die hij gewoonlijk draagt, en gaat in de houding staan. Nadat hij permissie heeft gevraagd begint hij te vertellen dat de kinderen overdag in blok 31 blijven zodat het reilen en zeilen van de rest van het kamp niet verstoord wordt en hun ouders de handen vrij hebben om te werken. Nu Hirsch zijn eigen taal kan spreken, voelt hij zich zichtbaar op zijn gemak; het Tsjechisch gaat hem niet zo goed af.

Eichmann en commandant Rudolf Höss staan vooraan. Daarachter andere SS-officieren, onder wie Schwarzhuber, de Lagerführer van Auschwitz-Birkenau. Helemaal achteraan, apart van de groep officieren, staat dokter Mengele. Als kapitein heeft hij een lagere rang dan de luitenant-kolonels die het bezoek leiden, dus misschien houdt hij zich wel afzijdig uit respect voor de hiërarchie. Maar Dita denkt eerder dat hij zich verveelt, getuige de onverschillige blik waarmee hij de exercitie bekijkt. En inderdaad, deze parade van hoge pieten die het kamp bezoeken alsof ze een partijtje golf gaan spelen, irriteert hem. Dan kijkt Mengele ineens op en laat zijn blik spiedend over de gevangenen gaan. Hij kijkt naar haar! Dita doet alsof ze niets in de gaten heeft, maar weet dat Mengele haar bekijkt met de klinische belangstelling van een arts die een patiënt onderzoekt. Ze zou het liefst door de grond willen zakken. Wat wil die man van haar? Volgens haar gaat het niet om seks, zoals bij René. Was Margit er maar, zij heeft kennelijk verstand van die dingen en zou kunnen zien of hij zo'n blik in zijn ogen heeft, die obscene blik van mannen die naar jonge meisjes kijken. Volgens Dita heeft hij geen obscene blik in zijn ogen. Er is helemaal niets in te zien, behalve leegte. Dat maakt hem juist zo angstaanjagend.

Eichmann knikt en uit zijn autoritaire houding spreekt een onverholen minachting voor Hirsch. Hij laat hem voelen dat hij blij mag zijn dat hij zijn verhaal mag doen. Alle officieren blijven op afstand van de Joodse blokoudste staan. Ook al draagt hij een schoon overhemd en een niet al te gekreukte broek, Hirsch ziet eruit als een arme boer op een bijeenkomst van landheren die hun mooie kleren, hun glimmende laarzen en hun gezonde uiterlijk komen etaleren. En ondanks al haar twijfels kijkt Dita met bewondering naar de man die zich in het hol van de leeuw begeeft maar zich niet laat verslinden. Het gaat misschien niet van harte, maar ze luisteren naar hem. Hirsch is een fakir die de giftigste slangen kan hypnotiseren. Dita gelooft in hem. Ze wíl in hem geloven.

Zodra de mannen met hun hoge laarzen en lange stokken zijn vertrokken, komen er twee assistenten met een pan soep voor het middagmaal en neemt alles weer zijn gewone loop. De kommen en lepels worden tevoorschijn gehaald en de kinderen bidden tot God of hij misschien een stukje wortel in hun soep kan laten vallen. Na het eten zijn ze vrij om te spelen of naar hun ouders te gaan. De barak loopt leeg. Er zijn alleen nog een paar leraren die achterin bij elkaar komen om het bezoek van de nazi-gieren te bespreken. Ze zouden graag weten wat Hirsch ervan vond, maar de leider is verdwenen, juist omdat hij geen zin had in vragen.

In de officiersmess wordt een vorstelijk maal opgediend. Tomatensoep, kip, aardappelen, rodekool, snoek uit de oven, vanille-ijs, bier. Jehova's getuigen doen de bediening. Die heeft Höss het liefst omdat ze nooit klagen, omdat ze alles wat ze als Gods wil beschouwen blijmoedig aanvaarden.

'Let op,' zegt hij tegen zijn collega's terwijl hij van tafel opstaat met zijn servet nog in zijn boord gestoken.

Hij wenkt een van de serveersters en trekt zijn lugerpistool. Hij zet de loop op haar slaap. De andere nazi's zijn opgehouden met eten en kijken afwachtend toe. Met een paar vuile borden in haar handen blijft de gevangene roerloos staan, ze kijkt zelfs niet naar het pistool of naar degene die haar onder schot houdt. Ze staart in het niets en lispelt een onverstaanbaar gebed. Geen gejammer, geen protest, zelfs geen spoor van angst.

'Ze dankt God!' schatert Höss.

De anderen lachen uit beleefdheid wat mee. Rudolf Höss is onlangs ontheven uit de functie van kampcommandant van Auschwitz omdat zijn officieren onregelmatigheden hebben begaan en sommige hoge functionarissen van de Gestapo hem niet meer vertrouwen. Eichmann wacht niet tot Höss weer gaat zitten en eet zwijgend zijn soep. Dat soort grappen vindt hij ongepast tijdens de maaltijd. Joden ombrengen is een serieuze zaak. Daarom zal hij tot het einde toe bevelen blijven geven voor de grootschalige moorden, zelfs nadat SS-leider Heinrich Himmler hem in 1944 vraagt de Endlösung te stoppen omdat ze de oorlog onherroepelijk gaan verliezen.

Het verhaal van Radio Birkenau, zoals Dita mevrouw Turnovská noemt, over een speciale maaltijd met worstjes voor iedereen is een vals gerucht gebleken. Het zoveelste.

Dita wil nog even naar haar ouders voordat ze na het eten weer aan het werk moeten, maar ziet in de verte ineens meneer Tomashek lopen. Het lijkt een goed moment voor een praatje met hem. Hopelijk kan hij haar meer vertellen. Hij kent zoveel mensen dat hij vast wel kan bevestigen dat Fredy Hirsch een eerlijk mens is, dat hij geen schaduwzijde heeft. Ze loopt zijn kant op, maar het is zo druk in de Lagerstrasse dat ze maar moeilijk vooruitkomt. Soms verliest ze hem uit het oog, maar dan ziet ze hem ineens weer. Hij loopt in de richting van blok 31 en de ziekenbarak, het deel van het kamp waar de minste mensen zijn. Hoewel hij net zo oud is als haar vader, loopt hij met snelle, soepele pas; Dita kan hem maar moeilijk bijhouden. Ze ziet dat hij barak 31 voorbijloopt en naar het einde van het kamp gaat, waar de kleedkamers zijn. Wat gaat hij daar doen? Gevangenen mogen daar in elk geval niet naar binnen zonder toestemming vooraf. De nazi's hechten kennelijk veel waarde aan de vodden die daar in het magazijn worden bewaard. Waarschijnlijk gaat meneer Tomashek proberen wat kleren los te krijgen voor een gevangene die dat nodig heeft. Haar ouders hebben haar verteld dat deze aardige man veel mensen helpt en zelfs kleren weet te regelen.

Hij loopt kordaat het magazijn binnen en Dita krijgt de kans niet om hem aan te spreken, ze zal moeten wachten tot hij weer naar buiten komt. Ze hangt wat rond bij de barak. Achter het hek van het familiekamp ligt de brede toegangsweg naar Auschwitz-Birkenau, met daarnaast de spoorlijn die bijna klaar is om de transporten onder de wachttoren door tot ver in het kamp te brengen. Ze vindt het niet prettig om daar te blijven staan, zo in het zicht van de bewakers bij de hoofdingang, en ze loopt verder langs de zijkant van het magazijn. Er staat een raam open en ze hoort meneer Tomashek binnen met gedempte stem praten. Hij noemt wat namen en baraknummers. In het Duits. Nieuwsgierig en enigszins beschaamd gaat Dita onder het raam zitten. Het is niet netjes om gesprekken van anderen af te luisteren.

Het is ook niet netjes om mensen met gifgas te vermoorden...

Meneer Tomasheks opsomming wordt onderbroken door een boze stem.

'Hoe vaak moeten we het nou nog zeggen?! We willen geen namen van gepensioneerde socialisten! We willen namen van het verzet.'

Dita herkent die kille, harde stem. Het is de Priester.

'Het is erg lastig. Ze houden zich schuil. Ik doe mijn best om...'

'Doe dan beter je best!'

'Ja meneer.'

'Wegwezen nu.'

'Ja meneer.'

Dita glipt naar de achterkant van de barak zodat ze niet gezien wordt als er iemand naar buiten komt. Ze ploft neer. Haar ogen wijd open van schrik.

Die aardige meneer Tomashek... Wat een smeerlap!

Ze staat snel op en maakt zich uit de voeten; ze vraagt zich af wat er in hemelsnaam met de waarheid gebeurt in dat kamp, het lijkt wel of die door de modder is verzwolgen.

Wie kan ze in godsnaam nog vertrouwen?

Op dat moment herinnert ze zich wat die malle meneer Morgenstern tegen haar heeft gezegd: vertrouw op jezelf.

Uiteindelijk krijgt die oude dwaas nog gelijk.

Ze staat hierin alleen en zal het in haar eentje moeten oplossen.

Fredy Hirsch is ook iemand die in zijn eigen labyrint zit opgesloten. Misschien dat hij het al jaren probeert af te dekken met een web van leugens dat bij de minste aanraking uiteenvalt.

Hij zit op een stoel in zijn kamer als er op de deur wordt geklopt. Miriam Edelstein komt binnen en gaat op de vloer zitten met haar rug tegen de houten wand. Ze ziet er vreselijk moe uit.

'Heeft Eichmann nog iets gezegd over je rapport?'

'Nee, helemaal niets.'

'Waarom wilde hij het dan hebben?'

'Geen idee...'

'Schwarzhuber was in vorm. Hij zat de hele tijd te slijmen bij Eichmann. Het lijkt zijn schoothondje wel.

'Of zijn dobermann.'

'Ja, hij heeft het gezicht van een witte dobermann. En wat vond je van Mengele? Hij leek er niet helemaal bij te horen.'

'Die gaat zijn eigen gang.'

Miriam zwijgt een tijdje. Ze had nooit gedacht dat ze zo over Mengele zou praten, alsof ze het over een bekende heeft.

'Ik snap niet hoe je met zo'n griezel overweg kunt.'

'Hij is degene die toestemming gaf om de voedselpakketten van overleden gevangenen aan blok 31 te geven. Ik kan met hem overweg omdat het mijn plicht is. Ik weet dat sommige mensen denken dat Mengele mijn vriend is. Die weten niet waar ze het over hebben. Als ik onze kinderen ermee kan helpen, zou ik zelfs op goede voet staan met de duivel.'

'Dat doe je al,' zegt ze met een begripvolle knipoog.

'Dat we met Mengele te maken hebben, heeft ook een voordeel. Hij haat ons niet. Daar is hij te intelligent voor. Maar misschien is hij daarom wel de ergste van allemaal.'

'Als hij ons niet haat, waarom doet hij dan aan deze hele waanzin mee?'

'Omdat het hem wel goed uitkomt. Hij is niet zo'n nazi die denkt dat wij Joden inferieure wezens uit de hel zijn. Hij heeft het zelf gezegd, er zijn veel dingen die hij bewondert in Joden...

'Waarom mishandelt hij ons dan?'

'Omdat we gevaarlijk zijn. Wij kunnen het tegen de Ariërs opnemen, we kunnen zelfs hun hegemonie doorbreken. Daarom wil hij ons vernietigen. Voor hem is het helemaal niet persoonlijk, maar gewoon een praktische kwestie. De aardappelboer die weet dat er zwijnen in de buurt zijn, zet vallen om de zwijnen uit te schakelen. Ze sterven in afschuwelijke klemmen, het is een heel wrede dood. Maar de boer heeft niets tegen zwijnen. Als hij ze door het bos ziet lopen vindt hij het zelfs aardige beesten. Mengele is zoals die boer, maar in plaats van aardappelen kweekt hij de suprematie van het Arische ras, zijn eigen ras. Het is een man die geen haat kent... Het afschuwelijke is dat hij ook geen mededogen kent. Niets raakt hem.'

'Ik zou niet met zulke misdadigers kunnen onderhandelen.'

Miriam zegt het met een gekwelde uitdrukking op haar gezicht. Fredy staat op en loopt naar haar toe. Zijn stem klinkt teder.

'Is er al meer bekend over Yakub?'

Toen zij en haar familie zes maanden geleden uit Theresienstadt kwamen, werd haar man door twee mannen van de Gestapo gearresteerd en naar de gevangenis voor politieke gevangenen in Auschwitz I overgebracht, drie kilometer verderop. Sindsdien heeft ze niets meer van hem gehoord.

'Vanochtend heb ik Eichmann even kunnen spreken. Ik ken hem van vergaderingen in Praag, hoewel hij in het begin deed alsof hij me niet herkende. Het is een ellendeling, zoals alle nazi's. De bewakers wilden me slaan, maar dat heeft hij tenminste voorkomen. Toen ik naar Yakub vroeg, zei hij dat ze hem naar Duitsland hadden overgebracht, dat hij het goed maakte en dat we spoedig weer bij elkaar zouden zijn. Toen draaide hij zich om en liet me gewoon staan. Ik had een brief voor Yakub, maar die heb ik hem niet eens kunnen geven. Ariah had iets aan haar vader geschreven...'

'Ik zal kijken of ik iets te weten kan komen.'

'Dank je, Fredy.'

'Dat ben ik hem wel verschuldigd,' voegt hij daaraan toe.

Miriam knikt. Ze weet waar het over gaat, maar ze mag er niet over praten. Fredy Hirsch is de Achilles van de Joden: hij zou in zijn eentje Troje kunnen verslaan, maar voor hetzelfde geld kan hij heel diep vallen omdat hij een kwetsbare hiel heeft.

Dita loopt door de Lagerstrasse en is vastbesloten een andere mythe uit het familiekamp door te prikken. Ze weet dat het niet gemakkelijk zal zijn. Het gaat immers om een alom gerespecteerde, nette, charmante, vriendelijke man. En zij is maar een onbenullig meisje. Maar ze zal hem leren. Ze walgt meer van hem dan van de SS'ers. Die dragen een uniform en het is duidelijk wie ze zijn en waarvoor ze staan. Ze is bang voor hen, minacht hen, ze haat hen zelfs... maar nooit heeft ze de walging gevoeld die haar nu bekruipt als ze aan meneer Tomashek met zijn huichelachtige glimlach denkt.

Terwijl ze stevig doorloopt probeert ze een plan uit te denken, maar dat lukt haar niet. Haar enige doel is de waarheid te vertellen, ook al lijkt dat in Auschwitz niet bepaald de gewoonte te zijn.

Voor de barak van haar vader treft ze wat mensen die vaak het gezelschap van meneer Tomashek opzoeken. Ze zitten in een kring op hun meegebrachte dekens. Haar ouders zijn er ook. Een vrouw is iets aan het vertellen en Tomashek, die in het midden van de kring zit, knikt met half geloken ogen en spoort de vrouw vriendelijk glimlachend aan verder te gaan met haar verhaal.

Bruusk onderbreekt Dita haar, ze banjert zelfs met haar moddervoeten over een paar dekens heen.

'Maar meisje toch...!'

Dita's gezicht is rood aangelopen en haar stem beeft. Maar de vinger waarmee ze naar het midden van de kring wijst, beeft niet.

'Meneer Tomashek is een verrader. Hij is een informant van de SS.'

Er ontstaat geroezemoes en de mensen worden onrustig. Meneer Tomashek blijft glimlachen, maar het lukt hem niet helemaal. Het is een wat verwrongen glimlach.

Een van de eersten die opstaat is Liesl.

'Edita! Wat heeft dit te betekenen?'

'Nou, dat lijkt me duidelijk!' valt een van de vrouwen uit. 'Uw dochter is een onbeschoft mormel! Waar haalt ze het lef vandaan om een eerbiedwaardig iemand als meneer Tomashek op deze manier te beledigen?'

'Mevrouw Adlerova,' zegt iemand anders, 'u zou uw dochter een flinke draai om haar oren moeten geven. En als u het niet doet, doe ik het wel.'

'Mama, het is echt waar,' zegt Dita nerveus maar al wat minder overtuigd. 'Ik heb hem in de kleedkamers horen praten met de Priester. Hij is een verklikker!'

'Dat kan niet!' roept de vrouw van daarnet diep beledigd.

'Of u geeft uw dochter een klap zodat ze haar mond houdt, of ik doe het,' zegt een man die aanstalten maakt om op te staan.

'Als er al iemand gestraft moet worden, straf mij dan,' zegt Liesl gedwee. 'Ik ben haar moeder, en als mijn dochter zich niet goed heeft gedragen, moet u mij slaan.'

Dan staat Hans Adler op.

'Hier wordt niemand geslagen,' zegt hij resoluut. 'Edita zegt de waarheid. Dat weet ik.'

Verbijstering en nog meer geroezemoes in de groep.

'Natuurlijk is het waar wat ik zeg!' roept Dita, die weer moed heeft gevat. 'Ik heb gehoord dat de Priester hem om informatie over het verzet vroeg. Daarom loopt hij de hele dag heen en weer, daarom stelt hij zoveel vragen aan iedereen.'

'Wat hebt u daarop te zeggen, meneer Tomashek?' zegt Hans met een priemende blik.

Bijna iedereen is gaan staan en alle ogen zijn gericht op Tomashek, die nog steeds zit en zwijgt. Langzaam staat hij op en glimlacht krampachtig. 'Ik...' begint hij. Iedereen luistert aandachtig want meneer Tomashek is een gemakkelijke prater en het is vast een eenvoudig te verklaren misverstand. 'Ik...'

Verder komt hij niet. Hij buigt zijn hoofd en zegt niets meer. Hij baant zich een weg en gaat snel terug naar zijn barak. De anderen blijven achter en kijken elkaar en vooral ook de familie Adler stomverbaasd aan. Dita omhelst haar vader.

'Hans,' vraagt Liesl, 'hoe wist je zo zeker dat het waar was wat Edita zei? Ik kon het niet geloven...!'

'Ik wist het niet. Maar het is een truc die bij rechtszaken wel wordt gebruikt. Je bluft gewoon, je doet alsof je iets weet terwijl dat helemaal niet zo is, en de verdachte verraadt zich door zijn eigen onzekerheid. Hij denkt dat hij is gesnapt en dan breekt hij.'

'En als hij geen informant was geweest?'

'Dan had ik hem mijn excuses aangeboden. Maar...' en hij knipoogt naar zijn dochter, 'ik wist dat ik sterk stond.'

Een van de mannen uit de groep komt naar hem toe en slaat vriendschappelijk een arm om zijn schouder.

'Ik was vergeten dat je advocaat was.'

'Ik ook,' antwoordt Hans.

De vrouw en de man die eerst zo tekeergingen druipen beduusd af.

Maar er is nog iets nodig om de praktijken van verrader Tomashek te stoppen: ze moeten nodig met Radio Birkenau praten. Gedrieën gaan ze naar mevrouw Turnovská. De goede vrouw roept eerst God een paar keer aan en dan een stel Bijbelse patriarchen. Daarna zet ze de tamtam in werking.

Twijfel is een gewas dat heel goed gedijt in de drassige klei van Auschwitz. Na 48 uur is iedereen in het kamp op de hoogte en valt meneer Tomashek in ongenade. Niemand wil meer naast hem zitten bij de soep, niemand wil hem meer iets vertellen. Een vals idool is gevallen.

12

Rudi Rosenberg loopt naar het hek achter zijn barak. Aan de andere kant staat Alice Munk hem op te wachten. Ze blijven eerst een eindje bij het hek vandaan. Maar ondanks het feit dat het prikkeldraad onder hoogspanning staat, gaan ze even later wat dichter naar elkaar toe en gaan ze rustig zitten om geen wantrouwen bij de torenwachters te wekken.

Het is een van de vele middagen dat Rudi en zij elkaar ontmoeten en over van alles en nog wat praten. Alice vertelt hem over haar familie van rijke industriëlen uit het noorden van Praag, en over haar verlangen weer gewoon thuis te zijn. Rosenberg vertelt haar op zijn beurt over zijn droom: zodra die nachtmerrie van oorlog en kampen voorbij is, wil hij naar Amerika.

'Amerika is het land van de onbegrensde mogelijkheden. Het gaat daar niet om je afkomst, maar om je inzet. Het is het enige land ter wereld waar een arme man president kan worden.'

Het is bitter koud en de grond is bedekt met rijp. Hun stemmen klinken bibberig. Hij draagt een lakens jasje maar Alice moet het doen met een versleten truitje en een oude wollen sjaal. Wanneer ze begint te klappertanden en Rudi ziet dat haar lippen helemaal paars zijn, zegt hij dat ze beter terug kan gaan naar haar barak, maar ze wil niet weg. In de intimiteit van die koude middag voelt ze zich veel beter dan in de vrouwenbarak, waar het naar zweet en ziekte stinkt. En soms naar haat.

Als ze de kou echt niet meer kunnen verdragen, staan ze op en lopen ze aan weerszijden van het hek met elkaar op. De bewakers tolereren hen. De registrator regelt tabak voor sommige bewakers en fungeert soms als tolk. Op die manier heeft hij hun ontmoetingen bij het hek voorlopig veiliggesteld.

Hij vertelt Alice over zijn werk als registrator. Hij wil niet praten over wat hij in de trieste ogen ziet die hem vlak na aankomst in het kamp vanaf de andere kant van de registratietafel aankijken. Daarom verzint hij soms anekdotes om het wat luchtiger te houden. Wanneer Alice hem vraagt of het waar is dat er elke dag honderden mensen worden vermoord door hen gas te laten inademen, zegt hij dat het alleen om de ernstig zieken gaat, dat ze zich geen zorgen hoeft te maken, en daarna verandert hij snel van onderwerp. Rudi weet dat het in Auschwitz slecht zakendoen is met de waarheid.

'Ik heb een cadeautje voor je meegenomen...'

Hij haalt iets uit zijn zak en opent zijn vuist. Alice zet grote ogen op als ze ziet hoe waardevol het is. Het is een waar fortuin. Het is een knoflookteen.

Zodra de loop van het geweer aangeeft dat de bewaker in de wachttoren met zijn rug naar hen toe staat, gaat hij snel naar het hek toe. Hij mag het prikkeldraad niet aanraken, maar hij kan ook niet te lang aarzelen want als hij gesnapt wordt kan hij een zware straf krijgen. Slechts tien seconden heeft hij tot de wachter zich naar hen toe draait. Hij steekt zijn hand met de knoflookteen tussen zijn vingertoppen voorzichtig door een opening. Vijf seconden. Hij laat de knoflookteen los. Alice strekt haar hand uit en vangt de teen snel op. Vier seconden. Beiden doen een paar stappen naar achteren en gaan terug naar waar ze eerst zaten, op een paar meter van het hek.

Geschrokken en vol bewondering tegelijk kijkt Alice hem aan. Het doet Rudi plezier dat het meisje zo reageert. Er zijn maar weinig mensen die hun vingers door dat dodelijke prikkeldraad durven steken. Sommige smokkelaars gooien hun waar met een boog over het hek, maar volgens hem kun je dat van mijlenver zien. Voor dat soort acties zijn er te veel ogen en te veel tongen in het kamp.

'Eet maar op, Alice, er zitten veel vitamines in.'

'Maar dan kan ik je niet meer kussen.'

'Kom op Alice, het is belangrijk. Je moet eten. Je bent zo mager.'

'Vind je me niet leuk dan?' vraagt ze koket.

Rudi zucht.

'Je weet best dat ik gek op je ben. En je ziet er prachtig uit, je haar zit zo mooi.'

'Je hebt het gezien!'

'Maar eet die knoflookteen nou op. Ik heb er heel veel moeite voor moeten doen.'

'En daar ben ik je ook heel dankbaar voor.'

Maar ze stopt hem weg en eet hem niet op. Rudi vloekt in zichzelf.

'Toen ik je laatst een stengel selderij gaf, deed je dat ook al.'

Dan trekt ze een flirterig gezicht en draait haar ogen omhoog, alsof ze hem ergens op wil wijzen. Rudi ziet het en brengt zijn handen naar zijn hoofd.

'Alice, ben je nou helemaal!'

Tot dan toe had hij niet gezien dat ze een diadeem droeg. Een paarse, misschien iets te kinderlijke diadeem, maar in Auschwitz is het een luxeartikel. Een luxeartikel waarvoor ze met een stengel selderij heeft moeten betalen. Ze lacht.

'Hè, doe dat nou toch niet! De winter is nog lang niet voorbij en je hebt haast geen warme kleren, je moet goed eten. Snap je het dan niet? Van jouw kamp gaan er elke ochtend minstens tien lijken met de dodenkar mee, allemaal mensen die sterven van uitputting, ondervoeding of van een simpel griepje. Een verkoudheid kan hier al fataal zijn, Alice. We zijn zwak. Je moet iets eten!' Het is de eerste keer dat hij haar zo streng toespreekt. 'Ik wil dat je hem nu opeet!'

Om die knoflookteen te bemachtigen heeft hij in het geheim aan een keukenhulp namen en rangen van Russische officieren van het laatste transport moeten doorgeven. Hij weet niet waarvoor die lijst nodig is en hij wil het ook niet weten, maar het is waardevolle informatie en daarbij heeft het verzet veel afdelingen die hij niet kent. Dit soort acties kan hem zijn leven kosten. En dan eet ze hem nog niet eens op.

Alice kijkt hem verdrietig aan. Ze krijgt tranen in haar ogen. 'Je begrijpt het niet, Rudi.'

Verder zegt ze niets. Ze zwijgt, ze is niet zo spraakzaam. En nee, hij begrijpt het niet. Hij vindt het dom dat ze die schaarse en voedzame selderijstengel heeft ingeruild voor een stuk ijzerdraad waar snel wat fluweel omheen is geflanst in een van de werkplaatsen. Hij begrijpt niet dat Alice straks zeventien wordt en dat je maar één keer jong bent. De vergankelijkheid van het leven wordt steeds zichtbaarder. In Auschwitz kent het verval onvermoede sluipwegen. Ze zit haar hele jeugd al opgesloten in de lelijkheid van de oorlog en nu is ze heel even gelukkig omdat ze zich mooi voelt. Dat moment geeft haar meer voldoening dan honderd stengels selderij.

Ze maakt een verontschuldigend gebaar in de hoop dat Rudi haar vergeeft en hij haalt zijn schouders op. Begrijpen doet hij haar niet, maar hij kan niet boos op haar worden.

Hij weet het nog niet, maar de bestemming van die teen knoflook is al bepaald. Na het avondappèl gaat Alice snel naar barak 9 en vraagt naar meneer Lada. Het is een kleine man die in de groep van de dodenkar werkt. Het is geen aangenaam werk, maar het geeft hem wel wat bewegingsruimte binnen het kamp. En bewegingsruimte staat gelijk aan handeldrijven. Alice heeft haar zinnen gezet op een minuscuul stukje zeep, ze vindt het heerlijk ruiken. Lada is tuk op de knoflookteen. Die vindt hij heerlijk ruiken.

Ze is zo blij met haar aanwinst dat ze de tijd tot de avondklok benut om haar kleren te wassen. Ze draagt een wollen trui vol gaten en een stokoude geruite rok die ze onder haar kussen bewaart. Dat is het enige wat ze aan kan trekken als ze eens in de twee weken haar blauwe, of inmiddels grauwe jurk, haar ondergoed en haar kousen gaat wassen.

Anderhalf uur moet ze in de rij staan bij de enige drie kranen van het kamp. Er komt een miniem straaltje water uit, dat niet drinkbaar is en al heel wat mensen het leven heeft gekost omdat ze dachten dat het geen kwaad kon of omdat ze, vooral na een lange middag werken, zo'n vreselijke dorst hadden dat ze de verleiding niet konden weerstaan.

Het ijskoude water doet pijn aan haar handen, die er gevoelloos en ruw van worden. Ze is nog maar net begonnen of de vrouwen in de rij beginnen haar uit te schelden en te roepen dat ze moet opschieten. Een paar vrouwen praten zo hard over haar dat ze het kan verstaan. In het kamp bestaan geen geheimen, alles is er doordrenkt van geruchten, alsof het vochtplekken zijn die door de muren trekken en alles aantasten.

Iedereen weet van haar relatie met de Slowaakse registrator, en sommige gevangenen hebben daar moeite mee, vooral degenen die een ander geen geluk gunnen. Uit pure overlevingsdrang projecteren veel gevangenen hun angsten en verdriet meedogenloos op anderen en worden soms zelfs rancuneus. Door anderen te kwetsen denken ze hun eigen leed te kunnen verzachten.

'Het is gewoon niet eerlijk, zo'n sloerie die voor iemand met macht op haar rug gaat liggen heeft zeep om haar kleren mee te wassen, en wij fatsoenlijke vrouwen moeten het alleen met water doen!' zegt een van hen.

Er klinkt instemmend gemompel van onder de hoofddoeken.

'Het wordt hier steeds gekker,' zegt een ander, 'niets is meer heilig.'

'Het is een schande,' zegt weer een ander zo hard dat Alice het hoort.

Het meisje gaat verwoed door, alsof ze dat rancuneuze gescheld met glycerinezeep kan wegwassen, maar nog voordat ze klaar is houdt ze het voor gezien. Ze durft niet op te kijken, ze schaamt zich en kan zich niet verweren. Ze laat ze het stukje zeep op de richel liggen. Enkele vrouwen storten zich erop en er ontstaat een vechtpartij met veel geduw en geschreeuw.

Alice schaamt zich zo en is zo nerveus dat ze haar moeder niet onder ogen wil komen; uiteindelijk gaat ze naar blok 31. De deur van de barak staat op een kier. Wanneer ze hem verder openduwt, valt er een metalen kom met boutjes op de vloer. Dat is een truc van Hirsch zodat hij het kan horen als er iemand binnenkomt. De blokoudste komt uit zijn kamer en ziet een bevende Alice staan.

'Meisje toch, wat is er?'

'Ze haten me, meneer Hirsch!'

'Wie dan?'

'Al die vrouwen! Ze schelden me uit omdat ik bevriend ben met Rudi Rosenberg!'

Hirsch pakt haar bij de schouders; ze kan niet meer stoppen met huilen.

'Die vrouwen haten je niet, Alice. Ze kennen je niet eens.'

'Ze haten me wel! Ze hebben vreselijke dingen tegen me gezegd en ik kon helemaal niets terugzeggen.'

'Je hebt gedaan wat goed was. Als een hond heel hard blaft naar een vreemde, of zelfs bijt, doet hij dat niet uit haat. Dat doet hij uit angst. Als je ooit een agressieve hond tegenkomt, moet je niet wegrennen of schreeuwen, want dan maak je hem bang en gaat hij bijten. Dan moet je kalm blijven en rustig tegen hem praten om zijn angst weg te nemen. Die vrouwen zijn bang, Alice, ze zijn boos om wat er met ons allemaal gebeurt.'

Alice komt enigszins tot rust.

'Je moest je was maar eens gaan ophangen.'

Ze knikt. Wanneer ze hem wil bedanken, maakt hij een afwerend handgebaar. Ze hoeft hem nergens voor te bedanken. Hij is verantwoordelijk voor zijn mensen. De assistenten zijn soldaten. En een soldaat bedankt nooit. Die gaat in de houding staan en salueert. Meer hoeft hij niet te doen.

Nadat Alice is vertrokken, kijkt Hirsch naar de leegte van de verlaten krukken en de met tekeningen behangen muren en sluit zich weer op in zijn kamer. Maar de barak is niet helemaal leeg. Iemand heeft zich achter de stapel houten planken verschanst en het tafereel zwijgend gadegeslagen.

Haar vader tobt al dagen met een verkoudheid die maar niet wil overgaan en haar moeder heeft hem verboden buiten les te geven, dus Dita brengt de middagen door in haar schuilplaats achter in de barak. Ze zit te wachten tot het geheime contact van de SS weer komt, maar tot nu toe heeft haar waakzaamheid niets opgeleverd. Als ze niemand kan vertrouwen, zal ze het mysterie rond Hirsch zelf moeten ontrafelen. Soms komt Fredy uit zijn kamer om wat kniebuigingen, buikspier- of krachtoefeningen te doen. Dan moet zij zich klein maken en heel stil achter de planken blijven zitten. En een enkele keer komt Miriam Edelstein bij hem langs, maar verder gebeurt er niets. Ze mist de gesprekken met Margit, van wie ze weet dat ze soms met René zit te kletsen.

Hirsch, die denkt dat er niemand anders in de barak is, heeft de lichten gedoofd en blijft in het donker zitten. Dita maakt zich klein om een beetje warm te blijven. Ze huivert en daardoor moet ze denken aan de zieken in sanatorium Berghof die 's nachts met hun gezicht naar de Alpen sliepen zodat de droge kou uit de bergen de tuberculosebacteriën in hun longen kon doden. In het kamp vindt ze het moeilijk *De toverberg* met net zoveel plezier te lezen als destijds in Theresienstadt. Het boek heeft zoveel indruk op haar gemaakt dat de personages deel van haar herinneringen zijn geworden.

Hans Castorp, die zijn neef kwam opzoeken en in eerste instantie slechts een paar weken in het sanatorium zou doorbrengen, bleef er uiteindelijk veel langer. Zelfs toen zijn neef Joachim tegen de wil van de artsen in besloot naar huis terug te gaan om zijn militaire carrière voort te zetten, bleef hij met plezier in de microkosmos van het sanatorium, met zijn ligkuren, zijn overvloedige maaltijden en de kleine dagelijkse rituelen die de sleur nauwelijks doorbraken. Maar te midden van die schijnbare gezapigheid liet de tuberculose steeds weer een lege stoel achter in de eetzaal en waaide de kou van de dood door de gangen.

Berghof doet Dita aan het getto denken. Het leven was in Theresienstadt beter dan in Auschwitz. Er was minder geweld, het was minder gruwelijk dan die vreselijke moordmachine waarin ze nu moesten zien te overleven. Maar in feite was Theresienstadt een sanatorium waar niemand genas.

Castorp kwam voor een paar weken, maar weken werden maanden en maanden werden jaren. Toen hij wilde vertrekken, ontdekte dokter Behrens een lichte longaandoening en moest hij nog langer blijven. Toen Dita het boek las was ze al een jaar in Theresienstadt en wist ze nog niet wanneer ze uit die gevangenis weg zou kunnen. Maar gezien de geruchten uit de buitenwereld, over de nazi's die gestaag oprukten in een oorlog waarbij de doden met honderdduizenden tegelijk vielen, en de geruchten over kampen waar de Joden heen werden gevoerd om uitgeroeid te worden, kwam ze uiteindelijk tot de conclusie dat de muren van Theresienstadt haar gevangenhielden maar haar ook beschermden tegen de wereld, net zoals Hans Castorp, die niet meer weg wilde uit sanatorium Berghof om niet met zijn eigen tijdperk geconfronteerd te worden.

Ze ruilde haar werk in de moestuinen bij Theresienstad in voor een comfortabeler taak in een atelier waar soldatenkleding werd gemaakt. Naarmate de tijd verstreek, haar moeder langzaam verzwakte en haar vader steeds minder geestige opmerkingen maakte, ging zij door met lezen. Ze ging helemaal op in het verhaal van Hans Castorp en vergezelde het personage naar het hoogtepunt van zijn leven: het carnavalsfeest, waar hij dankzij de anonimiteit van de maskers eindelijk de stoute schoenen aantrok en madame Chauchat aansprak, een beeldschone Russische op wie hij hopeloos verliefd was, ook al had hij nooit meer dan wat beleefdheden met haar gewisseld. In die feestelijke ambiance en beschermd door de anonimiteit van het carnavalsfeest van Berghof, durfde hij haar te tutoyeren en Klavdia te noemen. Dita sluit haar ogen en beleeft opnieuw dat moment waarop hij voor haar gaat staan en haar heel hoffelijk en gepassioneerd zijn liefde verklaart, zo romantisch.

Dita mag madame Chauchat wel. Het is een beeldschone dame met een oosterse oogopslag die vaak als laatste naar de luxueuze eetzaal komt en de deur dan hard dichtslaat zodat Hans Castorp opveert in zijn stoel, de eerste dagen met zichtbare ergernis, maar later volkomen gefascineerd door haar Tataarse schoonheid. In de vrije sfeer van het carnaval, wanneer de mensen niet in rigide beleefdheidsvormen verstrikt zitten en zich veilig verscholen weten achter een masker, zegt madame Chauchat tegen Castorp: 'Jullie Duitsers houden meer van orde dan van vrijheid, dat weet heel Europa.'

En Dita, opgekruld in haar schuilhoek, knikt.

Die madame Chauchat heeft het volkomen bij het rechte eind.

Ze bedenkt dat ze graag zou willen zijn als zij, een ontwikkelde, verfijnde, onafhankelijke vrouw. En dat wanneer ze ergens binnenkwam alle jongens vanuit hun ooghoek naar haar zouden kijken. Na de enigszins gewaagde vleierijen van de Duitse jongeman, die de Russische dame zeker niet mishagen, neemt het verhaal een onverwachte wending. Madame Chauchat besluit te vertrekken naar Dagestan, of misschien naar Spanje, om van omgeving te veranderen.

Als zij Klavdia Chauchat was geweest, had ze de hoffelijkheid en de charmes van een man als Hans Castorp niet kunnen weerstaan. Niet dat ze niet moedig genoeg was om de wereld over te reizen. Wanneer deze nachtmerrie voorbij is, zou ze graag met haar familie gaan reizen. Wie weet naar dat land Palestina, waar Fredy Hirsch het zo vaak over heeft.

Dan hoort ze de deur van de barak. Voorzichtig steekt ze haar hoofd boven de planken uit en ziet dezelfde lange figuur van laatst binnenkomen, die met de donkere cape en de laarzen. Haar hart bonst als een bezetene.

Het langverwachte moment van de waarheid is aangebroken. Maar wil ze die wel weten? Steeds wanneer de waarheid zich laat zien, gaat er iets kapot. Misschien kan ze beter stilletjes de barak verlaten. Wat ze in haar buik voelt zijn bepaald geen vlinders maar is meer een kudde buffels, ze vindt het doodeng. Ze kan zich lelijk branden aan de waarheid... maar ze moet het weten, anders komt er nooit een eind aan die onzekerheid.

In een van de nummers van *Readers Digest*, die ze een keer stiekem van de salontafel had gepakt toen haar ouders niet thuis waren, heeft ze eens een artikel gelezen over spionnen die gesprekken in een naastgelegen kamer afluisterden door een glas tegen de muur te houden. Op haar tenen loopt ze met haar ontbijtkom naar de wand van Hirsch' kamer. Het is riskant. Ze weet niet wat er zal gebeuren als ze gesnapt wordt. Maar als ze nog langer blijft twijfelen, wordt ze gek.

Ze zet de metalen kroes tegen de muur, maar merkt dat ze alles al perfect hoort als ze haar oor vlak bij het houten schot houdt. En er zit ook nog een gat in, waardoor ze zelfs naar binnen kan kijken zoals door een kijkglas in een deur.

Ze ziet Hirsch. Hij kijkt bedrukt. De blonde man tegenover hem ziet ze op de rug. Hij draagt geen SS-uniform, maar ook geen gewone gevangeniskleding. Aan de bruine band om zijn mouw ziet ze dat hij een kapo is.

'Dit is de laatste keer, Ludwig.'

'Waarom?'

'Ik kan mijn mensen niet langer bedriegen. Ze denken dat ik een bepaald iemand ben, maar in werkelijkheid ben ik heel iemand anders.'

'En wat ben je dan voor verschrikkelijk iemand?'

Hij glimlacht als een boer die kiespijn heeft.

'Dat weet jij maar al te goed. Beter dan wie ook.'

'Kom op Fredy, zeg het gewoon hardop...'

'Er valt niets meer te zeggen.'

'Waarom niet?' In de stem van de man klinkt zowel ironie als verbittering door. 'De man zonder angst durft niet uit te komen voor wie hij is? Ben je te laf om te zeggen wat voor vreselijk iemand je bent?'

De blokoudste zucht en zijn stem wordt somber: 'Iemand... van de verkeerde kant.'

'Verdomme, zeg het gewoon! De grote Fredy Hirsch is een nicht!'

Hirsch wordt razend en grijpt de ander hardhandig bij zijn kraag. Hij smijt hem tegen de muur; de aderen in zijn hals zwellen op.

'Hou op! Waag het niet dat ooit nog eens te zeggen.'

'Kom, kom... is het zo erg? Ik ben het ook en vind mezelf ook geen monster. Vind jij dat wel dan? Denk je dat ik het verdien om als een melaatse gebrandmerkt te worden?' Hij kijkt naar de roze driehoek op zijn overhemd.

Hirsch laat hem los. Hij strijkt zijn haar glad, sluit zijn ogen en probeert te kalmeren.

'Sorry Ludwig, ik wilde je niet kwetsen.'

'Dat heb je anders wel gedaan.' Met een fatterig gebaar strijkt hij de verfomfaaide revers van zijn jasje glad. 'Je zegt dat je je mensen niet wilt bedriegen. En wat ga je doen wanneer je hieruit komt?

Ga je dan een aardig Joods meisje zoeken die koosjer eten voor je maakt, hè, en trouw je dan met haar? Ga je haar bedriegen?'

'Ik wil niemand bedriegen, Ludwig. Daarom moeten we elkaar niet meer zien.'

'Wat jij wilt. Onderdruk je gevoelens maar als je je daar beter bij voelt. Probeer maar met een meisje te vrijen. Ik heb het geprobeerd: het is als bier zonder schuim. En denk je dat het op die manier afgelopen is met de leugens? Dan vergis je je! Als er iemand is die je voor de gek houdt, ben je dat zelf.'

'Ik heb je al gezegd dat het voorbij is, Ludwig.'

Daar valt niets tegen in te brengen. Ze kijken elkaar verdrietig aan en zwijgen. De kapo met de roze driehoek knikt langzaam, ten teken dat hij zijn nederlaag accepteert. Hij loopt naar Hirsch en kust hem op zijn mond. Er rolt een traan over zijn wang, net zo stil als een regendruppel langs een vensterglas.

Aan de andere kant van de houten wand kan Dita zich ternauwernood inhouden. Ze zou willen schreeuwen. Dit is meer dan haar kinderziel kan verdragen. Ze heeft nog nooit twee mannen elkaar zien kussen, ze vindt het walgelijk. Het ergste vindt ze nog dat het Fredy Hirsch is. Haar Fredy Hirsch. Stilletjes glipt ze naar buiten. De kou slaat als een vuist in haar gezicht. Het deert haar niet. Ze is verbijsterd en voelt walging. Ze is woest op Fredy Hirsch. Ze voelt zich bedrogen. Tranen van woede vertroebelen haar zicht.

Even later botst ze tegen iemand op.

'Kijk toch uit, meisje!'

'Kijk verdomme zelf uit waar u loopt!' antwoordt ze grof.

Als ze haar ogen opslaat kijkt ze recht in het witbebaarde gezicht van meneer Morgenstern en beseft ze hoe bot ze is geweest. Ze had de oude man bijna omvergeduwd.

'Neemt u mij niet kwalijk, meneer Morgenstern. Ik zag niet dat u het was.'

'U bent het, juffrouw Adlerova!' Hij strekt zijn hals en richt zijn bijziende ogen op Dita. 'Maar u huilt!'

'Dat komt door die vervloekte kou, daar krijg ik tranende ogen van,' zegt ze kortaf.

'Kan ik iets voor u doen?'

'Nee, dat kan niemand.'

De leraar zet zijn handen in zijn zij.

'Weet u dat zeker?'

'Ik kan er niet over praten. Het is geheim.'

'Dan moet u het niet vertellen. Geheimen moet je voor je houden.'

De leraar knikt beleefd en loopt zonder verder nog iets te zeggen naar zijn barak. Dita is nog meer in verwarring dan ze al was. Misschien ligt het wel allemaal aan haar. Misschien moet ze haar neus niet in andermans zaken steken en ophouden met in geheimen te wroeten. Ze vraagt zich af met wie ze hierover kan praten en bedenkt dat er in elk geval één persoon is die Hirsch goed lijkt te kennen: Miriam Edelstein. Zij is de enige die hem bezoekt op tijdstippen waarop alleen goede vrienden dat doen.

Dita treft haar in barak 28, met haar zoon Ariah. Het is bijna spertijd. Niet het ideale moment om op bezoek te gaan, maar als Miriam Edelstein ziet hoe overstuur de bibliothecaresse is, staat ze meteen op om haar te troosten en gaat ze met haar naar buiten om even met haar te praten.

De duisternis en de kou nodigen niet uit tot een lang gesprek, maar Dita vertelt haar toch het hele verhaal: Mengeles dreigement, dat ze toevallig getuige was van Hirsch' ontmoeting met een man, haar twijfels, hoe ze probeerde de waarheid te achterhalen en hoe dat uiteindelijk lukte. Miriam laat haar helemaal uitpraten, toont geen verbazing wanneer ze vertelt over Hirsch' heimelijke ontmoetingen met andere mannen en zwijgt zelfs even nadat Dita haar verhaal heeft gedaan.

'En?' vraagt Dita ongeduldig.

'Nu heb je je waarheid. Ben je nu tevreden?'

Dita proeft verwijt in haar stem.

'Wat bedoelt u?'

'Je zocht naar de waarheid, maar dan een waarheid die jou bevalt. Je wilde dat Fredy Hirsch een moedig, efficiënt, onomkoopbaar, charmant, voorbeeldig mens was… en je bent teleurgesteld omdat hij homoseksueel is. Je had ook blij kunnen zijn dat hij geen vertrouweling van de SS is maar een van ons, en wát voor een. Maar in plaats daarvan ben je boos omdat hij niet helemaal is zoals jij wilt.'

'Nee, u moet het niet verkeerd opvatten. Natuurlijk was ik opgelucht dat hij niet een van hen was! Het is alleen... ik kan me niet voorstellen dat hij zó is.'

'Edita... dat klinkt alsof hij een crimineel is. Hij voelt zich alleen niet aangetrokken tot vrouwen, maar tot mannen. Dat is toch geen misdaad?'

'Ik heb op school geleerd dat het een ziekte is.'

'Intolerantie, dát is pas een ziekte.'

Ze zwijgen een tijdlang.

'U wist het al hè, mevrouw Edelstein?'

De vrouw knikt.

'Noem me maar Miriam. We delen nu een geheim. Maar dat geheim is niet van ons, dus wij hebben het recht niet om het te onthullen.'

'U kent Hirsch goed hè?'

'Hij heeft me het een en ander verteld, ja, en verder heb ik dingen gehoord...'

'Wie is Fredy Hirsch nu eigenlijk echt?'

Miriam gebaart met haar hoofd dat ze even een rondje om de barak moeten gaan lopen. Ze heeft ijskoude voeten.

'Fredy Hirsch heeft zijn vader op heel jonge leeftijd verloren. Hij voelde zich eenzaam. Toen heeft zijn moeder hem bij de JPD aangemeld, de Jüdische Pfadfinder Deutschlands. Daar bloeide hij op, hij vond er een thuis. Sport was zijn lust en zijn leven. Ze zagen meteen dat hij een uitstekende trainer was en goed kon organiseren.'

Dita geeft Miriam Edelstein een arm zodat ze elkaar warm kunnen houden. Hun stemmen vermengen zich met het geknisper van hun klompen op de bevroren grond.

'Als trainer bij de JPD kreeg hij steeds meer aanzien. Maar de opkomst van de nazipartij gooide roet in het eten. Fredy vertelde me dat de Hitler-aanhangers akelige onruststokers waren die de wetten van de Duitse Republiek aan hun laars lapten. Later begonnen ze zelf de regels te bepalen.'

Hirsch had haar verteld dat hij nooit zou vergeten dat hij op een middag naar het hoofdkwartier van de JPD kwam en er in grote letters JODEN VERRADERS op de muur was gekalkt. Hij vroeg zich af wie ze dan verraden hadden, maar kon niets bedenken. Soms werden er tijdens de pottenbaklessen of de koorrepetities stenen door de ramen gegooid. Elke keer als dat gebeurde brak er iets in hem.

Op een dag had zijn moeder gezegd dat hij na school direct naar huis moest komen omdat ze iets belangrijks te bespreken hadden. Fredy had dingen te doen maar accepteerde het zonder morren; een van de dingen die hij bij de JPD had geleerd was immers dat je de hiërarchische verhoudingen onvoorwaardelijk moest respecteren. Met zijn uniformen, inclusief strepen, en hiërarchische structuur was de JPD als het ware een leger zonder wapens.

Hij trof de hele familie thuis. Er hing een ongewoon ernstige sfeer. Zijn moeder vertelde dat zijn stiefvader zijn baan was kwijtgeraakt omdat hij Joods was en dat het te gevaarlijk werd om te blijven. Daarom hadden ze besloten naar Zuid-Amerika te verhuizen, naar Bolivia, en daar opnieuw te beginnen.

'Naar Bolivia verhuizen? Vluchten zul je bedoelen!' antwoordde hij nijdig.

Fredy's stiefvader, die hem nooit van zijn ideeën wist af te brengen, wilde opstaan om met hem op de vuist te gaan. Maar zijn oudste broer Paul hield hem tegen.

Overstuur liep Fredy naar buiten, in zo'n roes waarin je raakt als je plotseling slecht nieuws te horen krijgt. Hij was volkomen verbijsterd en besloot naar de enige plek te gaan waar hij alles op een rijtje kon zetten: het hoofdkwartier van de JPD. Daar trof hij een van de leiders, die de veldflessen voor de volgende excursie aan het controleren was. Fredy sprak haast nooit over zijn privéleven, maar deze keer wel. Er was iets meer aan de hand dan het protest van een jongen die gedwongen wordt zijn vertrouwde omgeving achter te laten. De gedachte dat ze het hoofd moesten buigen en moesten vluchten omdat ze Joods waren vond hij onverdraaglijk.

De coördinator van de buitenactiviteiten had Fredy zien opbloeien. Hij keek hem strak aan en zei dat er bij de JPD altijd plaats voor hem was, voor het geval hij wilde blijven.

Ook al was Fredy toen nog maar zeventien, hij was iemand vol zelfvertrouwen. Zijn familie vertrok en hij bleef alleen achter. Maar niet helemaal: hij had de JPD. In 1935 werd hij als jeugdtrainer in Düsseldorf aangesteld. Hij had Miriam verteld dat hij in het begin dolblij was met zijn nieuwe baan in die bruisende stad, maar dat zijn enthousiasme al snel bekoelde vanwege de vijandige houding ten opzichte van de Joden. Omdat het elke dag stenen regende, lieten ze de ruiten niet eens meer vervangen. Voor het gebouw stonden voortdurend groepen mensen die beledigende leuzen scandeerden. Er kwamen steeds minder kinderen. Er waren dagen dat zijn basketbalteam maar uit één speler bestond: hijzelf.

Toen hij op een middag uit het raam keek en zag dat iemand een gele ster op de zware houten deur schilderde, rende hij naar beneden. De jongen met de kwast keek hem spottend aan en ging zonder blikken of blozen door met zijn karwei. Daarop greep Fredy hem zo hard bij zijn jasje dat hij zijn verfpot liet vallen.

'Waarom doe je dat?' vroeg hij woedend en verbijsterd tegelijk vanwege alles wat er in zijn land gebeurde, en toen viel zijn oog op de mouwband met het hakenkruis.

'Joden zijn een gevaar voor de beschaving!' schreeuwde de ander vol minachting.

'Beschaving? Gaan jullie me vertellen wat beschaving is? Jullie, die de hele dag oude mensen mishandelen en stenen door ramen gooien? Wat weet jij nou van beschaving... Toen jullie ariërs nog in houten hutjes in Noord-Europa woonden en in dierenvellen rondliepen en beesten aan het spit regen, bouwden de Joden al complete steden.'

Enkele omstanders die zagen dat Fredy de jonge nazi bij zijn kladden had, kwamen langzaam dichterbij.

'Die arme jongen wordt door een Jood in elkaar geslagen!' klonk een vrouwenstem.

Een fruitverkoper kwam met een raamstok aanlopen, gevolgd

door een stuk of tien mannen. Toen werd Fredy hard bij zijn arm gegrepen.

'Meekomen, jij!' schreeuwde de directeur.

Ze konden net op tijd de deur achter zich sluiten om te ontkomen aan de woedende menigte buiten, volgens Hirsch door collectieve waanzin gedreven. Het was die haatdragende politicus met dat belachelijke snorretje gelukt. De mensen waren haatmachines geworden.

De volgende dag werd het kantoor van de JPD gesloten en werd hij naar Bohemen overgeplaatst. In Ostrava, Brno en later in Praag bleef hij sportevenementen voor de zionistische jongerenbeweging Maccabi Hatzair organiseren.

In Praag voelde hij zich niet erg op zijn gemak. Hij raakte in de war van de Tsjechische mentaliteit, die nonchalanter en informeler was dan de Duitse. Maar net buiten de stad vond hij in Club Hagibor een ideale plek voor sportactiviteiten. Hij kreeg de leiding over een groep kinderen van twaalf tot veertien jaar. Het idee was hen uit Bohemen weg te halen en via neutrale landen naar Israël te brengen. Ze moesten in goede lichamelijke conditie zijn, maar ook alle hoogte- en dieptepunten van de Joodse geschiedenis kennen; dan zouden ze trots zijn op hun afkomst en vanzelf gaan verlangen naar de geboortegrond van hun voorouders.

Met zijn gebruikelijke betrokkenheid en enthousiasme stortte Hirsch zich op zijn taak. Omdat hij efficiënt was en kinderen zich al gauw sterk tot hem aangetrokken voelden, besloot de leiding van de jeugdafdeling van de Joodse Raad van Praag dat deze toegewijde, energieke jongeman zich over de nieuwe kinderen moest ontfermen, die vaak nogal uit hun doen waren als ze daar aankwamen.

Fredy is nooit vergeten hoe moeilijk het was die kinderen op te beuren. In tegenstelling tot kinderen van aanhangers van de Havlagah, die een sterk Joods en zionistisch bewustzijn hadden en die zich meestal heel bewust en vol overtuiging hadden aangesloten, waren deze kinderen teruggetrokken, verdrietig en apathisch. Ze leken voor geen enkel spel te porren, vertrokken geen spier bij de grappigste verhalen, liepen voor geen enkele sport warm. Een van hen was de twaalfjarige Zdenek. Hij had de langste wimpers die Hirsch ooit had gezien, maar ook de verdrietigste ogen.

Aan het einde van de eerste bijeenkomst wilde Hirsch een spel doen om elkaar beter te leren kennen: hij vroeg de kinderen waar ze op dat moment het liefst zouden zijn. Zdenek stond op en antwoordde met een ernstig gezicht dat hij in de hemel wilde zijn zodat hij zijn ouders weer kon zien. De Gestapo had hen gearresteerd en zijn grootmoeder had gezegd dat hij hen nooit meer zou terugzien. Zdenek ging weer zitten en zei verder niets meer. Tot dan toe waren de kinderen heel serieus geweest, maar nu begonnen sommige te lachen met dat typische gebrek aan tact dat kinderen kunnen hebben. Spotten met anderen als manier om je eigen angsten te bezweren.

Op een middag riep het hoofd van de jongerenafdeling van de Praagse Joodse Raad Hirsch bij zich. Met een ernstig gezicht vertelde hij dat de nazi's steeds verder oprukten, dat de grenzen werden gesloten en het algauw niet meer mogelijk zou zijn mensen uit Praag te evacueren. Daarom moest de eerste Havlagah-groep onmiddellijk vertrekken, het liefst binnen vierentwintig of op zijn hoogst achtenveertig uur. Hij vroeg Hirsch of hij als hoofdinstructeur de groep wilde begeleiden.

Dat was het beste aanbod dat hij ooit had gekregen. Hij mocht weg met de groep, kon de verschrikkingen van de oorlog achter zich laten en naar Israël gaan, zoals hij altijd al had gewild. Maar weggaan betekende ook dat hij zijn groepen moest achterlaten, dat hij zijn werk moest opgeven, en hij realiseerde zich dat juist dat werk erg belangrijk was voor kinderen die door alle verboden, beperkingen en vernederingen van het Derde Rijk vastzaten in Praag. Weggaan betekende Zdenek en de anderen achterlaten. Wat had de JPD in Aken niet voor hem betekend toen hij zijn ouders was kwijtgeraakt en zich zo verloren voelde: daar vond hij zijn plek in de wereld.

'Ieder ander had gezegd dat hij zou gaan,' vertelt Miriam. 'Maar Hirsch wilde niet als ieder ander zijn. Daarom weigerde hij en bleef bij Hagibor.'

Het hoofd van de jongerenafdeling van de Raad en Fredy bleven een tijdlang zwijgend tegenover elkaar zitten, alsof ze de gevolgen van zijn beslissing probeerden te overzien. Maar dat was zinloos, de gevolgen waren niet te overzien. De toekomst laat zich niet overzien.

'Hirsch had weg kunnen gaan, maar hij bleef. Dat vertelde een functionaris van de Praagse Joodse Raad me.'

'Na alles wat hem is overkomen, voel ik me schuldig omdat ik aan hem heb getwijfeld,' zegt Dita.

Miriam slaakt een diepe zucht, haar adem wordt als witte stoom de lucht in geblazen. Op dat moment klinkt de sirene ten teken dat iedereen terug moet naar zijn barak.

'Edita...'

'Ja?'

'Morgen moet je Hirsch vertellen over dokter Mengele. Hij weet wel wat hem te doen staat. En de rest...'

'... blijft onder ons.'

Miriam knikt en Dita rent weg, ze vliegt bijna over de bevroren modder. Diep vanbinnen voelt ze nog steeds een scherpe pijn. Maar Hirsch is bij hen. En ook al doet het haar verdriet dat ze een prins verloren heeft, ze moet toegeven dat ze blij is dat ze een leider gevonden heeft.

13

Een eindje verderop vindt in blok 31 een heel ander gesprek plaats. Fredy Hirsch staat tegen de lege krukjes te praten.

'Ik heb het gedaan hoor. Ik heb gedaan wat ik moest doen.'

Zijn eigen stem, die resoneert in de duisternis van de barak, klinkt hem vreemd in de oren.

Hij heeft tegen die knappe Berlijner gezegd dat ze elkaar niet meer moeten zien. Hij zou trots op zichzelf moeten zijn en blij dat zijn wilskracht het heeft gewonnen van zijn driften. Maar dat is hij niet. Viel hij maar op vrouwen, zoals alle fatsoenlijke mannen, maar kennelijk zit er bij hem een steekje los.

Hij loopt naar het raam en kijkt weemoedig naar het landschap van drassige kleigrond, barakken en wachttorens. In het licht van de lantaarns ziet hij aan weerszijden van het hek twee gestalten tegenover elkaar staan. Het zijn Alice Munk en de registrator van het quarantainekamp. Het is rond het vriespunt maar zij hebben het niet koud, of misschien ook wel, maar dan is gedeelde smart halve smart.

Misschien is dat wel liefde, het samen koud hebben.

Als alle kinderen binnen zijn, is barak 31 klein en lawaaiig, maar als ze er niet zijn is het een gapende, zielloze leegte. Zonder de kinderen is het geen school meer. Dan is het een lege stal waar de kou vrij spel heeft.

Om een beetje warm te worden gaat hij op de grond liggen, met zijn armen naast zich, tilt zijn gestrekte benen een stukje van de vloer en kruist ze beurtelings om zijn buikspieren te pijnigen. Je moet het lichaam uitputten om het te temmen. Sinds zijn puberteit is de liefde een voortdurende bron van problemen. Zijn geaardheid won het steeds van wat hij zichzelf probeerde wijs te maken. Hoe gedisciplineerd hij ook was, tot zijn frustratie was hij niet sterk genoeg om zijn diepgewortelde driften in te tomen.

Een, twee, drie, vier, vijf…

Tijdens de excursies van de JPD ging hij graag met zijn slaapzak bij zijn pupillen liggen. Die waren altijd in voor een lolletje en vonden het gezellig dat hij erbij kwam. Na de dood van zijn vader voelde hij zich beschermd en veilig bij hen. Er ging niets boven dat gevoel van kameraadschap. Een voetbalteam was geen voetbalteam, het was familie.

Achttien, negentien, twintig, eenentwintig…

Toen hij ouder werd, verdween dat verlangen om bij de jongens te slapen niet. Tegenover de meisjes was hij afstandelijker, bij hen had hij dat broederlijke gevoel niet. Hij vond meisjes intimiderend, ze wezen jongens af, maakten grapjes over hen. Hij voelde zich alleen op zijn gemak bij teamgenoten of de collega's met wie hij wandelingen en spelen organiseerde. Dat gevoel verdween niet met de jaren.

Op een bepaalde leeftijd denkt je lichaam voor je. Dan komen de heimelijke ontmoetingen. Soms in openbare urinoirs met natte vloeren, rood licht en roeststrepen op de wastafels. Steeds weer was er de onweerstaanbare verleiding van een tedere blik, een warme aanraking, een moment van volmaakt geluk. Voor hem liet de liefde een spoor van vernielingen achter.

Achtendertig, negenendertig, veertig…

Hij heeft altijd geprobeerd zo veel mogelijk bezig te zijn met zijn toernooien en trainingen, om zijn geest af te leiden en zijn lichaam uit te putten. Zo onderdrukt hij zijn driften, om te voorkomen dat alles wat hij met bloed, zweet en tranen heeft opgebouwd door één enkele misstap kapotgaat. Door alsmaar actief bezig te blijven kan hij bovendien verhullen dat hij, hoe populair hij ook is, uiteindelijk altijd alleen is.

Zevenenvijftig, achtenvijftig, negenenvijftig...

Met ingehouden adem gaat hij door met de schaaroefening tot zijn buikspieren pijn doen. Zichzelf straffen omdat hij niet is wat hij zou willen zijn, of wat de anderen zouden willen wat hij was.

Drieënzeventig, vierenzeventig, vijfenzeventig...

De plas zweet op de vloer is een teken van zijn halsstarrigheid, zijn opofferingsbereidheid... zijn overwinning. Enigszins tot rust gekomen gaat hij rechtop zitten en laat de herinneringen de leegte van de avond opvullen.

En die herinneringen brengen hem naar Theresienstadt.

Net als veel anderen werd hij in mei 1942 naar het getto van Theresienstadt gedeporteerd. Hij was een van de eersten die daar aankwamen. De nazi's stuurden arbeiders, artsen, leden van de Joodse Raad, cultuurdocenten en sporttrainers mee. Ze maakten zich op voor een massaal transport van Joden.

Toen hij daar kwam, trof hij een stad van rechte lijnen. Het stadsontwerp was door een militair bedacht en had een stratenplan dat duidelijk op de tekentafel was ontstaan: geometrische gebouwen, rechthoekige stukken grond waar in het voorjaar waarschijnlijk gezaaid was... Die rationele stad beviel hem wel, ze beantwoordde aan zijn hang naar discipline. Hij dacht zelfs dat daar misschien betere tijden voor de Joden zouden aanbreken, de eerste fase van de terugkeer naar Palestina.

De eerste keer dat hij een wandeling door Theresienstad maakte, raakte zijn haar in de war door een windvlaag. Hij streek zijn sluike haar snel weer naar achteren, hij was immers niet van plan om zijn kapsel in de war te laten brengen en zich omver te laten blazen door de wind van de geschiedenis, ook al leek het nu een verwoestende orkaan. Hij behoorde tot een eeuwenoud ras en een uitverkoren volk.

Hij had in Praag veel met jongerengroepen gewerkt en was bereid om in Theresienstadt door te gaan met het organiseren van sportevenementen en vrijdagse bijeenkomsten om de Hebreeuwse geest te voeden. Het zou niet gemakkelijk worden. Hij had te maken met de nazi's, maar ook met een lid van de Joodse Raad dat op de hoogte was van de schande die hij zo zorgvuldig probeerde te verbergen, en hem daarop aankeek. Gelukkig kon hij altijd rekenen op de steun van Yakub Edelstein, de voorzitter van de Raad.

Hij vormde atletiekteams, gaf boks- en jiujitsulessen, organiseerde basketbaltoernooien en een voetbalcompetitie. Hij kreeg zelfs de nazi's zover dat ze een bewakersteam vormden dat tegen de gevangenen speelde.

Hij herinnert zich glorieuze momenten, zoals het gejuich van het publiek, dat niet alleen langs de lijn stond maar de wedstrijden ook volgde vanuit de deuren en ramen van de huizen die uitkeken op de binnenplaats waar de wedstrijden werden gespeeld.

Ook denkt hij terug aan de slechte momenten, en dat waren er veel.

Hij herinnert zich één wedstrijd in het bijzonder, een ontmoeting tussen SS-bewakers en Joden waarbij hij als scheidsrechter optrad. Honderden ogen volgden het treffen met groot enthousiasme; het was voor velen veel meer dan een voetbalwedstrijd, vooral voor hemzelf. Wekenlang had hij het team getraind, de tactiek bestudeerd, de spelers met allerlei oefeningen geestelijk voorbereid, hen melk gegeven, waarvoor hij dubieuze gunsten had moeten verlenen.

Een paar minuten voor het einde kwam de spits van het bewakerselftal, die in de middencirkel stond, aan de bal. Razendsnel rende hij naar het strafschopgebied en verraste de middenvelders van het gevangenenteam. Er was nog maar één verdediger die hem de pas kon afsnijden. Die zag de nazi op zich afkomen en in plaats van hem tegen te houden, trok hij onopvallend zijn been in zodat de ander erlangs kon. De SS'er schoot van korte afstand en maakte het winnende doelpunt. Nooit zal Hirsch de zelfgenoegzame gezichten van de ariërs vergeten. Ze hadden de Joden verslagen. Ook in de sport.

Volmaakt kalm floot Hirsch af, hij gaf geen extra tijd. Hij liep naar de spits die het laatste doelpunt had gemaakt en feliciteerde hem. Hij gaf hem een stevige hand en de SS'er glimlachte een gebit bloot dat eruitzag alsof het met een geweerkolf was bewerkt. Met een geforceerd neutrale blik liep Hirsch naar de geïmproviseerde kleedkamers, stopte, zogenaamd om zijn veters te strikken, en liet de spelers passeren tot de bewuste verdediger voorbijkwam. In een snelle beweging duwde hij hem hardhandig de bezemkast in en plantte hem tegen het bezemrek.

'Wat is dit?' vroeg de speler verbaasd.

'Zeg jij het maar. Waarom heb je die nazi laten scoren en hen laten winnen?'

'Hoor eens, Hirsch, ik ken die vent, het is een schoft en een sadist. Weet je waarom hij zo'n kapot gebit heeft? Omdat hij conservenblikken met zijn mond openmaakt. Hij gaat over lijken. Had ik hem dan moeten pakken en daarmee mijn leven riskeren? Het is maar een spelletje, hoor!'

Fredy weet nog letterlijk wat hij tegen hem zei, hoe hij die ellendeling minachtte.

'Nee! Je snapt het niet. Dit is helemaal geen spelletje. Er keken honderden mensen en die hebben we teleurgesteld. Er waren tientallen kinderen. Wat moeten die wel niet denken? Hoe kunnen ze nu trots zijn op hun Joodse afkomst als wij ons zo laten vernederen? Het is je plicht om elke wedstrijd te spelen alsof je leven ervan afhangt.'

'Nu draaf je wel een beetje door, zeg...'

Hirsch bracht zijn gezicht vlak voor dat van de speler en zag de angst in diens ogen, maar het hok was zo klein dat de man letterlijk met zijn rug tegen de muur stond.

'Nu moet jij eens goed naar me luisteren. Ik zeg dit maar één keer: in de volgende wedstrijd tegen de SS'ers steek je je been uit, of anders breek ik het.'

De man trok wit weg, rukte zich los en rende weg.

Achteraf zou je met een lach op dat incident kunnen terugkijken, maar Fredy slaakt een gekwelde zucht als hij eraan terugdenkt.

Aan die kerel had hij dus niets. Aan volwassenen valt ook niet veel meer te veranderen, die zijn al gevormd. Daarom zijn jongeren zo belangrijk. Die kun je nog kneden en bijschaven.

Op 24 augustus 1943 kwam er in Theresienstadt een contingent van 1260 kinderen uit het Poolse Bialystok aan. In het getto zaten meer dan vijftigduizend Joden opgesloten en die zomer hadden de SS'ers bijna alle volwassenen systematisch uitgeroeid.

Bij aankomst in Theresienstadt werden de kinderen uit Bialystok geïsoleerd; ze werden onder zeer strenge bewaking ondergebracht in het westelijke deel van het getto, dat met prikkeldraad was afgezet. De Hauptsturmführer van Theresienstadt had de Ouderenraad streng geïnstrueerd, wat inhield dat er geen enkele vorm van contact mocht zijn met die kinderen, die daar slechts kort zouden blijven en wier lot onbekend was. Slechts een beperkte groep mensen kreeg toegang, waaronder medisch personeel dat ervoor moest zorgen dat de kinderen geen infecties opliepen die in een epidemie konden ontaarden. Wie zich niet aan de bevelen hield, werd zwaar gestraft.

Omdat de kinderen getuige waren geweest van het bloedbad in Bialystok, verboden de nazi's elk contact met hen om te voorkomen dat berichten hierover de rest van het door de oorlog geteisterde Europa zouden bereiken.

Fredy Hirsch was scheidsrechter bij een voetbalwedstrijd waar de stand twintig tegen dertig was. Het zweet liep over zijn rug en hij keek bezorgd. Hij had duidelijk meer aandacht voor de arcade rond de binnenplaats dan voor wat er op het veld gebeurde.

Hoe vaak hij ook schriftelijke verzoeken had ingediend, de jeugdafdeling mocht niets doen voor de kinderen uit Polen. Toen hij het medisch team zag terugkomen van de geïsoleerde blokken waar de kinderen uit Bialystok zaten, gaf hij zijn fluitje aan de jongen die het dichtstbij stond en liep op een holletje weg.

Ze zagen er moe uit en hadden smoezelige doktersjassen aan. Fredy hield hen staande en vroeg hoe het met de kinderen ging, maar ze reageerden afhoudend en liepen snel door. Ze hadden instructies gekregen dat alle informatie strikt vertrouwelijk was. Eén verpleegster bleef een beetje achter, alsof ze verstrooid of in de war was. De vrouw stopte even en Hirsch zag de uitputting en verontwaardiging in haar ogen.

Ze vertelde hem dat de kinderen erg angstig en vaak ook ondervoed waren. 'Toen de bewakers hen naar de douches wilden brengen, raakten ze helemaal in paniek. Ze sloegen wild om zich heen en riepen dat ze niet naar het gas wilden. Met geweld moesten ze erheen gebracht worden. Een kind bij wie ik een wond aan het ontsmetten was, vertelde dat hij voordat hij op de trein werd gezet, had gehoord dat zijn vader, moeder en oudere broers vermoord waren. Hij was doodsbang, greep mijn arm heel stevig vast en zei dat hij niet naar de gasdouches wilde.'

Hoewel de verpleegster in het ziekenhuis van Theresienstadt inmiddels wel wat gewend was, raakte ze toch van slag toen ze de angst zag in de ogen van de weeskinderen die waren toegewezen aan de beulen die eerder hun ouders hadden omgebracht. Ze vertelde Fredy Hirsch dat de kinderen zich aan haar benen vastgrepen, allerlei pijntjes en ziektes fingeerden, en dat ze geen medicijnen nodig hadden maar liefde, bescherming, geborgenheid, een troostende arm om hen heen die hun angsten kon bezweren.

De volgende dag liepen monteurs, keukenhulpen en verplegers langs de controlepost bij het gedeelte waar de kinderen uit Bialystok gevangen zaten. De bewakers keken verveeld toe.

Een stel arbeiders bracht bouwmaterialen om reparaties aan een van de gebouwen uit te voeren. Van een van hen ging het gezicht schuil achter een plank die hij op zijn schouder droeg. Hij had rechte sleutelbeenderen en gespierde bouwvakkersarmen. Het was echter geen bouwvakker, maar een sportinstructeur. Met een plank op zijn schouder was het Fredy Hirsch gelukt achter de arbeiders aan het verboden terrein op te lopen.

Eenmaal binnen kon hij zich vrij bewegen en liep hij snel naar het dichtstbijzijnde gebouw. Toen hij twee SS'ers bij de ingang zag staan aarzelde hij even, maar hij zette zich over zijn angst heen en liep schijnbaar onbewogen verder. In plaats van terug te deinzen, ging hij juist kordater op hen af. Ze merkten hem niet eens op toen hij passeerde, er liepen daar wel meer Joden in burger rond die allerhande klusjes deden.

Hij ging een van de huizen binnen, dat dezelfde indeling had als de andere gebouwen in Theresienstadt: na de ingang een hal met daarachter een grote vierkante binnenplaats en aan weerszijden een trap. Willekeurig koos hij een trap en onderweg naar boven kwam hij twee elektriciens tegen die rollen kabels bij zich hadden en hem beleefd groetten. Op de eerste verdieping zag hij al een paar kinderen met bungelende benen op de stapelbedden zitten.

Op de overloop kwam hij een korporaal tegen, die hij met een korte hoofdknik groette. De SS'er liep door. Fredy merkte op dat het wel heel stil was voor een plek waar zoveel kinderen waren, te stil. Dat zat hem niet lekker. Precies op dat moment hoorde hij achter zich zijn naam noemen.

'Herr Hirsch?'

Eerst dacht hij dat het een bekende uit het getto was, maar toen hij zich omdraaide stond hij oog in oog met de SS'er die hij zojuist was tegengekomen en die nu heel vriendelijk naar hem glimlachte. Die glimlach legde een gehavend gebit bloot, waardoor Hirsch meteen zag dat het de speler van het bewakersteam was. Hij glimlachte stoïcijns terug, maar de nazi fronste zijn voorhoofd, want wat moest een sportleraar daar eigenlijk? Ferm stak hij zijn arm omhoog en wees naar de trap, ten teken dat Hirsch hem net als een gevangene voor moest gaan. In een poging zich uit de situatie te redden begon Hirsch heel vriendelijk redenen voor zijn aanwezigheid op te sommen, maar de bewaker was onverbiddelijk.

'Naar de bewaking! *Sofort*!'

Toen Fredy bij de dienstdoende Obersturmführer kwam, ging hij in de houding staan en klakte zijn hakken hard tegen elkaar. De officier vroeg naar zijn vergunning om het gebied te betreden. Die had hij niet. De nazi bracht zijn hoofd vlak bij dat van Fredy en vroeg hem woedend wat hij daar in godsnaam te zoeken had. Hirsch, die strak voor zich uit bleef kijken, leek onaangedaan en antwoordde op zijn karakteristieke beleefde toon:

'Ik probeerde alleen maar mijn taak als coördinator van de kinderactiviteiten zo goed mogelijk uit te voeren, meneer.'

'Weet je soms niet dat het verboden is contact met dit contingent te hebben?'

'Ik weet het, meneer. Maar ik dacht dat ik onder het personeel voor medische zorg voor de kinderen viel, aangezien ik hoofd van de jeugdafdeling ben.'

Door Hirsch' kalme reactie kwam de officier wat tot rust en begon hij te twijfelen. Hij zei dat hij het incident zou rapporteren aan zijn superieuren en dat hij hem bericht zou sturen over wat er zou worden besloten.

'Hou er maar rekening mee dat je voor de krijgsraad moet komen.'

Hirsch werd een tijdje in een grote kooi bij de wachtersloge opgesloten, ze zeiden dat ze hem zouden laten gaan zodra ze zijn gegevens hadden gecontroleerd. Met zijn karakteristieke soepele tred liep Fredy rondjes in dat lege hondenhok; hij was teleurgesteld dat hij de kinderen niet had kunnen zien, maar bleef desondanks rustig. Er zou heus geen krijgsraad komen, hij stond goed bekend bij de Duitste kampleiding. Althans, dat dacht hij.

Aan de andere kant van het hek liep rabbijn Murmelstein. Hij maakte deel uit van het driekoppige bestuur van de Joodse Raad in het getto. Hij was onaangenaam verrast een van de leiders van de jeugdafdeling daar opgesloten te zien. Hirsch was kennelijk tegen de regels in naar het gedeelte van de kinderen uit Bialystok gegaan en zat daar nu als de eerste de beste crimineel opgesloten. Murmelstein liep naar het hek en ze keken elkaar aan.

'Meneer Hirsch,' zei hij op verwijtende toon, 'wat doet u daar binnen?'

'En u, dokter Murmelstein... wat doet u daar buiten?'

Er kwam geen krijgsraad en dus ook geen veroordeling. Tijdens een training voor het verspringen kwam Pavel naar hem toe Hij was de officiële bode van de Raad in het getto, die vanwege zijn spillebenen ook wel het Skelet werd genoemd, maar ondertussen wel de snelste sprinter van heel Theresienstadt was. Hij vertelde Hirsch dat hij zich die middag onverwijld in het Maagdenburg-blok moest melden, waar het bestuur van de Joodse Raad zetelde.

Yakub Edelstein zelf, de voorzitter van de Raad, vertelde hem het nieuws: het Duitse opperbevel had zijn naam op de lijst gezet voor het volgende transport naar Polen, naar Auschwitz, vlak bij Oświęcim.

Over Auschwitz deden vreselijke verhalen de ronde: massamoorden, arbeiders die als slaven werden behandeld en stierven van uitputting, allerlei ontberingen en treiterijen, mensen die zo uitgehongerd waren dat ze er als wandelende skeletten uitzagen, tyfusepidemieën die velen niet overleefden... Maar het waren slechts geruchten. Niemand had het uit de eerste hand kunnen bevestigen, maar er was ook niemand teruggekeerd die de verhalen kon ontkrachten. Edelstein vertelde hem dat de SS had gezegd dat hij zich in Auschwitz meteen bij de kampleiding moest melden, ze wilden dat hij daar zijn werk met de jongeren voortzette. Hirsch' gezicht klaarde weer op.

'Dus ik blijf met jongeren werken, er verandert eigenlijk niets.'

Edelstein, met zijn bolle, goeiige schoolmeestergezicht en zijn hoornen brilletje, fronste zijn wenkbrauwen.

'Je krijgt het daar heel erg zwaar, Fredy, geloof me. Er zijn er veel naar Auschwitz gegaan en er is nog nooit iemand teruggekeerd. Maar toch moeten we door met de strijd.'

Hirsch kan zich de laatste woorden van de voorzitter van de Raad nog precies herinneren.

'We mogen de moed niet verliezen, Fredy. Houd het vuur brandende.'

Dat was de laatste keer dat hij hem zag, uit het raam starend met zijn handen op de rug. Edelstein wist toen vast al dat hij zelf ook spoedig in het vernietigingskamp terecht zou komen. Hij had zojuist een verordening ontvangen waarin hij uit zijn functie van voorzitter van de Joodse Raad werd gezet. Als hoogste autoriteit van Theresienstadt was hij verantwoordelijk voor het toezicht op de gevangenen. De SS-bewakers waren niet altijd even oplettend en daarom konden er mensen ontsnappen. Edelstein rapporteerde dat niet en dekte hen, tot het gat te groot werd en het SS-opperbevel in de gaten kreeg dat er ten minste 55 gevangenen ontbraken in het getto.

Het lot van Edelstein was bezegeld. Toen hij later in het kamp aankwam, werd hij niet naar het familiekamp in Auschwitz-Birkenau gebracht, maar naar de gevangenis van Auschwitz I. Fredy heeft dat nooit aan Miriam verteld, want hij weet dat daar de wreedste martelmethoden worden gebruikt.

Wat zou er van Yakub Edelstein geworden zijn? En wat zal er van ons allen worden?

14

Als de kinderen al weg zijn en er alleen nog wat leraren met elkaar staan te praten, ruimt Dita de bibliotheek op. Het is misschien wel de laatste keer, want ze moet Hirsch de waarheid vertellen: ze wordt door Mengele in de gaten gehouden. Voordat ze de boeken wegbrengt haalt ze daarom de rol plakband uit haar geheime zak en repareert een scheur in de Russische grammatica. Ze pakt het flesje Arabische gom en plakt de randen van de rug van twee andere boeken. Het boek van H.G. Wells heeft een ezelsoor, ze strijkt het glad. En dan gaat ze met haar hand over de atlas, of eigenlijk is het meer strelen wat ze doet, ook over de andere boeken, tot ze bij de roman zonder omslag komt waartegen Hirsch zoveel bezwaren had. Met een heel dun reepje plakband repareert Dita een gescheurde bladzijde van het boek. Dan stopt ze de boeken in een stoffen zak die ze van tante Dudine heeft gekregen, heel voorzichtig, zoals een verpleegster een pasgeboren baby in zijn wiegje zou leggen. Ze gaat naar de kamer van de blokoudste en klopt op de deur.

Hirsch zit in zijn stoel een rapport te schrijven, of het schema van een volleybaltoernooi te maken. Ze vraagt toestemming om te spreken en hij kijkt op met dat onbewogen gezicht en die ondoorgrondelijke glimlach.

'Zeg het maar, Edita.'

'Ik moet u iets vertellen. Dokter Mengele vermoedt iets, misschien wel over de bibliotheek. Het gebeurde na de inspectie. Hij hield me staande in de Lagerstrasse. Op de een of andere manier had hij in de gaten dat ik iets te verbergen had. Hij dreigde dat hij me nauwlettend in de gaten zou houden en ik heb het gevoel dat hij me inderdaad bespiedt.'

Hirsch staat op en begint peinzend te ijsberen. Uiteindelijk stopt hij, kijkt haar aan en zegt: 'Mengele bespiedt iedereen.'

'Hij zei dat hij me op een autopsietafel zou leggen en me helemaal zou opensnijden.'

'Dat vindt hij leuk, daar geniet hij van.'

Er valt er een ongemakkelijke stilte.

'U gaat me zeker ontslaan als bibliothecaresse? Ik weet ook wel dat het voor mijn eigen bestwil is...'

Fredy's ogen beginnen te fonkelen. Ineens is daar dat lichtje waarvan hij zegt dat we het allemaal in ons dragen. En dat van Dita gaat ook aan, want het enthousiasme van Hirsch is aanstekelijk.

'Geen sprake van!' roept ze ineens.

Fredy Hirsch knikt alsof hij wil zeggen: dat wist ik al.

'Dus je gaat gewoon door met je werk. Natuurlijk is het gevaarlijk, maar het is oorlog, ook al vergeten we dat hier soms. We zijn soldaten, Edita. Je moet je niets aantrekken van die zwartkijkers die het hoofd laten hangen en zeggen dat we een achterhoedegevecht voeren. Dat is onzin. In een oorlog voeren we allemaal onze eigen strijd. Dit is de onze en we moeten doorgaan tot het einde.'

'En Mengele?'

'Een goede soldaat is voorzichtig. En met Mengele moeten we heel voorzichtig zijn, je weet nooit wat hij werkelijk denkt. Het ene moment glimlacht hij vriendelijk naar je, en het andere moment kijkt hij je zo streng aan dat je een kou voelt waarvan zelfs je ingewanden bevriezen. Als hij je echt ergens van had verdacht, was je allang dood geweest. Maar je weet nooit wat er in zijn hoofd omgaat. Dus hij kan je maar beter niet zien, horen of ruiken. Je moet proberen elk contact met hem te vermijden. Als je hem ergens aan ziet komen, ga je de andere kant op. Als je hem tegenkomt, draai je onopvallend je hoofd weg. Het mooiste zou zijn als hij vergat dat je bestaat.'

'Ik zal mijn best doen.'

'Goed. Dat is alles.'

'Fredy... Dank u wel!'

'Ik vraag je om in de vuurlinie te blijven opereren en je leven op het spel te zetten en jij bedankt me?'

Wat ze eigenlijk had willen zeggen was: het spijt me, ik vind het zo erg dat ik aan je heb getwijfeld. Maar ze weet niet hoe ze dat moet zeggen.

'Nou ja... ik wilde u bedanken dat u er bent.'

Hirsch glimlacht.

'Dat is niet nodig hoor. Ik ben waar ik moet zijn.'

Dita loopt naar buiten. De sneeuw heeft zich als een witte deken over het kamp uitgespreid en Birkenau ziet er zo minder gruwelijk uit, bijna vredig. De kou is bitter, maar soms te verkiezen boven de overspannen gesprekken in de barakken.

Ze ziet Gabriel lopen, de schrik van alle leraren. Een opstandige, roodharige jongen van tien die een veel te wijde broek draagt die hij met een touw heeft vastgesnoerd, en een overhemd vol vlekken dat hem ook veel te groot is. Hij loopt vooraan in een groepje van een stuk of vijf leeftijdgenoten.

'Dat belooft niet veel goeds,' zegt Dita zachtjes tegen zichzelf.

Een paar meter daarachter loopt een stel kinderen van een jaar of vier, vijf hand in hand. Hun kleren zijn oud, hun gezichten vies, maar het wit van hun ogen ziet er net zo maagdelijk uit als de verse sneeuw.

Gabriel is een van de populairste kinderen van blok 31, hij is bijdehand en heeft altijd wel ideeën om kattenkwaad uit te halen. Dita heeft wel eens gezien hoe de jongere kinderen achter hem aan lopen als ze vermoeden dat hij weer een of andere streek wil uithalen. Die ochtend heeft hij bij een heel betweterig meisje dat Marta Kovac heet een sprinkhaan op het hoofd gezet. Door haar hysterische gegil viel de hele barak stil. Zelfs Gabriel verstijfde bij de uitzinnige reactie van het meisje. In een vlaag van woede ging ze voor hem staan en gaf hem zo'n harde stomp dat zijn sproeten bijna van zijn gezicht sprongen. Geheel volgens het Talmoedische rechtsprincipe werden de lessen hervat zonder dat Gabriel nog meer straf kreeg dan hij al had geïncasseerd.

Steeds wanneer de kleintjes hem achtervolgen om te zien wat hij nu weer gaat uithalen, probeert hij hen van zich af te schudden of met een harde schreeuw aan het schrikken te maken, en als ze achter hem aan blijven lopen deelt hij hier en daar wat klappen uit. Daarom verbaast het Dita dat Gabriel het nu goedvindt dat hij door een hele sliert kinderen wordt gevolgd. Het lijkt wel een optocht. Ze besluit hen op een afstandje te volgen om uit te vinden waar die plotselinge verandering vandaan komt. Gabriel kennende heeft het vast te maken met een van zijn kwajongensstreken.

Ze ziet hen naar de uitgang van het familiekamp lopen en begrijpt dan waar ze naartoe gaan: naar de keuken. Ze ziet hoe Gabriels vriendjes keurig voor het verboden terrein stoppen, maar hij trekt zich nergens iets van aan en loopt gewoon door naar binnen. De anderen blijven bij de deur staan kijken. Wat Dita dan ziet lijkt wel een klucht. Gabriel komt op een holletje naar buiten, gevolgd door een woedende Beáta, de kokkin, die zo wild met haar armen maait, dat de kinderen als een geschrokken zwerm vogels alle kanten op vliegen.

Dita bedenkt dat ze waarschijnlijk om aardappelschillen hebben gevraagd, een lekkernij waar alle kinderen verzot op zijn, maar zo te zien is de kokkin het gebedel beu en ze stuurt hen zonder pardon weg. De kinderen geven echter niet op en gaan een eindje achteruit om ruimte te maken voor Gabriel en de woedende kokkin. Door een schijnbeweging van de jongen glijdt de kokkin uit over een plak ijs en valt bijna. Nadat ze haar evenwicht weer heeft gevonden, kijkt ze recht in de ogen van de kleine kinderen die net aan zijn komen lopen. Ze staan hand in hand en er komen wolken witte damp uit hun mondjes omdat ze hard moesten lopen om de oudere kinderen bij te houden. Tegen hun uitgehongerde gezichtjes is Beáta niet bestand. Ze kalmeert en gaat met de handen in de zij tegenover het stel met modder en sneeuw besmeurde engeltjes met hun smekende ogen staan.

Dita kan haar niet horen, maar ze kan zich er wel een voorstelling van maken. De kokkin heeft een nors karakter en harde handen, maar een hart van goud. De bibliothecaresse glimlacht bij de gedachte aan de kwajongensstreek van Gabriel, die de allerkleinsten heeft meegenomen als verleidingstruc voor de kokkin. Waarschijnlijk zegt Beáta op ernstige toon dat het verboden is etensresten weg te geven zonder toestemming en als ze wordt gesnapt door de kapo, ze haar baan kwijt zal raken en hard gestraft zal worden, en als dit, dan dat, et cetera, et cetera. En de kinderen blijven haar met hun zielige oogjes aankijken, dus goed dan, voor deze keer dan, maar laten ze het niet wagen om nog een keer te komen, anders krijgen ze er alsnog van langs. Sommige kinderen knikken braaf, waarmee voor haar de kous af is.

De vrouw verdwijnt naar binnen en komt even later met een zinken emmer vol aardappelschillen terug. Ze maakt zich breed en houdt de opgewonden kinderen tegen. Ze mogen een voor een langskomen, eerst de kleinsten en dan de oudere kinderen, waarna ze allemaal tevreden op een aardappelschil kauwend weggaan.

Als Dita opgewekt over de Lagerstrasse terugloopt, komt ze halverwege haar moeder tegen. Haar haren zit in de war, dat is niets voor haar. Stel je voor, Liesl, die zelfs in Auschwitz nog een stuk van een oude kam heeft weten te bemachtigen zodat ze er in elk geval met keurig gekamde haren bij kan lopen.

Dita voelt dat er iets niet in orde is. Ze rent op haar moeder af, die haar steviger omhelst dan normaal. Ze wilde haar man voor het werk nog even zien, maar hij stond niet bij de ingang van zijn werkplaats. Een collega, meneer Brady, heeft haar verteld dat hij niet naar het werk is gekomen omdat hij niet uit zijn bed kon komen.

'Hij zei dat hij koorts had, maar de kapo zei dat hij beter niet naar de ziekenbarak gebracht kon worden.'

Liesl is in de war, ze weet niet wat ze moet doen.

'Misschien moet ik de kapo overhalen om hem wel naar de ziekenbarak te brengen.'

'Papa heeft gezegd dat de kapo van zijn barak geen Jood is maar een Duitse sociaaldemocraat, afstandelijk, maar wel redelijk. Misschien is het inderdaad niet zo'n goed idee om hem naar de ziekenbarak te brengen. Vanuit blok 31 kijk ik er zo op uit...'

Dan zwijgt ze plotseling. Ze wilde zeggen dat ze de zieken die daar naar binnen strompelen alleen maar op de dodenkar naar buiten ziet komen. Maar ze mag het woord 'dood' niet noemen, ze moet de goden niet verzoeken, nee, niet haar vader...

'En in de mannenbarak mogen we natuurlijk niet komen,' klaagt haar moeder. 'Aan een collega van hem, een heel aardige man uit Bratislava, heb ik gevraagd of hij wilde kijken hoe het met hem ging.' Het wordt haar allemaal te veel, ze komt niet meer uit haar woorden. Dita pakt haar hand. 'Die man zei dat hij er net zo aan toe was als hoe hij hem die ochtend had achtergelaten: half bewusteloos van de koorts. En dat hij er slecht uitzag. Edita, je vader moet echt naar de ziekenbarak.'

'Kom, we gaan naar hem toe.'

'Ben je nou helemaal? We mogen die barak niet in! Dat is verboden.'

'Het is ook verboden mensen op te sluiten en te vermoorden, en volgens mij doen ze dat hier nog steeds. Wacht jij maar bij de deur dan.'

Dita gaat snel op zoek naar Milan, een van de assistenten. Ze ziet hem wel eens met zijn vrienden naast barak 23 zitten. Het is een knappe jongen, maar ze vindt hem niet zo aardig. Misschien is zijzelf ook wel niet zo aardig, want ze bemoeit zich nauwelijks met de andere assistenten. In haar vrije tijd leest ze liever of gaat ze naar Margit of haar ouders. Ze voelt zich niet op haar gemak bij het geflirt van de meisjes en de stoerdoenerij van de jongens van haar leeftijd.

Ze vindt Milan inderdaad bij barak 23. Ondanks de onbarmhartige kou van die middag zit hij met een paar anderen buiten tegen de barak geleund. Ze doden de tijd met het kijken naar voorbijgangers en roepen af en toe meisjes na. Dita heeft eigenlijk weinig zin om de confrontatie met hen aan te gaan. Ze zijn ouder dan zij, hebben een gezicht vol puisten en zo'n mal plukje haar op hun bovenlip. Daarbij gedragen ze zich ook nog eens als een stel kemphanen. Ze wordt onzeker van hen en denkt dat ze haar uitlachen om haar dunne benen, of om die ietwat kinderachtige wollen kousen van haar.

Maar ze beseft dat ze zich over haar onzekerheid heen moet zetten en stapt op hen af.

'Kijk eens aan,' roept Milan, 'wie hebben we daar? Als dat de bibliothecaresse niet is...' Hij wil duidelijk laten zien dat hij de leider is.

'Zo mag je me buiten blok 31 niet noemen,' onderbreekt ze hem. Ze krijgt meteen spijt van haar botte reactie, want nu voelt hij zich op zijn nummer gezet en begint te blozen. Hij vindt het niet leuk dat een jonger meisje hem in het bijzijn van zijn vrienden terechtwijst. En Dita wilde hem juist om een gunst vragen. 'Zeg Milan, ik wil je iets vragen...'

De vrienden stoten elkaar zogenaamd onopvallend aan en lachen gemaakt ondeugend. Milan heeft zich hersteld en begint te bluffen.

'Ja ja, meisjes vragen me allerlei dingen,' snoeft hij en kijkt vanuit zijn ooghoek hoe zijn opmerking valt bij zijn maten.

'Kan ik je jas even lenen?'

Stomverbaasd kijkt Milan haar aan en zijn irritante lachje is ineens verdwenen. Zijn jas? Ze wil zijn jas? Hij had geluk dat hij die bij de verdeling van kleren had gekregen, het is een van de beste jassen van heel BIIb. Ze hebben hem er porties brood, aardappelen en zelfs een reep chocolade voor geboden, maar hij wil hem voor geen goud kwijt. Hoe zou hij die koude middagen en avonden moeten doorkomen? En die jas staat hem ook nog eens goed. Hij heeft er meer succes mee bij de meisjes.

'Voel jij je wel helemaal lekker? Niemand komt aan mijn jas. Maar dan ook niemand, hoor je me?'

'Het is maar voor even...'

'Je bent gestoord, jij! Denk je nou echt dat ik zo stom ben? Ik leen je mijn jas, jij verpatst hem en dan kan ik er mooi naar fluiten. En nou ophoepelen voordat ik je wat aandoe!' Hij staat op en steekt een kop boven Dita uit. Geïrriteerd kijkt hij haar aan.

'Ik wil hem maar heel even aan. Je mag met me meegaan om er zeker van te zijn dat je je jas terugkrijgt. En ik geef je mijn portie brood van vanavond.'

Dat was de magische formule: eten. Voor jongens in de groei

die al tijden niet behoorlijk hebben gegeten, klinkt dat als muziek in de oren.

'Een hele portie...' benadrukt hij peinzend en hij verheugt zich al op het feestmaal. Hij zou zelfs nog een stuk kunnen bewaren voor bij het slootwater van de volgende ochtend en zo toch nog een aardig ontbijt hebben. 'Bedoel je dat je mijn jas even aantrekt, ik met je meega en je hem daarna aan me teruggeeft?'

'Precies. Echt, je kunt me vertrouwen. We werken immers in dezelfde barak, en als ik je bedonder en jij me aangeeft, ben ik meteen mijn werk in blok 31 kwijt. En wie wil er nu weg daar?'

'Eh... ik moet er even over nadenken.'

Hij roept zijn vrienden erbij en ze smoezen en lachen wat. Ten slotte kijkt Milan triomfantelijk op.

'Goed. Ik leen je mijn jas tegen een portie brood... en dan mogen wij je borsten aanraken!' Hij kijkt even naar zijn vrienden, die luidkeels instemmen.

'Doe niet zo stom. Ik heb trouwens bijna niets...'

De jongens moeten zo onbedaarlijk lachen dat Dita zich afvraagt of ze het echt zo leuk vinden of dat ze zich gewoon geen houding weten te geven. Ze zucht. Als die jongens niet groter waren geweest dan zij, had ze hun allemaal een klap verkocht.

Omdat het viezeriken zijn, of sukkels.

Maar ze heeft geen keus.

En wat maakt het ook uit.

'Oké. Geef die stomme jas eens hier.'

Milan rilt nu hij in zijn oude overhemd met drie knopen staat. Dita trekt de jas aan, hij is haar veel te groot, maar dat is juist de bedoeling. Dit kledingstuk heeft bovendien een belangrijk detail dat ze bij weinig andere jassen in het kamp heeft gezien: een capuchon. Ze loopt weg, met Milan achter zich aan.

'Waar gaan we naartoe?'

'Naar barak vijftien.'

'En je borsten?'

'Daarna.'

'Barak vijftien zei je? Maar dat is een mannenbarak...'

‘Weet ik…’ Dita zet de capuchon op, haar hoofd is bijna helemaal bedekt.

Plotseling blijft Milan staan.

‘Wacht eens even… Wil je daar naar binnen gaan? Vrouwen mogen er niet in daar. Ik ga echt niet met je mee, als ze je snappen kom ik ook in de problemen. Volgens mij ben je niet goed snik.’

‘Ik ga naar binnen hoor, of je nou meegaat of niet.’

Milan moet flink doorlopen, want Dita gaat heel voortvarend op haar doel af. Bij de barak van haar vader ziet ze haar moeder heen en weer lopen. Ze groet haar niet. Liesl Adlerova is zo verdrietig dat ze haar dochter in die mannenjas niet herkent. Zonder aarzelen gaat Dita de barak binnen, niemand let op haar. Milan blijf vloekend bij de deur staan. Hij vindt het maar niets en is bang dat het meisje het verknoeit en hij zijn jas nooit meer terugziet.

Dita loopt tussen de stapelbedden door. Sommige mannen zitten op het stenen muurtje in het midden, andere zitten op hun bed te praten. Hoewel het verboden is voor de avondklok naar bed te gaan, liggen er toch een aantal mannen in bed. Dat betekent dat ze een welwillende kapo hebben. Er hangt een heel sterke lucht in de barak, sterker nog dan bij de vrouwen. Een misselijkmakende zure zweetlucht.

Achterin ziet ze haar vader op het stromatras van zijn onderbed liggen. Ze houdt haar gezicht bij het zijne en doet haar capuchon af.

‘Ik ben het, Dita,’ fluistert ze.

Hij heeft zijn ogen gesloten, maar zodra hij zijn dochter hoort doet hij ze even open. Dita legt een hand op zijn gloeiende voorhoofd. Ook al weet ze niet zeker of hij haar herkent, ze pakt zijn hand en begint op fluistertoon tegen hem praten. Het is niet gemakkelijk om te praten als je niet weet of iemand je hoort, maar moeiteloos zegt ze al die dingen die ze normaal niet zou zeggen omdat het altijd nog een andere keer zou kunnen.

‘Weet je nog dat je me thuis aardrijkskunde gaf? Ik kan het me nog heel goed herinneren… Je wist zoveel! Ik ben altijd heel trots op je geweest, papa. Altijd.’

Ze haalt dierbare herinneringen op aan haar kindertijd in Praag, zelfs aan de mooie momenten in Theresienstadt, en ze zegt hoeveel zij en haar moeder van hem houden. Steeds weer herhaalt ze het, in de hoop dat haar woorden door de sluier van de koorts heen dringen. Even lijkt het of hij beweegt. Misschien hoort hij haar wel.

Hans Adler heeft maar weinig verweer tegen zijn longontsteking: een man alleen, ondervoed en geveld door de ontberingen van de oorlog, tegen een heel leger onverschrokken virussen. Dita herinnert zich uit het boek van Paul de Kruif over microbenjagers dat bacteriën er door de microscoop uitzien als een kudde roofdieren in miniformaat.

Tegen zo'n overmacht is het moeilijk vechten.

Ze laat zijn hand los, legt hem terug onder het vieze laken en kust haar vader op zijn voorhoofd. Ze zet haar capuchon weer op en maakt aanstalten om naar buiten te gaan. Op dat moment ziet ze dat Milan achter haar staat. Ze denkt dat hij kwaad is, maar de jongen kijkt haar met een verrassend warme blik aan.

'Je vader?' vraagt hij.

Dita knikt. Ze haalt het stuk brood tevoorschijn en reikt het hem aan, maar de jongen houdt zijn handen in zijn zak en schudt zijn hoofd. In de deuropening doet ze haar capuchon af. Haar moeder, die daar nog steeds staat, kijkt haar stomverbaasd aan.

'Mag mijn moeder hem ook even lenen?' Dita wacht zijn antwoord niet af. 'Hier, trek aan en ga naar binnen.'

'Maar Edita toch!'

'Niemand herkent je! Kom op! Hij ligt rechts achterin. Hij is niet helemaal bij, maar ik denk dat hij je wel hoort.'

De vrouw zet de capuchon op en gaat naar binnen. Milan blijft zwijgend bij Dita staan maar weet niet goed wat hij moet zeggen of doen.

'Dank je, Milan.'

De jongen knikt en aarzelt even, alsof hij naar woorden zoekt.

'Even over eh... je weet wel...' zegt Dita met een blik op haar platte borsten.

'Ik heb niets gezegd! Vergeet het alsjeblieft,' zegt hij met een rood hoofd. 'Ik moet nu weg, geef me die jas morgen maar terug.'

Hij draait zich om en maakt zich uit de voeten.

Onderweg vraagt hij zich af hoe hij zijn vrienden moet uitleggen waarom hij zonder jas en zonder het meisje terugkomt. Ze vinden hem vast een sukkel. Hij kan zeggen dat hij het brood onderweg al heeft opgegeten en dat hij wel aan haar borsten heeft gevoeld, dat hij het namens hen drieën heeft gedaan, het is per slot van rekening zijn jas. Maar hij weet dat ze hem meteen doorhebben. Hij zal gewoon zeggen hoe het is gegaan. Ze zullen hem vast uitlachen en zeggen dat hij een kneus is. Maar dat lost hij wel op. Met jongens onder elkaar is het eenvoudig: de eerste die het waagt er iets van te zeggen slaat hij de tanden uit zijn mond. Om vervolgens over te gaan tot de orde van de dag.

Terwijl Dita op haar moeder staat te wachten, komt Margit eraan. Uit haar ontzette blik begrijpt Dita dat ze het al weet. Vooral slecht nieuws verspreidt zich in Auschwitz als een lopend vuurtje. Margit omhelst haar.

'Hoe is het met je vader?'

Dita weet dat er achter die vraag nog een andere schuilt: gaat hij het halen?

'Het gaat niet goed, hij heeft hoge koorts en hij heeft het benauwd.'

'Houd moed, Dita. Je vader heeft al veel doorstaan.'

'Te veel.'

'Hij is sterk. Hij komt er vast weer bovenop.'

'Hij wás sterk, Margit. Maar de laatste jaren is hij een stuk ouder geworden. Ik ben altijd optimistisch geweest, maar nu weet ik niet wat ik ervan moet denken. Ik weet niet meer of we hier doorheen komen.'

'Natuurlijk wel.'

'Hoe weet je dat zo zeker?'

Haar vriendin bijt op haar lippen, ze zoekt naar woorden.

'Omdat ik dat wil geloven.'

De twee meisjes zwijgen. De tijd dat ze dachten dat je iets maar hoeft te willen om het te laten gebeuren ligt inmiddels achter hen. Voor kleine kinderen zijn dromen als een menukaart in een restaurant: je wijst aan wat je wilt hebben en de toekomst serveert het je op een zilveren schaaltje. Later blijkt het leven je over zijpaden te leiden die je niet had verwacht. En met een beetje pech komt de ober zeggen dat de keuken gesloten is.

De sirene van de avondklok loeit. Haar moeder komt de barak uit, ze ziet eruit als een geest.

'We moeten opschieten,' zegt Margit.

'Ga maar snel, jij,' zegt Dita. 'We komen er zo aan.'

Margit neemt afscheid en Dita blijft achter met haar moeder. Die kijkt haar verslagen aan.

'Hoe gaat het met papa?'

'Ietsje beter,' antwoordt Liesl. Maar haar stem is zo broos dat het niet erg overtuigend klinkt. Bovendien kent Dita haar, ze heeft haar hele leven de schijn opgehouden en gedaan alsof alles goed ging.

'Herkende hij je?

'Ja.'

'Heeft hij iets gezegd?'

'Nee... hij was een beetje moe. Morgen voelt hij zich vast al wat beter.'

Ze zeggen de hele weg niets meer.

Morgen voelt hij zich vast beter...

Haar moeder zei dat op zo'n besliste toon, en moeders weten waarover ze het hebben. Zij zitten 's nachts aan het bed van hun kind als het koorts heeft. Zij leggen een hand op zijn voorhoofd en weten wat ze moeten doen om te zorgen dat het weer beter wordt. Ze geeft haar moeder een hand en ze versnellen hun pas in de hoop dat ze niet door een bewaker in de kraag worden gevat omdat ze te laat over straat gaan.

Wanneer ze de barak binnenkomen liggen bijna alle vrouwen al op bed. Ze stuiten op de kapo, een Hongaarse, die het oranje merkteken van de misdadiger op haar pak heeft. Een dievegge, oplichtster of moordenares heeft een hogere status, alles is beter dan een Jodin. De kapo heeft zojuist gecontroleerd of iedereen de emmer heeft klaargezet waarin ze 's nachts hun behoefte moeten doen. Nu ze hen zo laat ziet binnenkomen steekt ze haar stok omhoog en dreigt hen te slaan.

'Neemt u ons niet kwalijk, kapo, maar mijn vader...'

'Kop dicht en naar bed, uilskuikens.'

'Ja mevrouw.'

Dita trekt haar moeder mee naar hun bedden. Liesl klimt er langzaam in en voordat ze gaat liggen draait ze zich even naar Dita toe. Er komt niets over haar lippen, maar uit haar ogen spreekt verdriet.

'Kop op, mam,' zegt haar dochter bemoedigend. 'Als het morgen nog niet beter gaat, vragen we de kapo of hij naar de ziekenbarak mag. Als het nodig is kan ik wel met de blokoudste van 31 praten. Meneer Hirsch weet vast wel raad.'

'Misschien gaat het morgen beter met hem.'

De lichten gaan uit en Dita wenst haar bedgenote goedenacht. Er komt geen reactie. Dita is klaarwakker, ze laat beelden van haar vader de revue passeren en pikt de mooiste eruit. Eentje is haar heel dierbaar: haar vader en moeder samen aan de piano. Ze zien er allebei heel knap en elegant uit. Haar vader in zijn witte overhemd met omgeslagen manchetten, donkere stropdas en bretels; haar moeder in een strakke blouse om haar mooie taille. Ze lachen, ze willen quatre-mains spelen maar krijgen hun spel niet goed op elkaar afgestemd. Het mooiste is dat ze er gelukkig uitzien omdat ze nog jong en sterk zijn, en de toekomst hun nog toelacht.

Het allerlaatste beeld uit de tijd in Praag is van het appartement in Josefov op het moment dat ze er weg moesten, ze hun koffers in het trapportaal zetten en een deur achter zich sloten waarvan ze niet wisten of die ooit weer open zou gaan. Haar vader liep nog even terug naar binnen en zij keek hem na vanuit het portaal. Hij liep naar het dressoir in de woonkamer en draaide voor de laatste keer aan de wereldbol.

Uiteindelijk valt Dita in slaap.

Ze heeft een onrustige nacht, er is iets wat haar achtervolgt. Vroeg in de ochtend wordt ze met een schok wakker. Het lijkt of iemand haar heeft geroepen. Ze doet haar ogen open, haar hart bonst in haar keel. Naast zich ziet ze alleen de voeten van haar slapende bedgenote en de stilte wordt slechts doorbroken door het gesnurk en het gemurmel van vrouwen die in hun slaap praten. Dita heeft een slecht voorgevoel. Ze is ervan overtuigd dat het haar vader was die haar riep.

’s Ochtends vroeg wemelt het in het kamp van de bewakers en kapo’s voor het ochendappèl. De twee uren van het appèl zijn de langste van haar leven. Haar moeder en zij kijken elkaar steeds aan in de rij. Het is verboden te praten, en eigenlijk is het ook bijna beter om niets te zeggen. Na het appèl laten ze het eten voor wat het is en lopen naar barak 15. Wanneer ze daar aankomen, zien ze meneer Brady uit de rij komen. Zijn gezicht staat op slecht nieuws.

‘Mevrouw...’

‘Mijn man?’ vraagt ze ‘Gaat het slecht met hem?’

‘Hij is overleden.’

Hoe kun je een leven in slechts drie woorden afdoen? Hoe kan er zoveel treurnis in zo’n klein zinnetje passen?

‘Mogen we hem zien?’ vraagt Liesl.

‘Het spijt me, ze hebben hem al weggebracht.’

Dat hadden ze kunnen weten. De lijken worden ’s ochtends in alle vroegte opgehaald, op een kar geladen, naar de ovens gebracht en gecremeerd.

Haar moeder lijkt even te aarzelen en wankelt. Ze lijkt niet zozeer geschrokken van het bericht van haar mans dood, waarschijnlijk heeft ze het al vanaf het begin geweten. Maar dat ze geen afscheid van hem kan nemen is een zware klap.

Ondanks alles herpakt Liesl zich en slaat troostend een arm om haar dochter heen.

‘Je vader heeft in elk geval niet geleden.’

Dita’s bloed begint te koken, nu ergert ze zich helemaal aan de toon waarop haar moeder tegen haar praat.

‘Hij heeft niet geleden?’ Dita maakt zich bruusk uit haar armen los. ‘Zijn werk, zijn huis, zijn waardigheid, zijn gezondheid, alles is hem afgenomen... en dan ook nog alleen moeten sterven, als een hond in een smerig bed vol luizen. Is dat soms geen lijden?’ Die laatste woorden schreeuwt ze bijna.

‘Het is Gods wil geweest, Edita. We moeten ons erbij neerleggen.’

Ze schudt haar hoofd. Nee, nee en nog eens nee.

'Ik wil me er niet bij neerleggen!' gilt ze midden in de Lagerstrasse. 'Als ik God hier voor me zou hebben, zou ik hem wel eens vertellen wat ik van hem en zijn zogenaamde mededogen vind!'

Ze voelt zich slecht, en als ze bedenkt dat ze wel erg tegen haar moeder tekeergaat, voelt ze zich nog slechter. Haar moeder heeft nu juist steun en troost nodig. Maar ze wordt gewoon gek van dat onderdanige van haar. Mevrouw Turnovská, die waarschijnlijk al weet wat er is gebeurd, komt naar hen toe en probeert hen te kalmeren. Ze geeft Dita een liefdevol kneepje in haar arm en omhelst Liesl teder. De vrouw klampt zich dankbaar aan haar vriendin vast. Dat is wat zíj had moeten doen, denkt Dita, haar moeder omhelzen. Maar ze kan het niet, daar is ze te boos voor, ze voelt alleen maar de behoefte om hard te slaan en dingen kapot te maken, net zoals zijzelf kapotgemaakt is.

Er komen nog drie vrouwen aanlopen, die ze alleen van gezicht kent en die hartverscheurend beginnen te huilen. Dita kijkt hen stomverbaasd aan. Ze lopen op haar moeder af, maar mevrouw Turnovská komt tussenbeide.

'Laat haar met rust! Wegwezen!'

'We willen alleen maar zeggen dat we meeleven met mevrouw.'

'Als jullie niet meteen ophoepelen trap ik jullie weg!'

Liesl is te veel uit het lood geslagen om te beseffen wat er gebeurt, en Dita heeft de kracht niet om excuses aan te bieden en te vragen of de vrouwen blijven.

Waar is mevrouw Turnovská mee bezig? Is iedereen soms gek geworden?

'Stelletje aasgieren. Ze weten dat familieleden van overledenen geen hap door hun keel krijgen en nu proberen ze met hun krokodillentranen jullie eten in te pikken.'

Dita is in de war. Op dat moment heeft ze een hekel aan iedereen. Ze vraagt aan mevrouw Turnovská of ze voor haar moeder wil zorgen en loopt weg. Ze moet weg, maar ze kan nergens heen. Het is niet zozeer dat ze niet kán wennen aan het idee dat ze haar vader nooit meer zal zien, ze wíl er niet aan wennen. Ze kan het niet accepteren, ze zal zich er niet bij neerleggen, nu niet en nooit niet. Ze balt haar vuisten.

Hij zal nooit meer van zijn werk thuiskomen in zijn kostuum met dubbele rij knopen en met zijn vilten hoed op. Hij zal nooit meer met zijn oor tegen de radio zitten terwijl hij naar het plafond staart. Hij zal haar ook nooit meer op schoot nemen om haar de landen van de wereld te laten zien, en haar ook nooit meer een minzaam standje geven omdat ze een woord verkeerd heeft geschreven.

En ze is niet eens in staat om te huilen, ze heeft geen tranen meer. Daar wordt ze nog bozer van. Omdat ze geen andere plek heeft om naartoe te gaan, komt ze vanzelf in blok 31 terecht. De kinderen zitten te eten. Ze loopt linea recta naar achteren en zoekt beschutting achter de stapel hout. Bijna schrikt ze van de eenzame figuur die daar op het bankje zit.

Morgenstern begroet haar op zijn karakteristieke, beleefd-erudiete manier, maar deze keer kan Dita er niet om lachen.

'Mijn vader...'

De oude leraar stopt met zijn theatrale buigingen.

Als ze begint te praten wordt Dita steeds bozer. Eén woord komt eruit alsof ze gal spuwt:

'Moordenaars!'

Ze trapt een kruk om, pakt hem op en zwaait hem als een moker omhoog. Ze wil iets kapotmaken maar weet niet wat. Ze wil iemand slaan maar weet niet wie. Haar ogen spuwen vuur en ze hijgt van de spanning. Verrassend snel staat meneer Morgenstern op en voorzichtig maar resoluut pakt hij de kruk uit haar handen.

'Ik maak ze af!' schreeuwt ze buiten zichzelf van woede. 'Ik zoek een pistool en ik maak ze af!'

'Nee, Edita, nee,' zegt hij heel bedaard. 'Onze haat is hun overwinning.'

Dita beeft, de leraar omhelst haar en zij begraaft haar hoofd in zijn armen. Andere leraren zijn geschrokken van het geschreeuw en steken hun hoofd om de stapel hout, gevolgd door een heel bataljon nieuwsgierige kinderen. Morgenstern drukt zijn wijsvinger tegen zijn lippen om duidelijk te maken dat ze stil moeten zijn en gebaart met zijn hoofd dat ze naar buiten moeten gaan. Volkomen verrast door een zo ernstige meneer Morgenstern gehoorzamen ze en lopen de barak uit.

Dita vertrouwt hem toe dat ze een hekel heeft aan zichzelf omdat ze is weggerend en niet in staat is om te huilen, omdat ze haar vader teleurgesteld heeft, omdat ze hem niet heeft kunnen redden. Ze haat zichzelf om alles. Maar de oude leraar zegt dat de tranen vanzelf komen wanneer de woede voorbij is.

'Hoe kan ik nou níét boos zijn? Mijn vader heeft nooit iemand kwaad gedaan, hij heeft iedereen altijd met respect behandeld... Ze hebben hem alles afgenomen en nu hebben ze hem hier, in dit vreselijke Auschwitz, zelfs zijn leven afgenomen.'

'Luister goed, Edita, degenen die heengaan lijden niet meer.'

Degenen die heengaan lijden niet meer... Dat fluistert hij keer op keer, alsof het een balsem is die je een paar keer per dag op een wond moet smeren zodat hij minder gaat schrijnen.

'Degenen die heengaan lijden niet meer, degenen die heengaan lijden niet meer...'

Morgenstern weet dat het een schrale troost is, een oude stoplap, een uitdrukking van oude mensen. Maar in Auschwitz is het een medicijn dat helpt de rauwe pijn te verzachten. Dita knikt, ontspant haar vingers en gaat langzaam op het bankje zitten. Meneer Morgenstern haalt een enigszins verkreukeld en vergeeld papieren vogeltje uit zijn broekzak. Hij geeft het aan Dita.

Het meisje kijkt naar het gehavende vogeltje, dat net zo kwetsbaar is als haar vader in zijn laatste uren. Net zo fragiel als die gekke oude leraar met zijn kapotte bril. Ze zijn allemaal zo kwetsbaar... Ineens voelt ze zich nietig en zwak. Het beton van de woede, dat je op zulke momenten sterk maakt, verpulvert uiteindelijk en dan komen de tranen die de allesverzengende brand doven.

De oude architect knikt en Dita laat zich gaan in een huilbui op zijn krijtstreepschouder.

'Degenen die heengaan lijden niet meer...'

Niemand weet hoeveel leed de achterblijvers nog te wachten staat.

Dita kijkt op en veegt haar tranen af met haar mouw. Ze bedankt de leraar en zegt dat ze nog iets belangrijks moet doen. Snel gaat ze naar haar barak. Haar moeder heeft haar nodig. Of zij heeft haar moeder nodig.

Wat maakt het uit…

Haar moeder zit met mevrouw Turnovská op het tussenmuurtje. Als ze naar de twee vrouwen toe loopt, ziet ze dat Liesl heel stil en in zichzelf gekeerd is. Mevrouw Turnovská heeft haar eigen lege kom op de vloer gezet en drinkt de ochtendthee uit de kom van Liesl. Ze doopt er een stukje brood in dat de weduwe de avond ervoor kennelijk niet heeft opgegeten.

De vrouw houdt abrupt op met drinken wanneer ze Dita naar haar moeders kom ziet kijken.

'Je moeder wilde niet,' zegt ze, en verslikt zich half omdat ze zich betrapt voelt. 'Ik heb heel lang aangedrongen. Maar het werd tijd om naar de werkplaats te gaan, en anders hadden we het weg moeten gooien.'

Dita en mevrouw Turnovská kijken elkaar zwijgend aan. Haar moeder lijkt afwezig, waarschijnlijk is ze in herinneringen verzonken. Mevrouw Turnovská reikt haar de kom aan, maar Dita schudt haar hoofd. Er zit geen afkeuring in haar blik, maar iets tussen begrip en verdriet.

'Pak aan, alsjeblieft. Je moet goed voor jezelf zorgen zodat je je moeder kunt steunen.'

Haar moeders gezicht is sereen als een wassen beeld. Dita hurkt voor haar neer en de vrouw knippert even met haar ogen. Ze kijkt Dita aan en dan breekt ze. Dita omhelst haar en drukt haar stevig tegen zich aan. En eindelijk begint haar moeder te huilen.

15

Viktor Pestek komt uit Bessarabië, een gebied dat oorspronkelijk bij Moldavië hoorde en in de negentiende eeuw opging in Roemenië; een gebied waarin men vanaf het begin achter de nazi's stond. Met zijn SS-uniform, het pistool aan zijn riem en zijn insigne van eerste luitenant is hij een machtig man in Auschwitz. Een superieur wezen met duizenden ondergeschikten, die pas iets tegen hem mogen zeggen als hij daar toestemming voor geeft. Duizenden mensen die hem moeten gehoorzamen en die hij met een simpel bevel zonder pardon de dood in kan sturen.

Iedereen die Pestek zo trots rond ziet lopen, met zijn pet ver over zijn ogen en zijn handen op zijn rug, zou denken dat hij onkwetsbaar is. Maar in Auschwitz is bijna niets wat het lijkt. Niemand kan het weten, maar de SS'er wordt door tegenstrijdige gevoelens verteerd. Hij loopt al weken aan een vrouw te denken en hij krijgt haar niet uit zijn hoofd.

Eigenlijk is het een heel jong meisje. Hij heeft nog geen woord met haar gewisseld en weet niet eens hoe ze heet. Hij zag haar toen hij een keer toezicht moest houden bij een werkgroep. Op het eerste gezicht een Jodin als alle andere: vieze kleren, sjaal om het hoofd en een mager gezicht. Maar ze had een schijnbaar onbeduidende gewoonte die hij heel opwindend vond: ze trok aan een van haar blonde pijpenkrullen, stopte de punt in haar mond en sabbelde erop.

Het was niets bijzonders, ze deed het onbewust, maar zonder dat ze het wist maakte het haar uniek. En daar was Viktor Pestek verliefd op geworden.

Hij keek eens wat beter naar haar: ze had een vriendelijk gezicht, prachtig goudblond haar en de kwetsbaarheid van een distelvink in een kooi. Als hij toezicht hield kon hij zijn ogen niet van haar afhouden. Een paar keer probeerde hij haar te benaderen, maar uiteindelijk durfde hij haar niet aan te spreken. Het leek wel of ze bang voor hem was, wat hem niet zou verbazen.

Toen hij zich in Roemenië bij de IJzeren Garde aansloot, was hij nog enthousiast. Hij kreeg een schitterend lichtbruin uniform, trok het land door, zong patriottische liederen en had het gevoel dat hij belangrijk was. In het begin vond hij het nog wel grappig om de vieze hutjes van de zigeuners aan de rand van de stad met de grond gelijk te maken.

Maar later werd het ingewikkeld. In plaats van met vuisten werd er met kettingen gevochten, en weer later met pistolen. Hij had enkele kennissen onder de zigeuners, maar vooral Joodse vrienden. Zoals Ladislaus. Als kind ging hij vaak bij hem langs en dan maakten ze samen huiswerk of gingen kastanjes zoeken in het bos. Jaren later had hij op een dag ineens een fakkel in zijn hand en voordat hij het wist zette hij Ladislaus' huis in brand.

Hij had zich kunnen terugtrekken, maar dat heeft hij niet gedaan. De SS betaalde goed. Hij kreeg schouderklopjes. Voor het eerst in zijn leven was zijn familie trots op hem, en toen hij met verlof naar huis kwam moest hij zelfs een portret in uniform laten maken voor op het dressoir in de eetkamer.

En toen werd hij overgeplaatst naar Auschwitz.

Nu is hij bang dat zijn familie niet meer zo trots op hem zal zijn als ze erachter komen dat hij mensen moet dwingen om te werken tot ze er bij neervallen, kinderen naar de gaskamers moet brengen en hun moeders moet slaan als ze zich verzetten. Hij vindt het allemaal krankzinnig, en soms is hij bang dat het aan hem te zien is. Soms zegt een officier dat hij strenger tegen de gevangenen moet optreden.

Hij heeft nu geen wacht, en buiten werktijd mogen de SS'ers niet in het familiekamp rondhangen. Maar omdat de sergeant bij de controlepost een vriend van hem is, kan hij gewoon doorlopen, en de bewakers gaan ook nog in de houding staan wanneer hij langskomt. Dat vindt hij prettig.

Het avondappèl is bijna afgelopen. Hij weet bij welke groep het Tsjechische meisje hoort en als iedereen weer wegloopt, ontdekt hij haar in de massa vrouwen. Hij loopt haar richting uit, maar als ze hem ziet aankomen gaat ze sneller lopen. Ook hij versnelt zijn pas en om haar staande te kunnen houden moet hij haar wel stevig bij haar pols grijpen. Nu hij zo dicht bij haar staat voelt hij zich ineens intens gelukkig. Ze slaat haar ogen op en kijkt hem voor het eerst echt aan. Een eindje verder ziet hij een paar vrouwen naar hen kijken. Met een dreigende blik draait de SS'er zich naar hen toe, waarop het groepje meteen uiteenwaaiert. Soms komt het goed uit als anderen bang voor je zijn, en hij raakt daar verbazingwekkend snel aan gewend.

'Ik heet Viktor.'

Ze blijft zwijgen. Hij probeert het meisje op haar gemak te stellen.

'Neem me niet kwalijk, ik wilde je niet laten schrikken. Ik wilde alleen maar weten hoe je heet.'

Het meisje staat te trillen op haar benen.

'Ik heet René Naumann, meneer,' antwoordt ze. 'Heb ik iets verkeerd gedaan? Krijg ik straf?'

'O nee, geen sprake van! Ik keek alleen maar...' De SS'er aarzelt, hij zoekt de juiste woorden. 'Ik wil alleen maar je vriend worden.'

René kijkt hem verbaasd aan.

Vriend? Een SS'er kun je gehoorzamen, je kunt bij hem slijmen of een informant van hem worden zodat hij je in ruil voor informatie gunsten verleent, je kunt zelfs zijn minnares worden. Maar kun je bevriend zijn met een SS'er? Kun je bevriend zijn met je eigen beul?

Omdat ze hem stomverbaasd blijft aankijken en niets zegt, buigt Pestek zijn hoofd naar haar toe en begint zachtjes te praten.

'Ik weet wat je denkt. Je denkt dat ik zo'n gestoorde SS'er ben. Nou, inderdaad, dat ben ik. Maar zo gek ben ik ook weer niet. Ik vind het niet goed wat jullie overkomt. Ik vind het walgelijk.'

René zegt geen woord. Ze snapt niet waar dit allemaal vandaan komt en vindt het verwarrend. Vaak genoeg heeft ze gehoord van bewakers die doen alsof ze het Derde Rijk afwijzen om het vertrouwen van de gevangenen te winnen, die zich voordoen als hun vriend om zo informatie over het verzet los te krijgen. Ze is bang.

De onderofficier haalt iets uit zijn zak en reikt het haar aan. Het is een gelakt houten kistje. Hij probeert het in haar hand te stoppen, maar ze deinst terug.

'Dit is voor jou. Het is een cadeautje.'

Ze kijkt achterdochtig naar het gele doosje en licht het dekseltje op. Er klinkt een zoetsappig, blikkerig melodietje.

'Het is een muziekdoosje!' zegt hij opgewekt.

René kijkt er even naar, maar maakt niet de geringste aanstalten om het aan te pakken. Hij knikt en glimlacht, in afwachting van een enthousiaste reactie.

Maar René toont geen enthousiasme. Haar mond staat ernstig. Haar ogen spreken niet.

'Wat is er? Vind je het niet mooi?' vraagt hij bedremmeld.

'Je kunt het niet eten,' antwoordt ze met een stem die nog harder schuurt dan de koude februariwind.

Nu Pestek snapt hoe stom hij is geweest, is hij kwaad op zichzelf. Een hele week heeft hij op de zwarte markt naar een muziekdoosje gezocht. Hij marchandeerde net zo lang met collega's en allerlei Joodse handelaren tot hij er een gevonden had. Hij heeft gesmeekt en gedreigd, mensen omgekocht... En nu pas begrijpt hij dat het een waardeloos cadeau is. Mensen lijden hier honger en kou, en hij weet geen beter cadeautje te bedenken dan zo'n stom muziekdoosje.

Je kunt het niet eten...

Hij knijpt zijn hand zo hard dicht dat je het muziekdoosje hoort kraken.

'Neem me niet kwalijk,' zegt hij bedrukt. 'Ik ben een stomme idioot. Ik snap er ook helemaal niets van.'

René gelooft dat de SS'er echt ontdaan is, dat hij zich oprecht schaamt en haar mening echt belangrijk vindt.

'Wat wil je dan dat ik voor je meeneem?'

Ze blijft zwijgen. Ze weet dat er meisjes zijn die hun lichaam verkopen voor een stuk brood. Ze kijkt zo verontwaardigd dat Pestek ziet dat hij weer heeft geblunderd.

'Begrijp me niet verkeerd. Ik wil er niets voor terug. Ik wil gewoon iets goedmaken voor al die vreselijke dingen die we hier de hele tijd doen.'

René heeft nog steeds geen woord gezegd. De SS'er beseft dat het niet zal meevallen haar vertrouwen te winnen. Het meisje trekt aan een van haar krullen en stopt de punt in haar mond, met dat gebaar waar hij zo dol op is.

'Wil je dat ik je nog eens kom opzoeken?'

Ze antwoordt niet. Haar blik dwaalt over het kamp. Hij is SS'er, hij kan doen wat hij wil, hij hoeft geen toestemming te vragen om iets te zeggen. Of voor wat dan ook. Nog steeds reageert ze niet, maar in zijn naïviteit vat Pestek dat op als instemming van een verlegen meisje.

Ze heeft per slot van rekening geen nee gezegd.

Hij lacht opgetogen en neemt met een knullig handgebaar afscheid van haar.

'Tot gauw... René.'

Ze ziet die vreemde SS'er weglopen en blijft nog een hele tijd staan; ze is zo verbouwereerd over wat er net is gebeurd dat ze niet weet wat ze ervan moet denken. In de zwarte modder liggen verzilverde radertjes, veertjes en goudsplintertjes.

Dita heeft het moeilijk. De afwezigheid van haar vader doet haar verdriet. Ze loopt door het kamp met de traagheid van iemand met een ijzeren kogel aan zijn enkel. Hoe kan het dat verlies zo'n lichamelijke last veroorzaakt? Hoe kan het dat leegte zo zwaar is?

Die ochtend kon ze haast niet uit haar bed komen. Ze was zo sloom dat ze haar chagrijnige bedgenote tot razernij heeft gedreven. Die ergerde zich aan dat luie stuk ellende dat zo nodig in slow motion uit bed moest komen en maakte haar uit voor alles uit wat mooi en lelijk is. Normaal gesproken zou Dita daarvan schrikken, maar daar had ze nu domweg de energie niet voor. Ze draaide zich om en staarde haar zo onverschillig aan dat de ander verrassend genoeg stilviel en niets meer zei tot Dita eindelijk op de grond stond.

Na het middagappèl rennen de kinderen van barak 31 weg om te gaan spelen of hun ouders op te zoeken. Met een slakkengangetje haalt Dita de boeken op en sjokt de kamer van de blokoudste binnen om ze op te bergen. Fredy is wat pakketten aan het controleren die half opengescheurd zijn aangekomen, maar waarin nog iets zou kunnen zitten om het sabbatsmaal in de barak wat mee op te fleuren.

'Ik heb iets voor je bewaard,' zegt Hirsch. 'Voor als je je boeken moet repareren.'

Hij reikt haar een mooie blauwe schaar met afgeronde punten aan; het zal niet gemakkelijk zijn geweest zo'n bijzonder instrument in het kamp te vinden. De directeur loopt snel weg zodat ze hem niet kan bedanken.

Ze besluit de losse draden van dat oude Tsjechische boek af te knippen. Ze blijft liever wat klusjes doen in barak 31 omdat ze geen zin heeft om mensen te zien en ze weet dat haar moeder gezelschap heeft van mevrouw Turnovská en nog wat andere kennissen uit Theresienstadt. Ze ruimt alle boeken op behalve die aftandse roman. Dan pakt ze een met een veter dichtgebonden fluwelen buideltje waarin ze haar boekenreparatiesetje bewaart. In het buideltje zaten oorspronkelijk vier gesuikerde amandelen, onlangs bij een puzzelwedstrijd onder luid gejuich door de winnaars in ontvangst genomen. Soms pakt ze het buideltje, ruikt eraan en geniet van de achtergebleven heerlijke amandelgeur.

Ze gaat naar haar hoekje achter de planken en stort zich gewetensvol op haar taak. Eerst knipt ze met haar nieuwe schaar voorzichtig de losse draden af. Vervolgens naait ze met een geïmproviseerde naald een paar pagina's vast die bijna losgescheurd waren. Het resultaat is niet bepaald mooi, maar de bladzijden zitten tenminste weer vast. Ze plakt ze ook nog vast met stukjes plakband en redt zo het boek van de totale desintegratie.

Ze wil ontsnappen aan de gruwelijke werkelijkheid van dit kamp dat haar vader het leven heeft gekost en ze weet dat een boek een deur naar een geheime kamer opent: je slaat het open, gaat naar binnen en bent in een andere wereld.

Ze aarzelt even of ze wel of niet dat oude, gehavende boek moet lezen dat volgens Hirsch niet geschikt is voor jongedames, *De lotgevallen van de brave soldaat Švejk.* Maar het nemen van deze beslissing kost haar nog minder tijd dan de middagsoep.

Wie zegt per slot van rekening dat ze een dame wil zijn?

Ze zou wel microbenonderzoeker willen worden, of piloot, maar geen tuttebel met een strokenrok en witte ribbelkousen.

De schrijver situeert het verhaal in Praag, tijdens de Grote Oorlog, en beschrijft de hoofdpersoon als een dikke leuterkous die, nadat hij al een keer was vrijgesteld van de dienstplicht omdat hij niet goed snik zou zijn, opnieuw wordt gerekruteerd en zich meldt in een rolstoel omdat hij zogenaamd reuma in zijn knieën heeft. Een schelm die dol is op eten en alle mogelijke soorten sterke drank, maar niet van werken houdt. Hij heet Švejk en verdient zijn brood door straathonden te vangen en als rashonden door te verkopen. Hij is altijd beleefd en straalt een en al beminnelijkheid uit. Overal heeft hij wel een mooi verhaal bij, maar vaak heeft het niets met het onderwerp te maken en doet hij er niemand een plezier mee. En wat iedereen verbaast is dat als iemand hem aanvalt, beledigt of uitscheldt, hij er niet tegenin gaat, maar de ander gelijk geeft. Zo krijgt hij het voor elkaar dat hij wordt getolereerd omdat iedereen toch denkt dat hij een halvegare is.

'U bent volkomen mesjogge!'

'Ja meneer, daar slaat u de spijker op zijn kop,' antwoordt hij dan op zijn meest gedweeë toon.

Dita mist dokter Manson, die ze al lezende heeft vergezeld langs de mijndorpen in de bergen van Wales, of Hans Castorp, die heerlijk op zijn chaise longue naar de Alpen lag te kijken. Het lijkt wel of dit boek wil dat ze aan Bohemen en de oorlog blijft denken. Ze laat haar ogen over de bladzijden gaan en snapt niet goed wat die schrijver, van wie ze nog nooit heeft gehoord, haar wil vertellen. Een woedende officier berispt de soldaat-hoofdpersoon, een dikbuikige, haveloze arme drommel die ook niet al te snugger is. Ze vindt er niets aan, ze vindt het allemaal onzin. Ze houdt van boeken die de geest verruimen, niet van boeken die hem vernauwen.

Maar toch is er wel iets in dit personage wat haar aantrekt. En de wereld om haar heen is nog veel erger, dus ze blijft liever op haar krukje zitten lezen. De leraren die nog wat napraten vinden het geen probleem dat ze daar is.

Even later treft ze Švejk in een sjofel soldatenpak onder de vlag van Oostenrijk-Hongarije, en dat terwijl de Tsjechen, of in elk geval het gewone volk, niet graag onder het bevel van de hooghartige Germanen stonden.

En gelijk hadden ze, zegt Dita bij zichzelf.

Hij is de oppasser van luitenant Lukás, die tegen hem schreeuwt, hem voor beest uitmaakt en hem een klap op zijn hoofd geeft als hij weer eens te ver gaat. Want het is duidelijk dat Švejk een groot talent heeft om dingen ingewikkeld te maken, documenten die hem worden toevertrouwd kwijt te raken, bevelen net iets anders te interpreteren, en zijn officier voor schut te zetten, ook al doet de brave soldaat alles altijd met de beste bedoelingen – althans, zo lijkt het – maar zonder al te veel verstand. Op dat punt in het boek weet Dita nog niet of Švejk echt niet goed wijs is of gewoon doet alsof.

Ze begrijpt nog steeds niet goed wat de schrijver wil vertellen. De zonderlinge soldaat gaat zo letterlijk en gedetailleerd in op de vragen en aanwijzingen van zijn superieuren dat zijn antwoorden altijd eindeloos duren en zich vertakken in allerlei uitweidingen en verhalen over familieleden of buren, die hij zonder blikken of blozen in zijn kolderieke redeneringen verwerkt: 'Ik ontmoette een zekere Paroubek, en die had een kroeg in Lieben. Op een dag kwam er een telegrafist die zich bezatte aan de jenever en toen stuurde hij de familie van een arme overledene in plaats van een condoleanceboodschap de prijslijst die boven de bar hing. Het werd een enorm schandaal. Vooral omdat tot dan toe niemand de prijslijst had gelezen en die grapjas van een Paroubek altijd een paar centen meer per glas bleek te rekenen, al vertelde hij later dat dat voor de liefdadigheid was...'

De anekdotes waarmee Švejk zijn antwoorden lardeert zijn zo

lang en surrealistisch dat de luitenant uiteindelijk begint te schreeuwen dat hij moet ophoepelen: 'Verdwijn uit mijn ogen, jij onverlaat!'

Tot haar eigen verbazing moet Dita grinniken als ze zich het gezicht van de luitenant voorstelt. Meteen wordt ze boos op zichzelf. Hoe kan ze zo'n stom personage nou grappig vinden? Is het wel gepast om te lachen na alles wat er is gebeurd en met alles wat er nu gebeurt?

Hoe kan ze lachen terwijl er dierbaren doodgaan?

Ze denkt even aan Hirsch met zijn eeuwige mysterieuze glimlach. Ineens snapt ze het: die glimlach is zijn wapen. Met zijn glimlach zegt hij tegen degene die tegenover hem staat: mij krijg je niet kapot. Op een plek als Auschwitz waar alles om te huilen is, is lachen een daad van verzet.

Dus duikt ze in de avonturen van die koekenbakker van een Švejk om zijn streken te volgen. Op dat moeilijke moment in haar leven, waarop ze niet weet waar ze het zoeken moet, stapt ze in de wereld van een zonderlinge potsenmaker die haar de ellende even doet vergeten.

Wanneer ze terugkeert naar haar barak is het al donker en de ijsregen striemt haar in het gezicht. Toch voelt ze zich beter, ze heeft weer wat moed gevat. Maar in Auschwitz is vreugde altijd van korte duur. Er komt iemand aanlopen die een melodie van Puccini fluit.

'Mijn god,' fluistert Dita.

Ze moet nog een paar barakken verderop zijn en in dat deel van het kamp is de straat slecht verlicht. Snel schiet ze de eerste de beste barak in. Ze buitelt daar zo hard naar binnen dat ze een paar vrouwen omverloopt. Met een klap slaat ze de deur dicht.

'Wat kom jij hier binnengestormd?'

Met grote schrikogen wijst ze naar buiten.

'Mengele...'

De irritatie van de vrouwen gaat over in ontzetting.

'Dokter Mengele!' wordt er gefluisterd.

De boodschap gaat fluisterend van bed tot bed en de gesprekken vallen stil.

'De engel des doods...'

Sommige vrouwen beginnen te bidden. Andere manen tot stilte om te kijken of ze buiten iets horen. Er sijpelen wat hoge noten door het gekletter van de ijsregen heen.

Een van de vrouwen zegt dat dokter Mengele volkomen geobsedeerd is door de kleur van ogen.

'Ik heb gehoord dat een Joodse arts genaamd Vexler Jancu een tafel vol ogen heeft gezien toen hij eens in Mengeles kantoor in het zigeunerkamp was.'

'En mij is verteld dat hij oogbollen op een kurken bord aan de muur prikt alsof het een vlinderverzameling is.'

'Iemand vertelde mij eens dat hij een paar kinderen bij hun zij aan elkaar had genaaid. Ze gilden van de pijn en stonken naar afgestorven vlees. Ze zijn diezelfde nacht nog overleden.'

'Ik heb gehoord dat hij onderzocht hoe hij Joodse vrouwen kon steriliseren zodat ze geen kinderen meer konden krijgen. Hij bestraalde hun eierstokken en haalde die er vervolgens uit om te onderzoeken of het effect had gehad. Hij gebruikte niet eens verdoving, dat monster. Het gegil van de vrouwen ging door merg en been.'

Iemand maant tot stilte. Het deuntje lijkt weg te sterven.

Josef Mengele studeerde af als arts aan de universiteit van München en was sinds 1931 actief bij aan de nazipartij gelieerde organisaties. Hij ging in de leer bij dokter Ernst Rüdin, een van de belangrijkste voorvechters van het idee om met minderwaardige levensvormen af te rekenen, en een van de bedenkers van de wet op gedwongen sterilisatie van invaliden, geestelijk gehandicapten, depressieven en alcoholisten die Hitler in 1933 heeft ingesteld. Mengele werd in Auschwitz gestationeerd, waar hij over een heel arsenaal aan mensen kon beschikken voor zijn genetische experimenten.

Er gaat een oproep van mond tot mond over kamp BIIb: 'Tweelingen naar blok 32!' De gevangenen die buiten zijn moeten de oproep doorgeven, als ze het niet doen kunnen ze zwaar gestraft worden. In Auschwitz ben je je leven nooit zeker. Waar ze nu ook zijn, de tweelingbroers Zdenek en Jirka en de tweelingzussen Irene en René moeten zich onmiddellijk bij de ziekenbarak melden.

De moeder van de tweelingbroers loopt met hen mee naar de barak. De lugubere verhalen over dokter Mengele spoken door haar hoofd. Ze bijt op haar lip terwijl de kinderen vrolijk van plas naar plas huppelen en durft niet te zeggen dat ze niet vies mogen worden.

Bij de bewakersloge bij de ingang van het kamp draagt ze hen over aan een SS'er. Ze ziet haar kinderen door de metalen deur naar het laboratorium van de naziarts gaan. Misschien ziet ze ze nooit meer terug, of missen ze een arm als ze terugkomen, is hun mond dichtgenaaid, of hebben ze andere verminkingen door de krankzinnige ideeën van die maniak. Ze kan er niets tegen doen, ingaan tegen het bevel van een officier wordt bestraft met de dood. Nu doet Mengele zijn onderzoeken in een zaal van ziekenbarak 32, maar soms, en dat is nog griezeliger, worden de kinderen naar zijn eigen laboratorium gebracht.

Tot dan toe zijn de kinderen na een paar uur bij de dokter heelhuids en zelfs opgewekt teruggekomen met een stuk worst of brood in de hand, gekregen van oom Josef. Ze zeggen zelfs dat hij heel aardig was en hen aan het lachen maakte. Ze hebben verteld dat hun hoofd werd opgemeten, dat ze eenzelfde beweging eerst apart en dan allebei moesten maken, dat ze hun tong uit moesten steken. Maar soms ook ontwijken ze de vragen van hun ouders over hoe het er in het laboratorium aan toegaat. Met een brok in haar keel loopt de vrouw terug naar de barak.

Dita haalt opgelucht adem omdat zij die avond niet degene was die hij zocht. Een vrouw met stug grijs haar weet veel over Mengele te vertellen. Dita gaat naar haar toe.

'Neemt u me niet kwalijk, maar ik wilde u iets vragen.'

'Zeg het eens, meisje.'

'Het zit zo, een vriendin van mij heeft een waarschuwing gekregen van Mengele...'

'Een waarschuwing?'

'Ja, dat hij haar in de gaten zou houden.'

'Dat is niet best...'

'Hoe bedoelt u?'

‘Als hij iemand achtervolgt is hij net een roofvogel die boven zijn prooi rondcirkelt: die houdt hij altijd in het vizier.’

‘Maar er zijn hier zoveel mensen, hij is met zoveel dingen bezig…’

‘Mengele vergeet nooit een gezicht. Ik kan erover meepraten.’

Haar gezicht betrekt en ze zwijgt. Nu ze ergens aan herinnerd wordt, valt ze even stil.

‘Zeg tegen haar dat ze hem moet mijden als de pest, dat ze uit zijn vizier blijft. De nazi’s doen aan zwarte magie. Ze gaan het bos in en houden zwarte missen. De baas van de SS, Heinrich Himmler, neemt nooit een beslissing voordat hij zijn ziener heeft geraadpleegd. Die mensen leven aan de duistere kant, dat weet ik gewoon. Wee degene die in de weg loopt. Hun verdorvenheid is niet van deze wereld, die komt uit de hel. Ik denk dat Mengele de gevallen engel is. Het is Lucifer in eigen persoon die een menselijke gedaante heeft gekregen. Als hij zijn zinnen op je heeft gezet, ben je nog niet jarig.’

Dita knikt en loopt zwijgend weg. Als God bestaat, bestaat de duivel ook. Het zijn reizigers op dezelfde spoorlijn: een in de ene richting en de ander in tegengestelde richting. Op de een of andere manier houden goed en kwaad elkaar in evenwicht. Je zou haast kunnen zeggen dat ze niet zonder elkaar kunnen: hoe weten we dat we het goede doen als er geen kwaad is, vraagt ze zich af. Ze bedenkt dat de duivel zich nergens ter wereld zo op zijn gemak zou voelen als in Auschwitz.

Zou Lucifer aria’s fluiten?

Het is aardedonker buiten en alleen de wind fluit nog. Er loopt een rilling over haar rug. Ze ziet iemand in het schijnsel van een lantaarn bij het hek staan. Het is een vrouw die met iemand aan de andere kant praat. Ze denkt dat Alice is, een van de assistentes, de oudste en knapste van allemaal. Ze heeft Dita een keer geholpen in de bibliotheek. Ze vertelde toen dat ze registrator Rosenberg kende en heeft haar herhaaldelijk verzekerd dat ze gewoon vrienden zijn, alsof dat haar wat uitmaakt.

Ze vraagt zich af waarover ze het hebben. Is er nog iets om over te praten? Misschien kijken ze alleen maar naar elkaar en zeggen ze lieve woordjes, zoals geliefden doen. Als Rosenberg Hans Castorp was en Alice madame Chauchat, dan zou hij aan de andere kant van het hek knielen en zeggen: 'Ik heb je herkend,' zoals Castorp tijdens die carnavalsnacht zei, toen hij eindelijk eerlijk tegen madame Chauchat was. Hij zei dat verliefd worden betekende dat je iemand zag en herkende, dat je ineens wist dat dat degene was op wie je al die tijd hebt gewacht. Ze vraagt zich af of zij ook ooit zoiets zal meemaken.

Haar gedachten gaan terug naar Rosenberg en Alice. Wat voor relatie kun je hebben met iemand aan de andere kant van een hek? Ze kan zich er niets bij voorstellen. In Auschwitz zijn de vreemdste dingen normaal. Zou zij verliefd kunnen worden op iemand aan de andere kant van de afrastering? Sterker nog, bestaat er op deze gruwelijke plek met door Satan gezonden nazi's een mogelijkheid dat er liefde opbloeit? Het lijkt er wel op, want Alice Munk en Rudi Rosenberg trotseren de kou en de sneeuwstorm, ze staan zo stil dat het lijkt of ze wortel hebben geschoten.

God heeft het goed gevonden dat Auschwitz bestaat, dus misschien is hij niet de onfeilbare klokkenmaker uit de verhalen die ze haar hebben verteld. Aan de andere kant kunnen op de smerigste mestvaalt de mooiste bloemen bloeien. Misschien, zegt Dita tegen zichzelf, is God geen klokkenmaker maar tuinman.

God zaait en de duivel maait met een zeis die alles verwoest.

Wie zal dit krankzinnige duel winnen? vraagt ze zich af.

16

Terwijl hij naar de werkplaats van zijn vader loopt, bedenkt Ota Keller welke verhalen hij die middag aan de kinderen zal vertellen. Hij zou de verhalen over Galilea, die hij verzint om de kinderen van blok 31 af te leiden, later graag willen bundelen en publiceren.

Er is nog zoveel te doen!

Maar ze zitten verstrikt in de oorlog. Ooit geloofde hij in revoluties en dacht hij dat er ook rechtvaardige oorlogen bestonden.

Dat is al zo lang geleden...

Het is schafttijd en zijn vader zit soep te eten tegenover de werkplaats waar hij draagriemen voor het Duitse leger maakt. Hij is oud en is door de oorlog alles kwijtgeraakt, maar aan levenslust ontbreekt het de oude meneer Keller niet. Vorige week heeft hij iedereen in de werkplaats nog verrast door vlak voor het stiltesignaal een bescheiden concert te geven. Ook al is zijn tenorstem niet meer zo krachtig, Ota vindt dat hij nog steeds niet onderdoet voor professionele zangers. De mannen waren er zeer over te spreken en werden er zelfs vrolijk van. Waarschijnlijk dachten ze dat hij een oude bohemien was, of een aan lager wal geraakte artiest. Bijna niemand wist dat Richard Keller tot voor kort in Praag een invloedrijke ondernemer was: eigenaar van een fabriek van damesondergoed, die aan vijftig mensen werk verschafte.

Hoewel hij zich vol overgave aan de fabriek wijdde, was opera altijd zijn grote passie. Sommige collega's keken bedenkelijk als ze hoorden dat meneer Keller volkomen bezeten was van dat gekwinkeleer en dat hij ook nog zangles had. En dat op zijn leeftijd! Op de herensociëteit werd er met een zekere minachting over gesproken, men vond het niet passen bij een zichzelf respecterend ondernemer.

Maar Ota ziet zijn vader als iemand die zichzelf wel respecteert en juist daarom blijft zingen, of dat nu uit volle borst voor een publiek is of zachtjes voor zichzelf. Toen de bode van de Joodse Raad een aantal medebewoners van hun huisje in Theresienstadt kwam vertellen dat ze naar Auschwitz zouden worden gedeporteerd, begonnen sommigen te schreeuwen en anderen te huilen; een enkeling sloeg met zijn vuisten tegen de muur. Zijn vader zette zachtjes een aria van Rigoletto in, het moment waarop Gilda geschaakt wordt en de hertog van Mantua buiten zichzelf raakt van verdriet: '*Ella mi fu rapita! Parmi veder le lagrime...*' Hij had een prachtige stem, misschien werd het daarom geleidelijk aan steeds stiller tot alleen hij nog te horen was.

Meneer Keller knipoogt als hij zijn zoon ziet binnenkomen. De oude man is zijn fabriek en zijn huis kwijtgeraakt aan de nazi's, en ook zijn aanzien van invloedrijk burger nu hij hier op een stinkend stromatras vol vlooien en luizen moet slapen. Maar zijn innerlijke kracht en gevoel voor humor heeft niemand hem nog kunnen afnemen. Zo maakt hij bij gelegenheid schalkse opmerkingen over de 'werkkleding' die zijn bedrijf voor vrouwen met een bepaald beroep maakt.

Als Ota ziet dat zijn vader op zijn gemak met zijn collega's van de werkplaats over de doden van die dag zit te praten, wat inmiddels een dagelijks ritueel voor hen is geworden, gaat hij terug naar barak 31. Zijn blik valt op de gevangenen die daar gehaast hun soep eten. Het is een treurig tafereel: broodmagere mensen die eruitzien als bedelaars. Nooit had hij gedacht de zijnen nog eens zo te zien, maar hoe ellendiger ze eraan toe zijn, hoe sterker zijn Joods bewustzijn wordt.

De jaren waarin hij gefascineerd was door de leer van Karl Marx en dacht dat internationalisering en communisme het antwoord waren op alle problemen van de wereld, liggen achter hem. Met zijn onafhankelijke geest vond hij uiteindelijk meer vragen dan antwoorden. Op een gegeven moment wist hij niet meer precies waar hij bij hoorde: hij was een kind van de bourgeoisie, flirtte met het salon-communisme, was een Duits sprekende Tsjech en ook nog Jood. Toen de nazi's Praag binnenvielen, en de Joden langzaam maar zeker in een hoek werden gedreven, besefte Ota wat zijn plaats in de wereld was: door de eeuwenoude traditie en de bloedband voelde hij zich meer Joods dan wat dan ook. En mocht hij nog twijfelen aan wie hij was, met die gele ster op zijn borst zouden de nazi's hem er voor altijd aan herinneren.

Dat was de reden dat hij zich bij de zionisten aansloot en actief werd bij de Hachsjara-beweging, waar jongeren werden voorbereid op de alia: de terugkeer naar Israël. Met plezier en lichte weemoed denkt hij terug aan de excursies. Er was altijd wel iemand die een gitaar bij zich had en er werden liederen gezongen. In die padvinderachtige broederlijkheid vond hij iets van de primitieve geest waarnaar hij op zoek was: een gemeenschap van musketiers waar het een voor allen en allen voor een was.

Op zo'n avond met griezelverhalen rond het kampvuur begon hij zijn eerste verhalen te verzinnen. In die tijd kwam hij Fredy Hirsch wel eens tegen. Dat leek hem iemand die met geen mogelijkheid van zijn principes af te brengen was. Daarom was hij trots dat hij onder zijn leiding kwam in blok 31, dat in die zondvloed van vernederingen voor de kinderen een ark van Noach was geworden.

Het zijn geen gemakkelijke tijden...

Maar Ota is een optimist. Hij heeft het ironische gevoel voor humor van zijn vader en weigert te geloven dat ze niet uit deze modderpoel zullen komen, na alles wat ze in de loop van de geschiedenis hebben meegemaakt. En om akelige gedachten van zich af te schudden houdt hij zich weer bezig met de kinderen, met welk verhaal hij hun zal vertellen, want verhalen zijn nodig, die stimuleren de verbeelding en maken het kinderen mogelijk te blijven dromen.

Je bent wat je droomt, zegt Ota bij zichzelf.

Ota Keller is tweeëntwintig, maar ziet er ouder uit. Een van zijn verhalen is dat van de sluwe koopman die fluiten zonder gaten verkoopt, zodat ze alleen in de hemel zijn te horen. Hoe vaak hij het ook heeft verteld, zijn enthousiasme wordt er niet minder om.

'En heel veel mensen kopen zijn waar! Maar dan komt er een kind...'

Hij heeft het verhaal zelf verzonnen, dus als hij iets is vergeten, bedenkt hij er gewoon iets anders voor in de plaats. Wanneer het verhaal uit is rennen de kinderen naar buiten, met de haast die zo typisch voor kinderen is. Elke minuut wordt intens beleefd omdat ze in het heden leven. Terwijl Ota de kinderen nakijkt, valt zijn oog op een assistente van wie het halflange haar meedanst op de maat van haar passen.

De bibliothecaresse met de dunne benen loopt altijd maar te rennen...

Hij vindt dat ze een engelengezicht heeft, maar aan haar daadkrachtige manier van bewegen te zien wordt ze waarschijnlijk heel boos als ze haar zin niet krijgt. Hij weet dat ze meestal niet met de leraren praat, dat ze hun de boeken geeft en die met een gehaast knikje weer bij hen ophaalt. Of misschien is het wel uit verlegenheid dat ze altijd doet alsof ze haast heeft.

Dita rent snel de barak uit. Omdat ze twee boeken in haar binnenzakken heeft, wil ze niet tegen iemand aanlopen, dat zou veel te gevaarlijk zijn.

Toen ze die middag de boeken wilde terugleggen, stond ze bij Fredy Hirsch' kamer voor een dichte deur. Ze klopte een paar keer maar er werd niet opengedaan. In de hoek waar de leraren zitten te praten, ziet ze Miriam Edelstein. Die vertelt haar dat Hirsch onverwacht bij commandant Schwartzhuber is geroepen en daardoor is vergeten haar de sleutel van zijn kamer te geven. Miriam neemt haar even apart en vraagt zachtjes wat ze nu gaat doen met die boeken.

'Maakt u zich geen zorgen, ik regel het wel.'

Miriam knikt. Ze trekt een gezicht alsof ze wil zeggen dat ze vooral voorzichtig moet zijn.

Dita geeft verder geen tekst en uitleg. Het is aan haar als bibliothecaresse. De twee boeken die ze in haar geheime zakken draagt, zullen bij haar overnachten. Dat is gevaarlijk, maar ze durft ze niet in de barak te laten liggen.

Bijna alle leerlingen zijn weg en enkele leraren zijn met wat kinderen achter de barak gaan sporten. In blok 31 zit alleen nog een groep jongens en meisjes van verschillende leeftijden aandachtig naar Ota Keller te luisteren. Dita is diep onder de indruk van die jonge leraar die zoveel weet en zo geestig is. Ze krijgt zin om naar zijn verhalen te blijven luisteren, maar de brave soldaat Švejk wacht op haar. Toch hoort ze wat flarden van wat de leraar vertelt en ze is verrast, want het is zeker geen les in politiek of geschiedenis, de vakken die hij normaal gesproken geeft, maar een zelfverzonnen verhaal. Het valt haar op hoe gepassioneerd hij vertelt. Ze vindt het fascinerend dat deze ernstige, erudiete jongeman zo'n bevlogen verhalenverteller kan zijn.

Bevlogenheid vindt ze een belangrijke eigenschap. Daardoor lukt het haar om door te gaan. Daarom geeft ze zich met hart en ziel over aan haar werk met de boeken; 's ochtends tijdens de lessen de papieren boeken, en's middags, wanneer het rustiger is, de levende boeken. Voor dit laatste heeft ze een rooster gemaakt voor de leraren, die dan wandelende boeken zijn geworden, soms zelfs schreeuwende of slaande boeken, als er kinderen niet opletten.

De boeken die niet in de geheime opbergplaats zijn verstopt en die Dita tot de volgende ochtend in haar binnenzakken moet dragen, mogen in geen geval onder haar jurk vandaan komen. Maar ze kan de verleiding niet weerstaan om te kijken hoe het met haar vriend Švejk gaat en zoekt een rustig plekje bij de latrines, een barak met lange rijen zwarte gaten als stinkende muilen.

Ze gaat ergens in een hoekje zitten. Ze bedenkt dat Švejk en zijn schepper, Jaroslav Hašek, het een heel geschikte plek gevonden zouden hebben om het boek te lezen. In de inleiding bij het tweede deel zegt de auteur:

Mensen die iets tegen pittige uitdrukkingen hebben zijn laf, want het echte leven choqueert hen, en het zijn juist die zwakkelingen die de grootste schade toebrengen aan cultuur en karakter. Zij zouden het volk graag opgevoed zien tot een schare overgevoelige luitjes, tot zelfbevlekkers van een valse cultuur à la Sint Aloisius, over wie in het boek van de monnik Eustachius wordt verteld dat hij, toen hij hoorde hoe iemand met groot misbaar zijn winden liet ontsnappen, in snikken uitbarstte en slechts door een gebed weer tot bedaren kwam... We kunnen van kastelein Palivec niet eisen dat hij zich even subtiel uitdrukt als mevrouw Laudová, dr. Guth, mevrouw Olga Fastrová en die hele galerie van publicisten die van de Tsjechoslowaakse Republiek het liefst één grote salon met parketvloeren zouden willen maken, waarin men in rok en met handschoenen aan rondwandelt, waar men zich voornaam weet uit te drukken en verfijnde salonmanieren cultiveert, onder welke dekmantel de salontijgers zich vervolgens kunnen overgeven aan de ergste excessen en ondeugden.

Met de vierhonderd latrines die elke ochtend druk worden bezocht, zou de arme Aloisius wat af moeten bidden.

Ze verlaat de latrinebarak pas wanneer het helemaal donker is en moet voorzichtig lopen omdat de grond aan het opvriezen is. 's Avonds is Auschwitz een spookachtige plek waar de rijen barakken van de verschillende kampen donkere vlekken worden en het zwakke schijnsel van de lantaarns zich als een compositie van geometrische lijnen op een immens vel ruitjespapier aftekent. Dat het stil is, is een goed teken, geen spoor van de sinistere melodietjes van Mengele.

In de barak aangekomen gaat ze naar haar moeder. Dita is een kletskous en ze vertelt vaak anekdotes of verhalen over de kwajongensstreken van de kinderen van blok 31, maar deze keer heeft ze geen gespreksstof. Als Liesl haar omhelst, voelt ze de hoekige bulten van de boeken onder Dita's jurk, maar ze zegt niets.

Moeders weten altijd meer dan hun kinderen denken, en in deze gesloten wereld gaan de nieuwtjes net als luizen van bed tot bed.

Dita denkt dat ze haar moeder beschermt door haar niet te vertellen wat ze in blok 31 doet. Ze weet niet dat haar moeder haar juist beschermt. Door te doen alsof ze niets in de gaten heeft, zorgt

Liesl dat Edita rustiger is en zich geen zorgen maakt om haar moeder. Ze wil geen last zijn die op haar dochters jonge schouders rust. Althans, ze zal die last weer wegnemen. Wanneer Dita vraagt of ze die middag naar Radio Birkenau heeft geluisterd, doet haar moeder alsof ze verontwaardigd is.

'Maak mevrouw Turnovská niet zo belachelijk,' zegt ze dan. Maar in haar hart is ze blij dat Dita weer grapjes maakt. 'We hebben recepten uitgewisseld. Zij kende dat van de bosbessentaart met citroenrasp niet! We hebben een heel leuke middag gehad.'

Een heel leuke middag in Auschwitz?

Dita denkt dat haar moeder misschien een beetje gek aan het worden is, maar misschien is dat maar beter zo.

Ze hebben verschrikkelijke dagen achter de rug in die vreselijke februarimaand.

'Nog een uur tot de avondklok. Ga nog even bij Margit langs in haar barak!'

Dat doet Liesl vaak aan het eind van de dag: haar wegsturen, zeggen dat ze met haar vriendinnen moet gaan kletsen, dat ze niet in die barak moet blijven zitten met al die weduwen.

Terwijl Dita met de boeken onder haar jurk naar barak 8 loopt, bedenkt ze dat haar moeder de afgelopen weken wel heel sterk is geweest.

Margit zit samen met haar moeder en haar twee jaar jongere zus Helga tegen een stapelbed geleund. Dita groet hen. De moeder staat op en zegt dat ze even bij een buurvrouw langsgaat. Ze weet dat de jongeren liever onder elkaar zijn om vrijuit over hun eigen dingen te praten. Helga blijft zitten, maar haar ogen vallen steeds dicht, ze slaapt bijna. Ze is erg moe. Ze heeft de pech gehad dat ze bij een groep is ingedeeld die de ondankbare taak heeft stenen te sjouwen voor de bestrating van de hoofdweg van het kamp. Het is een vruchteloos karwei. Als ze 's morgens aankomen is de grond zo hard dat ze de stenen onmogelijk kunnen leggen. Dan smelt de ijslaag en wordt de grond zo drassig dat de stenen er helemaal in verdwijnen. De volgende dag slepen ze opnieuw stenen aan en begint het hele ritueel opnieuw.

Die zwarte modder verzwelgt alles.

De hele dag in de kou werken als je al uitgeput bent, met alleen een kom waterige thee als ontbijt, soep in de middag en een stuk brood als avondmaal, is voor iedereen slopend. Dita heeft de neiging voor iedereen bijnamen te verzinnen en noemt Helga in gedachten de Schone Slaapster. Een keer heeft ze haar in Margits bijzijn zo genoemd, maar die bleek daar helemaal niet van gecharmeerd, dus daarna heeft ze die bijnaam nooit meer hardop uitgesproken.

'Je moeder heeft ons alleen gelaten... wat is ze toch attent!'

'Moeders weten wel wat ze moeten doen.'

'Onderweg hiernaartoe moest ik aan die van mij denken. Je kent haar. Ze lijkt heel bedeesd en onzeker, maar ze is veel sterker dan ik ooit heb gedacht. Na het overlijden van mijn vader is ze zonder ooit te klagen naar die stinkende werkplaats blijven gaan, en ze is niet eens ziek geworden in die houten vrieskast waarin we slapen.'

'Wat goed...'

'Ik hoorde een keer een stel jonge vrouwen praten die vlak naast ons slapen... Weet je hoe ze mijn moeder en haar vriendinnen noemen?'

'Nee, hoe dan?'

'De club van oude kippen.'

'Wat gemeen!'

'Maar ze hebben wel gelijk: soms als ze in bed liggen beginnen ze allemaal tegelijk te kakelen, net een kippenhok.'

Margit glimlacht. Ze is heel tactvol en vindt het niet goed om te spotten met oudere mensen, maar ze is blij dat Dita weer grapjes maakt. Dat is een goed teken.

'En René, hoe is het met haar?' vraagt ze. Margit trekt een ernstig gezicht.

'Ze ontloopt me al een paar dagen...'

'Hoezo dat?'

'Nou ja, niet alleen mij. Zodra haar werk erop zit gaat ze zonder een woord te zeggen weg met haar moeder.'

'Waarom?'

'Er gaan geruchten...'

'Hoezo gaan er geruchten? Over René? Hoezo?

Margit voelt zich een beetje ongemakkelijk omdat ze niet weet hoe ze het moet zeggen.

'Ze heeft iets met een SS'er.'

Zelfs in Birkenau zijn grenzen. Dit is er een.

'Misschien zijn het gewoon roddels. Je weet toch hoe de mensen zijn...'

'Nee, Dita. Ik heb haar met hem zien praten. Ze staan bij de wachtpost bij de ingang omdat daar meestal weinig mensen komen. Maar vanuit barak 1 en 3 kun je ze goed zien.'

'Zoenen ze ook?'

'Alsjeblieft zeg, ik hoop van niet! Ik krijg al kippenvel bij het idee.'

'Ik zou nog liever een varken zoenen.'

Margit moet vreselijk lachen en Dita realiseert zich dat ze net als de brave soldaat Švejk begint te praten. Het ergste is nog dat ze dat helemaal niet vervelend vindt.

Op datzelfde moment is René een paar barakken verderop bezig de luizen uit het haar van haar moeder te kammen. Een bewerkelijk klusje, maar het geeft haar de tijd om na te denken.

Ze weet wel dat de vrouwen over haar praten. Zij vindt het zelf ook niet goed om bevriend te zijn met een SS'er, ook al is hij nog zo beleefd en attent als Viktor.

Vriendelijk of niet, hij blijft een cipier. Erger nog, een beul. Toch is hij aardig tegen haar. Van hem heeft ze de fijne kam waarmee ze haar moeder bevrijdt van die ellendige luizen die haar dag en nacht vreselijke jeuk bezorgen. Ook heeft hij een potje bessenjam voor haar meegenomen. Hoe lang is het wel niet geleden dat ze dat heeft gegeten! Met de jam op het uitgedroogde brood van de avond hebben haar moeder en zij voor het eerst in maanden met smaak gegeten. Van dat soort heilzame cadeautjes fleur je op, ze houden je in leven.

Had ze die jongen van de SS die nooit iemand kwaad heeft gedaan dan moeten afwijzen? Moet ze die dingen weigeren en zeggen dat ze niets van hem wil?

Ze weet dat veel vrouwen die over haar roddelen in haar plaats alles zouden aannemen wat ze konden krijgen. Voor hun man, hun kinderen, voor wie of wat dan ook. Maar ze zouden het aannemen. Het is gemakkelijk om zuiver te blijven als ze je geen open pot bessenjam of een snee brood onder je neus houden.

Hij zegt dat hij zich met haar wil verloven zodra dit allemaal voorbij is. Zij gaat daar nooit op in. Hij vertelt haar over Roemenië, over zijn dorp en hoe ze daar op het plein feestvieren met zakloopwedstrijden en een grote pan zoetzuur vlees. René zou hem wel willen haten. Ze weet dat ze hem moet haten. Maar haat is net als liefde: je hebt het niet voor het kiezen.

De nacht valt over Auschwitz. Er blijven treinen aankomen die nog meer verwarde en angstige, onschuldige mensen leveren, terwijl de rode gloed van de schoorstenen getuigt van ovens die nooit rusten. In het familiekamp proberen de gevangenen te slapen op hun van luizen vergeven stromatrassen; even hun benauwenis niet voelen.

En 's ochtends moeten ze hun gezicht weer wassen in die metalen troggen, ervaren ze weer die gêne als ze hun onderbroek laten zakken en hun jurk ophouden om hun behoefte te doen met nog driehonderd anderen in de buurt. Dan het eindeloze appèl gedurende weer een ijzige ochtend. De kou die uit de grond komt en van hun voeten ijsklompen maakt. Na het appèl verlaten de bewakers het kamp met hun lijsten waarop de nummers van degenen die de strijd tegen de nacht niet gewonnen hebben zijn doorgestreept; de dagelijkse vernederingen zijn weer even voorbij. Dan opent Fredy Hirsch eindelijk de deur van de barak en kan het spektakel weer beginnen. Met veel lawaai rennen de kinderen naar binnen en gaan op hun kruk zitten, sommige leraren komen langs bij de bibliotheek. Het begin van een nieuwe dag in blok 31.

Waar Dita pas echt naar verlangt, is de soep tussen de middag. Daar knapt ze van op. Bovendien is dat het begin van de middag waarop ze de wederwaardigheden van die malle, klunzige soldaat volgt, met wie ze inmiddels bevriend is geraakt. Een van de Oostenrijkse officieren van het bataljon van Švejk is een bruut die Dauerling heet; zijn superieuren waarderen hem omdat hij heel streng is en de soldaten slaat.

Kort na zijn geboorte is het kindermeisje met hem komen te vallen, en de kleine Konrad Dauerling liep daarbij zo'n harde dreun op zijn schedeltje op, dat er op zijn kop nog steeds een plat vlak te zien is, net of er een komeet Noordpool is neergestort. Iedereen betwijfelde of er ooit iets van hem terecht zou komen, áls hij die hersenschudding tenminste zou overleven. Alleen zijn vader, die kolonel was, gaf de hoop niet op en beweerde dat het geen centje kwaad kon: als hij groot was zou de kleine Dauerling zich vanzelfsprekend aan zijn militaire roeping wijden! De kleine Dauerling belandde na een titanenstrijd met de vier klassen van de lagere Realschule *– die hij doorworstelde met een stel huisleraren, van wie er eentje vóór zijn tijd vergrijsde en seniel werd, terwijl een andere zich in uiterste wanhoop van de Stephanstoren in Wenen verkoos te storten – inderdaad op de cadettenschool van Hainburg. Zijn domheid was zo oogverblindend, dat men de hoop mocht koesteren hem na enkele decennia wellicht toch nog op de Officiersacademie van Theresienstadt of zelfs op het Ministerie van Oorlog aan te treffen.*

Lezen is een feest.

Helaas zijn er altijd mensen die niet te beroerd zijn om een feestje te bederven. Zijn spelbrekers kinderen van God of van de duivel? De afstandelijke mevrouw Lubbervel, met haar onafscheidelijke vette knotje en haar verzameling lillende vellen, kijkt om de hoek van haar schuilhoekje. Ze heeft een lerares met piepkleine kraaloogjes bij zich.

De twee vrouwen gaan recht voor Dita staan, kijken haar streng aan en vragen haar te laten zien wat ze aan het lezen is. Ze reikt het boek aan en mevrouw Krizková pakt het iets te hardhandig beet. De bladzijden vallen er bijna uit en de dunne draadjes waarmee ze aan de band vastzitten staan op het punt te breken. Dita trekt een nors gezicht, maar omdat je eerbied moet hebben voor volwassenen zegt ze er niets van.

De lerares begint te lezen en zet grote ogen op. De kwabbige huid van haar keel trilt van verontwaardiging. Dita kan ternauwernood een glimlach verbergen als ze bedenkt dat mevrouw Lubbervel net zo'n gezicht trekt als sommige officieren van het regiment van Švejk als die weer eens iets heeft uitgehaald.

'Dit is onacceptabel en onfatsoenlijk! Een meisje van jouw leeftijd hoort dit soort nonsens niet te lezen. Het is grof en gaat alle perken te buiten.'

Precies op dat moment komen de twee onderdirecteuren, Lichtenstern en Miriam Edelstein, uit Hirsch' kamer. Met een zelfgenoegzame glimlach op haar gezicht wenkt Mevrouw Krizková hen.

'Hoe smerig het hier ook is, we proberen hier wel een school te leiden. Als onderdirecteuren kunt u niet tolereren dat de jeugd dit soort grove lectuur leest, het is een aanslag op de goede manieren en het fatsoen. In dit boek staat de grofste smeerlapperij die ik ooit heb gehoord.'

Om haar woorden kracht bij te zetten, vraag ze hun te luisteren hoe de kerk door het slijk wordt gehaald en wat voor schandelijke dingen er worden gezegd over een geestelijke, een dienaar Gods:

> *Hij was lazarus volgens alle regels van de kunst. Hij heeft de rang van kapitein. Al die aalmoezeniers, van hoog tot laag, hebben van God al gelijk één talent meegekregen: ze zuipen zich bij elke gelegenheid strontlazarus. Ik ben oppasser geweest bij aalmoezenier Katz en die zoop ook de neus tussen z'n ogen vandaan. We hebben een keer met z'n tweeën de monstrans verzopen en als er een gek was die geld had geboden, dan hadden we Onzelieveheer zelf er ook nog doorgejaagd.*

Als de lerares ziet dat Lichtenstern zijn gezicht maar nauwelijks in de plooi weet te houden, slaat ze het boek met een klap dicht. Dita blijft gekweld naar de half losgeraakte bladzijden kijken. Elk moment kunnen ze eruit vallen. De lerares zegt dat het een heel ernstige zaak is en eist dat het boek verboden wordt. Ze blijft maar zwaaien met het boek en vraagt zich opnieuw hardop af wat voor waarden ze de jongeren bijbrengen als ze toelaten dat ze zulke idiote boeken lezen. Dita, die het niet langer kan aanzien dat de vrouw met het boek staat te zwaaien alsof het een vliegenmepper is, veert op, en ook al is ze een halve kop kleiner dan de lerares, ze gaat recht voor haar staan en vraagt haar beleefd maar op een toon die ijzer doet breken of ze haar het boek wil geven.

'... alstublieft.'

En dat 'alstublieft' zegt ze zo nadrukkelijk dat het lijkt of ze haar ermee om de oren slaat. Volkomen overrompeld door de onbetamelijke reactie van het meisje reikt de lerares haar verontwaardigd het mishandelde boek aan.

Dita pakt het boek liefdevol aan, strijkt de kreukels glad en stopt de losse bladzijden weer netjes op hun plek. Ze neemt de tijd en de anderen kijken gefascineerd toe hoe ze bladzijden gladstrijkt en het boek behandelt als een gewonde soldaat. Haar gebaren en haar blik stralen zoveel respect en zorg voor het oude boek uit dat zelfs de verontwaardigde lerares niets durft te zeggen. Als het eenmaal opgelapt is, opent ze het boek voorzichtig. Ze wendt zich tot Lichtenstern en Miriam Edelstein, die nog steeds hun best doen om een neutraal gezicht te trekken, en zegt dat in dit boek inderdaad dingen staan zoals de lerares heeft voorgelezen.

En ook andere dingen.

Nu begint zíj hardop te lezen:

De garnizoensgevangenis vormde de laatste toevlucht voor wie niet naar het front wilde. Ik heb een aspirant-leraar gekend die als wiskundige niet bij de artillerie wenste te gaan schieten en daarom het horloge van zijn luitenant gapte, alleen maar om in de garnizoenspetoet te komen. Hij deed dat met voorbedachten rade. De oorlog imponeerde hem totaal niet en kon hem op geen enkele wijze bekoren. Hij vond het waanzin om op een vijand te gaan schieten, om even onfortuinlijke aspiranten en wiskundigen als hijzelf, die toevallig aan de andere kant stonden, met kartetsen en granaten af te maken. Stompzinnig en wreed.

Dat zijn een paar van de slechte ideeën die dit idiote boek uitdraagt: dat de oorlog stompzinnig en wreed is. Zijn ze het daar ook niet mee eens?

Lichtenstern heeft trek in een sigaret. Hij krabt achter zijn linkeroor om tijd te winnen en uiteindelijk besluit hij te praten, maar in feite zegt hij niets.

'Neemt u me niet kwalijk, maar ik moet dringend iets overleggen met de artsen in de ziekenbarak over de visites aan de kinderen.'

Te veel vrouwen bij elkaar. Lichtenstern maakt zich snel uit de voeten.

Miriam Edelstein is ongewild scheidsrechter geworden in de leeswedstrijd. Dus zal ze eens zeggen wat zij ervan vindt.

'Wat Edita heeft voorgelezen vind ik heel zinnig. Bovendien,' zegt ze tegen mevrouw Krizková terwijl ze haar recht in het gezicht kijkt, 'kunnen we niet zeggen dat dit boek heiligschennend en respectloos is ten aanzien van ons geloof, het enige wat het immers zegt is dat katholieke priesters dronkenlappen zijn. De integriteit van onze rabbijnen wordt nergens in twijfel getrokken.'

Verbolgen draaien de twee leraressen zich om lopen onverstaanbaar mopperend weg. Zodra ze op veilige afstand zijn, vraagt Miriam Edelstein zachtjes aan Dita of ze het boek een middag mag lenen als zij het uit heeft.

17

De volgende ochtend stalde Dita haar bibliotheek weer uit. Toen ze Hirsch' kamer binnenkwam zat hij met zichtbaar plezier een tactiek uit te denken voor zijn volleybalteam dat na de middagsoep achter de barak een belangrijke wedstrijd tegen het team van een ander leraar gaat spelen. Ze was minder enthousiast dan haar baas en had kramp in haar benen van het lange appèl van die ochtend.

'Hoe gaat het, Edita? Het is een mooie dag, je zult zien dat de zon vandaag gaat schijnen.'

'Ik heb pijn in mijn benen van dat vreselijke appèl. Het duurt een eeuwigheid. Ik haat het.'

'Edita, Edita… leve het appèl! Weet je waarom het zo lang duurt?'

'Eh…'

'Omdat we er allemaal nog zijn. We hebben sinds september geen kind meer verloren. Besef je dat wel? Sinds september zijn er in het familiekamp meer dan vijftienhonderd mensen overleden door ziekte, ondervoeding of uitputting.' Edita knikt verdrietig. 'Maar geen enkel kind uit barak 31! We gaan het redden, Edita, we gaan het redden.'

Ze lachte als een boer die kiespijn heeft. Was haar vader er nog maar, dan kon hij ook genoteerd worden bij het appèl en later met een takje de wereldkaart op de grond tekenen.

Zachtjes schuift ze het bankje met de boeken iets opzij. Zo kan ze de lessen van Ota Keller beter volgen. Nu haar vader er niet meer is, mag ze haar studie niet verwaarlozen. En naar Keller luisteren is nooit zonde van haar tijd, hij heeft altijd iets interessants te vertellen. Ze kijkt naar hem, naar zijn ruim zittende wollen trui en zijn ronde gezicht; waarschijnlijk was het voor de oorlog een mollige jongen.

Hij vertelt de kinderen over vulkanen.

'Heel diep binnenin brandt de aarde. Soms wordt de druk daar te groot, dan ontstaan er een soort schoorstenen waardoor het gloeiende vulkanische gesteente naar het aardoppervlak komt. Dat gesteente is vloeibaar en wordt lava genoemd. Op de bodem van de zee kunnen door vulkaanuitbarstingen magmakamers ontstaan en als die uiteindelijk omhooggedrukt worden, kan het uitstromende lava uiteindelijk een vulkanisch eiland vormen. Zo zijn bijvoorbeeld de Hawaii-eilanden ontstaan.'

Dita ziet het geroezemoes dat uit de verschillende leskringen opstijgt met plezier aan. Het geeft de kille barak de geborgenheid van een echt schooltje. En weer vraagt ze zich af hoe het komt dat ze nog in leven zijn. Auschwitz is een geoliede moordmachine waar mensen voor wie geen plaats is in Hitlers plannen als slaven worden uitgebuit tot ze er dood bij neervallen.

Waarom laten ze kinderen van vijf dan gewoon rondlopen?

Die vraag houdt iedereen bezig.

Als ze met haar metalen kom tegen de muur gedrukt kon afluisteren wat er in de officiersmess gezegd werd, zou ze het antwoord krijgen waarnaar ze zoekt.

De enigen die zich nog in de officiersmess bevinden, zijn ss-Lagerführer Schwartzhuber, kampcommandant van Birkenau, en dokter Mengele, ss-Hauptsturmfüher met bijzondere bevoegdheden. De commandant heeft een fles appellikeur voor zich staan en Mengele een kop koffie.

Verveeld kijkt Mengele naar de commandant met zijn langwerpige gezicht en zijn fanatieke blik. Hij ziet zichzelf absoluut niet als een fanaticus: hij is wetenschapper. Misschien wil hij niet toegeven dat hij jaloers is op de helderblauwe ogen van Schwartzhuber, die onmiskenbaar arische, bijna transparante ogen; die van hemzelf zijn bruin en geven hem samen met zijn relatief donkere huid een onaangenaam zuidelijk uiterlijk. Op school werd hij door sommige kinderen voor zigeuner uitgemaakt. Nu zou hij die kinderen maar wat graag op zijn autopsietafel leggen en hun vragen om dat nog eens te zeggen.

Autopsie op levende mensen is een groot genot. Alsof je levende uurwerken ontleedt...

Hij kijkt naar de drinkende Schwartzhuber. Hij vindt het godgeklaagd dat deze SS-commandant, die tientallen assistenten tot zijn beschikking heeft, geen glimmende laarzen of keurig gestreken overhemden draagt. Dat wijst op nonchalance, voor een SS'er is dat een onvergeeflijke eigenschap. Hij kijkt neer op boerenpummels als Schwartzhuber, die zich snijden bij het scheren. En dan heeft hij nog een ergerlijke eigenschap: hij herhaalt steeds dingen die hij al eerder heeft gezegd, in precies dezelfde bewoordingen en met dezelfde domme argumenten.

Zo vraagt hij nu alweer waarom zijn superieuren toch zoveel waarde hechten aan dat belachelijke familiekamp, en de kamparts moet dan weer hetzelfde antwoord geven. Mengele doet zijn uiterste best om zijn geduld te bewaren en vriendelijk te blijven, maar kan het niet laten hem toe te spreken alsof hij het tegen een klein kind of een geestelijk gehandicapte heeft.

'U weet toch wel, Herr Kommandant, dat dit kamp van groot strategisch belang is voor Berlijn?'

'Dat weet ik verdomme ook wel, Herr Doktor. Maar wat ik niet snap is waarom er zoveel voor hen wordt gedaan. Gaan we straks ook nog een kindercrèche oprichten? Is iedereen soms gek geworden? Auschwitz is toch zeker geen kuuroord?'

'Dat is nu precies wat ze moeten denken in de landen die ons zo streng in de gaten houden. Geruchten verspreiden zich snel. Toen het Internationale Rode Kruis meer informatie vroeg over onze kampen en inspecteurs wilde sturen, kreeg Reichsführer Himmler weer eens een briljant idee. In plaats van hun te verbieden op bezoek te komen, heeft hij hen er juist toe aangespoord. We zullen precies laten zien wat ze willen zien: Joodse families die hier vreedzaam leven, spelende kinderen in Auschwitz.'

'Al dat gedoe...'

'Al het werk dat in Theresienstadt is verzet zou voor niets zijn als de inspecteurs van het Internationale Rode Kruis hierheen komen en zien wat wij niet willen dat ze zien. We nodigen ze uit om het huis te bezichtigen, maar we laten ze de keuken niet zien, alleen de speelkamer. Dan zullen ze tevreden naar Genève terugkeren.'

'Het Rode Kruis kan me wat! Wie denken die Zwitserse lafaards wel dat ze zijn dat ze het Derde Rijk de wet kunnen voorschrijven? Ze hebben zelf niet eens een leger! Waarom sturen we ze niet gewoon weg als ze komen? Of beter nog, stuur ze maar naar mij, dan stop ik ze in de oven voordat ze ook maar een glimp van onze keuken hebben kunnen opvangen.'

Als hij ziet dat Schwartzhuber roder wordt naarmate hij zich meer opwindt, glimlacht Mengele minzaam. Hij moet zich inhouden want het liefst zou hij zijn wapenstok op dat hoofd stukslaan. Nee... niet zijn wapenstok, die is te kostbaar. Nog liever zou hij zijn pistool trekken en hem door het hoofd schieten. Maar ook al is hij volslagen idioot, hij is wel de kampcommandant van Birkenau.

'Beste commandant, u moet niet onderschatten hoe belangrijk het is dat we een goed beeld van ons project en onszelf aan de wereld laten zien. We moeten dit voorzichtig aanpakken. Weet u wat de eerste leidinggevende functie was die onze geliefde Führer in de nazipartij bekleedde?' Hoewel hij weet dat hij die vraag zelf zal beantwoorden, last Mengele een theatrale pauze in. Hij schept er behagen in Schwartzhuber te vernederen. 'Hoofd propaganda. Dat vertelt hij in *Mein Kampf*, heeft u dat niet gelezen...?' Hij geniet ervan de commandant in het nauw te drijven. 'Veel mensen in en buiten Duitsland hebben nog niet begrepen dat we de mensheid etnisch moeten zuiveren en daarom inferieure rassen moeten elimineren. We zouden nog meer landen kunnen binnenvallen, maar dat heeft nu geen prioriteit voor ons. We willen zelf beslissen met wie we de strijd aangaan en wanneer. Het is net als opereren, mein

Kommandant, je kunt niet zomaar in het wilde weg het mes ergens in zetten, je moet kiezen op welke plek je de incisie maakt. De oorlog is ons operatiemes en we moeten het zorgvuldig gebruiken. Als we ermee in het rond gaan zwaaien, kunnen we onszelf nog lelijk verwonden.'

Schwartzhuber ergert zich aan die paternalistische toon, hij voelt zich een domme leerling die door zijn leraar wordt terechtgewezen.

'Allemachtig, Mengele, u klinkt als een politicus! Ik ben soldaat. Ik heb bevelen gekregen en die voer ik uit. Als SS-Reichsführer Himmler zegt dat het kamp zo moet blijven, dan gebeurt dat ook. Maar die kinderbarak... Wat heeft dat nou voor nut?'

'Propaganda, mein Kommandant, pro-pa-gan-da. We laten de gevangenen brieven naar huis schrijven waarin ze hun dierbaren vertellen hoe goed ze in Auschwitz worden behandeld.'

'En wat maakt het ons verdomme uit wat die vuile Joden ervan vinden hoe we hun familie behandelen?'

Mengele haalt even diep adem en telt in gedachten tot drie.

'Beste commandant, er zijn nog talloze Joden die hierheen gebracht moeten worden. Een dier dat niet weet dat het naar de slachtbank wordt geleid, laat zich gemakkelijker meenemen; als het in de gaten krijgt dat het geofferd wordt, zal het zich op alle mogelijke manieren verzetten. Als man uit een boerendorp moet u dat toch weten.'

Die laatste opmerking schiet Schwartzhuber in het verkeerde keelgat.

'Hoe durft u te beweren dat Tutzing een boerendorp is? Het staat anders bekend als de mooiste plaats van Beieren, van Duitsland zelfs... dus zeg maar gerust van de hele wereld.'

'Natuurlijk, Herr Kommandant. Ik ben het helemaal met u eens, Tutzing is een prachtig dorp.'

Schwartzhuber wil hem van repliek dienen, maar realiseert zich net op tijd dat die bekrompen, hooghartige arts hem aan het provoceren is. Daar trapt hij mooi niet in. Voor een man als Mengele moet je op je hoede zijn, want je weet maar nooit wat hij van plan is.

'Goed, Herr Doktor, een barak voor de kinderen en een crèche, als u denkt dat dat nodig is,' briest hij. 'Maar ik zal niet tolereren dat die hele onderneming ook maar de minste overlast of wanorde in het kamp geeft. Denkt u dat die Jood de orde kan handhaven als hij de leiding krijgt?'

'Waarom niet? Het is een Duitser.'

'Kapitein Mengele! Hoe durft u van zo'n vuile Jodenhond te zeggen dat hij tot de glorieuze Duitse natie behoort?'

'Ach, je kunt zeggen wat je wilt, maar in het rapport van die Hirsch staat dat hij in Aken is geboren, in de Rijnprovincie. Voor zover ik weet is dat Duitsland.'

Schwartzhuber werpt hem een dodelijke blik toe. Mengele kan zijn gedachten raden: de commandant ergert zich mateloos aan zijn beledigingen, maar daar maakt de kamparts zich niet druk om want hij ziet dat Schwartzhuber zich inhoudt. De commandant weet dat hij moet uitkijken want de kamparts heeft machtige vrienden in Berlijn. De ogen van de Lagerführer glinsteren verraderlijk, alsof hij zich verheugt op het moment dat het spel uit is voor Mengele en hij hem als een kakkerlak kan vertrappen. Maar Mengele blijft vriendelijk glimlachen. Dat moment zal nooit komen. Al die militairen die er niets van hebben begrepen en niet eens weten waarvoor ze vechten, is hij altijd een stap voor. Hij weet wel beter. Hij wil en zal beroemd worden. Eerst zal hij het nationale onderzoeksinstituut leiden, en dan zal hij de ontwikkeling van de medische geschiedenis veranderen. De ontwikkeling van de mensheid in feite. Josef Mengele weet dat hij niet bescheiden is. Bescheidenheid is voor zwakkelingen.

Maar de geschiedenis zal hem zijn plaats wijzen. De grootste zwakheid van de sterksten is juist dat ze denken dat ze onoverwinnelijk zijn. De kracht van het Derde Rijk is tevens zijn zwakte: omdat de nazi's denken dat ze onverwoestbaar zijn, willen ze zoveel landen veroveren dat ze daarmee hun eigen graf graven. Boven Auschwitz cirkelen al vliegtuigen van de geallieerden en de eerste bombardementen zijn in de verte al te horen.

Uiteindelijk krijgt iedereen met zijn zwakheden te maken.

Zelfs de onoverwinnelijke Fredy Hirsch.

Een paar dagen later gebeurt het. Als de laatste middagactiviteiten zijn afgelopen en de barak leegloopt, verzamelt Dita snel de boeken. Ze wikkelt ze in een doek ter bescherming en gaat naar de kamer van de blokoudste om ze op te bergen. Ze wil snel naar haar moeder, die kan wel wat gezelschap gebruiken.

Ze klopt op de deur en de stem van Hirsch zegt dat ze mag binnenkomen. Zoals gewoonlijk zit hij op de enige stoel die de kamer rijk is. Maar hij werkt niet aan zijn rapporten. Hij zit met zijn armen over elkaar en heeft een afwezige blik in zijn ogen. Er is iets veranderd aan hem.

Ze loopt naar het houten luik dat onder een berg opgevouwen dekens verstopt zit en legt de boeken weg. Ze wil het snel doen zodat ze meteen weer weg kan en hem niet hoeft te storen. Maar net als ze op het punt staat de deur uit te gaan, roept hij haar.

'Edita...'

Hirsch' stem klinkt kalm, vermoeid, het lijkt wel of het vuur waarmee hij in zijn vlammende toespraken de jongeren wist te inspireren, is verdwenen. Ze draait zich om en ziet dat de atleet helemaal is ingestort.

'Weet je, als dit allemaal voorbij is, ga ik misschien wel helemaal niet naar Israël.'

Dita kijkt hem niet-begrijpend aan en Fredy glimlacht minzaam. Logisch dat ze het niet snapt. Hij probeert al jaren Joodse jongeren ervan te doordringen dat ze trots moeten zijn op hun afkomst en dat ze later terug moeten keren naar Zion, en dat Golan de springplank naar God is.

'Tsja, de mensen hier... wat zijn ze eigenlijk? Zionisten? Antizionisten? Atheïsten? Communisten?' Hij zucht. 'Wat maakt het ook uit? Als je goed kijkt zie je gewoon mensen, en verder niets. Kwetsbare en omkoopbare mensen. In staat tot gruwelen én tot heldendaden.'

En hij zegt nog iets, maar dat is niet zozeer aan haar gericht: 'Het lijkt wel of alles wat ooit belangrijk was, er nu niet meer toe doet.'

Hij trekt zich weer terug in stilzwijgen en staart peinzend voor zich uit. Dita begrijpt er niets van. Ze begrijpt niet waarom hij eerst zo hard heeft gestreden voor de terugkeer naar het beloofde land Israël en nu zelf niet meer wil gaan. Ze wil het hem vragen, maar hij ziet haar al niet meer, alsof hij ergens anders is. Ze besluit hem alleen te laten met zijn gedachten en stilletjes weg te lopen.

Later zal ze het begrijpen, maar op dit moment is ze niet in staat om die berustende houding te zien als uiting van die bijzondere helderheid die mensen krijgen als ze aan de rand van hun leven staan. Als je vanuit de hoogte de afgrond in kijkt, ziet alles er klein uit. De dingen die zo groot leken zijn ineens heel nietig, en wat zo belangrijk leek heeft nu geen enkel belang meer.

Vlak voordat ze wegloopt, gluurt ze vanuit haar ooghoek naar het bureau. Op de papieren herkent ze Hirsch' handschrift, maar als ze wat beter kijkt ziet ze dat het niet om rapporten of administratie gaat. Het zijn gedichten. Eroverheen ligt een vel papier met het briefhoofd van de kampleiding.

Ze kan slechts het vetgedrukte woord lezen: OVERPLAATSING.

Inmiddels is het nieuws van de overplaatsing ook doorgedrongen tot het kantoor van Rudi Rosenberg in het quarantainekamp. Zes maanden na het septembertransport brengen de Duitsers de *Sonderbehandlung* die ze destijds op de formulieren hadden aangekondigd in praktijk, nu onder de naam 'overplaatsing'.

Rudi staat bij het hek op Alice te wachten, zijn jasje van de zwarte markt hoog dichtgeknoopt. Hij is de hele middag al op van de zenuwen.

De dag ervoor heeft hij Alice om hulp gevraagd bij het volbrengen van de opdracht die Schmulewski hem had gegeven: zo snel mogelijk nagaan hoeveel mensen uit het familiekamp in het verzet zitten. Het verzet opereert zo clandestien dat de leden vaak niet eens van elkaar weten dat ze samenwerken. Hij weet ook nog maar net dat Alice zelf via een vriendin banden heeft met het verzet.

Schmulewski is een man van weinig woorden. Dat hoort bij zijn overlevingsstrategie. Wanneer iemand hem om meer uitleg vraagt of hem verwijt dat hij kortaf is, zegt hij dat een bevriend strafrechtadvocaat hem een keer heeft verteld dat stommen het langst leven. Maar ditmaal vond Rudi hem somberder dan anders, en bezorgd als hij was kon hij het niet laten hem te vragen of het er slecht uitzag. Schmulewski's antwoord, bondig als altijd: 'Het gaat niet goed.'

'Het' slaat op het familiekamp.

De bewakers in de wachttoren zien de registrator van het quarantainekamp en zijn Joodse vriendinnetje van het familiekamp dat aan de andere kant van het hek komt aanlopen. Ze zijn er zo aan gewend dat ze er niet eens meer op letten. Door de fysieke en mentale afstand die de bewakers van de gevangenen scheidt, maken ze geen onderscheid tussen de ene en de andere broodmagere Jodin. Daarom zien ze niet dat de vrouw die die middag naar het hek komt niet Alice Munk is maar Héléna Rezekova, een van haar beste vriendinnen en coördinator bij het verzet. Zij komt Rosenberg de vertrouwelijke informatie geven waarom de leider van het verzet heeft gevraagd: er zijn 33 clandestiene leden, verdeeld over twee groepen. Héléna vraagt hem of er al meer bekend is over de overplaatsing, maar er is weinig nieuws te melden. Rudi heeft geruchten gehoord over een mogelijke overplaatsing naar Heydebreck, maar er zijn verder geen bijzonderheden bekend. De autoriteiten laten niets los.

Ze staan elkaar een tijdje zwijgend aan te kijken. In andere omstandigheden zou het meisje knap geweest kunnen zijn, maar met dat vieze, warrige haar, die ingevallen wangen, vuile kleren en lippen die onder de zweren zitten, lijkt ze wel een bedelares. Rosenberg weet niet wat hij moet zeggen tegen dat meisje dat niet weet welk duister lot haar te wachten staat.

's Middags krijgt hij toestemming om naar kamp BIId te gaan om een paar lijsten te brengen, maar in werkelijkheid heeft hij een ontmoeting met Schmulewski. Hij treft hem voor zijn barak op een houten bankje. Bij gebrek aan een sigaret kauwt hij op een takje. Rudi, die op de een of andere manier altijd goed voorzien is, biedt hem een sigaret aan.

Hij geeft Schmulewski de informatie over het aantal verzetsleden in het familiekamp en hun taken, en de ander knikt slechts. Rudi verwacht dat hij hem iets meer vertelt over hun situatie, maar er komt niets. Alsof Schmulewski dat nog niet wist, zegt hij dat het contingent van Alice bijna zes maanden geleden in Birkenau is aangekomen en dat het moment van de Sonderbehandlung is aangebroken.

'Ik zou willen dat dat moment nooit kwam.'

De Pool rookt en zwijgt. Rosenberg begrijpt dat het gesprek ten einde is en neemt verward afscheid. Hij gaat terug naar zijn kamp en vraagt zich af of Schmulewski niets zegt omdat hij belangrijke informatie heeft, of omdat hij juist helemaal niet weet wat er gaande is.

Het appèl van die middag duurt langer dan gewoonlijk. SS'ers waarschuwen de kapo's dat ze naar de ingang van het kamp moeten komen. Daar wachten de *Oberkapo* (Willy, een gewone gevangene) en de Priester, geflankeerd door twee bewakers met een doorgeladen machinepistool in de aanslag. De gevangenen kijken toe hoe de kapo's naar de Priester lopen en in een halve cirkel om hem heen gaan staan.

Fredy Hirsch loopt met energieke tred door de Lagerstrasse. Hoewel het bijna donker is, is Hirsch gemakkelijk te herkennen aan zijn zwierige en trotse houding.

De Priester staat de kapo's op te wachten met zijn handen in de mouwen van zijn uniformjasje. Hij glimlacht cynisch; kennelijk is hij in een goed humeur. Voor de sergeant is het een prettig idee om zich te ontdoen van een groot deel van de gevangenen. Half zoveel gevangenen, half zoveel problemen. Een adjudant deelt lijsten uit aan de kapo's met daarop de namen van mensen die met het septembertransport zijn aangekomen. Aan die mensen moeten ze vertellen dat ze de volgende ochtend apart moeten gaan staan en hun bezittingen, dat wil zeggen hun lepel en kom, mee moeten nemen omdat ze naar een ander kamp worden overgebracht. In blok 31 slaapt alleen de blokoudste zelf, die de kortste lijst van allemaal krijgt, waar maar één naam op staat: Alfred Hirsch. In de stilte – je hoort alleen het geritsel van de lijsten – is hij de enige die naar voren durft te komen en voor de sergeant in de houding gaat staan.

'Met permissie, Herr Oberscharführer, zou u ons kunnen vertellen naar welk kamp u ons gaat overbrengen?'

Zonder met zijn ogen te knipperen kijkt de Priester Hirsch een tijdlang aan. Vragen stellen zonder dat hij daar toestemming voor heeft gegeven, is een overtreding die de SS-onderofficier normaal gesproken niet tolereert. Deze keer laat hij het bij een kort antwoord.

'U wordt op de hoogte gebracht wanneer dat nodig is. Gaat u terug naar uw plaats.'

De kapo's beginnen de namen op te noemen van degenen die de volgende dag overgeplaatst zullen worden. Er ontstaat verwarring, mensen weten niet of ze nou blij moeten zijn dat ze uit Auschwitz weggaan, of niet. De steeds terugkerende vraag is: waar worden we heen gebracht?

Maar er komt geen antwoord. Iedereen heeft de afgelopen zes maanden wel gehoord van de speciale behandeling. Wat zou die precies inhouden? Zelfs de grootste optimisten weten dat het een overplaatsing met een onzekere afloop is, ze weten niet waarheen ze gaan, naar het leven of naar de dood.

Samen met Margit heeft Dita geprobeerd een antwoord uit al die vragen te destilleren. Moe en verward gaat ze terug naar haar barak. Ze is zo geschrokken van het bericht dat ze helemaal vergeet dat ze misschien in de gaten wordt gehouden en ze dicht langs de deuren van de barakken moet lopen voor het geval ze snel naar binnen moet. Dan hoort ze iemand in het Duits iets tegen haar zeggen en voelt een hand op haar schouder.

'Meisje...'

Ze schrikt, maar dokter Mengele zou haar waarschijnlijk niet aanraken. Het is Fredy Hirsch, op weg terug naar zijn barak. Ze ziet een lichte fonkeling in zijn donkere ogen, hij is weer zijn energieke, meeslepende zelf.

'Wat moeten we nu doen?'

'Doorgaan. Dit is een labyrint waarin je soms de weg kwijtraakt, maar teruggaan is nog erger. Trek je van niemand iets aan, luister naar de stem in jezelf en kijk altijd vooruit.'

'Maar waar brengen ze jullie naartoe?'

'We gaan ergens anders werken. Maar dat is niet waar het om gaat. Waar het om gaat is dat er hier een missie te volbrengen is.'

'Blok 31...'

'We moeten afmaken waarmee we zijn begonnen.'

'We zullen doorgaan met de school.'

'Precies. Maar er moet nog iets belangrijks gedaan worden.'

Dita kijkt hem vragend aan.

'Luister goed: in Auschwitz is niets wat het lijkt. Maar je zult zien dat er een moment komt waarop er een kiertje naar de waarheid opengaat. Zij denken dat de leugen aan hun kant staat, maar wij zullen de bal op het laatste moment in de basket werpen, zij vertrouwen gewoon te veel op zichzelf. Ze denken dat we verslagen zijn, maar dat zijn we niet.' Hij kijkt even peinzend voor zich uit. 'Ik zal hier niet zijn om jullie te helpen de wedstrijd te winnen. Je moet vertrouwen hebben, Dita, veel vertrouwen. Alles komt goed, geloof me. Vertrouw op Miriam. En vooral,' zegt hij met zijn verleidelijkste glimlach, 'nooit opgeven.'

'Nooit!'

Hij loopt weg. Dita blijft achter en begrijpt niet goed wat hij nu heeft willen zeggen met die bal die ze vlak voor tijd in de basket moeten werpen.

Het wordt een slapeloze nacht in de barakken, een nacht van geroezemoes in de stapelbedden, van allerlei bizarre theorieën, maar ook een nacht van hopen en bidden.

Wat maakt het uit waar ze ons naartoe brengen; erger kan het niet worden, jammeren sommigen. Een schrale troost in alle troosteloosheid.

De kolossale vrouw met wie Dita in één bed slaapt zat bij het septembertransport en wordt daarom overgeplaatst. Veel zegt ze niet, ze maakt alleen wat lompe grappen met haar buurvrouwen. Tegen Dita zegt ze sowieso nooit iets. Dita gaat naast haar voeten liggen en wenst haar zoals altijd goedenacht. En zoals altijd krijgt ze geen antwoord. Er klinkt zelfs geen gemurmel zoals andere keren. Dita doet alsof ze slaapt, maar ze heeft haar ogen te stijf dicht. Zelfs de allertaaisten doen geen oog dicht in die lange nacht die wel eens hun laatste zou kunnen zijn.

De volgende dag begint koud en somber. Windvlagen brengen vlokken as mee. Bijna een dag zoals alle andere. Er is wat verwarring geweest bij het opstellen in rijen omdat de indeling nu anders is. De mensen van september staan aan een kant en die van december aan de andere kant. De kapo's zijn koortsachtig bezig om de groepen bij elkaar te krijgen. De SS-bewakers zijn ook nerveuzer dan anders en hebben zelfs een paar mensen met hun geweerkolf geslagen, wat normaal gesproken niet gebeurt tijdens het ochtendappèl. De sfeer is gespannen, de gezichten staan somber. Tergend langzaam wordt de lijst afgewerkt. De assistenten van de kapo's zetten kruisjes op een registratieformulier. Dita heeft het gevoel dat ze na al die uren staan langzaam in de modder wegzakt, en als het appèl nog lang duurt zal ze door het slijk worden verzwolgen, net als de straatstenen die in een meer van modder lijken te verdwijnen.

Bijna drie uur na het begin van het appèl komt de septembergroep eindelijk in beweging. Bijna vierduizend mensen sjokken vermoeid naar het naburige quarantainekamp, voorlopig hun eerste bestemming. Daar staat registrator Rudi Rosenberg, gespitst op elke beweging van de bewakers die van belang zou kunnen zijn, alsof hij uit hun gezichtsuitdrukking en gebaren iets zou kunnen opmaken over het lot van de groep waar Alice bij hoort.

Zwijgend kijken Dita en haar moeder samen met de mensen van hun transport toe. Ze staan in de rij bij de deur van hun barak en kijken toe hoe de eskaders de septembergroep naar de uitgang van kamp BIIb leiden. Het is een optocht die niets feestelijks heeft. Een enkele gevangene glimlacht omdat hij denkt dat hij naar een betere plek gaat. Sommigen draaien zich nog even om voor een laatste afscheid. Zwaaiende handen van de achterblijvers en van degenen die gaan. Dita pakt haar moeders hand en knijpt er hard in. Ze weet niet of dat schurende gevoel in haar maag door de kou komt of door bezorgdheid om degenen die vertrekken.

Ze ziet de ondeugende Gabriel gaan, hij schaterlacht. Hij verstapt zich expres om een spichtig meisje te laten struikelen dat achter hem loopt en prompt tegen hem begint te schelden. Achter hem strekt zich een volwassen hand uit die hem hard aan zijn oor trekt. Mevrouw Krizková is zo bedreven in het uitdelen van straffen dat ze niet eens uit de pas raakt. Op weg naar het quarantainekamp komen bekenden en leraren uit blok 31 voorbij, maar ook veel gezichten die ze nog niet eerder heeft gezien, vooral sombere, uitgemergelde gezichten. Sommigen van hen groeten de kinderen van het decembertransport, die onvermoeibaar blijven zwaaien en voor wie dit haast een verzetje is dat de sleur van het kamp doorbreekt.

Meneer Morgenstern komt langs met zijn verstelde pak en zijn kapotte bril en maakt komische buigingen. Wanneer hij langs Dita loopt, kijkt hij ineens ernstig en knipoogt naar haar, maar alles zonder zijn pas te vertragen zodat hij anderen niet hindert. Dan loopt hij verder, voert zijn act met de buigingen weer op en laat zijn gekke lachje horen. Het was maar heel kort, maar terwijl hij haar aankeek heeft Dita de gezichtsuitdrukking van de leraar zien veranderen, alsof hij zijn masker even optilde en haar zijn ware gezicht liet zien. Dat was niet het gezicht van een oude gek, maar van een dappere, uiterst bedaarde man. En dan weet Dita het zeker.

'Meneer Morgenstern!'

Hij draait zich om en ze werpt hem een kushand toe. Als dank maakt hij een onhandige buiging waar de kinderen om moeten lachen. Hij buigt ook voor hen. Hij is een acteur die het toneel aan het eind van het stuk verlaat en afscheid neemt van zijn publiek.

Het liefst had ze hem omhelsd en hem gezegd dat ze het nu weet, dat ze het altijd heeft geweten: dat hij niet gek is. Als je in een gekkenhuis wordt opgesloten, is het ergste wat je kan overkomen dat je bij je volle verstand bent. Met zijn perfect getimede, zogenaamde verwardheid tijdens de inspectie van Mengele en de Priester heeft hij haar waarschijnlijk gered. Haar leven en dat van alle anderen. Nu weet ze het. Fredy zei het al: niets is wat het lijkt. Ze had hem graag een dikke afscheidskus gegeven, maar dat kan niet. De leraar verdwijnt uit het zicht met zijn grappen en grollen en gaat op in de horde van vertrekkende mensen.

'Het beste, meneer...'

Er komt een groep vrouwen voorbij. Een van hen, een van de weinige die geen hoofddoek dragen, gaat tegen de strikte orders in en stapt resoluut uit het gelid, recht op haar af. Het is haar volumineuze bedgenote. Haar warrige, losse haar valt over het litteken dat dwars over haar gezicht loopt. Met een onheilspellende blik in haar ogen gaat ze voor haar staan en ze kijken elkaar even recht in de ogen.

'Ik heet Lida!' buldert ze.

De kapo komt aandraven, begint te schreeuwen dat ze onmiddellijk in de rij moet gaan lopen en zwaait dreigend met een stok. Terwijl ze haastig terugloopt naar de groep kijkt ze nog even om, en Dita zwaait naar haar.

'Het ga je goed, Lida! Wat een mooie naam!' roept ze.

Ze gelooft dat haar bedgenote glimt van trots.

Een van de laatsten in die afscheidsstoet is Fredy Hirsch. Hij heeft zijn mooiste overhemd aan, zijn zilveren fluitje bungelt om zijn nek. Hij loopt strak in de pas, met opgeheven hoofd en de blik vooruit, verzonken in gedachten en zonder aandacht voor de begroetingen en afscheidskreten, ook al wordt soms zijn naam geroepen.

Het maakt niet uit hoe hij zich voelt en door welke twijfels hij wordt gekweld. Dit is weer een exodus van Joden, die nu zelfs uit hun eigen gevangenis worden verdreven en dat waardig moeten dragen. Ze mogen geen zwakte of slapheid tonen. Daarom reageert hij op geen enkele groet en neemt hij een houding aan die sommigen arrogant vinden.

Het klopt dat hij trots is op wat hij heeft bereikt. Tijdens het hele bestaan van blok 31 is er geen enkele leerling gestorven. Het maandenlang in leven houden van 521 kinderen is een record dat waarschijnlijk niemand in Auschwitz heeft geëvenaard. Hij kijkt vooruit, niet naar degene die voor hem loopt, maar veel verder, naar de rij populieren aan het einde, of nog verder, naar de horizon.

Je moet ver vooruitkijken, jezelf ambitieuze doelen stellen.

Terwijl de septembergevangenen voorbijtrekken, gaat het gerucht dat ze naar concentratiekamp Heydebreck worden overgebracht. De meesten denken dat er een strenge selectie komt en dat velen dat kamp niet zullen bereiken. Sommigen geloven dat ze daar geen van allen zullen aankomen.

18

7 maart 1944

In quarantainekamp BIIa ziet Rudi Rosenberg de 3800 gevangenen aankomen. Van Schmulewski heeft hij ontmoedigende berichten ontvangen. Maar het enige wat hem nu echt bezighoudt is het lot van Alice. Naarstig zoekt hij naar haar tengere gestalte in de voorbijtrekkende stroom. Hun blikken kruisen elkaar, ze lachen vrolijk, als om hun diepste angsten te bezweren. Nadat de gevangenen een barak toegewezen hebben gekregen, mogen ze zich zich vrij door het kamp bewegen. Rudi gaat naar zijn kamer met zijn meisje en haar twee vriendinnen van het verzet, Véra en Héléna.

Héléna zegt dat de meeste gevangenen het officiële verhaal waarschijnlijk geloven: dat ze worden overgebracht naar een noordelijker gelegen kamp, vlak bij Warschau. Dan neemt Véra het woord, met haar schelle stem en haar uitgemergelde gezicht lijkt ze nog het meest op een vogeltje.

‘Sommige kopstukken van de Joodse gemeenschap denken dat de Duitsers de kinderen niet durven vermoorden, dat ze bang zijn dat zo’n bericht de hele wereld over gaat.

Rosenberg vertelt wat hij die ochtend van Schmulewski heeft gehoord, die spraakzamer en directer was dan ooit.

‘Hij zei dat we niet veel tijd meer hebben, dat ze morgen misschien wel allemaal dood zijn.’

Er valt een pijnlijke stilte. De vrouwen weten dat de leider van het verzet het beste weet hoe het zit omdat hij over een uitgebreid spionagenetwerk in het kamp beschikt. Door de onzekerheid en onrust ontstaan allerlei vage of minder vage geruchten, wilde ideeën, fantasieën...

'En als de oorlog nou vannacht afgelopen is?'

Héléna vat weer even moed.

'Als de oorlog vannacht afgelopen zou zijn en ik naar Praag terug kon, zou ik als eerste naar mijn moeder gaan en mijn buik rond eten aan haar goulash. Ik zou de pan met een stuk brood schoonvegen tot hij helemaal glom en dan zou ik hem als een spiegel gebruiken om mijn wenkbrauwen te epileren.'

Ze ruiken als het ware de kruidige geur van gestoofd vlees en kijken elkaar lachend aan. Maar dan keren ze terug in de realiteit, waar de geur van de angst heerst. Valt er nog iets positiefs te halen uit de sombere berichten? Hebben ze misschien een detail over het hoofd gezien waaruit ze hoop kunnen putten, een laatste strohalm?

Rudi, die als registrator de transportlijsten heeft kunnen inzien, kan alleen nog melden dat er slechts negen mensen in het familiekamp achterblijven. De twee tweelingen die dokter Mengele voor zijn experimenten heeft opgeroepen. Daarnaast de drie artsen en de apotheker van de ziekenbarak, die met de groep waren meegekomen maar die Mengele ook nodig heeft. De negende is de minnares van Herr Willy, de Oberkapo. Alle anderen krijgen de speciale behandeling volgens het plan dat bij hun komst in september is gemaakt.

Maar wat Rudi zegt klopt niet. Er staan meer 'onoverplaatsbaren' op de lijst; het is allemaal nog heel verwarrend. Na een hele tijd intensief maar vruchteloos speculeren doen ze er ten slotte het zwijgen toe. Ze zijn uitgeput.

Véra en Héléna gaan weg en laten Rudi en Alice alleen achter. Voor het eerst geen prikkeldraad tussen hen in, geen spiedende blikken vanuit de wachttoren, geen schoorstenen die hen confronteren met de gruwelen om hen heen. Ze kijken elkaar wat verlegen en ongemakkelijk aan, maar gaandeweg worden hun blikken intenser. Ze zijn jong en mooi, vol levenslust, plannen en verlangens, en ze willen genieten van het hier en nu. Ze voelen dat het geluk hen wegvoert, naar een andere plek, en dat niets of niemand dit moment van hen kan afpakken.

Met Alice behaaglijk tegen zich aan denkt Rudi dat zijn geluk onmogelijk verstoord kan worden. Hij valt in slaap met het idee dat als hij wakker wordt alle ellende verdwenen is en het leven weer zal zijn als voor de oorlog, dat 's ochtends de haan kraait, het naar versgebakken brood ruikt en de melkboer vrolijk bellend aan komt fietsen. Maar de dag breekt aan en er is niets veranderd, het dreigende panorama van Birkenau is nog hetzelfde. Hij is nog te jong om te weten dat geluk niet alles overwint, dat het daarvoor te kwetsbaar is en er altijd een eind aan kan komen.

Een opgewonden stem haalt hem uit zijn droom en boven zijn hoofd hoort hij het geluid van brekend glas. Het is Héléna, ze is overstuur. Ze zegt dat Schmulewski dringend naar hem op zoek is, dat het hele kamp vergeven is van de SS'ers, dat er iets vreselijks staat te gebeuren. Rudi trekt zijn schoenen aan en Héléna, die totaal in paniek is sleurt hem mee aan zijn arm.

'Alsjeblieft Rudi, schiet op! Je hebt geen tijd te verliezen! Snel!'

Zodra hij buiten komt ziet Rudi ook dat er iets helemaal niet in de haak is. Het wemelt van de SS'ers. Veel van hen heeft hij nog niet eerder in het kamp gezien. Het lijkt erop dat er om versterking is gevraagd. Dit is niet de normale gang van zaken voor een transport. Hij moet Schmulewski zo snel mogelijk spreken. Eigenlijk zou hij dat liever niet doen, want hij wil niet horen wat de verzetsleider te zeggen heeft. Maar hij moet wel. Vanwege zijn rang is het niet moeilijk om in kamp BIId te komen.

Schmulewski's gezicht is een verzameling rimpels en wallen. Hij kiest zijn woorden niet meer zorgvuldig, spreekt niet meer in bedekte of verzachtende termen maar in snoeiharde woorden.

'De mensen die uit het familiekamp zijn gehaald, worden vandaag gedood.' Hij gooit het er plompverloren uit.

'Bedoel je dat er een selectie komt? Willen ze van de kinderen, zieken en bejaarden af?'

'Nee Rudi, van iedereen! Het *Sonderkommando* heeft orders gekregen de crematoria vanavond nog klaar te maken voor vierduizend mensen.' En vrijwel meteen vervolgt hij: 'Er is nu geen tijd om zielig te doen, Rudi. Dit is het moment, we moeten nu in opstand komen.'

Hoewel Schmulewski buitengewoon gespannen is, weet hij precies wat hij moet zeggen. Waarschijnlijk heeft hij zijn verhaal tijdens een slapeloze nacht talloze keren gerepeteerd.

'Als de Tsjechen in opstand komen, als ze het lef hebben en het gevecht aangaan, staan ze niet alleen. Honderden of misschien wel duizenden van ons zullen meedoen en met een beetje geluk loopt het misschien nog goed af. Ga het maar tegen ze zeggen. Zeg maar dat ze niets te verliezen hebben. Ze hebben geen keus, het is erop of eronder. Maar zonder leider maken ze geen schijn van kans.'

De registrator gebaart dat hij het niet begrijpt en Schmulewski legt uit dat er in het kamp veel verschillende politieke groeperingen zijn: communisten, socialisten, zionisten, antizionisten, sociaaldemocraten, Tsjechische nationalisten... Als een van die groeperingen het initiatief neemt, kunnen er discussies, meningsverschillen en ruzies ontstaan, waardoor het moeilijk wordt eensgezind strijd te voeren. Daarom is er iemand nodig die door de meerderheid wordt gerespecteerd. Iemand met veel moed, iemand die niet aarzelt, die zijn stem laat horen en die iedereen achter zich kan krijgen.

'Wie zou daar de aangewezen persoon voor zijn?' vraagt Rosenberg aarzelend.

'Hirsch.'

De registrator knikt zachtjes, hij beseft dat alles nu heel snel gaat en ze niet meer terug kunnen.

'Je moet met hem praten, hem vertellen hoe het ervoor staat en hem overhalen de opstand te leiden. De tijd dringt, Rudi. Er staat veel op het spel. Hirsch moet in actie komen en iedereen mee zien te krijgen.'

De opstand... een hoopgevend, prachtig woord, een woord voor in de geschiedenisboeken. Maar als Rudi om zich heen kijkt, vervliegt zijn hoop weer enigszins. Overal haveloze mannen, vrouwen en kinderen, ondervoed en zonder wapens, tegenover machinepistolen in wachttorens, gewapende beroepssoldaten, afgerichte honden, geblindeerde pantserwagens. Schmulewski weet het al, hij weet dat velen het niet zullen overleven, of misschien wel niemand. Maar er kan een bres geslagen worden en dan kunnen er enkelen, misschien tientallen of zelfs honderden, ontsnappen en via de bossen vluchten.

Misschien slaagt de opstand en lukt het om vitale onderdelen van het kamp te vernietigen. Ook al zou de moordmachine maar even tot staan zijn gebracht, dan zouden er veel levens kunnen worden gespaard. Hoewel de overmacht van de SS'ers overduidelijk is, zegt Schmulewski keer op keer: 'Zeg het hem, Rudi, zeg hem dat hij niets te verliezen heeft.'

Rudi Rosenberg gaat terug naar het quarantainekamp en weet het zeker: hun vonnis is getekend, maar ze kunnen vechten voor wat ze waard zijn. Fredy Hirsch heeft het instrument om zijn nek hangen, een fluitje als startsein van een massale opstand van meer dan drieduizend zielen.

Onderweg denkt hij aan Alice. Tot dan toe heeft hij gedaan alsof ze geen deel van de septembergroep uitmaakte, alsof zij met dit alles niets te maken had, maar het meisje is een van de vele ter dood veroordeelden. Rudi zegt steeds tegen zichzelf dat het niet waar is, dat het niet waar kan zijn dat Alice met haar jeugd en schoonheid, met dat prachtige lichaam en die onschuldige ogen binnen een paar uur in een levenloze homp vlees verandert. Het kan niet waar zijn, herhaalt hij bij zichzelf, dat gaat tegen alle natuurwetten in. Hoe kan iemand willen dat een meisje als Alice sterft? Hij kan het niet geloven. Rudi versnelt zijn pas en balt zijn vuisten, uit wanhoop, woede en onmacht. Nee, nee, nee, zegt hij bij zichzelf, zo'n jong meisje, het kan gewoon niet.

Met een rood aangelopen gezicht komt hij in het quarantainekamp aan. Bij de ingang staat een ongedurige Héléna hem op te wachten.

'Waarschuw Fredy Hirsch,' zegt hij tegen het meisje. 'Ik moet hem dringend spreken, in mijn kamer. Zeg hem dat het om iets heel belangrijks gaat.'

Het is nu erop of eronder.

Even later komt Héléna terug met Hirsch, de atleet, het idool van de jongeren, de apostel van het zionisme, de man die jij mag zeggen tegen Josef Mengele.

Als Rosenberg hem vertelt dat de hoogste leider van het verzet van Birkenau bewijzen heeft verzameld dat iedereen van het septembertransport van Theresienstadt die nacht nog zal worden vergast, geeft Hirsch geen krimp. Hij toont zich niet verrast en reageert ook niet. Hij zwijgt, hij staat bijna als een soldaat in de houding. Rudi kijkt naar het fluitje dat als een amulet om zijn nek hangt.

'Jij bent onze enige hoop, Fredy. Alleen jij kunt met de verzetsleiders in het kamp praten en hen overhalen om hun mensen te mobiliseren. Iedereen moet meedoen met de opstand. Je moet met alle leiders praten, en met dat fluitje van je geef je het teken dat de opstand begint.'

De Duitser blijft zwijgen. Hij lijkt onbereikbaar. Hij kijkt de Slowaakse registrator strak aan. Rudi heeft alles gezegd wat hij moest zeggen en zwijgt ook. Hij wacht op een reactie van Hirsch op dit wanhopige voorstel.

Uiteindelijk spreekt Hirsch.

Maar het is niet de leider van de gemeenschap, niet de onverzettelijke zionist, niet de trotse sporter die spreekt. Het is de jeugdleider. En hij praat zacht.

'En hoe moet het dan met de kinderen, Rudi?'

Daar had Rosenberg het liever op een ander moment over gehad. De kinderen zijn de zwakste schakel van deze keten. Bij een gewelddadige opstand zijn hun overlevingskansen het kleinst. Maar ook daar heeft hij een antwoord op.

'Fredy, de kinderen zullen hoe dan ook sterven. Dat is gewoon zo. We hebben een kans, al is het een kleine, dat duizenden gevangenen na onze opstand ook gaan rebelleren en dat dan het kamp wordt verwoest, zodat we het leven kunnen redden van talloze anderen die anders hierheen gebracht zouden worden.'

Fredy zegt nog steeds niets, maar zijn ogen spreken boekdelen. In een opstand waarbij man tegen man wordt gevochten zijn kinderen de eerste slachtoffers. Als er een gat in een hek wordt gemaakt om door te vluchten, zijn zij de laatsten die zich erdoor weten te wurmen. In een menigte die honderden meters over het open veld naar het bos moet rennen terwijl de kogels in het rond vliegen, zullen zij als laatste aankomen en als eerste sneuvelen. En als een kind het bos al weet te bereiken, waar moet het dan naartoe, helemaal alleen en in de war?

'Ze vertrouwen me, Rudi. Hoe kan ik ze nu in de steek laten? Hoe kan ik nu vechten voor mijn eigen hachje en de kinderen aan hun lot overlaten? En als het nu eens niet waar is, en dat we naar een ander kamp worden overgeplaatst?'

'Dat is niet zo. Jullie zijn ten dode opgeschreven. Je kunt de kinderen niet redden, Fredy. Denk eens aan de anderen. Denk aan de duizenden kinderen in heel Europa, aan al diegenen die hier in Auschwitz de dood zullen vinden als wij nu niet in opstand komen.'

Fredy Hirsch sluit zijn ogen en brengt een hand naar zijn voorhoofd, alsof hij wil voelen of hij koorts heeft.

'Geef me een uur. Ik heb wat tijd nodig om na te denken.'

Hij loopt de kamer uit, rechtop en fier als altijd, zodat niemand ook maar zou kunnen vermoeden dat hij de ondraaglijke last van bijna vierduizend levens op zijn schouders draagt.

Verschillende leden van het verzet die al van de situatie op de hoogte zijn, komen naar Rudi's kamer om te horen hoe het is gegaan, en Rosenberg doet verslag van zijn gesprek met de blokoudste van barak 31.

'Hij heeft bedenktijd gevraagd.'

Een van de verzetslieden, een Tsjech, zegt dat Hirsch probeert tijd te winnen. De anderen kijken hem vragend aan.

'Hem zullen ze geen haar krenken. Hij is bruikbaar voor de nazi's en hij is ook nog eens een Duitser. Hirsch zit te wachten op een oproep van Mengele, die kan hem ieder moment hieruit halen.'

Het wordt even akelig stil.

'Dat is nou typisch weer iets voor communisten zoals jij! Fredy heeft honderd keer meer risico genomen voor de kinderen dan jullie allemaal bij elkaar!' schreeuwt Renata Bubenik.

De man begint ook te schreeuwen, scheldt haar uit voor stomme socialist en zegt dat hij heeft gehoord dat Hirsch de kapo van zijn barak verschillende keren heeft gevraagd of er een boodschap voor hem was gekomen.

'Hij wacht op een bericht van de nazi-autoriteiten dat hij daar weg mag.'

'Je bent zo gestoord als wat, jij!'

Rudi staat op en probeert de ruzie te sussen. Op dat moment begrijpt hij waarom het zo belangrijk is om een leider te vinden, iemand die mensen met zulke verschillende opvattingen bij elkaar kan brengen en kan overtuigen, die alle neuzen dezelfde kant op krijgt.

Wanneer ze weg zijn komt Alice naast hem zitten Ze kunnen nu niets anders meer doen dan wachten op het antwoord van Hirsch. In die chaos en onzekerheid is de aanwezigheid van Alice een verademing voor Rudi. Ze kan maar moeilijk geloven dat de nazi's hen allemaal zullen vermoorden, de kinderen incluis. Voor haar is de dood iets verschrikkelijks, maar het staat ver van haar af, alsof het anderen kan overkomen maar haar niet. Rudi zegt dat het vreselijk is, maar dat Schmulewski weet waarover hij het heeft. Dan verandert hij van onderwerp en praten ze over hoe het leven na Auschwitz zal zijn, hoeveel hij van het platteland houdt, wat haar lievelingseten is, hoe ze haar kinderen later zou willen noemen... Ze praten over het echte leven en niet over de nachtmerrie waarin ze terechtgekomen zijn. Even lijkt de toekomst hen toe te lachen.

De minuten gaan voorbij. Tergend langzaam. Rudi denkt aan Hirsch, aan de last die hij op zijn schouders meetorst, aan zijn eigen last. Alice kletst door maar hij luistert niet. Er hangt een verstikkende zwaarte in de lucht. In zijn hoofd tikt een helse klok waar hij gek van wordt.

Er is een uur voorbij, nog geen antwoord van Hirsch.

Nog meer minuten gaan voorbij, een heel uur, en nog steeds niets. Hirsch laat zich niet zien.

Alice is al een tijdje geleden gestopt met praten en ligt met haar hoofd op zijn schoot. Het begint nu goed tot Rudi door te dringen dat de dood heel dichtbij is.

Intussen zijn in het naastgelegen kamp de lessen van blok 31 afgelast. De leraren van het decembertransport, die de school nu draaiende houden, zijn te gespannen. Sommigen hebben geprobeerd wat spelletjes te doen met de kinderen, maar die zijn ook onrustig, willen weten waar hun vriendjes naartoe zijn en hebben geen zin om te zingen of spelletjes te doen. Het is een middag van gespannen kalmte. Het is kouder dan ooit, want er is geen brandstof voor de kachel. Een van de assistenten komt vertellen dat er nieuwe kapo's zijn aangesteld ter vervanging.

Dita gaat steeds even naar buiten om te kijken wat er in kamp BIIa gebeurt, waar de helft van haar vrienden zijn. Ze ziet mensen doelloos rondlopen in de hoofdstraat van het quarantainekamp; sommigen willen naar het hek, maar omdat er veel bewaking is worden ze meteen teruggestuurd.

Er hangt zo'n vreemde sfeer dat Dita er niet eens aan heeft gedacht de boeken te verplaatsen. Ze liggen nog keurig verborgen in de kamer van de blokoudste, vanaf vandaag het domein van Lichtenstern. De nieuwe baas van blok 31 heeft zijn portie brood verruild voor wat sigaretten. Hij rookt ze achter elkaar op en loopt als een gekooide tijger door de barak.

Iedereen maakt zich zorgen over de mensen van het septembertransport, uit solidariteit en medemenselijkheid, maar ook omdat dit misschien een voorbode is van wat hunzelf over drie maanden te wachten staat, wanneer zij zes maanden in het kamp zijn.

19

In BIIa raakt Rudi's geduld op. Hij schiet overeind en kijkt naar Alice maar zegt niets. Hij heeft besloten naar de barak van Hirsch te gaan om een antwoord te eisen. Hij zal geen 'nee' accepteren. De opstand moet nu meteen beginnen.

Nerveus loopt hij zijn barak uit, maar als hij eenmaal over de drukbevolkte Lagerstrasse loopt, vat hij moed. Hij weet dat hij Hirsch' twijfels en bezwaren overtuigend kan weerleggen. Hij loopt resoluut door en haalt diep adem om zich voor te bereiden op alle mogelijke obstakels. Wat hem betreft mag het startsein van de revolutie gegeven worden. Terwijl hij op antwoord wachtte heeft hij de bezwaren die de leider van het familiekamp kan opwerpen de revue laten passeren en op al die bezwaren een onweerlegbaar antwoord bedacht. Hij heeft er het volste vertrouwen in dat hij Hirsch kan overtuigen.

Rosenberg heeft inderdaad overal een antwoord op. Hij laat het er nooit bij zitten en duldt geen tegenspraak. Maar hij heeft zich niet voorbereid op de mogelijkheid dat er helemaal geen bezwaren zijn. Geen moment heeft hij gedacht aan de mogelijkheid dat zich in het kamertje van Hirsch een heel ander scenario zou ontrollen.

De registrator loopt met grote passen de barak binnen, klopt op de deur van het kamertje en gaat binnen zonder op antwoord te wachten. Hij ziet Fredy op bed liggen. Wanneer hij dichterbij komt stelt hij geschrokken vast dat Hirsch heel moeilijk ademt en dat zijn gezicht helemaal blauw is. Hirsch is in doodsnood.

Overstuur en luidkeels om hulp roepend rent Rudi naar buiten, op zoek naar een arts. Hij komt terug met twee artsen. De weinige instrumenten die ze hebben waren ze al aan het inpakken om voor het donker terug te gaan naar kamp BIIb, zoals dokter Mengele had gezegd. De artsen onderzoeken hem vluchtig. Ze kijken nog twee keer, fluisteren wat tegen elkaar en trekken een somber gezicht.

'Hij heeft een overdosis aan kalmeringsmiddelen genomen, we kunnen niets meer voor hem doen.'

Ze richten hun ogen op een leeg potje Luminal dat op tafel staat.

Alfred Hirsch gaat dood.

Rudi's hart gaat als een razende tekeer; hij valt bijna flauw. Om zich staande te houden leunt hij tegen de muur. Hij kijkt nog een keer naar de grote atleet in zijn laatste momenten. Op Hirsch' borst ligt het metalen fluitje. Ontzet bedenkt hij dat deze man waarschijnlijk niet kon leven met de gedachte dat hij zijn kinderen moest begeleiden naar een gewisse dood, dat hij die vreselijke beslissing niet heeft kunnen nemen en besloot er een eind aan te maken. Wat van hem werd gevraagd ging boven zijn macht. Boven ieders macht.

Rosenberg denkt dat er misschien nog tijd is om een andere leider te vinden, dat Schmulewski vast nog wel een alternatief heeft. Snel gaat hij naar hem op zoek. Maar wanneer hij probeert het kamp te verlaten om de verzetsleider te zoeken, is het panorama veranderd: het ziet zwart van de SS'ers. Het quarantainekamp is hermetisch afgesloten. Onder geen beding mag er nog iemand in of uit.

In BIIb, aan de andere kant van het hek, ziet de registrator iemand van het verzet lopen. Hij gaat naar de afscheiding en vraagt of de man even dichterbij komt. Hij vertelt hem dat hij onmiddellijk een belangrijke boodschap moet overbrengen aan Schmulewski.

'Fredy Hirsch heeft zelfmoord gepleegd. Breng deze boodschap alsjeblieft over!'

De ander zegt dat dat niet kan, dat zij ook niet van het familiekamp af kunnen, dat ze dat zojuist te horen hebben gekregen. Rudi loopt weer terug en baant zich een weg door de Lagerstrasse van het quarantainekamp. Het is nu een nerveuze mierenhoop waar gevangenen en gewapende bewakers in gespannen afwachting rondzwermen als vogels vlak voor een onweersbui.

Alice, Héléna en Véra komen naar hem toe. Met horten en stoten vertelt hij wat er is gebeurd. Fredy Hirsch zal nooit meer ergens de leiding over hebben en Schmulewski is onbereikbaar. De afstand tussen de drie verschillende kampen voelt op dit moment aan als een gapende kloof.

'Maar de opstand kan toch gewoon doorgaan,' zeggen de meisjes. 'Geef jij dan het bevel, dan beginnen we.'

Hij probeert ze duidelijk te maken dat het niet zo eenvoudig is, dat het zo niet werkt en dat hij dit soort beslissingen niet mag nemen zonder goedkeuring van Schmulewski. Ze lijken het niet helemaal te begrijpen. Rudi kán niet meer, hij is volkomen uitgeput en weet zich geen raad.

'Ik mag die beslissing niet nemen, ik ben niemand...'

Op dat moment voelt de anders zo trotse Rosenberg zich het nietigste wezen op aarde. Hij heeft het gevoel dat niet alleen alles om hem heen maar ook hijzelf instort.

In het familiekamp gaat het nieuws van mond tot mond. De boodschap is zo sober dat het wel een rouwtelegram lijkt. De kortste zinnen komen altijd het hardst aan, die slaan in als een bom.

Fredy Hirsch is dood.

Het nieuws verbreidt zich en het woord 'zelfmoord' valt. Ook het woord 'Luminal', een slaapmiddel dat in grote doseringen dodelijk is.

Een Hongaarse assistente, Roszi Krousz, rent met verwilderde blik blok 31 binnen. In haar ogen staan angst en ontzetting te lezen. Ze heeft moeite met de uitspraak van het Tsjechisch, maar nu is haar merkwaardige accent niet grappig, het geeft eerder een extra lugubere dimensie aan het nieuws: Fredy Hirsch is dood.

Meer kan ze niet uitbrengen. Meer valt er ook niet te zeggen. Ze ploft neer op een kruk en begint hartverscheurend te snikken.

Sommigen willen haar niet geloven, anderen weten niet wat ze ervan moeten denken, maar als er nog meer assistenten lijkbleek binnenkomen, verstomt het gelach van de kinderen, stoppen de liedjes en houden de spelletjes op. De kinderen lijken eerder angstig dan verdrietig. Er gaat een huivering door honderden lichamen. In de afgelopen zes maanden heeft de dood niet één keer bij blok 31 aangeklopt. Op wonderbaarlijke wijze zijn alle kinderen in leven gebleven. En nu is de man van de wonderen ten onder gegaan. Iedereen wil weten hoe en waarom. Eigenlijk willen ze weten wat er zonder Fredy Hirsch van hen zal worden. Er klinkt een fluitsignaal en er worden bevelen in het Duits geschreeuwd; iedereen moet onmiddellijk naar zijn eigen barak voor het avondappèl.

Liesl wacht Dita op. Ze omhelst haar. Iedereen weet inmiddels dat Hirsch dood is. Moeder en dochter hebben geen woorden nodig, ze houden alleen maar hun wangen even tegen elkaar en knijpen hun ogen heel hard dicht.

De nieuwe blokoudste van hun barak gaat op het tussenmuurtje zitten en roept zo hard om stilte dat het geroezemoes meteen verstomt. Het is een Joodse vrouw van een jaar of achttien die nu de macht heeft. Zij is nu degene die het brood en de soep zal uitdelen. Ze zal geen honger meer lijden en hoeft ook niet meer op die smerige houten klompen te lopen, want van het brood dat ze achteroverdrukt kan ze op de zwarte markt wel een paar laarzen kopen. Daarom staat ze zichzelf niet toe om aardig te zijn, en als de Oberkapo of de SS'ers tegen haar zeggen dat ze moet schreeuwen, zal ze schreeuwen. En als ze zeggen dat ze de mensen met een stok moet slaan, zal ze slaan. Sterker nog, ze zal schreeuwen en slaan voordat het haar gevraagd wordt. En extra hard, ze zal hen niet teleurstellen. Om te beginnen zal ze de gevangenen inpeperen dat het verboden is om voor het ochtendsignaal naar buiten te gaan. Ze zal niet schromen om degenen die zich daar niet aan houden te doden.

Al die tijd heeft Dita verlangd naar een bed voor zichzelf, en nu ze het heeft kan ze niet slapen. Het is nacht in Birkenau, de kampen zijn in stilte gehuld en buiten is alleen het monotone gezoem van het schrikdraad te horen. Ze ligt te woelen en vraagt zich af of die grote Lida haar ook mist. Uiteindelijk springt ze uit bed en gaat naar dat van haar moeder, die nu ook een stromatras voor zichzelf heeft. Ze kruipt dicht tegen haar aan, net als vroeger, toen ze na een nachtmerrie bij haar ouders in bed kroop, waar haar niets kon overkomen.

Opnieuw probeert Rudi naar kamp BIId te komen om Schmulewski op de hoogte te brengen. Hij benadrukt dat hij belangrijke papieren moet brengen, maar krijgt geen toestemming. Ook als hij aandringt dat het lichaam van Hirsch verplaatst moet worden, krijgt hij nul op het rekest. Hij gaat weer naar het hek om met zijn contactpersoon in BIIb te praten, maar er is helemaal niemand buiten, er is geen enkel contact mogelijk.

Hij gaat terug naar zijn kamer en na een tijdje loopt hij weer naar buiten, in de hoop dat er nu een andere bewaker bij de ingang zit en hij het nu wel voor elkaar krijgt om in BIId te komen. Op dat moment komt er een horde kapo's aan die uit andere kampen zijn gehaald. Ze zijn gewapend met stokken en beginnen te slaan en te schreeuwen dat de vrouwen van de mannen moeten worden gescheiden. Er wordt geslagen en geschreeuwd, en er klinkt gefluit, gekerm en gehuil.

Alice rent naar Rudi toe en grijpt hem stevig bij zijn arm. Een bewaker schreeuwt agressief dat de mannen en de vrouwen uit elkaar moeten.

'Männer hier und Frauen hier!'

Naast haar regent het stokslagen en er spat bloed op de modder. Alice maakt zich los van Rudi en blijft hem met een verdrietige glimlach aankijken. Ze wordt naar een groep vrouwelijke gevangenen geduwd die snel naar een vrachtwagen bij de ingang van het kamp worden gedreven. Er komen nog meer wagens aan, er ontstaat een lange file van ronkende vrachtwagens.

Rudi blijft onthutst achter en voor hij het weet wordt hij in de menigte meegezogen naar een groep mannen die proberen de stokslagen te ontwijken. Ineens realiseert hij zich dat hij is opgegaan in een groep die hardhandig naar de vrachtwagens wordt gedreven.

Hij probeert tegen de stroom in naar buiten te lopen voordat de menigte hem opslokt. De kapo's met hun stokken en de SS'ers met hun machinepistolen zien erop toe dat niemand ontkomt. Degenen die dat proberen worden hard geslagen en getrapt. Rudi steekt een sigaret op om een kalme indruk te maken. Hij duwt andere gevangen hard opzij om zich een weg te banen naar een kapo die hij van gezicht kent en die net buiten de menigte staat. Voordat die kapo zijn stok opheft om hem terug de groep in te slaan, roept Rudi dat hij de registrator van barak 14 is...

'Ik heb orders van de blokoudste om me onmiddellijk te melden.'

De kapo is een Duitser met het merkteken van een gewone gevangene. Even kijkt hij naar Rudi en dan herkent hij hem en houdt zijn stok boven zijn hoofd. Hij gebaart naar de soldaat met een machinepistool en ze laten hem door. Iemand die probeert met hem mee te komen krijgt met de loop van een machinepistool een klap tegen zijn ribben. Rudi hoort hem smeken. Hij kijkt niet om. Hij loopt rustig weg, probeert rustig over te komen, maar zijn knieën knikken.

Terwijl hij naar zijn barak loopt, hoort hij het geschreeuw, de bevelen, het gesnik, de dichtslaande deuren van de vrachtwagens, de wielen die over de modder glibberen, het wegstervende geluid van de motoren. Hij denkt aan Alice, aan haar reebruine ogen toen hij haar voor de laatste keer aankeek, en hij schudt zijn hoofd alsof hij de herinnering van zich af wil schudden om er niet onder te bezwijken. Hij loopt snel door en sluit zich op in zijn kamer.

Niemand weet of Rudolf Rosenberg heeft gehuild.

Dita ligt nog steeds wakker. Alle vrouwen zijn wakker. Het is zo stil binnen dat goed is te horen dat de vrachtwagens met piepende remmen op de vochtige aarde tot stilstand komen en met draaiende motor blijven staan. De ene na de andere.

Dan barst de hel los. In het naburige kamp wordt geschreeuwd, gefloten, gesnikt, gesmeekt, een afwezige god wordt aangeroepen. Te midden van het geschreeuw is het geluid van een stroom mensen te horen, van een onmiskenbare menselijke golfbeweging. En al snel zijn daar de dichtslaande vrachtwagenportieren weer en meteen daarna het knarsen van de metalen grendels. Het schreeuwen van paniek heeft plaatsgemaakt voor een gedempt snikken, een deerniswekkend gejammer, een verbijsterde golf van gekrijs waarin duizenden stemmen opgaan.

Niemand in het familiekamp kan de slaap vatten. Ze praten niet, verroeren zich niet. Als iemand in Dita's barak van de zenuwen hardop vraagt wat er aan de hand is of wat er met hen gaat gebeuren, beginnen de anderen meteen geïrriteerd te sissen dat ze stil moet zijn. Ze moeten blijven luisteren om erachter te komen wat er gebeurt, of misschien willen ze wel dat het helemaal stil is zodat de SS'ers hen niet horen, geen acht op hen slaan en hen op hun smerige stromatrassen laten liggen. In elk geval nog even.

Het geklap van de grendels van de vrachtwagens wordt zachter en de stemmen sterven weg. Het veranderende toerental van de motoren duidt erop dat de eerste wagens vol mensen optrekken. En opeens lijkt het of Dita, haar moeder en de andere vrouwen in de barak gezang horen. Misschien verbeelden ze het zich wel, uit pure angst. Maar even later wordt het harder en overstemt het langzaam maar zeker het geronk van de vrachtwagens. Zijn dat echt stemmen die zingen? Iemand vraagt het zich hardop af en de anderen herhalen het, alsof ze het moeilijk kunnen geloven: ze zijn aan het zingen. De gevangenen die met de vrachtwagens meegaan en weten dat ze zullen sterven zijn aan het zingen.

Ze horen het Tsjechische volkslied, het 'Kde domov muy'. Uit een andere passerende vrachtwagen klinkt het Joodse lied 'Hatikvah', en uit weer een andere komt de Internationale. De muziek heeft iets kwetsbaars en wordt zwakker naarmate de vrachtwagens verder weg zijn. De stemmen worden zachter en verdwijnen uiteindelijk. Die nacht verstommen duizenden stemmen voor altijd.

In de nacht van 8 maart 1944 worden 3792 gevangenen uit familiekamp BIIb vergast en vervolgens verbrand in crematorium III van Auschwitz-Birkenau.

20

Dita heeft het geschreeuw van de kapo de volgende ochtend niet nodig om wakker te worden want ze heeft helemaal niet geslapen. Haar moeder geeft haar een zoen en ze springt uit bed om zich zoals elke dag in blok 31 te melden voor het appèl. Maar dit is geen dag als andere dagen. De helft van de mensen die naast haar stonden is er niet en zal ook niet terugkomen.

Op het gevaar af een uitbrander van een kapo of een bewaker te krijgen, loopt ze van de Lagerstrasse weg en gaat naar de achterkant van de barakken om door het hek naar het quarantainekamp te kijken, in de vage hoop daar enig leven te ontdekken. Maar rond de barakken van BIIa is geen levende ziel te bekennen.

Van het geschreeuw van de nacht ervoor rest alleen nog een drukkende stilte. Het kamp is verlaten. Er hangt een doodse sfeer. Op de grond liggen vertrapte hoeden, een weggeslingerde jas, lege kommen. Daartussen ligt het gebroken hoofdje van een van de kleipoppetjes die de meisjes in blok 31 hebben gemaakt. Dita ziet ook iets wits in de modder liggen, een verkreukeld stuk papier. Ze sluit haar ogen, ze wil niets meer zien want ze realiseert zich dat het een van de papieren vogeltjes van meneer Morgenstern is. Vertrapt. Vermorzeld in de modder. Precies zoals zij zich voelt.

Lichtenstern is degene die 's ochtends in aanwezigheid van een grimmig toekijkende SS'er de presentielijst moet nalopen en iedereen is opgelucht als hij verschijnt. De kinderen hebben de hele tijd om zich heen gekeken, ze missen de afwezigen. Hoe vervelend ze het ritueel van de lijst ook altijd hebben gevonden, deze ochtend schrikken ze van de snelheid waarmee het gaat.

Dita loopt naar buiten, weg uit de bedrukte sfeer in de barak. De lucht is betrokken en er valt een soort droge regen die door de wind wordt meegevoerd en alles met een laag stof bedekt. As. Zo'n donkere lucht heeft ze nog nooit eerder gezien.

De mensen die in de greppels aan het werk zijn kijken omhoog. Degenen die stenen sjouwen laten ze vallen en blijven staan. Ondanks het geschreeuw van de kapo's laten de mensen in de werkplaatsen het werk liggen en lopen naar buiten om te kijken. Misschien is dit hun eerste daad van verzet: naar de donker wordende hemel kijken zonder zich iets van de bevelen en bedreigingen aan te trekken.

Plotseling lijkt het of het weer nacht is.

'Mijn god, wat is dit?' roept iemand.

'Dat is de gesel Gods!' schreeuwt iemand anders.

Dita kijkt omhoog. Miniscule asvlokken dwarrelen over haar gezicht, handen en jurk. De mensen van blok 31 komen naar buiten om te kijken.

'Wat is er aan de hand?' vraagt een kind geschrokken.

'Wees maar niet bang,' zegt Miriam Edelstein. 'Dat zijn onze vrienden van het septembertransport. Ze komen bij ons terug.'

De kinderen en de leraren gaan zwijgend bij elkaar staan. Er wordt zachtjes gebeden. Dita maakt een kommetje van haar handen om wat van die zielenregen op te vangen. Ze krijgt het te kwaad, haar tranen trekken witte sporen over de as op haar gezicht. Miriam Edelstein heeft een arm om haar zoon Ariah heen geslagen en Dita gaat bij hen staan.

'Ze zijn terug, Dita, ze zijn terug.'

Ze zullen nooit meer uit Auschwitz weggaan.

Sommige leraren zeggen dat ze geen les willen geven. Voor de een is dat een vorm van protest, de ander heeft gewoonweg geen kracht of moed meer om door te gaan. Lichtenstern probeert hen op te beuren, maar hij mist het charisma en zelfvertrouwen van Fredy Hirsch. Ook hij kan zijn ontreddering niet verbergen.

Een lerares vraagt wat er met Hirsch is gebeurd. Iemand zegt dat hij heeft gehoord dat ze hem praktisch dood op een brancard in een vrachtwagen hebben geladen.

'Ik denk dat hij er uit trots een eind aan heeft gemaakt. Hij was te trots om zich door de nazi's te laten vermoorden. Dat plezier gunde hij ze niet.'

'Ik denk dat hij zich bedrogen en verraden voelde door zijn eigen landgenoten en het allemaal niet meer aankon.'

'Volgens mij kon hij het lijden van de kinderen niet meer aan.'

Dita hoort het allemaal aan en krijgt een onbehaaglijk gevoel, ze heeft een vaag vermoeden dat er een heel andere oorzaak is voor de plotselinge dood van Hirsch. Ze is niet alleen bedroefd maar ook in de war. Hoe moet het verder met het schooltje nu Hirsch er niet meer is om alles te regelen? Ze is zo ver mogelijk van iedereen vandaan op een kruk gaan zitten, maar ziet de magere, onbeholpen gestalte van Lichtenstern al op zich afkomen. Hij is nerveus. Hij zou tien jaar van zijn leven geven voor een sigaret.

'De kinderen zijn bang, Edita. Moet je ze nu zien, ze zitten daar doodstil en zeggen helemaal niets.'

'We zijn allemaal van slag, meneer Lichtenstern.'

'We moeten iets doen.'

'Iets doen? Maar wat dan?'

'Het enige wat we kunnen doen, is doorgaan. We moeten de kinderen weer aan de gang krijgen. Lees ze iets voor.'

Dita kijkt om zich heen en ziet de kinderen zwijgend in groepjes op de grond zitten, op hun nagels bijten, naar het plafond staren... Nog nooit zijn ze zo bedroefd geweest en nog nooit zo stil. Dita voelt zich machteloos. Ze heeft een bittere smaak in haar mond. Wat ze op dat moment het liefst zou willen is op die kruk blijven zitten, niets doen, niet praten, en naar niemand hoeven luisteren. Niet meer opstaan.

'Maar wat moet ik dan voorlezen?'

Lichtenstern doet zijn mond open, maar er komen geen woorden. Hij kijkt enigszins gegeneerd naar beneden. Hij biecht op dat hij niets van boeken weet. En aan Miriam Edelstein kunnen ze het niet vragen. Die is volkomen uit het veld geslagen. Ze zit achterin op de vloer met haar handen voor haar gezicht en wil met niemand praten.

'Jij bent de bibliothecaresse van blok 31,' merkt Lichtenstern nors op.

Ze knikt. Ze moet haar verantwoordelijkheid nemen. Daar hoeft niemand haar op te wijzen.

Ze loopt naar de kamer van de blokoudste en bedenkt dat ze graag aan meneer Utitz, de bibliothecaris van Theresienstadt, zou vragen welk boek het meest geschikt zou zijn om in deze tragische omstandigheden aan kinderen voor te lezen. Ze heeft een ingewikkelde roman, wiskundeboeken en boeken met algemene kennis. Maar voordat ze de berg oude doeken wegtrekt waaronder het luik van de geheime bergplaats zit, heeft ze haar keus al gemaakt.

Ze pakt het boek dat het meest gehavend is en eigenlijk nauwelijks nog een boek te noemen is. Misschien is dit wel het minst geschikt van allemaal, het minst pedagogisch verantwoord, en het meest ontaard; er zijn zelfs leraren die het afkeuren omdat het grof, onfatsoenlijk en kwetsend zou zijn. Maar de bibliotheek is nu haar medicijnkastje en ze zal de kinderen iets geven van het drankje dat haar aan het lachen heeft gemaakt toen ze dacht dat ze nooit meer blij zou kunnen zijn.

Lichtenstern gebaart naar een van de assistenten dat hij de wacht moet houden bij de deur en Dita gaat midden in de barak op een kruk staan. Een enkel kind doet een vermoeide poging geïnteresseerd te kijken, maar de meeste blijven naar de punten van hun klompen staren. Ze slaat het boek open, zoekt een bladzijde en begint hardop te lezen. Misschien horen ze haar wel, maar niemand luistert. De kinderen zijn nog steeds lusteloos, sommige liggen op de grond alsof ze half in slaap zijn. De leraren herhalen nog steeds fluisterend alles wat ze weten over de dood van de mensen van het septembertransport. Ook Lichtenstern is op een kruk gaan zitten. Hij heeft zijn ogen gesloten als om aan te geven dat hij er niet is.

Dita leest voor niemand.

Ze zoekt een scène uit waarin de Tsjechische soldaten, die onder bevel van het Oostenrijkse leger staan, in een trein op weg zijn naar het front. Daar slaagt Švejk er met zijn bizarre ideeën in een arrogante luitenant genaamd Dub op stang te jagen. De luitenant inspecteert de soldaten wanneer ze ter plaatse aankomen.

Ken je mij? En ik zeg je dat je mij nog niét kent! Wacht maar af tot je me echt leert kennen! Je kent misschien mijn goede kant! Maar leer me niet van mijn slechte kant kennen! Ik krijg jullie wel aan het janken, stel steenezels!

De luitenant vraagt of ze broers en zussen hebben en als ze daar bevestigend op antwoorden, schreeuwt hij dat die vast net zo dom zijn als zij.

De kinderen zitten nog steeds met een verdrietig gezicht in hun hoekjes, een enkeling is gestopt met nagelbijten en sommige kijken nu niet meer naar het plafond maar naar Dita, die stug doorgaat met voorlezen. De leraren kijken nu af en toe ook haar kant uit, maar gaan wel door met hun gesprek. Ze begrijpen nog steeds niet wat zij daar op die kruk staat te doen, maar Dita lees onverstoorbaar door. Op een bepaald moment komt de onvriendelijke luitenant bij Švejk, die commentaar had op een propaganda-affiche waarop een Oostenrijkse soldaat een kozak tegen de muur zet en met zijn bajonet doorboort.

'Wat bevalt je dan niet?' vroeg luitenant Dub.

'Wat mij aan dit biljet niet bevalt, luitenant, dat is de manier waarop de soldaat omgaat met de wapens die hem zijn toevertrouwd. Kijk, hij kan z'n bajonet bijvoorbeeld makkelijk kapotsteken tegen die muur, en bovendien is het totaal overbodig. Hij kan er een douw voor krijgen, want die Rus heeft zijn handen boven zijn hoofd en geeft zich dus over. Hij is een gevangene, en met gevangenen hoor je fatsoenlijk om te gaan, het zijn tenslotte ook maar mensen.'

Luitenant Dub besloot Švejks opvattingen wat diepgaander te peilen en vroeg dan ook verder: 'Je hebt dus eigenlijk medelijden met die Rus, of niet soms?'

'Ik heb met allebei medelijden, luitenant – met die Rus omdat ie wordt opgeprikt en met de soldaat omdat ie in de petoet belandt. Hij móét zijn bajonet hebben gebroken, luitenant, dat kan niet anders. Kijk, de muur waar hij hem tegenaan prikt lijkt van steen, en staal is breekbaar spul. Voor de oorlog, toen ik voor mijn nummer in dienst was, hadden we ook een luitenant in onze compagnie, en er was geen oude adjudant te vinden die zo grof in de bek was als die luitenant. Bij de exercitie zei hij altijd tegen ons: "Als je in de houding staat, moet je met je ogen rollen als een kater die in het stro zit te schijten." Voor de rest was het best een aardig persoon. Maar op een keer met de kerst werd hij knettergek: hij kocht een hele wagonlading kokosnoten voor de compagnie – en sinds die tijd weet ik hoe makkelijk bajonetten breken. De halve compagnie heeft toen namelijk z'n bajonet kapotgestoken op die kokosnoten en toen liet onze overste de hele compagnie gelijk opsluiten. Drie maanden mochten we de kazerne niet uit...'

Inmiddels luisteren enkele kinderen aandachtig naar haar en zijn meer kinderen dichterbij gekomen om haar beter te kunnen horen. Een enkele leraar zit nog steeds te praten, maar andere leggen hem het zwijgen op. Dita leest stug door. De melodie van het verhaal en de lotgevallen van Švejk hebben uiteindelijk iedereen stil gekregen.

'... en de luitenant zelf kreeg huisarrest.'

Luitenant Dub wierp een boze blik op het serene gelaat van de brave soldaat Švejk en vroeg nijdig: 'Ken je mij?'

'Jawel, luitenant, ik ken u.'

Luitenant Dub rolde met zijn ogen en stampvoette: 'En ik zeg je dat je mij nog niét kent!'

Opnieuw antwoordde Švejk met de serene rust van iemand die een verslag uitbrengt: 'Maar ik kén u toch, luitenant, u bent, melde gehorsamst, *van ons eigen marsbataljon.'*

'Jij kent mij nog niet!' schreeuwde luitenant Dub weer. 'Je kent misschien wel mijn goede kant, maar leer me niet van mijn kwaaie kant kennen! Ik ben niet voor de poes, verkijk je daar niet op! Ik krijg iedereen aan het janken. Nou, hoe zit het: kén je me of ken je me niet?'

'Ik kén u, luitenant.'

'En ik zeg je voor de laatste keer dat je me niet kent, steenezel die je bent! Heb je broers?'

'Melde gehorsamst*: ik heb één broer.'*

Bij de aanblik van Švejks kalme en argeloze gezicht ontstak de luitenant in vreselijke woede – hij verloor alle zelfbeheersing en schreeuwde: 'Dan is die broer van je zeker net zo'n steenezel als jij. Wat deed hij voor de kost?'

'Hij was leraar, luitenant. Hij was ook in dienst en is geslaagd voor zijn officiersexamen.'

Luitenant Dub keek Švejk aan alsof hij hem met zijn blikken wilde doorboren, maar Švejk verdroeg die furieuze blik op volmaakt evenwichtige en waardige wijze, zodat hun hele gesprek een voorlopig einde nam met het woordje Abtreten!

Een paar kinderen schieten in de lach. Achter in de barak gluurt Miriam Edelstein door een kiertje tussen haar vingers. Dita leest nog meer avonturen en wederwaardigheden voor van die soldaat die met zijn malle gedrag en ideeën de draak steekt met de oorlog, met alle oorlogen. De lerares kijkt op en werpt een blik op haar bibliothecaresse. Dat meisje heeft met die verhalen de hele meute aan haar lippen hangen.

Wanneer Dita het boek dichtklapt, staan de kinderen op en rennen vrolijk door de barak. De batterijen zijn weer opgeladen en Dita streelt het oude, met naald en draad verstelde boek; ze voelt zich gelukkig omdat Fredy Hirsch trots op haar zou zijn. Ze heeft zich aan haar belofte gehouden: altijd doorgaan, niet opgeven. Toch valt er een sluier van verdriet over haar heen. Waarom heeft hij wel opgegeven?

21

Mengele passeert de ingang van het familiekamp en Wagners Walküren gaan met hem mee. Plus een golf kou. Spiedend kijkt hij om zich heen. Zijn ogen lijken wel röntgenstralen. Zo te zien is hij op zoek naar iets of iemand. Dita is veilig in blok 31, althans voorlopig.

Het verhaal gaat dat in de ogen van kampcommandant Rudolf Höss de grootste heldendaad van de kamparts het beteugelen van een ernstige tyfusuitbraak, eind 1943, was. Zevenduizend vrouwen waren er al aan ten prooi gevallen. Doordat de barakken vergeven waren van de luizen, was de epidemie onbeheersbaar geworden. Mengele was degene die een oplossing bedacht. Hij gaf het bevel zeshonderd vrouwen te vergassen en liet hun barak vervolgens grondig desinfecteren. Voordat de vrouwen van de volgende barak de schone barak in mochten, werden ze eerst grondig ontsmet in de badkuipen die bij de ingangen waren geplaatst. Vervolgens werd hun barak ontsmet, en zo verder tot alles en iedereen schoon was. Op die manier is het Mengele gelukt de epidemie te stoppen.

Het opperbevel feliciteerde de arts en wilde hem zelfs een medaille uitreiken voor dat wapenfeit, waaraan hij zelf ook een besmetting had overgehouden. Bij Mengeles werkwijze stonden baanbrekend onderzoek en wetenschappelijke vooruitgang voorop; mensenlevens die in het proces verloren gingen, deden er niet toe.

Een SS-Oberscharführer brengt hem zijn tweelingen. Schuchter komen de kinderen dichterbij en zeggen in koor 'goedemorgen' tegen oom Mengele. Hij glimlacht, aait de kleine Irene over haar hoofd en vervolgens gaan ze gezamenlijk naar zijn laboratorium in kamp F, door de bewakers de dierentuin genoemd.

Daar werken verschillende pathologen onder zijn leiding. De kinderen krijgen schone lakens, goed te eten, en zelfs speelgoed en snoep. Hun ouders blijven in spanning achter tot ze hun kinderen weer in hun armen kunnen sluiten. Tot nu toe zijn ze altijd opgetogen teruggekomen, met een stukje brood als extra beloning. Ze vertellen dat al hun lichaamsdelen zijn gemeten, dat hun bloed is onderzocht en dat ze soms een injectie krijgen, maar dat de dokter hen dan beloont met chocolaatjes.

Anderen hebben niet zoveel geluk gehad. Mengele heeft het verloop van ziektes bij tweelingen onderzocht. Hij heeft verschillende tweelingen uit het zigeunerkamp met tyfus geïnfecteerd om te kijken hoe ze daarop reageerden, en daarna heeft hij ze vermoord om door middel van autopsie de ontwikkeling van de organismen bij elk van de tweelingen te observeren.

Meestal aait Mengele zijn tweelingkinderen over hun bol en glimlacht zelfs vriendelijk naar hen wanneer ze weer weggaan.

'Vergeet oom Mengele niet!' zegt hij dan.

Want hij is niet van plan hen te vergeten.

Vergeten is geen keuze. In het naargeestige Auschwitz gaat het leven door, maar Dita kan niet vergeten. Eigenlijk wil ze dat ook niet. Fredy Hirsch draaide de kraan van zijn leven plotseling dicht. Maar die kraan druppelt na en met elke druppel dreunt de waarom-vraag na in haar hoofd. Haar taak als bibliothecaresse blijft ze vervullen en bij elke wisseling van de lessen deelt ze de boeken uit, maar ze is nu afstandelijker. Ze is blij dat blok 31 ondanks alles doorgaat. Misschien komt het doordat er nu minder kinderen zijn, maar sinds Hirsch er niet meer is lijkt alles onbeduidender, banaler.

Vandaag wordt ze bijgestaan door een bijzonder aardige, knappe jongen met een gezicht vol sproeten. Op een ander moment had ze misschien geprobeerd aardiger tegen hem te zijn. Zoveel knappe jongens zijn er niet in Auschwitz. Maar toen hij een gesprek wilde beginnen, heeft ze nauwelijks iets teruggezegd. Ze is er niet helemaal bij.

De vraag waarom Hirsch zelfmoord heeft gepleegd laat haar niet los.

Het idee dat hij voor zijn verantwoordelijkheden is weggelopen, rijmt niet met zijn geschiedenis en zijn enorme discipline – in hem kwamen het Joodse en het Germaanse samen. Dita schudt haar hoofd. Nee, denkt ze, er ontbreekt een stukje van de puzzel. Hij heeft gezegd dat ze strijders waren, dat ze moesten vechten tot het einde. Hoe kan hij dan zijn post verlaten hebben? Nee, dat paste niet bij Fredy Hirsch. Hij was een strijder, hij had een missie. Het is waar dat hij die laatste keer dat ze hem zag verdrietiger was dan ooit, kwetsbaarder misschien ook. Waarschijnlijk wist hij dat die overplaatsing op een drama zou uitlopen. Maar ze begrijpt niet waarom hij zelfmoord heeft gepleegd. En ze wordt nijdig als ze iets niet begrijpt. Ze is koppig, zegt haar moeder. En die heeft gelijk. Dita is zo iemand die nooit een puzzel onafgemaakt laat.

Die middag gaat ze na haar werk in blok 31 naar de barak, waar ze alleen haar moeder en mevrouw Turnovská aantreft; een goed moment om Radio Birkenau in te schakelen.

'Neemt u me niet kwalijk,' onderbreekt ze de twee, 'mevrouw Turnovská, mag ik u iets vragen?'

'Edita,' zegt haar moeder verwijtend, 'waarom ben je toch altijd zo lomp?'

Mevrouw Turnovská glimlacht. Ze vindt het fijn als jonge meisjes haar om raad vragen.

'Laat haar toch. Praten met de jeugd houdt me jong, lieve Liesl.' Ze begint te giechelen.

'Het gaat over Fredy Hirsch. U weet wie hij was, nietwaar?' De vrouw knikt zelfverzekerd. Hoe kon het ook anders. 'Ik zou wel willen weten wat er over zijn dood gezegd wordt.'

'Hij heeft zichzelf vergiftigd met die vreselijke pillen. Ze zeggen dat je met pillen alles kunt genezen, maar ik moet er niets van hebben. Toen de dokter me pillen tegen verkoudheid voorschreef, heb ik ze niet genomen. Ik stoom liever met eucalyptusbladeren.'

'Gelijk heeft u, ik deed dat ook altijd. Heeft u al eens munt geprobeerd?' vraagt mevrouw Adlerova.

'Nee, gemengd met eucalyptus, of puur?'

Dita zucht.

'Dat van die pillen weet ik al, maar ik wil graag weten waaróm hij het heeft gedaan! Wat voor verhalen gaan er rond, mevrouw Turnovská?'

'Ach kindje, er wordt zoveel gezegd! De dood van die man heeft veel losgemaakt.'

'Edita zei altijd dat hij een goed mens was.'

'Ja, nou en of, dat was hij. Maar daar heb je niet genoeg aan in het leven. Mijn arme man, God hebbe zijn ziel, was een door en door goed mens, maar zo timide dat het niet goed afliep met onze fruithandel. Alle telers gaven hem het oude fruit dat niemand anders wilde hebben.'

'Goh, maar...' onderbreekt Dita haar, inwendig kokend, 'wat werd er over Hirsch gezegd?'

'Van alles, meisje. De een zegt dat hij bang was om te stikken in de gaskamer. Anderen zeggen dat hij verslaafd was aan pillen en dat hij er te veel had ingenomen. En iemand zei dat het van verdriet was, dat hij niet kon aanzien dat ze de kinderen zouden doden. Een vrouw die heel geheimzinnig deed, vertelde me dat het door het boze oog kwam, dat er nazi's waren die aan zwarte magie deden.'

'Ik denk dat ik al weet over wie u het heeft...'

'Ik heb ook iets heel moois gehoord... Iemand zei dat het een daad van verzet was, dat hij zichzelf heeft omgebracht zodat de nazi's dat niet meer konden doen.'

'En wie denkt u dat er gelijk heeft?'

'Op het moment dat ze aan het woord waren, allemaal. Los van elkaar leken ze allemaal gelijk te hebben.'

Dita knikt instemmend en neemt afscheid van de vrouwen. Achter de waarheid komen in Auschwitz is net als sneeuwvlokken opvangen met het vlindernet van meester Morgenstern. In de oorlog wordt de waarheid als eerste opgeofferd. Maar Dita is vastbesloten de waarheid te vinden, hoe diep ze ook onder de modder begraven ligt.

Daarom sluipt ze die avond, als haar moeder al op bed ligt, naar het bed van Radio Birkenau.

'Mevrouw Turnovská...'

'Zeg het eens, Edita.'

'Ik wil u iets vragen... Ik denk dat u me wel kunt helpen.'

'Misschien wel, ja,' antwoordt de vrouw enigszins zelfingenomen. 'Je kunt me alles vragen. Voor jou heb ik geen geheimen.'

'Ik zou met iemand van het verzet in contact willen komen.'

'Maar kindje toch...' De vrouw heeft nu spijt dat ze heeft gezegd dat ze voor haar geen geheimen heeft. 'Dat is niets voor jonge meisjes, veel te gevaarlijk. Je moeder kijkt me niet meer aan als ik je met het verzet in contact breng.'

'Maar ik wil me er niet bij aansluiten, hoewel, nu u het zegt, misschien is dat niet zo'n slecht idee. Maar ik ben vast veel te jong. Ik wil alleen maar met iemand over Fredy Hirsch praten. Zij weten vast wat er is gebeurd.'

'Je weet toch dat die registrator van het quarantainekamp, Rosenberg, hem als laatste heeft gezien...'

'Ja, dat weet ik, maar hij is zo moeilijk te benaderen. Als ik met iemand van hier zou kunnen praten... alstublieft.'

Mevrouw Turnovská sputtert wat.

'Goed dan, maar je mag niet zeggen dat ik je gestuurd heb. Er is een man uit Praag die Change heet. Hij werkt in werkplaats nummer 3 en je herkent hem zo, want zijn hoofd is zo glad als een biljartbal en hij heeft een neus als een aubergine. Maar je hebt het niet van mij, hè.'

'Dank u wel. Ik sta bij u in het krijt.'

'Je staat helemaal niet bij me in het krijt, meiske. Je staat bij niemand in het krijt. Hier hebben we onze schulden allemaal al met rente afbetaald.'

Geduldig laat Dita de volgende dag in blok 31 voorbijgaan.

Weer een dag met minder rumoerige lessen dan voorheen, met dezelfde honger als altijd en met de angst dat het misschien de laatste dag is. Wanneer het werk erop zit zal ze eens gaan kijken of ze die Change kan vinden.

Op een middag helpt Dita Miriam Edelstein bij een geïmproviseerd dictee, dat meer weg heeft van een les handvaardigheid. Het regent, dus er wordt die middag niet buiten gespeeld of gesport. De kinderen hebben de smoor in omdat ze niet mogen hinkelen of tikkertje mogen spelen, en Dita is somber omdat het al een paar dagen regent en iedereen de hele tijd in zijn barak zit. Daarom heeft ze de kale man ook nog niet kunnen vinden.

Miriam Edelstein laat niet merken dat ze zich zorgen maakt om de kinderen, maar sinds de dood van Hirsch voelt ze zich heel eenzaam. Bovendien heeft ze niets meer van haar man Yakub gehoord sinds het bezoek van Eichmann aan het familiekamp. Haar werd verteld dat ze hem naar Duitsland hadden overgebracht en dat het heel goed met hem ging. Dat was een leugen. Weer is de waarheid anders: hij zit nog steeds in de gevangenis van Auschwitz I, slechts drie kilometer van Birkenau. In die gevangenis zijn de cellen betonnen kasten, waarin de gevangenen niet kunnen zitten en staand moeten slapen. Op een gegeven moment begeven hun benen het. Er wordt systematisch gemarteld: met elektrische schokken, zweepslagen, injecties. Gefingeerde executies behoren tot de favoriete martelingen van de cipiers. De gevangenen worden tegen de muur gezet en krijgen een blinddoek voor, het bevel om te schieten klinkt, en zodra de gevangenen beginnen te beven of iemand het in zijn broek doet, klinkt de metalen klik van een ongeladen pistool en worden ze weer naar binnen gebracht. Maar er worden zoveel echte executies uitgevoerd dat de muur niet eens meer wordt schoongemaakt. Een golvende vuilrode lijn met plukken haar en hersenweefsel eraan klevend geeft de lengte aan van degenen die er zijn gestorven.

Dita helpt de meisjes om met een steen een punt aan de lepels te slijpen. Wie al een scherpe lepel heeft, gaat met Dita takjes slijpen. Takjes met knoesten zijn niet geschikt, en als de punt van een takje afbreekt dan moeten ze weer helemaal opnieuw beginnen. Ruim een uur later zijn de takjes allemaal geslepen. Miriam maakt een vuurtje van houtsnippers in een pan en daarin worden de punten van de takjes verbrand tot ze verkoold zijn. Dat levert primitieve potloden op waarmee ze drie of vier woorden kunnen schrijven. Maar papier is schaars; onder het voorwendsel dat hij lijsten moet opstellen, weet blokoudste Lichtenstern het mondjesmaat los te krijgen.

Miriam dicteert de meisjes wat woorden, die ze vervolgens geconcentreerd opschrijven. Dita kijkt toe hoe ze op hun knieën zitten te werken, met een kruk als tafeltje. Ze ziet hoe ze ondanks het primitieve gereedschap hun best doen om netjes te schrijven. De bibliothecaresse pakt zelf ook een potlood en een stukje papier. Ze heeft al zo lang niet getekend. Haar hand vliegt over het papier, maar het houtskool is snel op. Miriam Edelstein kijkt over haar schouder mee. Ze ziet een paar verticale streken en een cirkel, meer zat er niet in met het houtskoolstaafje. Ze zet grote ogen op.

'Het astronomische uurwerk van Praag...' zegt ze weemoedig.

'U herkent het...'

'Zelfs als het op de bodem van de zee lag zou ik het nog herkennen. Voor mij staat het voor het Praag van klokkenmakers en ambachtslieden.'

'Het gewone leven...'

'Het leven, ja.'

Dita voelt de hand van de onderdirectrice in haar wollen kous glijden, alsof ze er iets in wil stoppen, waarna de vrouw zonder blikken of blozen verdergaat met het corrigeren van de meisjes. Als Dita over haar been strijkt, voelt ze iets langs en smals. Het is een echt potlood, compleet met zwart grafietstaafje. Het is het mooiste cadeau dat ze in jaren heeft gekregen. Precies om dit soort attenties hebben de kinderen het altijd over tante Miriam.

Die middag heeft ze het heel druk met het astronomische uurwerk van Praag, met zijn skelet, haan, sterrenwijzer, apostelen, waterspuwers. Een paar kinderen hebben gezien dat ze zit te tekenen en komen kijken. Sommige komen niet uit Praag en andere kinderen die er geboren zijn herinneren zich niets van de stad. Geduldig legt ze uit dat het skelet op elk heel uur een klokje luidt en dat er dan een stoet van figuren voorbijkomt die door een deurtje naar buiten komen en door een ander deurtje weer naar binnen gaan.

Wanneer ze klaar is met de tekening, vouwt ze hem zorgvuldig op en loopt naar Ariah toe, de zoon van Miriam Edelstein. Hij zit in een kring met andere kinderen, ze spelen het telegraafspel. Ze stopt de tekening in zijn zak en zegt dat het een cadeautje voor zijn moeder is.

Omdat ze niet stil wil zitten, besluit ze het boek van Freud te repareren, dat ze die dag met een enigszins losgeraakte rug heeft teruggekregen. Als het klaar is gaat ze met haar hand over de bladzijden en strijkt ze een voor een voorzichtig glad.

Eerste luitenant Viktor Pestek voelt zich gelukkig als hij met de pijpenkrullen van René Naumann speelt. Ze laat hem begaan. Hij mag haar niet kussen. Maar toen Viktor haar smeekte of hij haar haren mocht aanraken, kon, of wilde ze hem dat niet weigeren.

Hij is een nazi, een onderdrukker, een crimineel... maar het respect waarmee hij haar behandelt kom je in het kamp maar weinig tegen. Ook haar eigen vriendinnen tonen dat niet. 's Nachts moet René haar kom aan haar arm of been vastbinden omdat er veel gestolen wordt. Er zijn vrouwen die hun lichaam verkopen, er zijn verraders. Er zijn ook heel eerlijke, fatsoenlijke en gelovige mensen die haar beledigen en voor slet uitmaken omdat ze haar moeder een stuk fruit geeft dat ze van een SS'er heeft gekregen.

Vergeleken daarmee is de tijd die ze met Victor doorbrengt een oase van rust. Hij heeft haar verteld – want meestal praat hij en luistert zij – dat hij voor de oorlog op een boerderij werkte. Ze stelt zich voor hoe hij met hooibalen loopt te sjouwen. Als die ellendige oorlog niet was uitgebroken, zou hij nu waarschijnlijk gewoon een eenvoudige, nette, hardwerkende jongen zijn. Wie weet zou ze dan zelfs verliefd op hem zijn geworden.

Die middag is Viktor nerveuzer dan anders. Steeds als ze elkaar zien geeft hij haar een cadeautje. Hij heeft geleerd van de eerste keer. Dit keer is het een gekookte worst, in papier gewikkeld. Maar hij heeft ook iets anders in gedachten.

'Een plan, René.'

Ze kijkt hem aan.

'Ik heb een vluchtplan voor ons tweeën, dan kunnen we later trouwen en samen een nieuw leven beginnen.'

Ze zegt niets.

'Ik heb het al helemaal uitgedacht. We lopen gewoon het kamp uit, zonder dat een haan ernaar kraait.'

'Je bent niet goed wijs...'

'Nee, echt, het is een perfect plan. Jij gaat verkleed als SS'er. We doen het als het al donker is. Ik geef je het wachtwoord en dan kunnen we rustig naar buiten wandelen. Jij moet natuurlijk je mond houden. Dan nemen we een trein naar Praag, daar heb ik contacten. In het kamp ben ik bevriend geraakt met gevangenen, die weten dat ik niet zo ben als andere SS'ers. We regelen valse papieren en dan gaan we naar Roemenië. Daar wachten we tot de oorlog voorbij is.'

René kijkt nog eens goed naar die slanke, beetje houterige bewaker met zijn zwarte haar en blauwe ogen.

'Zou je dat echt voor mij doen?'

'Voor jou zou ik alles doen, René. Zou je met me meegaan?'

Liefde en waanzin hebben ongetwijfeld iets gemeen.

René slaakt een zucht. Weggaan uit Auschwitz is de droom van al die duizenden gevangenen die tussen schrikdraad en crematoria zitten opgesloten. Ze slaat haar ogen op en trekt aan een krul die over haar voorhoofd valt. Ze sabbelt erop.

'Nee.'

'Maar je hoeft niet bang te zijn! Het komt goed! We doen het op de dag dat een paar vrienden van mij de wacht hebben, er kan niets gebeuren, het is heel makkelijk... Als je hier blijft overleef je het zeker niet.'

'Ik kan mijn moeder niet alleen laten.'

'Maar René... we zijn jong, ze zal het heus wel begrijpen, wij hebben nog een heel leven voor ons.'

'Ik laat mijn moeder niet alleen, hoor je? Ik wil het er niet meer over hebben, dus hou erover op.'

'René...'

'Ik heb je gezegd dat ik het er niet meer over wil hebben. Wat je ook zegt, ik verander niet van gedachten.'

Pestek denkt even na. Een pessimist is hij nooit geweest.

'Dan nemen we je moeder ook mee.'

René raakt geïrriteerd. Volgens haar snapt hij niet waarover hij het heeft, hij zegt maar wat en dat ergert haar mateloos. Pestek loopt geen gevaar, maar zij en haar moeder wel. Het lijkt wel of hij de ernst van de situatie niet inziet, met die onzin over weggaan uit Auschwitz alsof het een bioscoop is waar je gewoon kunt opstappen als de film je niet bevalt.

'Voor ons is het allemaal geen spelletje, hoor. Mijn vader is aan tyfus gestorven, en mijn neef en zijn vrouw zijn vermoord, samen met de anderen van het septembertransport. Hou erover op. Ik vind dat vluchtavontuur van jou helemaal niet grappig.'

'Denk je soms dat ik een grapje maak? Dan ken je me nog niet. Als ik zeg dat ik jou en je moeder meeneem, dan dóé ik dat ook.'

'Dat kan helemaal niet, en dat weet jij ook! Mijn moeder is een oude vrouw met reuma. Ga je haar soms ook als SS'er verkleden?'

'Dan doen we het anders. Ik bedenk wel iets.'

Ze kijkt hem aan en weet niet wat ze ervan moet denken. Zou er ook maar een kleine kans zijn dat hij hen daar levend uit krijgt? En als het lukt... wat dan? Zouden twee Joodse vrouwen en een verrader, die samen uit Auschwitz zijn gevlucht, zich voor de nazi's kunnen verbergen? En zelfs als dat kon... zou ze haar leven dan met een nazi willen delen, ook al is het een deserteur? Zou ze nog wel te maken willen hebben met iemand die zonder blikken of blozen honderden mensen de dood in heeft gejaagd?

Te veel vragen.

Ze zwijgt weer. Ze zegt liever niets. Maar Pestek vat haar stilzwijgen op als instemming, want dat wil hij nou eenmaal geloven.

Het is eindelijk opgehouden met regenen. Tijdens het eten, als de gevangenen uit hun werkplaats komen, gaat Dita op zoek naar de verzetsman, maar ze kan hem niet vinden. Het lijkt wel of hij van de aardbodem is verdwenen.

Later, zittend op haar bankje, haalt ze voorzichtig de vouwen uit de Franse roman zonder omslag en repareert de rug met de lijm die Margit stiekem uit het naaiatelier heeft meegenomen. Ze wil het boek helemaal opknappen voordat ze het uitleent aan Markéta, een nogal onvriendelijke lerares Frans met armen als stokjes en haar dat te grijs is voor haar leeftijd. Er gaan verhalen dat ze voor de oorlog gouvernante van de kinderen van een minister was. Hier in het kamp heeft ze een groep negenjarige meisjes onder haar hoede. Dita heeft haar wel eens woordjes horen oefenen met haar leerlingen, die heel goed opletten omdat de lerares heeft gezegd dat Frans de taal van elegante jongedames is. Voor Dita klinken de woorden als muziek, alsof die taal door troubadours is uitgevonden.

Markéta heeft de roman zo vaak aangevraagd, dat Dita op een dag aan haar vroeg of ze het boek kende. Ze weet nog dat Markéta haar stomverbaasd van top tot teen opnam.

Alsof ze haar had gevraagd of ze nog maagd was of zo.

Dankzij haar kan Dita de titel correct noteren. Het boek heet *De graaf van Montecristo* en is geschreven door Alexandre Dumas. In Frankrijk is het een heel bekend boek. Nadat Dita het heeft gerepareerd loopt ze naar de lerares, die in gedachten verzonken op haar kruk zit. De vrouw is weinig spraakzaam en maakt met bijna niemand contact. Dita vraagt zich al een tijdje af hoe ze tot haar kan doordringen, en dit is het moment. Er zijn weinig mensen in de barak. Achterin repeteert het koor van Avi Ofir. Met hun gekwinkeleer hebben de zangers bijna iedereen weggejaagd. Zonder op een uitnodiging van Markéta te wachten, ploft ze neer op de kruk naast haar.

'Ik zou graag willen weten waar deze roman over gaat. Zou u me dat willen vertellen?'

Tegen alle verwachting in snauwt de lerares Dita niet af, maar lijkt ze haar gezelschap juist op prijs te stellen. Dan begint ze verrassend enthousiast te vertellen.

De graaf van Montecristo…

Ze vertelt over de jongeman Edmond Dantès, een eerlijke, forse knaap, die het gezag van *Le Pharaon* overneemt en het schip naar de haven van Marseille terugvaart. Hij verheugt zich erop zijn vader en zijn Catalaanse verloofde weer te zien.

'Hij moet het gezag overnemen omdat de kapitein tijdens de reis is overleden. Als laatste gunst had de kapitein hem gevraagd een brief naar een adres in Parijs te brengen. In die periode lacht het leven hem toe: de reder wil hem tot kapitein bevorderen en zijn verloofde, de beeldschone Mercedes, is stapelverliefd op hem. Ze staan op het punt om te trouwen. Maar een neef van haar dingt ook naar haar hand. Samen met een officier van het schip, die zich gepasseerd voelt omdat hij zelf kapitein had willen worden, klaagt de neef Edmond aan wegens verraad. Tot overmaat van ramp bevat de brief van de overleden kapitein belastende informatie. Het is vreselijk! De gelukkigste dag van zijn leven verandert in een nachtmerrie. Tijdens de trouwplechtigheid wordt hij gearresteerd en naar de strafgevangenis op het eiland If overgebracht.

'Waar ligt dat?'

'Dat is een eilandje voor de haven van Marseille. Daar zou hij jarenlang in een cel worden opgesloten. Maar Dantès ontmoet een lotgenoot, abbé Faria, een geestelijke. Iedereen denkt dat hij gek is omdat hij naar de bewakers schreeuwt dat ze hem vrij moeten laten en in ruil daarvoor een deel van een reusachtige schat krijgen. De man is al jaren geduldig bezig om met zelfgemaakt gereedschap een tunnel te graven, maar hij maakt een denkfout en komt niet buiten de gevangenismuur maar in de cel van Dantès terecht. Zonder dat de bewakers het weten, staan hun cellen nu met elkaar in verbinding en kunnen ze de pijn verzachten met elkaars gezelschap.'

Dita is een en al oor. Ze kan zich goed identificeren met Edmond Dantès, een onschuldig man die door een gemene streek volkomen onterecht gevangen zit, net zoals haar en haar familie is overkomen.

'Wat voor iemand is die Dantès?'

'Hij is sterk en knap, heel knap. Maar bovenal heeft hij een goed hart, het is een goed en loyaal mens.'

'En hoe loopt het met hem af? Krijgt hij de vrijheid waar hij recht op heeft?'

'Faria en hij beramen een vluchtplan. Samen graven ze nu jaren aan een tunnel, en in die tijd wordt de abbé een vader en een leermeester voor hem. Faria leert hem geschiedenis, filosofie, en nog veel meer. Maar als de tunnel bijna af is, sterft de abbé. Net als Edmond denkt nog maar een vingerlengte van de vrijheid verwijderd te zijn, gooit de dood van zijn vriend roet in het eten.'

Alsof ze nog niet genoeg heeft aan haar eigen ellende, trekt Dita een pruilmondje en beklaagt de arme Dantès om zijn treurige lot. Markéta glimlacht.

'Dantès is inventief en dapper. Nadat de bewakers hebben vastgesteld dat de gevangene is overleden en ze weer weg zijn, gaat hij snel via de geheime tunnel naar Faria's cel, sleept het lichaam van zijn oude vriend terug naar zijn eigen cel en legt het op zijn strozak. Dan gaat hij terug naar de cel van Faria en kruipt zelf in de lijkzak. Als de lijkbezorgers komen, nemen ze dus Dantès mee. Zijn plan is om, eenmaal in het mortuarium, bij de eerste de beste gelegenheid uit de zak te kruipen en te ontsnappen.'

'Wat een goed idee!'

'Toch niet helemaal. Wat hij niet weet is dat die akelige gevangenis op If geen mortuarium heeft, dat er zelfs nooit iemand wordt begraven, maar dat de lijken van de gevangenen in zee worden gegooid. Vanaf een duizelingwekkende hoogte wordt Dantès in het water gegooid, dus als de gevangenbewaarders het bedrog ontdekken, denken ze dat hij verdronken is.'

'En is dat zo?'

'Nee, het boek is nog lang niet uit. Hij weet zich uit de zak te worstelen. En hoewel hij volkomen uitgeput is, lukt het hem naar de kust te zwemmen. Maar weet je wat het mooiste is? Abbé Faria was helemaal niet gek, hij had wel degelijk een schat gevonden. Edmond Dantès gaat ernaar op zoek en als hij hem heeft gevonden, neemt hij een nieuwe identiteit aan. Hij wordt de graaf van Montecristo.'

'En dan leeft hij nog lang en gelukkig?' vraagt Dita argeloos.

Markéta kijkt haar stomverbaasd en enigszins verwijtend aan.

'Nee! Hoe kan hij nu doen alsof er niets gebeurd is? Hij doet wat hij moet doen: wraak nemen op iedereen die hem verraden heeft.'

'En lukt hem dat?'

Markéta knikt en begint zo hevig te gebaren, dat Dita er niet aan twijfelt dat Edmond Dantès, die nu de graaf van Montecristo is, onverbiddelijk wraak neemt. De lerares vervolgt het verhaal met de sluwe intriges van Dantès, alias de graaf van Montecristo. Degenen die hem het leven zuur hebben gemaakt straft hij genadeloos. Hij heeft een ingewikkeld, geslepen plan, waaraan zelfs Mercedes niet ontkomt. Zij wil trouwen met haar neef omdat ze denkt dat Dantès dood is; ze weet niet dat haar toekomstige man een bedrieger is. Ook voor haar heeft Edmond geen genade. In zijn rol van rijke, mondaine graaf weet hij dicht bij hij het paar te komen, wint hun vertrouwen en richt hen ten slotte te gronde.'

Na het verhaal over de meedogenloze wraakactie van de graaf van Montecristo zwijgen ze een tijdje. Dita staat op om weg te gaan, maar wendt zich eerst nog even tot de lerares.

'Mevrouw Markéta... u heeft dit verhaal zo mooi verteld dat het wel lijkt of ik het echt heb gelezen. Zou u een van onze levende boeken willen zijn? Dan zouden we naast *De wonderbaarlijke avonturen van Nils Holgersson*, de legenden van de Amerikaanse indianen en de geschiedenis van de Joden nu ook *De graaf van Montecristo* hebben.'

Markéta ontwijkt haar blik en kijkt naar de vloer van aangestampte aarde. Ze is weer helemaal de verlegen en schuchtere vrouw van altijd.

'Het spijt me, maar dat kan ik niet. Lesgeven aan mijn meisjes vind ik fijn, maar om nu in het midden van de barak te gaan staan... Nee, geen sprake van.'

Dita ziet dat de vrouw al bloost bij de gedachte. Ze wil het echt niet. Maar ze kunnen het zich niet permitteren een boek verloren te laten gaan en Dita bedenkt ineens wat Fredy Hirsch in een vergelijkbare situatie tegen haar zei.

'Ik weet dat het een enorme opgave voor u is, maar... in de tijd dat het verhaal duurt zijn de kinderen even weg uit deze varkensstal vol vlooien, weg van de geur van verbrand vlees, weg van hun angsten. Dan zijn ze even gelukkig. Dat kunnen we de kinderen niet ontzeggen.'

De vrouw knikt enigszins somber.

'Nee...'

'Als we naar de werkelijkheid kijken, zien we alleen maar walging en woede. Het enige wat we nog hebben is de verbeelding, mevrouw Markéta.'

Na een tijdje richt de lerares haar hoofd op en kijkt haar aan.

'Zet me maar op je boekenlijst.'

'Dank u, mevrouw Markéta. Dank u wel. Welkom bij de bibliotheek.'

Dan zegt de vrouw dat het te laat is om nog te lezen, dat ze de roman morgen wel komt halen.

'Bovendien moet ik nog een paar passages doornemen.'

Dita heeft het gevoel dat Markéta's stem vrolijker klinkt en dat haar bewegingen energieker zijn dan anders. Misschien staat het idee een levend boek te zijn haar toch wel aan. Dita blijft nog even zitten en bladert het boek door. Ze fluistert de naam van Edmond Dantès en probeert hem Frans te laten klinken, en ze vraagt zich af of ze net als de hoofdpersoon van dit boek uit de gevangenis weet te ontsnappen. Ze denkt dat ze niet zo dapper is als hij, maar als ze de kans zou krijgen om de oversteek naar het bos te maken, zou ze het meteen doen.

Maar zou ze wraak nemen op al die bewakers en officieren van de SS als ze wist te ontsnappen? Zou ze dan net zo systematisch, onverbiddelijk en genadeloos te werk gaan als de graaf van Montecristo? Natuurlijk zou ze het geweldig vinden als de nazi's hetzelfde leed wordt toegebracht als zij zoveel onschuldigen berokkenen. Maar dan bedenkt ze met een zekere weemoed dat ze de opgewekte, argeloze Edmond Dantès veel leuker vindt dan de berekenende, haatdragende man die hij later werd. Heb je werkelijk een keuze, of word je door de slagen van het lot een ander mens, net zoals een gezonde, bloeiende boom door toedoen van een houthakker uiteindelijk dor sprokkelhout wordt?

Ze moet weer denken aan de laatste dagen van haar vader, die stierf op een smerig stromatras zonder zorg of medicijnen, hoe hij langzaam bezweek aan de ziekte waarmee de nazi's in hun obsessie voor de dood een verbond hadden gesloten. Als ze daaraan denkt begint het bloed in haar slapen te kloppen en voelt ze een hartgrondige haat opkomen. Maar dan herinnert ze zich wat meneer Morgenstern haar heeft geleerd: 'Onze haat is hun overwinning.'

Als meneer Morgenstern gek was, hadden ze haar samen met hem mogen opsluiten.

22

Twee kampen verder speelt zich een tafereel af waarvan niemand getuige had willen zijn, maar gevangenen hebben nu eenmaal geen keus. Terwijl Rudi Rosenberg met een paar lijsten in zijn hand door de Lagerstrasse van BIId loopt, komt een SS-patrouille het kamp binnen met vier Russische krijgsgevangenen. De Russen zijn broodmager, ze hebben blauwe plekken in hun gezicht en hun kleren zijn aan flarden gescheurd. Rosenbergs vriend Wetzler, die in het mortuarium van het kamp werkt, heeft hem verteld dat de Russische krijgsgevangenen onder erbarmelijke omstandigheden aan de uitbreiding van Birkenau moeten werken. De hele dag sjouwen ze met zware planken en heipalen.

Op een ochtend kneep de kapo van de Russen er een paar uur tussenuit voor zijn afspraakje met de bewaakster van de vrouwengroep die het naastgelegen terrein aan het schoonmaken was. Tijdens zijn afwezigheid maakten de Russische gevangenen een geheim schuilhok van houten planken. Eromheen werden nog meer planken zo neergezet dat het hok niet zou opvallen. Het plan was om als de kapo even niet oplette in dat schuilhok te gaan zitten. Bij het appèl zou hun afwezigheid worden opgemerkt en omdat men zou denken dat ze gevlucht waren, zou er in en rond het bos naar hen gezocht worden. Niemand die kon weten dat ze zich zo dichtbij zouden schuilhouden.

De Duitsers gingen systematisch te werk. Als bij een vlucht de staat van paraatheid werd uitgeroepen, werden er buitengewoon snel groepen SS'ers gemobiliseerd om klopjachten te houden en werd er gedurende drie dagen een verhoogde staat van waakzaamheid afgekondigd. Na die drie dagen keerden de SS'ers terug naar hun reguliere taken. De vluchters zouden dus precies drie dagen in het hokje moeten blijven zitten voordat ze via het bos konden vluchten.

Het idee om te vluchten heeft de registrator niet meer losgelaten. Het werd een obsessie. Sommige veteranen hebben het over vluchtkoorts alsof het een kwaal is die als een besmettelijke ziekte toeslaat. Ineens voel je een onweerstaanbare drang om te vluchten. In het begin denk je er af en toe aan, later steeds vaker, en uiteindelijk ben je niet meer in staat om je op iets anders te concentreren. Dan ben je dag en nacht bezig met het uitwerken van een plan. De noodzaak om te vluchten is dan allesoverheersend, net zoals je bij een plotseling opkomende en steeds erger wordende jeuk steeds harder gaat krabben, ook al gaat je huid ervan kapot.

Er zijn nog maar een paar dagen voorbijgegaan sinds de vluchtpoging van de Russen, en Rosenberg kijkt somber toe wanneer een groep SS'ers binnenkomt met de geketende voortvluchtigen. Helemaal achteraan loopt Sturmbahnfüher Schwarzhuber. De gevangenen kunnen bijna niet lopen en hun ogen zijn zo opgezwollen dat ze alleen nog maar door een kiertje kunnen kijken. De kampbewakers blazen op hun fluitje ten teken dat alle gevangenen naar buiten moeten komen. Degenen die treuzelen krijgen harde klappen. De nazi's gebruiken executies als afschrikwekkend voorbeeld en willen dat iedereen dat ziet. Om de gevangenen duidelijk te maken dat ze beter niet kunnen vluchten, is niets zo effectief.

De kampcommandant laat de patrouille tot stilstand komen bij een barak met een katrol boven aan de muur. Je zou kunnen denken dat die wordt gebruikt om balen stro of graan op te hijsen, maar in werkelijkheid worden er mensen aan opgehangen. Tergend langzaam en zichtbaar genietend houdt Schwarzhuber een lange redevoering. Hij geeft hoog op van de doeltreffende manier waarop het Derde Rijk afrekent met degenen die zich niet aan de bevelen houden, en kondigt met leedvermaak de onverbiddelijke straf aan die hen wacht.

Voordat ze geëxecuteerd worden, krijgen ze bij wijze van macaber extraatje eerst vijftig zweepslagen. Daarna krijgen ze een voor een strop om de nek. Een luitenant wijst zes gevangenen aan en zegt dat ze aan het touw moeten trekken. Er wordt even geaarzeld, maar als de luitenant zijn hand naar de holster van zijn pistool brengt, komen de zes mannen meteen in beweging. Het touw gaat omhoog en het lichaam van de eerste gevangene komt spartelend en stuiptrekkend los van de grond en van het leven.

Verbijsterd ziet Rudi Rosenberg hoe zijn ogen als gekookte eieren tussen zijn ontstoken oogleden uitpuilen en zijn tong uit zijn verwrongen mond komt te hangen; hij hoort hoe de man begint te rochelen en stikt. Dan houdt het gespartel op. Er druppelt vocht uit zijn lichaam op de grond. Als hij omkijkt ziet hij de blikken van de andere voortvluchtigen. Hun gezichten zijn niet meer van deze wereld, de pijn van de zweepslagen heeft hen zo afgemat dat ze hun naderende dood als een bevrijding zien. Daarom laten ze zich gedwee de strop omdoen, opdat het allemaal zo snel mogelijk voorbij is.

Hoe geschokt Rosenberg ook is, hij blijft bij zijn beslissing hoe dan ook te vluchten uit Auschwitz II. Alice heeft een bitterzoete herinnering achtergelaten, die hem vooral duidelijk maakt dat er in deze gruwelijke hel nooit iets moois kan bloeien. Hij kan de nabijheid van de dood niet langer verdragen. Hij moet proberen te vluchten, ook al eindigt hij misschien spartelend aan de strop.

Hij vraagt wat rond in kamp BIId, waar hij contact heeft met mensen die alle hoeken en gaten van het kamp kennen. Op een middag komt hij Frantisek tegen, een blokoudste met wie hij goed contact heeft en een vooraanstaand lid van het verzet, en vertelt hem over zijn verlangen te vluchten. Frantisek zegt dat hij de volgende dag in zijn kamer moet komen voor een kop koffie.

Koffie?

Koffie is een luxe die alleen binnen het bereik ligt van degenen met goede connecties op de zwarte markt. Want je hebt niet alleen koffie nodig, maar ook een koffiemolen, een koffiepot, water, een warmtebron... Natuurlijk gaat hij naar de afspraak. Hij houdt van koffie, maar nog meer van mensen met contacten. Hij gaat de barak binnen, waar op dat uur niemand is omdat iedereen van BIId buiten aan het werk is, en loopt naar de kamer van Frantisek. Zijn hart staat stil als hij ziet dat er een geüniformeerde SS'er naast de blokoudste zit. Het woord 'verraad' giert door zijn hoofd.

'Kom binnen, Rudi. Het is goed. We zijn onder vrienden.'

Even blijft hij aarzelend op de drempel staan, maar Frantisek is te vertrouwen, althans, dat denkt hij. De SS'er steekt vriendelijk zijn hand naar hem uit.

'Ik heet Viktor, Viktor Pestek.'

Als registrator heeft Rudi veel gehoord, maar nooit is hij ergens zo door verrast als door wat de SS-bewaker hem voorstelt.

'Zou u samen met mij willen vluchten?'

De SS'er vertelt zijn plan tot in de kleinste details en feit is dat het zeker niet gek klinkt, althans het eerste deel. In SS-uniform zouden ze zonder verdenking op zich te laden door de hoofdpoort naar buiten lopen en dan de trein naar Praag nemen. Als de volgende ochtend hun afwezigheid ontdekt wordt, zijn ze al bijna in de stad. Het tweede deel vindt Rudi een stuk absurder: papieren regelen voor henzelf en nog twee vrouwen, en dan terug naar Auschwitz om die vrouwen op te halen.

Rudi luistert aandachtig, en het is waar dat hij nauwelijks een betere manier kan bedenken om te vluchten met een hoge SS'er, maar iets zegt hem dat het niet gaat werken. Misschien komt dat doordat hij de SS'er voor geen cent vertrouwt, maar hij besluit het voorstel beleefd af te wijzen en garandeert absolute geheimhouding.

Frantisek blijkt geen koffiepot te hebben, maar wel een sok die hij in een ketel hangt. Al met al smaakt de koffie uit het pannetje hemels en Rudi gaat weg met de gedachte dat die SS'er net iets te vrolijk over zijn plannen vertelt.

Het gerucht dat een SS'er iemand zoekt om uit Auschwitz te vluchten begint zich te verspreiden. Veel mensen geloven het niet en denken dat het zo'n verhaal is als dat van de schat aan het einde van de regenboog. Maar Pestek bestaat echt en blijft bij zijn plan. Nauurlijk zou hij alleen kunnen gaan, maar hij heeft iemand nodig die het Praagse verzet kent zodat hij zo snel mogelijk aan valse documenten kan komen, die hij nodig heeft om René en haar moeder uit Auschwitz weg te halen.

Hij gaat net zo lang door tot hij iemand vindt die bereid is met hem mee te gaan. Het is een van de gevangenen van het familiekamp, Siegfried Lederer, en hij is lid van het verzet. Lederer is zo iemand die alleen maar bezig is met hoe hij kan vluchten en bereid is alles op alles te zetten om weg te komen.

Die middag heeft Pestek met René afgesproken. Zoals altijd komt ze met een ernstig, beschaamd gezicht aanlopen, haar handen strak langs het lichaam en haar hoofd gebogen.

'Dit is ons laatste afspraakje in Auschwitz.'

Hij heeft het al dagen over de vlucht, maar zij gelooft er nog niet zo in.

'De grote dag is gekomen,' zegt hij. 'Nou ja, het is natuurlijk nog maar het eerste deel. Eerst ga ik en dan kom ik terug om jou en je moeder te halen.'

'Maar hoe ga je dat dan doen?'

'Je kunt maar beter zo min mogelijk weten. De kleinste blunder kan fataal zijn, en misschien moet ik gaandeweg mijn plan veranderen als dingen niet zo gaan als ik dacht. Maar maak jij je alsjeblieft nergens zorgen om. Op een dag ga je door die poort en zullen we vrij zijn.'

René kijkt naar hem en trekt bevallig een krul naar haar mond.

'Nu moet ik gaan.'

Ze knikt.

Op het laatste moment houdt ze hem tegen en pakt hem bij de manchet van zijn jasje.

'Viktor...'

'Ja?'

'Wees voorzichtig.'

Hij haalt opgelucht adem. Nu kan echt niets hem meer tegenhouden.

Ook Dita is vastbesloten, maar in een ander opzicht. Ze zal niet rusten voordat ze weet wat er op die middag in maart met Hirsch is gebeurd en waarom hij zelfmoord heeft gepleegd. Al dagenlang hangt ze rond bij de werkplaats van Change, maar tot dan toe zonder succes. Soms moet je het succes afdwingen.

Dita loopt af op wat zo te zien de laatste groep arbeiders is die aan het einde van de werkdag de werkplaats verlaat.

'Neemt u mij niet kwalijk...'

Vriendelijk maar uitgeblust kijken de mannen haar aan.

'Ik ben op zoek naar een man... zonder haar.'

De mannen kijken elkaar verwonderd aan.

'Zonder haar?'

'Ja, kaal, bedoel ik. Helemaal kaal.'

'Helemaal kaal?'

'Ach, natuurlijk!' zegt een van hen. 'Ze bedoelt Kurt, dat kan niet anders.'

'Daar binnen,' wijzen ze. 'Hij komt altijd als laatste naar buiten. Hij moet alles opruimen, schoonmaken en dan de vloer nog vegen.'

'Flinke klus,' zegt een van de mannen.

'Ja, dat heb je als je behalve Jood ook nog communist bent.'

'En dan nog kaal ook,' grapt een ander.

'Kaal zijn heeft ook voordelen. De luizen glijden uit op je hoofd.'

'Als het vriest schaatsen ze op zijn hoofd,' zegt de grappenmaker van het gezelschap.

Dan lopen ze lachend weg en laten Dita staan. Ze blijft nog een hele tijd wachten en ten slotte komt de man zonder haar naar buiten. Mevrouw Turnovská heeft gelijk, hij is inderdaad te herkennen aan zijn neus.

Dita gaat naast hem lopen.

'Neemt u me niet kwalijk, ik wil graag iets weten.'

De man kijkt haar boos aan en versnelt zijn pas. Dita houdt hem op een drafje bij.

'Alstublieft, ik wil iets weten over Fredy Hirsch.'

'Waarom volg je me? Ik weet van niets. Laat me met rust.'

'Ik wilde u niet lastigvallen, maar ik moet weten...'

'Wat moet je toch? Ik ben gewoon de schoonmaker van de werkplaats.'

'Ik heb gehoord dat u nog iets bent...'

De man blijft plotseling staan en werpt haar een woedende blik toe. Snel kijkt hij om zich heen en ineens beseft Dita dat het afgelopen zou zijn als Mengele haar hier had gezien.

'Dat heb je dan verkeerd gehoord.'

De man gaat weer sneller lopen.

'Wacht even!' roept Dita verontwaardigd. 'Ik wil met u praten! Of wilt u het liever zo doen, schreeuwend?'

Een paar mensen kijken nieuwsgierig om en de man vloekt zachtjes. Hij pakt hij Dita bij haar arm en trekt haar mee naar een paadje tussen twee barakken in waar het wat donkerder is.

'Wie ben je? Wat wil je van me?'

'Ik ben een assistente uit blok 31. Ik ben te vertrouwen. Dat kunt u navragen bij Miriam Edelstein.'

'Ja ja, het is al goed... zeg op.'

'Ik probeer te begrijpen waarom Fredy Hirsch zelfmoord heeft gepleegd.'

'Waarom? Heel eenvoudig, hij heeft het opgegeven.'

'Wat zegt u?'

'Wat ik zeg, hij is afgehaakt. Er is hem gevraagd de opstand te leiden en dat durfde hij niet. Einde verhaal.'

'Dat geloof ik niet.'

'Het maakt me geen barst uit of je me gelooft of niet. Dat is hoe het is gegaan.'

'U kende Fredy Hirsch niet, hè?' Dan valt de man stil, alsof hij ergens op is betrapt. Dita probeert uit alle macht haar tranen tegen te houden terwijl ze verder praat. 'U heeft hem niet gekend. U weet niets van hem. Hij deinsde nooit ergens voor terug. U denkt dat u veel weet, dat het verzet alles weet... maar u begrijpt er niets van.'

'Luister meisje, wat ik wél weet is dat de leiding hem had aangewezen en hij vervolgens al die pillen heeft geslikt om overal vanaf te zijn,' antwoordt hij geïrriteerd. 'Ik snap niet waar al die belangstelling voor hem vandaan komt. Dat blok 31 is één grote poppenkast.

Het hele familiekamp trouwens. Hirsch en wij allemaal hebben ons gewoon laten gebruiken, we zijn gewoon een soort kindermeisjes geweest.'

'Wat bedoelt u?'

'Dit is een modelkamp, een dekmantel. Alleen maar om de internationale waarnemers om de tuin te leiden, als die hier komen om te onderzoeken wat er klopt van de geruchten dat de kampen van de Duitsers slachterijen zijn. Het familiekamp en blok 31 zijn puur decor, en wij zijn de acteurs in deze klucht.'

Dita zwijgt. De man schudt zijn hoofd.

'Maak je niet zo druk. Je vriend Hirsch werd bang. Dat is heel menselijk, hoor.'

Angst...

Ze bedenkt dat angst net roest is, dat het zelfs een ijzeren wil kan ondermijnen. Het vreet alles aan, het maakt alles kapot.

Zenuwachtig om zich heen kijkend loopt de kale man weg.

Dita blijft in het steegje staan. De woorden van de man galmen na in haar hoofd. Decor? Acteurs in een klucht? Kindermeisjes van de nazi's? Hebben ze zo hun best gedaan voor blok 31 ter meerdere eer en glorie van de Duitsers?

Ze moet even tegen de barak leunen omdat het haar letterlijk duizelt. Dus het hele familiekamp is een leugen? Kan er dan niets gewoon waar zijn?

Ze begint te geloven dat het misschien zo moet zijn. De waarheid kan het lot bevestigen, maar is niets anders dan een gril van het toeval. De leugen is daarentegen veel menselijker, die wordt door de mens op maat gemaakt.

Ze gaat op zoek naar Miriam Edelstein. Ze treft haar in de barak, zittend op haar bed. Haar zoon Ariah neemt net afscheid om met andere jongens een eindje over de Lagerstrasse te wandelen voordat ze een homp brood als avondeten uitdelen.

'Stoor ik, tante Miriam?'

'Natuurlijk niet.'

'Weet u...' Haar stem hapert, alles aan haar hapert. 'Ik heb met iemand van het verzet gepraat. Hij heeft me iets krankzinnigs verteld: dat het familiekamp een dekmantel van de nazi's is voor als er buitenlandse waarnemers komen om te inspecteren...'

Miriam knikt zwijgend.

'Dus het is waar! En u wist het! Dus het enige wat we al die tijd hebben gedaan is de Duitsers helpen.'

'Geen sprake van! Zij hadden een plan, maar wij hebben ons eigen plan gemaakt. Ze wilden een pakhuis met kinderen die als oud vuil waren weggezet, maar wij hebben er een school van gemaakt. Ze wilden dat ze als vee in een stal waren, maar wij hebben ervoor gezorgd dat ze zichzelf als mens zien.'

'En waar heeft het toe geleid? Alle kinderen van het septembertransport zijn dood.'

'Het was de moeite waard. Niets is voor niets geweest. Weet je nog hoeveel plezier ze hadden? Kun je je hun blije gezichten nog herinneren wanneer ze naar de verhalen van onze levende boeken luisterden of *Alouette* zongen? Weet je nog dat ze een gat in de lucht sprongen als we een half koekje in hun kom legden?'

'En hoe opgewonden ze waren bij de voorbereidingen voor de toneelstukken?'

'Ze waren gelukkig, Edita.'

'Maar het heeft maar zo kort geduurd...'

'Het leven, alle leven, duurt heel kort. Maar als je gelukkig bent geweest, al is het maar heel even, is het de moeite waard geweest.'

'Heel even! Hoe kort kan geluk dan duren?'

'Heel kort. Een moment van geluk kan net zo kort duren als het branden van een lucifer.'

Dita zwijgt en probeert na te gaan hoeveel lucifers er in haar leven zijn aangestoken, en dat zijn er veel geweest. Ze kan ze niet eens tellen. Veel kleine momenten waarop de vlam heeft geschitterd, ook in de grootste duisternis. Net zoals zij midden in deze narigheid een boek openslaat en begint te lezen. Haar kleine bibliotheek is een doosje vol lucifers. Die gedachte ontlokt haar een melancholische glimlach.

'Hoe zal het met deze kinderen aflopen? Hoe zal het met ons allemaal aflopen? Ik ben bang, tante Miriam.'

'De nazi's kunnen ons huis, onze bezittingen, onze kleren en zelfs ons haar van ons afnemen, maar onze hoop kunnen ze ons niet afnemen. Die is van ons. Die kunnen we niet verliezen. Je hoort steeds meer bombardementen van de geallieerden. De oorlog zal niet eeuwig duren, en we moeten ons ook voorbereiden op de vrede. De kinderen moeten blijven leren omdat ze straks hun land en de wereld in puin aantreffen, en het is aan hen en aan jullie jongeren om alles weer op te bouwen.'

'Maar dat het familiekamp een truc van de nazi's is, is vreselijk. Straks komen de internationale waarnemers en als ze dit te zien krijgen, denken ze dat de kinderen in Auschwitz het wel redden. De gaskamers worden verborgen gehouden en de waarnemers worden in de maling genomen.'

'O nee.'

'Wat bedoelt u?'

'Dat is ons moment. We zullen ze hier niet weg laten gaan voordat ze weten hoe het zit.'

Dan herinnert Dita zich ineens de middag voor het vertrek van het septembertransport, toen ze Fredy tegenkwam in de Lagerstrasse.

'Nu schiet me ineens iets te binnen wat Fredy zei, de laatste keer dat ik hem zag. Hij zei iets over een moment waarop er een kiertje zou ontstaan en dat dat het uur van de waarheid zou zijn. En dat we daarvan gebruik moesten maken. Hij zei dat we de bal in de laatste seconde in de basket moesten werpen, als de tegenstander het al niet meer verwachtte, en dat we dan we de wedstrijd zouden winnen.'

Miriam knikt.

'Dat was inderdaad het plan. Voordat hij wegging gaf hij me wat papieren. Hij schreef niet alleen rapporten voor de kampcommandant. Hij had van alles verzameld: gegevens, namen, data... een heel dossier had hij aangelegd over hoe het er in Auschwitz aan toegaat, en dat wilde hij aan een neutrale waarnemer geven.'

'Dat heeft hij niet meer kunnen doen.'

'Nee, hij is er niet meer. Maar we geven ons niet over, toch?'

'Ons overgeven? Dat hadden ze gedroomd! U kunt op me rekenen, wat het ook is.'

De onderdirectrice van blok 31 glimlacht.

'Maar,' houdt Dita aan, 'waarom heeft hij dan op het laatste moment zelfmoord gepleegd? De mensen van het verzet zeggen dat hij bang was.'

Miriam Edelsteins glimlach verandert plots in een geïrriteerde grimas.

'Die man van het verzet zei dat ze tegen hem hadden gezegd dat hij een opstand moest leiden en dat hij toen terugkrabbelde. Ik zei tegen hem dat hij geen idee had, maar hij was nogal zeker van zijn zaak...'

'Toen ze zeker wisten dat het hele septembertransport naar de gaskamers ging, hebben ze hem inderdaad gevraagd een opstand te leiden. Dat heb ik van een betrouwbare bron.'

'En dat weigerde hij?'

'Een opstand van families met oude mensen en kinderen tegenover gewapende SS'ers was geen geweldig plan. Hij vroeg of hij er even over mocht nadenken.'

'En toen pleegde hij zelfmoord.'

'Ja.'

'Waarom?'

Miriam Edelstein zucht diep.

'We hebben nu eenmaal niet overal een antwoord op.'

De vrouw pakt haar bij haar schouder en trekt haar naar zich toe. Ze blijven een hele tijd zo staan, de stilte verbindt hen meer dan welk woord dan ook. Liefdevol nemen ze afscheid van elkaar en Dita loopt de barak uit. Misschien dat er niet voor alles een antwoord bestaat, maar Fredy heeft tegen haar gezegd: 'Geef nooit op.' En ze zal niet opgeven voordat ze dat antwoord heeft gevonden.

Door het geroezemoes van de lessen wordt ze uit haar gedachten gehaald. Een paar meter van haar vandaan zit de groep van Ota Keller. De kinderen luisteren aandachtig naar zijn uitleg en Dita spitst haar oren. Ze mist school. Ze had graag gestudeerd en wil misschien wel vliegenierster worden, zoals die vrouw die ze in een geïllustreerd tijdschrift van haar moeder heeft gezien, Amelia Earhart. Op de foto's kwam ze uit een vliegtuig in een leren mannenjack en met een dromerige blik in haar ogen. Dita gelooft dat ze veel moet studeren om vliegenierster te worden.

Ze kijkt naar meneer Keller. Ze zeggen dat hij communist is. Het communisme geeft nog hoop, het is elk geval nog geen nachtmerrie geworden. Ota Keller vertelt over de snelheid van het licht en zegt dat er in het hele universum niets sneller is dan het licht, en dat de sterren die je aan de hemel ziet glinsteren lichtdeeltjes zijn die met een duizelingwekkende snelheid miljoenen kilometers afleggen voordat ze je ogen bereiken. Door zijn aanstekelijke enthousiasme hangen de kinderen aan zijn lippen. Hij beweegt zijn wenkbrauwen op een grappige manier en zijn wijsvinger gaat heen en weer als de naald van een kompas.

Misschien wil ze later toch liever schilderes dan vliegenierster worden. Een kompas is heel moeilijk af te lezen. Schilderen kan ze goed. Op een bepaalde manier zou je dat ook als vliegen kunnen zien, maar dan zonder al die apparaten en hendels. Ze zou de wereld kunnen schilderen alsof ze erboven vloog.

Die middag wacht Margit haar op bij de uitgang van barak 31. Ze is samen met haar zus Helga. Margit fluistert dat ze zich een beetje zorgen maakt om haar zus omdat ze zo uitgemergeld is. Helga heeft de pech dat ze bij een drainagebrigade is ingedeeld en nu het voortdurend regent moet ze de hele dag modder wegscheppen.

Er zijn veel gevangenen zoals Helga. Ze zijn magerder dan de anderen, alsof het brood en de soep meteen weer uit hun lichaam verdwijnen zonder een spoor achter te laten. Maar misschien lijkt dat alleen maar zo en is het iets in hun krachteloze bewegingen en hun moedeloze blik waardoor ze nog dunner lijken. Er wordt veel gepraat over tyfus, over cholera, over tuberculose en longontsteking, maar er wordt nergens zoveel over gepraat als over de plaag van neerslachtigheid die het kamp teistert. Daar is ook Dita's vader aan bezweken. Mensen die ineens uitgeblust zijn. Dat zijn degenen die het opgegeven hebben.

Dita probeert Helga op te beuren en doet haar best een vrolijk gesprek te beginnen.

'Zeg eens, Helga, heb je nog leuke jongens gezien hier?'

Omdat Helga dichtklapt en niet weet wat ze moet antwoorden, speelt Dita de bal door naar haar zus.

'Oké Margit, heb jij dan nog iets gezien wat de moeite waard is? Volgens mij moeten we overplaatsing aanvragen!'

'Wacht even… ik heb een jongen gezien, uit barak 12. Dat is een schatje!'

'Een schatje? Hoor je dat, Helga? Wie praat er nou zo tuttig?'

De meisjes schieten in de lach.

'En heb je al gepraat met dat schatje?' grapt Dita verder.

'Nog niet. Volgens mij is hij minstens vijfentwintig.'

'Oei, te oud. Dat is een oude man. Als je met hem ging zou iedereen denken dat je zijn dochter bent.'

'En jij, Dita?' gaat Margit in de tegenaanval. 'Is er in die hele barak niet één leuke assistent?'

'Assistenten? Neeee. Wie wil er nou iets met zo'n puistenkop?'

'Nou ja, er zal er toch wel één leuke bij zitten?'

'Neeee.'

'Echt niet?'

'Nou ja… er is er wel een bijzonder iemand.'

'Hoezo bijzonder?'

'Hij heeft geen drie benen of zo. Maar…' en nu wordt Dita serieuzer, 'het is zo'n jongen die op het eerste gezicht een beetje saai lijkt, maar hij kan heel boeiend vertellen. Hij heet Ota Keller.'

'Een saaie piet dus.'

'Helemaal niet!'

'Nou zeg! Wat denk je, Helga? Het jongensaanbod is behoorlijk rampzalig, vind je ook niet?'

Haar zus glimlacht instemmend. Ze vindt het gênant om met Margit over jongens te praten omdat die meestal nogal serieus is. Maar als Dita er is wordt ze anders, die maakt alles luchtiger.

Terwijl Helga, Margit, Dita en iedereen in het kamp die nacht liggen te slapen, komt er een eerste luitenant van de SS rustig het terrein op lopen. Hij draagt een rugzak.

Hij loopt naar de achterkant van een barak en maakt de plank los waarmee de achterdeur is vergrendeld. Op dat moment komt Siegfried Lederer vanuit de duisternis tevoorschijn. Hij verkleedt zich stilletjes. Van een arme sloeber wordt hij opeens een verzorgde SS-officier. Pestek wilde graag dat hij als luitenant verkleed ging, omdat dan de kans groter is dat niemand iets tegen hem durft te zeggen.

Ze gaan langs de controlepost. De twee bewakers in het portiershokje brengen eerbiedig de Hitlergroet. Dan lopen ze naar de ingang onder de enorme wachttoren. Het is er donker en uit de ramen van het bovenste deel schijnt licht. Lederer voelt het zweet langs zijn rug lopen, maar Pestek is heel zelfverzekerd. Hij is ervan overtuigd dat ze zonder problemen door de controle komen.

Ze naderen de post onder de imposante toegangspoort en Pestek loopt een stukje vooruit. Als de wachters hem zien aankomen draaien ze zich om en hun geladen machinepistolen draaien mee. Pestek fluistert tegen Lederer dat hij wat moet inhouden zodat hijzelf vooruit kan gaan, maar dat hij wel moet blijven doorlopen, dat het belangrijkste is dat hij niet aarzelt, dat hij blijft lopen. Als hij niet twijfelt, doet de bewaking dat ook niet. Ze durven een luitenant niet zomaar staande te houden.

Volkomen ontspannen loopt Pestek verder. Hij nadert de bewakers en zegt zachtjes en op familiaire toon dat hij even een eindje om gaat met een officier die pas naar Auschwitz is overgeplaatst, dat hij hem het bordeel van Auschwitz I wil laten zien.

De bewakers krijgen nauwelijks de tijd voor een samenzweerderig lachje want daar komt de houterige luitenant al voorbij. De beide bewakers gaan in de houding staan. Pestek gaat naast zijn superieur lopen en samen verdwijnen ze in de nacht. Ze hebben geluk.

Ze zetten koers naar het station van Oświęcim. Daar nemen ze de trein naar Krakau, waar ze als alles goed gaat overstappen op een trein naar Praag. Ze lopen zwijgend door en proberen niet gehaast over te komen. De vrijheid kriebelt op Lederers rug, of zou het misschien het uniform zijn, of gewoon de zenuwen? Pestek is een stuk zelfverzekerder, hij loopt zelfs te fluiten. Hij is ervan overtuigd dat alles goed afloopt. Ze kunnen niet gepakt worden, want hij weet precies hoe SS'ers denken. Nog geen kwartier geleden was hij een van hen.

23

Het ochtendappèl duurt langer dan ooit. Aan het eind klinkt er gefluit en geschreeuw in het Duits. Dan komt een SS'er zeggen dat het appèl opnieuw moet. De meeste gevangenen verstaan Duits en weten dus meteen wat dat betekent: nog een uur staan... Ze weten niet wat er aan de hand is, maar de bewakers zijn zichtbaar gespannen. Eén woord gaat van rij tot rij: ontsnapping.

Later die ochtend galmt *Alouette* door blok 31. Avi Ofir dirigeert het koor met zijn gebruikelijke enthousiasme en kinderen van alle leeftijden zingen luidkeels mee. Het is zo ongeveer het lijflied van blok 31 geworden. Dita voegt zich bij het koor. De 360 kinderen van het blok gaan helemaal op in de muziek en het geluid dat uit hun kelen komt versmelt tot één stem met verschillende timbres.

Wanneer ze uitgezongen zijn, doet Lichtenstern een mededeling: het is bijna seideravond en de leiding van het kinderblok doet haar best om er een groot feest van te maken. De kinderen applaudisseren, sommige fluiten enthousiast. Iemand weet te vertellen dat de blokoudste al dagen probeert op de zwarte markt alle ingrediënten voor de viering te kopen. Op deze manier wordt de sleur van het kampleven doorbroken en krijgen de kinderen even het gevoel dat ze een normaal leven leiden. Een ander nieuwtje dat door het kamp gaat, met de snelheid van het licht waar Ota Keller het over had, is de ontsnapping van de gevangene Lederer. Om die reden moest het appèl herhaald worden en wordt nu bij iedereen het haar afgeknipt. De kapo's herhalen steeds luidkeels het woord 'hygiëne', maar het is pure wraakzucht. Urenlang staan mensen in de rij voor een stel Griekse kappers met roestige scharen waarmee ze in hun burgerleven waarschijnlijk de heg knipten. Van Dita's volle haardos blijven slechts wat piekerige sprieten over.

Maar wat maakt het uit.

Waar de Duitsers het meest gefrustreerd over zijn is dat Lederer bij zijn vlucht hulp van een gedeserteerde SS-bewaker zou hebben gekregen. Die bewaker zal ongetwijfeld de wreedste straf krijgen die ze kunnen bedenken. Volgens Margit was het de vriend van René, maar die wil er met niemand over praten. Eigenlijk wil ze helemaal nergens over praten.

En gelukkig hebben ze de vluchters nog niet opgepakt.

Dita loopt door de Lagerstrasse en geeft haar ogen goed de kost zodat ze Mengele op tijd kan zien aankomen. Maar in plaats van de kamparts herkent ze een gevangene met een hoge functie die ze al eens aan de andere kant van het hek heeft gesignaleerd. Al weken loopt ze te piekeren hoe ze met hem in contact kan komen, en daar wandelt hij ineens op zijn dooie akkertje, met zijn handen in zijn zakken. In zijn rijbroek ziet hij eruit als een kapo. Maar het is de registrator van het quarantainekamp. Het is Rudi Rosenberg.

'Neemt u me niet kwalijk...'

Rudi gaat langzamer lopen maar blijft niet staan. Hij is verdiept in zijn plan. Er is geen weg meer terug. Hij kan zijn schuldgevoel niet meer verdragen. Hij moet hier weg, dood of levend. Hoe eerder, hoe beter. De beslissing is genomen. Het lot zal zijn loop nemen en hij kan nu geen afleiding gebruiken.

'Wat moet je?' vraagt hij geïrriteerd. 'Ik heb geen eten voor je, hoor.'

'Daar gaat het niet om. Ik heb in blok 31 voor Fredy Hirsch gewerkt.'

Rosenberg knikt maar loopt nog steeds door, en Dita moet steeds grotere passen nemen om hem bij te houden.

'Ik heb hem gekend...'

'Maak je geen illusies, niemand kende die man. Hij liet zich niet kennen.'

'Maar hij was dapper. Heeft hij iets gezegd wat zijn zelfmoord zou kunnen verklaren?'

Rosenberg blijft even staan en kijkt haar vermoeid aan.

'Hij was een mens. Jullie denken dat hij een Bijbelse patriarch was, of een golem of zo.' Hij zucht minachtend. 'Hij had zichzelf dat heldenaureool aangemeten, maar daar prikte je zo doorheen. Ik heb hem gezien. Hij was een mens, net als ieder ander. Hij kon gewoon niet meer. Hij heeft gefaald zoals iedereen gefaald zou hebben. Is dat zo moeilijk te begrijpen? Vergeet hem. Hij is verleden tijd. Hou jij je nu maar bezig met hoe je hier levend uit komt.'

Zichtbaar geërgerd beëindigt Rudi het gesprek en loopt weg. Dita denkt na over wat hij heeft gezegd. En ook over zijn vijandige toon. Natuurlijk was Hirsch een mens en had hij zijn zwakheden, dat weet zij maar al te goed. Hij heeft nooit gezegd dat hij bang was, natuurlijk was hij bang. Wat hij zei was dat je die angst moest overwinnen. Rosenberg is iemand die veel weet, dat zegt iedereen. Hij heeft haar een wijze raad gegeven: denk alleen aan jezelf. Maar Dita wil niet wijs zijn.

Het is april. De snijdende winterkou is verdwenen, maar nu het zachter is regent het bijna voortdurend. De Lagerstrasse is één grote modderpoel en door de vochtige lucht hebben meer mensen last van hun luchtwegen. De kar waarmee 's ochtends de doden worden opgehaald is afgeladen met lichamen die het door een verraderlijke longontsteking hebben begeven. Ook cholera en tyfus eisen veel slachtoffers. Er vallen niet ineens heel veel doden in de vochtige barakken; eerder dan een epidemie lijkt het een eindeloos druppelende kraan.

Deze maand komen ook veel transporten binnen. Er zijn dagen dat er wel drie treinen met Joden aankomen. De kinderen worden onrustig en willen naar buiten om te kijken naar de treinen, waar ook bergen koffers en pakketten uit komen. Watertandend vergapen ze zich aan de talloze dozen met voedsel.

'Moet je kijken wat een grote kaas!' roept een tienjarig jongetje dat Wiki heet.

‘En wat ligt daar op de grond, dat lijken wel komkommers!’

‘Kijk, een doos kastanjes!’

‘Ja, inderdaad, het zijn kastanjes!’

‘Blies de wind maar een kastanje hierheen! Ik hoef er echt niet veel, eentje maar!’ En Wiki begint zachtjes te bidden. ‘Eentje maar, meer niet, God die in de hemel zijt.’

Een meisje van een jaar of vijf, met een vies gezicht en pluizig haar, zet een paar passen naar voren maar wordt tegengehouden door een volwassen hand.

‘Wat zijn kastanjes?’

De oudere kinderen beginnen te lachen, maar meteen betrekt hun gezicht weer. Het meisje heeft nog nooit een kastanje gezien, ze weet niet hoe lekker ze zijn als je ze roostert, en ze heeft dus ook nog nooit een kastanjetaart gegeten in de herfst. Wiki bedenkt dat hij haar de helft zal geven als zijn gebeden worden verhoord en de wind hem een kastanje brengt. Als je nog nooit een kastanje hebt geproefd, heb je niet echt geleefd.

De leraren hebben geen oog voor de voedselpakketten, maar des te meer voor al die verslagen mensen die door de bewakers bruut gesommeerd worden zich in rijen op te stellen.
Zo kunnen ze snel aan de lugubere routine van de transporten worden onderworpen. Degenen die kaalgeschoren en getatoeëerd worden om even later in een modderpoel te worden gesmeten om te werken tot ze erbij neervallen, worden gescheiden van degenen die direct naar de gaskamers gaan. Achter het hek van het familiekamp maken kinderen van zes, zeven jaar soms grapjes over de pas aangekomen gedeporteerden. Het is moeilijk na te gaan of ze hen echt uitlachen, of ze gevoelloos zijn voor de pijn van onbekenden, of dat ze met die quasi-onverschillige houding hun eigen angsten proberen te bezweren.

Op de eerste avond van Pesach, begin april, komen Joodse families bij elkaar om uit de hagada te lezen waarin de uittocht uit Egypte wordt beschreven. Volgens de traditie drinkt men vier glazen wijn ter ere van God. Dan wordt de seiderschotel klaargemaakt, die de volgende ingrediënten bevat: *zeróa*, een lamsbotje; *beitza*, een hardgekookt ei dat de hardvochtigheid van de farao symboliseert; *maror*, dat bestaat uit bitter kruid of een scherpe radijs, symbolen voor de bitterheid van de slavernij in Egypte; *charoset*, een zoet mengsel van appel, honing en rozijnen, dat staat voor het cement van de huizen die de Joden in Egypte hebben gebouwd; en ten slotte *karpas*, takjes peterselie in zout water gedrenkt, die symbool staan voor het leven van de Israëlieten, dat altijd met tranen overgoten is geweest. Maar het belangrijkste is de matse, het ongezuurde brood, waar iedereen een stuk van eet. Jezus' laatste avondmaal met zijn discipelen was om seider te vieren, en de christelijke eucharistie vindt haar oorsprong in dat Joodse ritueel. Dat vertelt Ota Keller allemaal aan zijn leerlingen, die steevast aan zijn lippen hangen. De religieuze traditie en de maaltijd zijn heilig voor hen.

Lichtenstern heeft het voor elkaar gekregen dat ze Pesach mogen vieren. Ze hebben weliswaar niet alle ingrediënten voor een orthodoxe viering, maar toch wachten de kinderen in spanning tot de blokoudste uit zijn kamer komt. Hij houdt een stuk hout voor zich uit dat dienstdoet als schotel. Heel precies gerangschikt liggen daarop een boutje van iets wat kip zou kunnen zijn, een ei en een plakje radijs rond een kom zout water waarin wat kruiden drijven.

Tante Miriam heeft bietenjam in de thee van die ochtend gedaan, zodat die kan doorgaan voor wijn. Zij moet het deeg voor het brood kneden. Valtr, een van de mannen die belast zijn met het onderhoud van de barakken, heeft een dik stuk ijzerdraad gevonden dat hij heeft omgebogen tot een rooster om het brood op te bakken. Ademloos kijken de kinderen toe. Op die plek waar eten zo schaars is, zien ze vol verwondering hoe uit een handje meel en wat water dat heerlijke brood met die bedwelmende geur ontstaat.

Een wonder, kortom.

Een paar kleintjes die achterin luidruchtig tikkertje spelen worden tot zwijgen gemaand en even later heerst er een mystieke, eerbiedige stilte in de barak.

Uiteindelijk komen er zeven broden op een tafel in het midden te liggen. Voor ruim driehonderd kinderen is dat niet veel, en Lichtenstern zegt dat iedereen een klein stukje mag nemen, net genoeg om de matse te proeven.

'Dit is het ongezuurde brood dat onze voorouders tijdens de exodus aten, toen ze wegtrokken uit Egypte op weg naar de vrijheid,' doceert hij.

Dan gaat iedereen keurig achter hem in de rij staan om zijn eigen heilige stukje brood in ontvangst te nemen.

Als de kinderen weer in hun groepjes zitten om het rituele brood te eten en de met bietenjam gekleurde thee te drinken, vertellen de leraren het verhaal van de exodus van de Joden. Dita loopt tussen de groepjes door en luistert hoe het verhaal door verschillende stemmen wordt verteld, verschillende versies van dezelfde bijzondere gebeurtenis. De kinderen zijn dol op verhalen en luisteren vol aandacht hoe Mozes de steile berg Sinaï beklom om die razende God te zien, en hoe de Rode Zee zich opende om hen door te laten. Waarschijnlijk is dit de minst orthodoxe viering van seideravond die ze tot nu toe hebben meegemaakt, en het is niet eens avond maar midden op de dag. En natuurlijk kunnen ze het traditionele lam niet eten, er is immers niets te eten. Aan het eind krijgt iedereen een half koekje. Maar alleen al door de inspanning en de toewijding van iedereen wordt het ondanks alles een indrukwekkende viering.

Avi Ofir roept zijn koor bijeen. Het heeft dagenlang gerepeteerd voor deze gelegenheid. Eerst voorzichtig en dan steeds harder wordt *Ode an die Freude* van Beethoven gezongen. Omdat het in die barak vol kinderen onmogelijk is iets in het geheim voor te bereiden, kennen de meesten de tekst inmiddels ook uit hun hoofd en beginnen mee te zingen. Zo ontstaat er een reusachtig koor van honderden stemmen.

Het gezang gaat door de muren heen en is in het hele kamp te horen. Degenen die in de greppels werken gaan even rechtop staan en leunen op hun spade om goed te luisteren…

Hoor, de kinderen zijn aan het zingen…

Ook in de textielbarak en in de micabarak, waar condensatoren voor elektronische apparaten en radars gemaakt worden, kijkt iedereen even op van zijn werk om naar de muziek te luisteren die van een plek ver buiten het kamp lijkt te komen.

Nee, nee, zegt iemand. Het zijn engelen in de hemel.

In de drassige greppels waar het altijd as regent en de kapo's de gevangenen opjagen tot hun handen bloeden van het slaan, klinkt de muziek van de door de wind meegevoerde stemmen als een wonder. Het lied gaat over de verbroedering tussen alle mensen en is op dat moment een roep om vrede die uit volle borst wordt gezongen in de grootste moordmachine aller tijden.

Het lied klinkt zo luid dat het tot het kantoor van een hartstochtelijke muziekliefhebber reikt. Hij richt zijn hoofd op net als iemand die een lekkere taart ruikt en het niet kan laten de geur tot aan de oven te volgen. Hij laat zijn papieren voor wat ze zijn, steekt de Lagerstrasse van het familiekamp over en gaat demonstratief in de deuropening van blok 31 staan.

Daar hebben ze het eerste couplet al een paar keer gezongen en zijn ze net bij het einde van het refrein, als de gestalte met de pet met het doodshoofd erop in de deuropening gaat staan en een buitensporig grote en dreigende schaduw over de barak werpt. Lichtenstern bevriest, alsof de winter ineens is teruggekomen.

Dokter Mengele...

De blokoudste, enigszins geschrokken van de komst van de kamparts, zingt door maar zachter nu. Dita valt even stil, maar zet meteen weer in, want terwijl de volwassenen zijn gestopt, zingen de kinderen uit volle borst door alsof er niets aan de hand is.

Met een stuurs, onbewogen gezicht staat Mengele te luisteren. Hij laat zijn blik op Lichtenstern rusten, die stopt met zingen en hem doodsbang aankijkt. Mengele knikt goedkeurend, alsof hij het mooi vindt wat hij hoort, en steekt zijn wit gehandschoende hand op ten teken dat ze moeten doorgaan. Wanneer de kamparts vertrekt, trekt het hele blok demonstratief alle registers open. Daarna barsten ze los in een oorverdovend applaus, in feite een applaus voor zichzelf, voor hun kracht en hun moed.

Vlak na de Pesachviering, als de gevangenen zich voorbereiden op het avondappèl en *Ode an die Freude* nog in hun hoofden nagalmt, klinkt er buiten een heel andere melodie. Scherper, dwingender, monotoner, zonder een greintje vreugde. Het zijn de sirenes die door het hele kamp klinken.

De SS'ers rennen alle kanten uit. Twee soldaten die in de Lagerstrasse stonden te flirten met een meisje, dat bang en gevleid tegelijk was, laten haar pardoes achter en haasten zich naar het wachthuis. De sirenes duiden erop dat er iemand is ontsnapt, en bij een ontsnapping is het alles of niets, vrijheid of dood.

Het is de tweede keer binnen een paar dagen dat de vluchtsirene gaat. Eerst was het die Lederer, over wie het gerucht gaat dat hij bij het verzet zat en samen met een gedeserteerde SS'er is ontsnapt. Er is niets meer van hen vernomen, dat is een goed teken. De deserteur zou Lederer in een SS-uniform hebben meegenomen naar buiten, rustig langs de poort zijn gelopen, en zelfs van de bewakers nog een paar glaasjes wodka hebben gekregen.

En nu gaat de sirene alweer. Door die ontsnappingen raken de nazi's gefrustreerd. Het is niet alleen een aanslag op hun autoriteit, maar vooral een verstoring van de orde die de Duitsers zo obsessief handhaven. Voor Schwartzhuber zijn twee ontsnappingen zo kort na elkaar bovendien een regelrechte belediging. En inderdaad, zodra hij het nieuws hoort begint hij ondergeschikten te schofferen en te roepen dat er koppen moeten rollen. Het doet er niet toe welke.

De gevangenen weten dat het een lange nacht wordt en ook dat klopt. Iedereen moet aantreden en zich buiten in de Lagerstrasse opstellen, ook de kinderen. De lijst wordt diverse malen nagelopen; drie uur later staan ze daar nog steeds. Zo willen de nazi's nagaan of er niet nóg iemand ontbreekt, maar het is tevens een vorm van wraak omdat ze hun woede niet op de voortvluchtigen kunnen koelen. Althans, nog niet.

Terwijl in het kamp de bewakers heen en weer rennen en de spanning stijgt, houdt Rudi Rosenberg zich een paar honderd meter verderop verborgen in een heel stille en donkere hoek, samen met zijn kameraad Fred Wetzler. Ze zitten in een schuilplaats die veel weg heeft van een grafkelder; hun snelle ademhaling is het enige teken van leven. Hij ziet het tafereel van een paar dagen eerder nog voor zich: de Russen die midden in het kamp werden opgehangen; met hun gezwollen tong uit hun mond, hun ogen uit de kassen, en tranen van bloed.

Er loopt een zweetdruppel over zijn voorhoofd maar hij durft hem niet weg te vegen uit angst te veel te bewegen. Zijn vriend Fred en hij zitten nu in de bunker die de Russen hadden gebouwd. Ze hebben besloten de gok te wagen. Het is alles of niets.

Loeiende sirenes in het kamp. Hij strekt zijn hand uit naar Fred en raakt diens been aan. Fred legt zijn hand op die van Rudi. Er is geen weg meer terug. Ze hebben een paar dagen afgewacht en nu blijkt dat de nazi's de schuilplek niet hebben ontdekt, concluderen ze dat het veilig is.

In het familiekamp benut Dita de korte tijd voor de avondklok om de neten uit de haren van haar moeder te halen; dit om te voorkomen dat ze straks luizen heeft. Haar moeder kan niet tegen onhygiënische toestanden. Vroeger kreeg Dita vaak een standje als ze haar handen niet met zeep waste als ze iets had beetgepakt. Nu moet haar moeder al die viezigheid verdragen. Dita denkt terug aan hoe haar moeder voor de oorlog was: een beeldschone, elegante vrouw, veel knapper dan zijzelf.

Er zijn meer gevangenen die de vrije tijd voor het slapengaan benutten om de ongewenste bewoners van hun hoofd te doden. En zonder op te kijken van hun werk nemen ze intussen de gebeurtenissen van de dag door.

'Ik snap niet waarom een registrator, die geen honger lijdt, geen zwaar werk hoeft te doen en niet door de selectie hoeft omdat hij goed bekendstaat bij de nazi's, zijn leven zo in gevaar brengt.'

'Dat snapt niemand.'

'Vluchten staat gelijk aan zelfmoord. Ze worden haast allemaal teruggehaald en daarna opgehangen.'

'Bovendien kunnen we hier binnenkort weg,' oppert een ander. 'Ik heb gehoord dat de Russen de Duitsers aan het terugdringen zijn. De oorlog is misschien deze week nog voorbij.'

Dan barst er een opgewekt rumoer van optimistische theorieën los, en gevoed door het intense verlangen naar het einde van die verschrikkelijke oorlog, worden er nog de nodige schepjes bovenop gedaan.

'Aan de andere kant,' zegt een vrouw die het hoogste woord heeft, 'volgen er na elke vluchtpoging represailles voor de anderen. Meer beperkingen, straffen... In sommige kampen zijn mensen voor straf naar de gaskamers gestuurd. Wie weet wat ons te wachten staat. Het is toch onvoorstelbaar hoe egoïstisch sommigen kunnen zijn, dat het ze niet kan schelen dat ze anderen in gevaar brengen.'

Er wordt instemmend geknikt.

Liesl Adlerova neemt zelden deel aan discussies. Ze houdt er niet van om in de schijnwerpers te staan en spreekt haar dochter er nogal eens op aan dat ze niet bescheiden genoeg is. Het is verrassend dat een vrouw die zoveel talen spreekt ervoor kiest zich vooral te bekwamen in die van de stilte. Maar vanavond laat ze zich wel horen.

'Eindelijk iemand die iets zinnigs zegt.' Een golvende zee van knikkende hoofden. 'Eindelijk zegt iemand eens waar het op staat.'

Er klinkt goedkeurend gemompel. Liesl vervolgt.

'Eindelijk heeft iemand gezegd waar het in wezen om gaat. Het interesseert ons geen biet of die man weet te ontkomen of niet. Waar het ons om gaat is dat dit óns raakt, dat we een lepel soep minder krijgen of urenlang buiten in de kou moeten staan voor het appèl. Dat is waar het om gaat.' Hier en daar wordt verbaasd gemompeld, maar Liesl praat gewoon door. 'U zegt dat vluchten geen zin heeft. Maar er zullen tientallen patrouilles achter de voortvluchtigen aan gaan en dat betekent dat de Duitsers steeds meer troepen naar de achterhoede moeten sturen, terwijl die anders aan het front zouden vechten tegen de geallieerden, die ons moeten redden. Heeft het dan geen zin om de strijd hier te voeren zodat de kracht van de Duitsers versnipperd raakt? Heeft het soms wel zin om hier te blijven en de ss'ers te gehoorzamen tot ze besluiten ons te vermoorden?'

Het gemompel heeft plaatsgemaakt voor stille verbijstering en er beginnen zich twee kampen te vormen. Stomverbaasd zit Dita te luisteren, met de kam nog in haar hand. De enige stem die in de barak is te horen, is die van Liesl Adlerova.

'Ik hoorde een keer dat een meisje ons "oude kippen" noemde. Ze heeft gelijk. We zitten de hele dag te kakelen, veel meer is het niet.'

'En jij dan, met je praatjes,' gilt de vrouw van daarnet boos, 'waarom vlucht jij dan niet, als dat zo'n goede zaak is? De beste stuurlui...'

'Ik ben te oud en te zwak. En ik ben ook niet dapper genoeg. Ik ben maar een oude kip. Maar ik heb wel respect voor degenen die het lef hebben om iets te doen wat ik nooit zou durven.'

De andere vrouwen zijn met stomheid geslagen. Zelfs de goedmoedige en kletsgrage mevrouw Turnovská, die altijd het hoogste woord heeft, kijkt naar haar vriendin alsof ze water ziet branden.

Dita legt de kam op het stromatras en kijkt naar haar moeder met de verwondering van iemand die ineens een heel ander mens ontdekt in degene die ze zo goed dacht te kennen. Ze was ervan overtuigd dat haar moeder in haar eigen wereldje leefde, dat sinds de dood van haar man alles langs haar heen ging.

'Mama, ik heb je in geen eeuwen zoveel horen praten.'

'Denk je dat ik te ver ben gegaan, kind?'

'Je hebt geen woord te veel gezegd.'

Een paar honderd meter verder is het doodstil. En pikkedonker. In dat hok van houten planken gaat de tijd tergend langzaam voorbij en Rudi en Fred zijn een beetje duizelig van de zware petroleumlucht die er hangt. Een oudgediende heeft hun geadviseerd in petroleum gedrenkte tabak mee te nemen om de honden te misleiden.

Naast zich hoort Rudi zijn makker onrustig ademen. Omdat ze de tijd hebben om over van alles en nog wat na te denken, dwalen zijn gedachten af naar het krankzinnige idee om zijn luizenbaantje in het kamp op te geven, waarmee hij min of meer rustig het einde van de oorlog had kunnen afwachten. Maar toen hij eenmaal het verlangen kreeg om te ontsnappen, kon hij niet meer terug. Die laatste blik van Alice Munk en het blauwe gezicht van Hirsch krijgt hij niet meer uit zijn gedachten. Nadat hij de altijd zo standvastige Fredy Hirsch ten onder had zien gaan, was hij nergens meer zeker van.

En wat te denken van de dood van Alice? Hoe valt goed te praten dat zo'n mooi, jong en onschuldig meisje zo meedogenloos van het leven wordt beroofd? De haat van de nazi's kent duidelijk geen grenzen. In hun vastberadenheid om de laatste Jood in de verste uithoek van de wereld te elimineren gaan ze methodisch te werk. Ze zijn niet te stoppen. Hij moet hier weg zien te komen. Maar dat is niet genoeg. De wereld moet dit weten. Mensen denken dat de belangrijkste gevechten in Rusland of Frankrijk plaatsvinden, terwijl de echte slachting zich in het hart van Polen voltrekt.

Ondanks de benauwenis en de kou van die donkere nacht concludeert Rudi Rosenberg dat hij precies is waar hij moet zijn.

Omdat de schuilplaats maar een minuscuul kiertje heeft dat alleen wat lucht doorlaat, weten ze niet of het dag of nacht is. Drie dagen lang moeten ze in absolute duisternis doorbrengen. Aan de geluiden buiten kunnen ze echter horen dat de dag is begonnen.

Het valt hen zwaar om al die tijd in de schuilplaats te zitten. Soms lukt het om even wat te slapen, maar zodra ze wakker worden raken ze in paniek omdat de wereld door de duisternis lijkt te zijn opgeslokt, tot het weer tot hen doordringt dat ze in die geïmproviseerde bunker zitten. Maar ook dat geeft geen rust, want even verderop staan de wachttorens. In hun hoofd buitelen de angstbeelden over elkaar heen. Angst is als een plant die het best gedijt in de duisternis.

Ze hebben afgesproken om niet te praten, ze weten immers niet wanneer er iemand in de buurt is die hen kan horen. Ze weten ook niet of er door dat minuscule kiertje genoeg zuurstof komt. Maar er komt een moment dat een van de twee het niet meer uithoudt en op fluistertoon vraagt wat er gebeurt als er op een dag nog meer planken op hun schuilplaats worden gelegd en het geheel zo zwaar wordt dat ze er niet meer uit kunnen. Ze weten het allebei: dan verandert de schuilplaats in een verzegelde doodskist waar ze door zuurstofgebrek, honger en dorst een langzame dood sterven. In die situatie is het onvermijdelijk dat ze beginnen te ijlen en ze vragen zich af wie dan het eerst zal sterven.

Ze horen honden blaffen, hun grootste vijanden; gelukkig zijn die tamelijk ver weg. Maar dan naderen er ineens stappen en stemmen die op een gegeven moment heel duidelijk te horen zijn.

De laarzen van de bewakers dreunen op de grond. De mannen houden hun adem in. Ze zijn zo bang dat ze niet eens kúnnen ademhalen, al zouden ze het willen. Vlak naast hen horen ze het schurende geluid van planken die weggeschoven worden. Een paar ss'ers zijn bezig planken weg te halen. Slecht nieuws. Ze zijn nu zo dichtbij dat Rudi en Fred flarden van gesprekken kunnen opvangen, gemopper van soldaten van wie het verlof is ingetrokken omdat ze de grenzen van het kamp moeten bewaken. Uit hun opmerkingen spreekt een hartgrondige haat jegens de voortvluchtigen. Als Schwarzhuber ze niet executeert als ze zijn gepakt, zullen zij hen met genoegen eigenhandig de nek omdraaien. De woorden dringen zo duidelijk hun schuilplaats binnen, dat Rudi er helemaal koud van wordt, alsof hij al dood is. Dankzij de plank die hen bedekt zijn ze nog in leven. Slechts een centimeter of vier, vijf scheidt hen van de dood.

Het gestamp van de laarzen en het geluid van bewegende planken om hen heen kondigen het absolute einde aan. Rudi is zo bang dat hij het liefst wil dat ze het deksel nu direct oplichten, zodat alles zo snel mogelijk voorbij is. Hij bedenkt dat hij het liefst ter plekke doodgeschoten wordt, dat de bewakers hopelijk zo razend zijn dat hem de pijn en de vernedering van een openbare executie worden bespaard. Zojuist hunkerde Rudi nog naar de vrijheid; nu verlangt hij alleen nog maar naar een snelle dood. Zijn hart gaat zo tekeer dat hij begint te beven.

Voetstappen, planken die worden weggeschoven. Rudi begint zich er al bij neer te leggen en ontspant zelfs zijn verstijfde spieren. Er is niets meer aan te doen. In de dagen voor de vluchtpoging was hij al helemaal geobsedeerd door de angst die hij zou voelen als hij zou worden gepakt. Het moment waarop het vrijheidsideaal als een spiegel barst en je volkomen in paniek raakt omdat je zeker weet dat je gaat sterven. Maar hij merkt dat het anders gaat, dat je die angst al eerder voelt. Wanneer de nazi zijn lugerpistool op je richt en zegt dat je je handen omhoog moet doen, komt er een koele kalmte over je omdat er toch niets meer aan te doen is en het niet erger kan worden. Hij hoort dat het hout wordt weggeschoven en doet instinctief zijn handen omhoog. Om de steekvlam van licht na drie dagen duisternis te ontwijken, sluit hij zelfs zijn ogen.

Maar er komt geen lichtinslag. Hij heeft het gevoel dat de voetstappen geleidelijk aan doffer klinken en het schurende geluid van de planken ook zachter wordt. Het is geen droom... Hij spitst zijn oren en merkt dat de gesprekken en geluiden wegsterven. Met elke seconde verwijderen de speurhonden zich verder van hun schuilplaats. Ten slotte keert de stilte weer, op een enkele vrachtwagen of een fluitsignaal in de verte na. Behalve die geluiden hoort hij alleen maar een snel geklop. Hij weet niet of het zijn hart is, dat van Fred of misschien wel van allebei.

Ze zijn veilig... althans, voorlopig.

Van pure opluchting staat Rudi zichzelf toe eens diep te zuchten en van houding te veranderen. Op dat moment zoekt Fred Wetzler met zijn bezwete hand de zijne. Hand in hand zitten ze te trillen.

Wanneer er een hele tijd is verstreken en het gevaar is geweken, fluistert Rudi in Freds oor: 'Vannacht gaan we Fred, dan gaan we hier voor altijd weg.'

En dat is een waarheid als een koe. Ze gaan voor altijd. Als ze die nacht het deksel van hun hut schuiven en in de bescherming van het duister naar het bos kruipen, zullen ze hoe dan ook geen gevangenen in Auschwitz meer zijn. Of ze zullen vrij zijn, of ze sterven.

24

Terwijl Birkenau slaapt, wordt er aan de andere kant van het schrikdraad een plank voorzichtig weggeschoven, als het deksel van een doos met schaakstukken. Van onderen duwen vier handen de plank langzaam weg. De nachtelijke kou dringt onverbiddelijk het hok binnen. Voorzichtig kijken twee hoofden over de rand. Twee paar longen zuigen zich vol met frisse lucht. Een delicatesse.

Rudi kijkt voorzichtig om zich heen. Hij ziet dat er geen bewakers in de buurt zijn en dat de duisternis hun bondgenoot is. De dichtstbijzijnde wachttoren staat slechts een meter of vijftig bij hen vandaan, maar de bewaker houdt het kamp zelf in de gaten en ziet dus niet dat er net buiten het kamp, tussen de stapels hout voor de nieuw te bouwen barakken, twee gestalten naar het bos tijgeren.

Als ze de bomen bereiken, vullen ze hun longen met de vochtige boslucht, en dat is zo'n bijzondere gewaarwording dat ze zich letterlijk als herboren voelen. Maar de euforie van die eerste teug vrijheid is van korte duur. Het bos, dat er uit de verte zo mooi en vriendelijk uitziet, is 's nachts onherbergzaam. Al snel merken ze dat het een hele opgave is om op de tast door het bos te lopen. Het wemelt van de valstrikken, overal zijn prikkende struiken, zwiepende takken en natte bladeren. Zo goed en zo kwaad als het gaat proberen ze in een rechte lijn te lopen om zo ver mogelijk van het kamp vandaan te komen.

Hun plan is de Slowaakse grens over te gaan in de Beskiden, 120 kilometer verderop; ze zullen 's nachts reizen en zich overdag verschuilen. En bidden. Ze weten dat ze van de Poolse bevolking geen hulp hoeven te verwachten omdat Polen die onderdak bieden aan voortvluchtigen door de Duitsers worden gefusilleerd.

Ze lopen door het donkere bos, struikelen, vallen, staan op en lopen weer verder. Na een paar uur ploeteren zijn ze nog maar weinig opgeschoten. Langzaamaan wordt het bos lichter en staan de bomen verder uit elkaar; ze komen bij een gebied met laag struikgewas. Ze zien zelfs licht branden in een huis een paar honderd meter verderop. In het zwakke schijnsel van de maan onderscheiden ze een zandweg. In het bos is het moeilijk kilometers maken, maar de zandweg is riskanter. Ze gaan er echter van uit dat een niet-geasfalteerde weg weinig gebruikt wordt en besluiten zo verder te gaan. Ze blijven zo dicht mogelijk langs de greppel lopen en houden hun oren gespitst. De steenuilen geven een lugubere dimensie aan de nacht en de wind is zo ijzig koud dat ze haast niet kunnen ademen. Steeds als ze in de verte een huis zien, lopen ze er in een grote boog omheen. Soms zijn er honden die nerveus beginnen te blaffen en moeten ze er flink de pas in zetten.

In de ochtendschemering kunnen ze de contouren van de omgeving beter onderscheiden en schieten ze sneller op. Een halfuur later is het zo licht dat ze elkaars gezicht kunnen zien. Ze herkennen elkaar bijna niet. In de drie dagen dat ze elkaar niet hebben gezien, hebben ze allebei een flinke stoppelbaard gekregen. Ze kijken ook anders uit hun ogen, onrustig, maar tegelijkertijd blij omdat ze het kamp uit zijn. In feite herkennen ze elkaar niet omdat ze nu andere mensen zijn, vrije mensen. Ze lachen naar elkaar.

Ze gaan zo ver mogelijk het dichte bos in en zoeken een grote boom waar ze de rest van de dag onopgemerkt in kunnen blijven zitten. Ze proberen het zich gemakkelijk te maken, maar het is moeilijk om een stabiele houding te vinden. Uit hun knapzak halen ze een stuk brood dat wel van hout lijkt en uit een kleine veldfles drinken ze de laatste slokken water. Ze wachten tot de zon zich laat zien. Zo kan Fred meteen hun positie bepalen. Hij steekt een duim omhoog en wijst naar een paar zacht glooiende heuvels.

'Zo gaan we goed naar de grens met Slowakije, Rudi.'

Wat er ook gebeurt, niemand kan hun dit moment van vrijheid meer afnemen, daar boven in die boom waar ze brood eten zonder bevelen, sirenes of gewapende nazi's om hen heen. Ze vinden het lastig om hun evenwicht te bewaren en niet uit de boom te vallen, en een houding te vinden zonder last te hebben van prikkende takken, maar ze zijn zo moe dat ze toch af en toe even wegdommelen en wat op krachten komen.

Later in de ochtend horen ze stemmen en haastige stappen. Geschrokken openen ze hun ogen en zien een stuk of twintig kinderen vlak langs de boom lopen. Ze hebben mouwbanden met een hakenkruis erop en zingen Duitse liederen. Ze kijken elkaar geschrokken aan. Het is een groep van de Hitlerjugend. Ongelukkig genoeg besluit de jonge groepsleider voor de middagpauze precies op de open plek vlak bij hun boom te stoppen. De kinderen lachen, schreeuwen, stoeien, zingen... Vanaf hun plek in de boom zien ze de kaki uniformen en de korte broeken, de tomeloze energie van de kinderen; soms komt er een kind gevaarlijk dicht bij de boom om bessen te pakken die hij als kogels op zijn vriendjes afvuurt. Nadat ze gegeten hebben roept de groepsleider de kinderen bijeen om weer verder te gaan.

De tweede nacht is veel vermoeiender dan de eerste. Ze moeten vaker stoppen om te rusten en de opwinding over hun ontsnapping, waar ze de vorige dag nog kracht uit hebben geput, is getemperd. Tegen de tijd dat de ochtend aanbreekt zijn ze volkomen uitgeput. Onderweg zijn ze kruisingen en tweesprongen tegengekomen die ze op hun gevoel hebben genomen, en eigenlijk hebben ze geen idee waar ze zijn.

Inmiddels ligt het dichte bos achter hen en lopen ze door een gebied met hier en daar boomgroepen, akkers of struikgewas. Ze zijn zich ervan bewust dat ze door bewoond gebied gaan, maar zijn te moe om werkelijk alert te zijn. Het is nog donker als ze langs de weg een open plek met struiken eromheen zien. Ze lopen ernaartoe, breken op de tast wat takken met veel bladeren af en maken een hut waarin ze kunnen rusten. Als ze zorgen dat die een beetje uit het zicht staat, kunnen ze daar de hele dag blijven. Ze kruipen naar binnen en sluiten de ingang af met dicht bebladerde takken. In de bittere kou van de Poolse ochtend vallen ze met hun armen om elkaar heen in slaap.

De zon staat al hoog aan de hemel als ze wakker worden van stemmen die heel dichtbij klinken. De schrik slaat hun om het hart als ze zien dat de hut helemaal niet zo verdekt staat opgesteld als ze dachten. Ze staan helemaal niet op een open plek die omringd is door bomen. In het donker hebben ze niet gezien dat ze bij een dorp waren aangekomen en ze blijken hun bivak in een openbaar park te hebben opgeslagen. Op de zogenaamde open plek staan schommels en bankjes.

De twee mannen kijken elkaar met grote ogen aan en durven zich niet te verroeren omdat ze lichte, snelle voetstappen horen. Toen ze de ontsnapping voorbereidden, bedachten ze allerlei manieren om SS-patrouilles, controleposten of honden te omzeilen, maar nu lijken kinderen het grootste gevaar te zijn.

Er staan inderdaad twee blonde, blauwogige kinderen voor de hut nieuwsgierig naar binnen te kijken. Achter hen doemen een paar hoge zwarte laarzen op. De kinderen draaien zich om, rennen naar de man toe en roepen in het Duits:

'Papa, papa, kom! Daar zitten een paar rare mannen!'

In de opening van de hut verschijnt een platte Oberscharfüherpet. De nazi kijkt naar binnen. De twee geschrokken mannen zitten ineengedoken tegen elkaar aan, ze zijn volkomen weerloos. Van die kleine afstand ziet het hoofd van de Oberscharführer er buitensporig groot uit. Het doodshoofd op de band van zijn pet kijkt hen aan alsof ze oude bekenden zijn. Op dat moment zien de twee hun hele leven aan zich voorbijtrekken. Ze zouden iets willen zeggen, maar van angst kunnen ze geen woord uitbrengen. De nazisergeant kijkt hen aan en er verschijnt een kwaadaardige glimlach op zijn gezicht. Dan zien ze de hakschoenen van zijn vrouw aankomen. Hij fluistert wat in haar oor, maar wat hij zegt kunnen ze niet horen. De vrouw is geschokt en schreeuwt: 'Je kan niet eens meer met je kinderen naar het park of je stuit op twee mannen die het in de bosjes met elkaar doen! Het is een grof schandaal!'

Verontwaardigd beent de vrouw weg en de sergeant, nog steeds met die valse glimlach op zijn gezicht, neemt zijn kinderen mee en loopt achter haar aan.

In de hut kijken Rudi en Fred elkaar aan. Ze hadden niet in de gaten dat ze nog met hun armen om elkaar heen lagen, precies zoals ze kort voor zonsopgang in slaap waren gevallen. En nu omhelzen ze elkaar nog steviger en zijn ze blij dat ze van angst geen woord hebben kunnen uitbrengen. Want wat ze ook gezegd zouden hebben, ze zouden meteen als buitenlanders zijn ontmaskerd. Zwijgen is goud, zeker nu.

Rudi Rosenberg en Fred Wetzler denken dat ze niet ver van Slowakije meer zijn, maar weten ook niet precies wat de beste route naar het Beskides-gebergte is. Dat is hun tweede probleem. Het eerste is dat ze niet onzichtbaar zijn. Het is een gebied met veel open veld en veel mensen. In de bocht van een pad botsen ze bijna tegen een vrouw op. Het is onvermijdelijk dat ze mensen tegenkomen, zoals deze oude Poolse boerin, die hen wantrouwig aankijkt.

Ze concluderen dat ze geen keus hebben, dat er niets anders op zit dan het risico te nemen; bovendien hebben ze hulp nodig. Ze hebben al meer dan vierentwintig uur niets gegeten en een paar dagen amper geslapen, en ze weten niet eens of dit wel de goede weg naar Slowakije is. De mannen wisselen een vluchtige blik en vinden allebei dat ze die vrouw moeten vertellen hoe het zit. In een onbeholpen mengeling van Pools en Tsjechisch, en met drukke gebaren, vertellen ze dat ze uit Auschwitz zijn gevlucht, dat ze vredelievend zijn, dat ze alleen maar willen weten hoe ze bij de Slowaakse grens kunnen komen en dat ze naar huis willen.

De boerin blijft achterdochtig kijken. Als de mannen dichterbij komen, zet ze zelfs een stap naar achteren. Fred en Rudi zwijgen. De vrouw kijkt hen met haar kraaloogjes aan. Ze zijn moe, hebben honger en zijn de weg kwijt. Maar ze zijn ook bang. Al gebarend vragen ze haar om hulp. Ze kijkt naar de grond. De twee mannen wisselen een bezorgde blik en Fred gebaart met zijn hoofd dat ze daar weg moeten voordat de vrouw om hulp begint te roepen en hen aangeeft. Maar ze zijn bang dat ze alarm zal slaan op het moment dat ze zich omdraaien en haar niet meer aankijken.

Ze krijgen niet eens de kans om weg te gaan. De vrouw kijkt op, doet resoluut een stap naar voren en pakt Rudi bij de mouw van zijn trui. Ze begrijpen dat de vrouw hen van dichtbij wil bekijken en hen als een paard of een kalf wil keuren. Ze wil zien wat voor mannen dit zijn: voor haar zijn hun stoppelbaard en smoezelige kleren niet voldoende bewijs dat ze de waarheid hebben gezegd. Nu ze hun uitgemergelde lichamen en hun holle ogen in hun magere gezicht ziet, knikt ze eindelijk. Ze gebaart dat ze daar moeten blijven en geeft te verstaan dat ze iets te eten voor hen gaat halen; Rudi en Fred denken zelfs iets te begrijpen van wat ze in het Pools zegt: persoon en grens. De vrouw draait zich nog even om en dringt erop aan dat ze daar op haar wachten.

Rudi fluistert dat ze hen misschien wel bij de Duitse autoriteiten gaat aangeven en dat ze dan zomaar een ss-patrouille op hun dak kunnen krijgen. Fred zegt dat ze zich wel ergens kunnen gaan verstoppen, maar dat ze toch geen kant op kunnen als ze worden verraden omdat het hele gebied dan wordt afgegrendeld en meter voor meter wordt uitgekamd.

Ze besluiten te wachten. Ze steken de houten brug over bij het beekje waar ze die ochtend hun dorst hebben gelest. Vanhier kunnen ze de ss'ers zien aankomen en snel het bos in duiken om in elk geval een voorsprong te hebben. Er gaat meer dan een uur voorbij en nog steeds is de oude boerin met de kraaloogjes niet teruggekomen. Hun maag schreeuwt om meer dan lucht alleen.

'We kunnen beter naar het bos teruggaan,' mompelt Rudi.

Fred knikt, maar geen van beiden verzet een stap. Ze kunnen niet meer, ze hebben al hun krachten verspeeld.

Na twee uur geven ze de hoop op en kruipen ze dicht tegen elkaar aan tegen de kou. Ze vallen zelfs even in slaap. Dan worden ze wakker van rennende voetstappen die hun kant op komen. Wie het ook is, ze doen niet eens moeite om te vluchten. Voor hen staat een jongen van een jaar of twaalf in een juten jasje en een broek die met een touw wordt opgehouden. Hij heeft een pakketje bij zich. Ze begrijpen dat zijn grootmoeder hem heeft gestuurd. Wanneer ze het kleine houten kistje opendoen zien ze een paar dampende aardappelen op twee geroosterde kalfslapjes liggen. Dat zouden ze zelfs niet tegen twintig koffers vol geld willen ruilen.

Voordat de jongen weer weggaat, proberen ze hem duidelijk te maken of hij weet in welke richting de Slowaakse grens ligt. Hij gebaart dat ze daar moeten wachten. Enigszins gerustgesteld door het hartelijke gebaar en gesterkt door het voedsel blijven ze waar ze zijn. Het is nu bijna donker en het wordt kouder. Ze lopen rondjes om warm te blijven en de spieren los te maken.

Na een tijd horen ze weer voetstappen, maar deze keer klinken ze voorzichtiger. Pas als de man vlak bij hen is, kunnen ze hem in het maanlicht zien. Hij draagt boerenkleding maar in zijn hand heeft hij een pistool. Wapens staan gelijk aan onraad. De man gaat voor hen staan en steekt een lucifer aan zodat ze elkaars gezicht even kunnen zien. Zijn lichtbruine snor is zo dik als een schoenpoetsborstel. Hij laat de hand met het pistool zakken en strekt de andere naar hen uit.

'Verzet.'

Meer zegt hij niet, maar het is voldoende. Van pure blijdschap springen Rudi en Fred in de lucht, beginnen te dansen en elkaar te omhelzen tot ze op de grond rollen. Stomverbaasd kijkt de Pool toe. Hij vraagt zich af of ze dronken zijn. Ze zijn ook dronken, van blijdschap om hun vrijheid.

De partizaan stelt zich voor als Stanis, maar ze vermoeden dat dat niet zijn echte naam is. Hij spreekt Tsjechisch en vertelt dat de vrouw zo wantrouwig deed uit angst dat ze vermomde Gestapo-agenten waren die op zoek zijn naar Polen die met het verzet samenwerken. Hij zegt dat de grens heel dichtbij is en dat ze moeten uitkijken voor Duitse soldaten, maar dat hij weet wanneer ze patrouilleren. Ze zijn zo punctueel dat ze elke nacht op exact dezelfde tijd langs dezelfde plek komen, dus ze zijn gemakkelijk te omzeilen.

Stanis zegt dat ze hem moeten volgen. Lange tijd lopen ze zwijgend door de duisternis tot ze bij een stenen hut met een ingezakt strodak komen. De houten deur gaat makkelijk open. Binnen hebben vegetatie en vocht bezit genomen van de stenen muren. De Pool hurkt neer en steekt een lucifer aan, schuift een paar verrotte houten planken weg en trekt aan een metalen ring in de vloer. Er gaat een luik open. Hij haalt een kaars uit zijn zak en steekt die aan. In het kaarslicht gaan ze een trap af naar een oude ondergrondse opslagplaats. Daar liggen stromatrassen, dekens en proviand. Gedrieën eten ze soep uit een blik, die ze op een gasbrander opgewarmd hebben. Voor het eerst in lange tijd slapen Fred en Rudi rustig.

De Pool is een man van weinig woorden, maar hij is buitengewoon efficiënt. Ze vertrekken vroeg in de ochtend en het is duidelijk dat hij het gebied kent als zijn broekzak. Nadat ze een hele dag vrijwel onafgebroken door de bossen hebben gelopen, overnachten ze in een grot. De volgende dag lopen ze weer aan een stuk door. Ze nemen een bergpad om de patrouilles die de treinroutes bewaken te ontwijken, en zoeken rotsspleten waar ze kunnen schuilen tot het gevaar geweken is. De volgende ochtend zetten ze eindelijk voet op Slowaakse grond.

'Jullie zijn vrij,' zegt de Pool bij wijze van afscheid.

'Nee,' antwoordt Rudi, 'dat zijn we niet. We hebben nog een taak te volbrengen. De wereld moet weten wat er gaande is.'

De Pool knikt, zijn borstelsnor deint mee.

'Bedankt, ontzettend bedankt. Je hebt ons leven gered.'

Stanis haalt zijn schouders op, hij heeft daar niets op te zeggen.

Het volgende deel van hun missie bestaat uit het wereldkundig maken van wat er werkelijk plaatsvindt in het Derde Rijk, wat men in Europa niet weet of niet heeft willen weten: dat het meer is dan een grensoorlog, dat er een heel volk wordt uitgeroeid.

Op 25 april 1944 verschijnen Rudolf Rosenberg en Alfred Wetzler in het hoofdkwartier van de Joodse Raad te Zilina voor de woordvoerder van de Slowaakse Joden, dr. Oscar Neumann. Door zijn functie als registrator is Rudi in staat zijn verhaal te staven met huiveringwekkende cijfers (volgens zijn berekeningen zijn er in Auschwitz 1,76 miljoen Joden omgebracht), waarbij voor het eerst melding wordt gemaakt van de georganiseerde massamoord, de slavenarbeid, de toe-eigening van persoonlijke bezittingen, het gebruik van mensenhaar voor de fabricage van stoffen, en het trekken van gouden en zilveren tanden en kiezen die ten behoeve van het Derde Rijk te gelde worden gemaakt.

Rudi vertelt over de rijen zwangere vrouwen met kinderen aan hun rokken die naar de zogenaamde douches werden geleid waar geen water maar gifgas uit kwam; over de strafcellen die zo klein waren dat de gevangenen niet eens konden zitten; over de vele uren die die de gevangenen buiten moesten werken, in dunne kleding en tot hun knieën in de sneeuw; over het karige eten, slechts een kom waterige soep per dag. Hij praatte aan een stuk door en zelfs als de tranen hem in de ogen sprongen hield hij niet op, in zijn ijver een door bombardementen verdoofde wereld toe te schreeuwen dat er een oorlog aan de gang was die nog vuiler en nog gruwelijker was en dat daar onherroepelijk een einde aan moest komen.

Toen Rudi klaar was met het dicteren van zijn rapport was hij volkomen uitgeput, maar ook voldaan. Voor het eerst in jaren had hij vrede met zichzelf. Zijn rapport werd onmiddellijk naar Hongarije gestuurd. In dat door de nazi's bezette land werd het Jodentransport georganiseerd naar de kampen waarvan iedereen dacht dat het concentratiekampen of werkkampen waren in plaats van regelrechte moordfabrieken.

Oorlog verwoest niet alleen lichamen, maar doodt ook het verstand, de ziel. Rudi's noodkreet bereikte de Joodse Raad in Hongarije, maar er werd geen actie ondernomen. De Joodse leiders geloofden liever wat de nazi's hun hadden beloofd en gingen door met het verdelen van mensen over transporten naar Polen, waardoor er nog meer Hongaren naar Auschwitz werden afgevoerd. Na alle pijn en verdriet, en na de blijdschap over zijn vrijheid, moest Rudi de bittere pil van de ontgoocheling slikken. Zijn rapport heeft de Hongaarse levens die hij hoopte te sparen, niet kunnen redden. Een oorlog is als een rivier die buiten zijn oevers is getreden: hij is moeilijk in banen te leiden, en als je een kleine blokkade opwerpt wordt die in de stroom meegesleurd.

Rudi Rosenberg en Fred Wetzler werden naar Engeland geëvacueerd en presenteerden ook daar hun rapport. Nu werden ze wel gehoord, hoewel er van daaruit niet rechtstreeks kon worden ingegrepen. Maar nog meer mensen waren zich er nu wel van bewust dat de waanzin die Europa teisterde, moest stoppen.

25

Op 15 mei 1944 kwam er een nieuw transport uit Theresienstadt met 2503 gedeporteerden bij het familiekamp aan. Een dag later volgde een transport met nog eens 2500 mensen. En op 18 mei arriveerde er een derde contingent. In totaal waren dat 7503 mensen, van wie bijna de helft Duitse Joden (3125), en daarnaast 2543 Tsjechische, 1276 Oostenrijkse en 559 Nederlandse Joden.

Op de eerstvolgende ochtend is het een en al chaos. Geschreeuw, gefluit, verwarring. Dita en haar moeder hebben geen bed meer voor hen alleen, ze moeten het nu delen met een derde gevangene. Het is een Nederlandse vrouw, ze is heel bang en heeft de eerste twee dagen geen woord over haar lippen gekregen. De hele nacht ligt ze te beven.

Dita haast zich naar blok 31 omdat Lichtenstern en zijn team druk bezig zijn met het herindelen van de school. Het is een chaotische situatie, want doordat er nu Tsjechen, Duitsers en Nederlanders zijn, kan niet iedereen elkaar verstaan. Van Lichtenstern en Miriam Edelstein moet Dita de bibliotheek tijdelijk sluiten tot de groepen zijn ingedeeld en de situatie enigszins duidelijk is. Met de meitransporten zijn er nog driehonderd kinderen bij gekomen, dus er moeten nieuwe groepen worden gemaakt.

De kleintjes zijn heel nerveus, er zijn wat schermutselingen, er wordt geduwd, geruzied, gevochten, gehuild, en de verwarring lijkt er alleen maar groter op te worden. De kinderen kunnen niet rustig blijven zitten, ze worden gek van de jeuk door alle luizen, vlooien en mijten die in de vochtige stromatrassen huizen. Bij goed weer gedijen niet alleen bloemen en planten, maar gedijt ook ongedierte.

Miriam neemt een drastisch besluit: het laatste beetje steenkool, dat ze voor noodgevallen had bewaard, gebruikt ze nu om emmers water te verwarmen en daarin het ondergoed van de kinderen te wassen. Er ontstaat een enorm tumult en er is geen tijd om alles te drogen te hangen. De kinderen moeten hun kleren nat weer aantrekken, maar de meeste beestjes zijn in elk geval verdronken. In de loop van de dag keert de rust ten slotte weer.

Toen de nieuwkomers die in blok 31 moesten werken in het kamp kwamen en de rijen barakken en de drassige straat zagen, dachten ze dat ze in een miserabele modderpoel waren beland. Maar nu ze het clandestiene schooltje ontdekken zijn ze niet alleen verrast, maar vatten ze ook weer wat moed.

Aan het einde van de dag, als alles weer enigszins normaal verloopt, roept Lichtenstern iedereen bij elkaar. Hij stelt hun een jonge vrouw voor met lange, dunne benen, die nerveus op de hakken van haar houten klompen staat te wippen. Op het eerste gezicht zou je denken dat ze wat verlegen is, maar als je beter kijkt zie je dat haar ogen fonkelen en ze zonder gêne alles om zich heen observeert. Ze stelt zich voor als de bibliothecaresse van het blok.

Sommigen vragen of ze dat nog eens wil zeggen, ze kunnen het niet geloven. Is er dan ook een bibliotheek? Maar boeken zijn toch verboden? Ze begrijpen niet hoe een jong meisje zo'n riskante, hachelijke onderneming op zich kan nemen. Miriam vraagt haar op een kruk te gaan staan zodat iedereen haar kan horen.

'Dag allemaal, ik ben Edita Adlerova. We beschikken over een bibliotheek van acht papieren boeken en een half dozijn levende boeken.'

Dita is heel serieus en wil rustig beginnen het idee van de bibliotheek aan al die volwassenen uit te leggen, maar er zijn zoveel verbaasde reacties dat ze een lach niet kan onderdrukken.

'Maakt u zich geen zorgen, we zijn niet gek geworden. De boeken leven natuurlijk niet echt. Met levende boeken worden de mensen bedoeld die de inhoud van de boeken aan de kinderen vertellen; u kunt ze te leen vragen voor de middagactiviteiten.'

Met verbazingwekkend gemak doet Dita haar verhaal zowel in het Tsjechisch als in het Duits. Tegenover haar staan de pas aangestelde leraren, die nog steeds niet zijn bekomen van hun verbazing dat er op zo'n abnormale plek wordt gepraat over een school en een bibliotheek alsof het de normaalste zaak van de wereld is. Wanneer ze is uitgesproken, buigt ze enigszins overdreven haar hoofd, zoals meneer Morgenstern dat ook kon doen; ze kan nauwelijks haar lachen inhouden als ze zichzelf zo formeel bezig ziet. Nog grappiger vindt ze de open monden die haar aangapen als ze van de kruk afstapt en weer naar achteren verdwijnt.

's Middags is het zo druk dat ze geen rust vindt om te lezen. Ze gaat naar haar schuilhoekje achter de planken en treft een stel kinderen aan die mieren aan het plagen zijn.

Arme mieren, denkt ze, die hebben het hier ook niet gemakkelijk. Ze zullen vast de grootste moeite hebben om een kruimeltje eten te vinden.

Ze verbergt de *Korte geschiedenis der wereld* onder haar kleren, glipt weg naar de latrines en verstopt zich daar achter een paar containers. Er is weinig licht en het stinkt er vreselijk. SS-bewakers laten zich daar zelden zien, en dat is precies de reden dat de latrines een uitgelezen plek zijn voor de zwarte handel.

Het is bijna tijd voor de soep, hét moment om handel te drijven. Arkadiusz, een Poolse gevangene die reparaties in het kamp uitvoert, gaat onder een kraan zitten en doet alsof hij de afvoer repareert. Hij is een van de actiefste zwarthandelaren. Hij heeft tabak, een kam, een spiegel, een paar schoenen... Het is een kerstman in een gevangenispak, en je kunt hem overal om vragen zolang je er maar iets tegenoverstelt. Dita hoort stemmen dichterbij komen, de stemmen van een man en een vrouw.

Dita kan haar niet zien, maar Bohumila Vlatava heeft een puntige wipneus die haar iets arrogants geeft. Gezwollen oogleden ontsieren haar gezicht.

'Ik heb een klant. Ik heb overmorgen vóór het avondappèl wat nodig.'

'Tante Bohumila kan het wel regelen hoor, maar de kapo van onze barak wordt een beetje onrustig, we moeten haar meer geven.'

'Niet zo inhalig, Bohumila.'

En dan wordt de stem harder:

'Ik vraag het niet voor mezelf, stommeling! Ik zeg toch dat het voor de kapo is. Als zij het niet door de vingers ziet en ons niet in haar kamer laat, zitten jullie straks zonder lekkers.'

Arkadiusz praat nu zachter, maar zijn stem klinkt nog net zo gespannen en dreigend:

'We hadden een portie brood en tien sigaretten gezegd, en geen kruimel meer. Verdeel het maar onder elkaar zoals je wilt.'

Dita kan de vrouw horen foeteren.

'Met vijftien sigaretten zou het helemaal geregeld zijn.'

'Ik heb gezegd dat het niet kan.'

'Vuile Poolse geldwolf! Het is al goed, ik zal twee extra sigaretten van mijn commissie aan de kapo geven. Maar als ik mijn inkomsten kwijtraak en geen eten meer kan kopen op de zwarte markt, word ik ziek. En wie zorgt er dan voor mooie Joodse meisjes? Dan komen jullie zeker janken bij tante Bohumila, en krijgen jullie spijt dat jullie zo stom tegen me hebben gedaan.'

En dan is het stil. Op het moment van overhandigen is het altijd even stil, alsof de twee handelaren zich erop moeten concentreren. Arkadiusz haalt vijf sigaretten tevoorschijn. Bohumila vraagt altijd de helft vooruit. De rest, het brood, krijgen de vrouwen op het moment van de ontmoeting.

'Ik wil de handel zien.'

'Wacht even.'

Het is weer een tijdje stil en dan hoort ze de nasale stem van de vrouw van daarnet weer.

'Hier.'

Dita kan de verleiding niet weerstaan en steekt haar hoofd om een hoekje, gelukkig is het schemerig daar binnen. Ze ziet de grote Pool en de volumineuze Bohumila, die er niet bepaald ondervoed uitziet. Er zit nog een vrouw, die een stuk magerder is. Ze zit daar met gebogen hoofd, haar handen in haar schoot.

De Pool tilt de rok van de vrouw op en betast haar schaamdelen. Dan schuift hij haar armen opzij en bevoelt en kneedt haar borsten. De vrouw blijft roerloos zitten.

'Ze is niet zo jong meer.'

'Des te beter, ze heeft tenminste ervaring.'

Veel van de vrouwen die Bohumila rekruteert zijn moeder. Ze willen wel een extra portie brood omdat ze het niet kunnen aanzien dat hun kinderen honger lijden.

De Pool knikt en loopt weg.

'Bohumila,' fluistert de vrouw verlegen, 'dit is zondig.'

De ander kijkt haar met een geamuseerde blik aan.

'Maak je daar toch niet druk om, schat. Dit is Gods plan. Op uw rug zult gij uw brood verdienen.' En ze barst in een obscene lachbui uit. Schaterend loopt ze de latrinebarak uit, gevolgd door de vrouw, die bedrukt achter haar aan sjokt.

Dita krijgt een bittere smaak in haar mond. Het lukt haar niet om verder te lezen. Lijkbleek gaat ze terug naar haar barak. Zodra haar moeder haar ziet laat ze haar vriendinnen in de steek om een arm om Dita heen te slaan. Haar dochter voelt zich op dat moment weer klein en weerloos en zou haar moeders armen voor altijd om zich heen willen blijven voelen.

De met Hongaarse Joden volgepakte treinen die naar het kamp komen – 147 goederentreinen met 435.000 mensen – geven die dagen nog meer spanning in het kamp. Dicht bij het hek staan steevast hele hordes kinderen te kijken naar het spektakel rond de aankomst van de transporten: gedesoriënteerde mensen die worden uitgescholden, geslagen, door elkaar geschud, beroofd van hun spullen.

'Das ist Auschwitz-Birkenau!'

De verbijsterde gezichten laten zien dat die naam hun niets zegt. Velen komen zelfs niet te weten waar ze zullen sterven.

Dita heeft geen idee wanneer de waarnemers zullen komen, wanneer dat venster van Hirsch en Miriam Edelstein open zal gaan en ze eindelijk de waarheid kunnen vertellen. Ze weet ook niet of ze daarvoor uit dat raam moeten springen. Als ze haar ogen sluit, ziet ze dokter Mengele met zijn onbewogen gezicht voor zich, hij wacht haar op in een witte jas naast een marmeren tafel.

Ze krijgt de dood van Hirsch maar niet uit haar hoofd. Ze hebben haar verteld dat hij had besloten om op te geven, maar ze kan het niet geloven ook al zijn er bewijzen. Geen enkele verklaring heeft haar kunnen overtuigen, waarschijnlijk omdat ze er gewoon niet aan wil. Mensen zeggen dat ze eigenwijs is. Dat klopt. Misschien is er een moment om op te geven. Maar zij wil dat nog niet en gaat naar barak 32, de ziekenbarak, om haar laatste troef uit te spelen. Daar zijn de mensen die Fredy Hirsch als laatste in leven hebben gezien, die zijn laatste woorden hebben gehoord.

Bij de ingang van de ziekenbarak staat een verpleegster lakens met smerige zwarte kringen op te vouwen.

'Ik wil graag de artsen spreken.'

'Allemaal, meisje?'

'Een paar...'

'Ben je ziek? Heb je dat bij je kapo gemeld?'

'Nee, ik hoef niet geholpen te worden, ik wil ze alleen iets vragen.'

'Vertel me eens wat er aan de hand is. Ik kan alles genezen wat er hier te genezen valt.'

'Het is een vraag over iets wat er met het septembertransport is gebeurd.'

De verpleegster kijkt haar achterdochtig aan.

'En wat wil je dan weten?'

'Het gaat over iemand.'

'Een familielid?'

'Ja, mijn oom. Toen hij stierf waren de artsen van het septembertransport, die toen in het quarantainekamp werkten, bij hem geloof ik.'

De verpleegster kijkt haar onderzoekend aan. Op dat moment komt er een arts aanlopen; hij heeft een witte jas vol gelige vlekken aan.

'Dokter, dit meisje wil iets weten over iemand van het septembertransport die volgens haar in het quarantainekamp werd behandeld.'

De arts kan amper uit zijn ogen kijken van vermoeidheid, maar probeert toch vriendelijk te glimlachen.

'Wie zeg je dat we in het quarantainekamp hebben behandeld?'

'Hij heette Fredy Hirsch.'

De glimlach verdwijnt van zijn gezicht alsof er een gordijn wordt dichtgetrokken. Van het ene op het andere moment wordt hij vijandig.

'Ik heb het nu al honderd keer gezegd! We konden niets meer voor hem doen!'

'Maar ik wilde alleen maar...'

'We zijn God niet! Hij was al helemaal blauw, niemand had nog iets kunnen doen. We hebben gedaan wat we moesten doen.'

Dita wil hem vragen wat hij met dat laatste bedoelt, maar de arts draait zich verbolgen om en loopt zichtbaar geïrriteerd weg.

'Als je het niet erg vindt, meiske, we hebben werk te doen.' En de verpleegster wijst haar de deur.

Terwijl ze naar buiten loopt merkt Dita dat er iemand naar haar kijkt. Het is een spichtige jongen met lange stelten van benen, die ze al eens de ziekenbarak in en uit heeft zien gaan. Zo te zien werkt hij daar als boodschappenjongen. Verontwaardigd dat ze zo lelijk tegen haar hebben gedaan, loopt ze door en gaat op zoek naar Margit. Ze vindt haar achter de barak; ze is haar zus aan het ontluizen. Dita gaat op een steen naast hen zitten.

'Hoe gaat het, meiden?'

'Sinds het meitransport zijn er meer luizen.'

'Daar kunnen zij ook niets aan doen, Helga. Er zijn gewoon meer mensen, dus er is meer van alles,' zegt Margit berustend.

'Meer chaos, meer rotzooi...'

'Ja, maar met Gods hulp komen we er wel uit,' probeert Margit hen op te monteren.

'Ik kan niet meer, ik wil weg, ik wil naar huis...' snikt Helga. Haar zus aait haar over het hoofd.

'Binnenkort, Helga, binnenkort.'

Iedereen in Auschwitz wil niets liever dan daar weggaan, ver weg, en die afgrijselijke plek voor altijd achter zich laten. Ze hebben geen dromen meer, er wordt niets meer aan God gevraagd, ze willen alleen maar naar huis. Maar er is iemand die tegen die beweging in gaat, iemand die terugkeert naar Auschwitz. Tegen alle logica in, tegen alle gezond verstand in, tegen alle begrip in reist Viktor Pestek per trein naar Oświęcim, waar het grootste vernietigingskamp aller tijden ligt.

Zes weken na zijn vlucht legt Viktor Pestek op 25 mei 1944 dezelfde route in omgekeerde richting af. Nadat hij met Lederer de poort van het kamp was uitgewandeld, namen ze geheel volgens plan in Oświęcim de trein. Lederer, vermomd als luitenant, deed tijdens de treinreis alsof hij sliep en geen van de patrouilles die de trein uitkamden had het lef om een SS-officier tijdens zijn dutje te storen.

Op het station in Krakau namen ze meteen een trein naar Praag. Pestek herinnert zich het moment van aarzeling toen ze op Hlavni Nadrazi moesten uitstappen, op dat reusachtige hoofdstation van Praag, met zijn hoge gietijzeren overkappingen, waar het krioelde van de mensen. Vooral de blik die hij met Lederer wisselde op het moment dat ze de betrekkelijk veilige schuilplaats van het treincompartiment moesten verruilen voor een plaats vol wakende ogen, staat hem nog bij. Het teken dat hij gaf was duidelijk: opgeheven hoofd, blik recht vooruit, stuurs gezicht en blijven lopen.

De stationshal was vergeven van de Wehrmacht-soldaten. Met een mengeling van ontzag en wantrouwen werd naar hun zwarte SS-uniformen gekeken. De burgers durfden hun hoofd niet eens op te richten om naar hen te kijken. Niemand durfde iets tegen hen te zeggen. Lederer had het plan geopperd om naar Plzen te gaan, waar hij vrienden had. In een bosrijk gebied net buiten het stadje vonden ze beschutting in een verlaten hut. Daar verborgen ze hun SS-kleding. Lederer ging behoedzaam zijn contacten af om valse papieren te regelen voor henzelf en voor de twee vrouwen. Dat kostte een paar weken. Wat ze niet wisten was dat de Gestapo hun op de hielen zat.

Tijdens de omgekeerde reis, die hem terugbrengt naar Auschwitz, is Pestek in burger; in zijn rugzak zit zijn keurig opgevouwen SS-uniform dat hij straks voor de laatste keer zal aantrekken.

Onderweg in de trein loopt hij in gedachten een plan na dat hij in zijn hoofd al duizenden keren heeft uitgevoerd. Uit het kampkantoor had hij een vel papier met een stempel van de commandopost in Katowice meegenomen, waarmee hij een vergunning heeft gemaakt om René en haar moeder uit het kamp te kunnen ophalen. In Katowice bevindt zich het belangrijkste detentiecentrum van de omgeving en de Gestapo vraagt vaak om gevangenen uit het kamp, die ze willen ondervragen. De gevangenen worden op een afgesproken tijdstip naar de bewaking bij de ingang gebracht, waarna ze door een wagen van de commandopost in Katowice worden opgehaald. De meesten keren niet terug.

Viktor Pestek kent de procedure heel goed. Hij weet welke wachtwoorden en codes worden gebruikt. Hij zal bellen met het verzoek om de twee gevangenen ter beschikking van de Gestapo te stellen. Een SS'er komt hen uit Auschwitz-Birkenau ophalen. Dat zal Lederer zijn, met de gestempelde vergunning die hij voor zijn ontsnapping had gemaakt. Zijn vluchtmaat spreekt perfect Duits. Lederer neemt de vrouwen mee, haalt Pestek op een afgesproken plek op en dan... vrijheid.

Lederer is een dag eerder weggegaan om zijn contacten van het verzet op te zoeken die hem een geschikte wagen zullen leveren: donker en onopvallend, en Duits, dat spreekt vanzelf.

De enige onzekere factor lijkt hem de reactie van René wanneer ze eenmaal vrij zijn. Dan is hij geen SS'er meer en zij geen gevangene. Ze zal vrij zijn om van hem te houden of hem vanwege zijn verleden te veroordelen. Ze heeft zo weinig gezegd tijdens hun ontmoetingen. Hij beseft dat hij nauwelijks iets van haar weet. Ze is een onbeschreven blad voor hem. Maar dat maakt hem niet uit. Ze hebben een heel leven voor zich om bladzijden te vullen.

Met een slakkengang loopt de trein het station van Oświęcim binnen. Het is een sombere middag. Hij kan zich de vieze kleur van de lucht bij Auschwitz niet eens meer herinneren. Er zijn weinig mensen op het station, maar hij heeft Lederer al gezien, die op een bank de krant zit te lezen. Hij was bang dat de Tsjech op het laatste moment zou terugkrabbelen, want wat hij van hem heeft gevraagd kan hem zijn leven kosten. Maar Lederer heeft vanaf het begin gezegd dat Viktor op hem kon rekenen en daar is hij dan. Er kan niets meer verkeerd gaan.

Hij stapt uit met zijn rugzak over zijn schouder, blij dat hij nu zo dicht bij René is. Hij fantaseert dat ze naar hem lacht en aan een van haar pijpenkrullen trekt en erop begint te sabbelen. Lederer staat op en loopt naar hem toe, maar hij wordt ingehaald door twee colonnes ss-bewakers die met hun machinepistool in de aanslag het perron op komen rennen.

Zodra hij hen ziet, weet Viktor dat ze voor hem komen.

De officier die het bevel voert blaast hard op zijn fluitje en schreeuwt. Pestek laat zijn rugzak rustig op de grond vallen. Een paar ss'ers brullen dat hij zijn handen omhoog moet steken en andere brullen dat hij zich niet mag verroeren, dat hij anders ter plekke wordt neergeschoten. Het ziet er chaotisch uit, maar het verloopt geheel volgens het boekje. Er worden tegenstrijdige bevelen geroepen om de verdachte zodanig in verwarring te brengen dat hij niets meer kan doen. Hij glimlacht bitter. Hij kent de aanhoudingsprocedure uit zijn hoofd. Die heeft hij vaak genoeg zelf uitgevoerd.

Lederer loopt langzaam het perron af. Ze hebben hem niet opgemerkt en hij maakt gebruik van de beroering rond de aanhouding om weg te glippen. Terwijl hij zijn best doet om kalm te blijven, vervloekt hij God en alle heiligen. Er wordt gelekt in het verzet door verklikkers en infiltranten, iemand heeft hen verraden. In het centrum van het stadje vindt hij een onbewaakte bromfiets, hij stapt op en kijkt niet achterom.

Viktor Pestek wordt naar een kazerne van de ss overgebracht en dagenlang gemarteld. Ze willen weten waarom hij uit Auschwitz is gevlucht, ze willen informatie over de cellen van het verzet, maar daar weet hij weinig van, en over zijn relatie met René Naumann heeft hij niets verteld. Net zoals alle andere deserteurs krijgt hij de doodstraf. Hij zit gevangen tot hij op 8 oktober 1944 wordt geëxecuteerd.

26

Margit en Dita zitten achter de barak. Het blijft nu langer licht en het begint zelfs iets warmer te worden. Maar het is een klamme warmte, en de lucht is bezwangerd met aswolken. Hun gesprek is verzand en ze nemen geen van tweeën de moeite om het weer vlot te trekken. Hun vriendschap heeft een punt bereikt waarop stiltes niet pijnlijk of vervelend zijn. Dan dient zich een oude bekende aan.

'René! Dat is lang geleden!'

Het blonde meisje glimlacht flauwtjes. Ze trekt aan een krul en begint erop te sabbelen. De laatste tijd is bijna niemand meer aardig tegen haar.

'Hebben jullie gehoord dat Lederer is ontsnapt, samen met een eerste luitenant van de SS die geen nazi meer wilde zijn?'

'Ja...'

'Dat was die nazi waarover je een tijd geleden zei dat hij naar je liep te kijken...'

René knikt een paar keer.

'Het was eigenlijk geen slecht mens,' zegt ze. 'Hij vond het verschrikkelijk wat hier allemaal gebeurde, en daarom is hij gedeserteerd.'

Dita en Margit zwijgen. Kun je als Jood van een nazi die als beul in een vernietigingskamp werkt zeggen dat hij eigenlijk geen slecht mens is? Dat ligt nog niet zo eenvoudig. Maar ze hebben alle drie wel van die jonge jongens gezien, van die groentjes in een zwart uniform en met hoge laarzen. Als ze die in de ogen keken zagen ze geen beul of bewaker, maar gewoon een jongen.

'Vanmiddag kwamen er twee bewakers naar me toe. Ze wezen naar me en lachten me uit. Ze vertelden dat er twee dagen geleden iemand is gearresteerd... Nou ja, die smeerlappen zeiden dat het mijn minnaar was, maar dat is een vuile leugen. Ze zeiden dat hij op het station van Oświęcim is aangehouden.'

'Maar dat is drie kilometer hiervandaan! Hij is toch al bijna twee maanden geleden ontsnapt? Waarom is hij dan niet veel verder weg ondergedoken?'

René kijkt even peinzend voor zich uit.

'Ik weet wel waarom hij zo dichtbij was.'

'Heeft hij zich al die tijd in Oświęcim schuilgehouden?'

'Nee, hij kwam uit Praag, dat is zeker. Hij was teruggekomen om mij hier weg te halen. En mijn moeder natuurlijk. Ik zou haar hier nooit alleen achterlaten. Maar ze hebben hem opgepakt... eergisteren.'

Dita en Margit zwijgen. René buigt haar hoofd en heeft er spijt van dat ze haar hart bij hen heeft uitgestort. Ze draait zich om en gaat op weg naar haar barak.

'René!' roept Dita, en het meisje draait zich om. 'Die Viktor... misschien was hij uiteindelijk toch geen slecht mens.'

Ze knikt heel langzaam. Daar zal ze nooit meer achter kunnen komen.

Margit gaat even naar haar familie toe en Dita blijft alleen achter. Die dag zijn er geen gevangenen in het quarantainekamp, en ook BIIc, het kamp aan de andere kant, is leeg nu iedereen geëvacueerd is... niemand weet waarheen, of ze alleen weg zijn uit Auschwitz, of uit het leven. Het komt niet vaak voor dat er niemand te zien is in het kamp. Omdat het een ongewoon warme middag is, blijven de mensen liever in de barakken. De laatste dagen is het zoveel stiller dan anders. Dita haalt diep adem, alsof ze die stilte in zich wil opnemen.

Dan merkt ze dat er iemand naar haar kijkt. In kamp BIIc staat een eenzame figuur naar haar te gebaren. Het is een jonge gevangene die daar zo te zien iets aan het repareren is. Wanneer ze naar het hek toe loopt en hem wat beter bekijkt, ziet ze dat zijn gestreepte gevangenispak nieuwer is dan dat van de meeste anderen in de naastgelegen kampen. De baret op zijn hoofd betekent dat hij deel uitmaakt van het onderhoudspersoneel, een bevoorrechte positie. Ze herinnert zich ineens de Pool die daken moest bedekken met asfaltpapier en van zijn bewegingsvrijheid gebruikmaakte om bij de latrines handel te drijven. Door die handeltjes zien de meeste klusjesmensen er beter uit dan anderen; ze kunnen immers gemakkelijker aan eten komen. Alleen daaraan zijn ze al goed te herkennen; ook deze jongen ziet er gezond uit en heeft geen ingevallen wangen.

Dita wil weglopen, maar hij maakt met wilde gebaren duidelijk dat ze moet komen. Hij ziet er sympathiek uit en zegt lachend iets in het Pools. Dita begrijpt hem niet, ze herkent alleen het woord *jabko*, dat in het Tsjechisch 'appel' betekent. Een magisch woord. Net als alle andere woorden die naar eten verwijzen.

'Jabko?'

Hij glimlacht en zwaait zijn wijsvinger heen en weer.

'Niet jabko… *Yayko*!'

Ze is enigszins teleurgesteld… Het is zo lang geleden dat ze een appel heeft geproefd dat ze bijna niet meer weet hoe ze smaken! In haar herinnering zijn appels suikerzoet met een vleugje zuur, maar wat haar nog het best is bijgebleven is het krakende geluid van het blanke, sappige vruchtvlees als je een hap neemt. Het water loopt haar in de mond. Ze vraagt zich af wat die jongen van haar wil. Misschien gaat het nergens over en wil hij alleen maar een beetje flirten, maar ze wil het wel weten. Hoewel ze zich er wat ongemakkelijk bij voelt, vindt ze het eigenlijk helemaal niet zo vervelend als oudere jongens belangstelling voor haar hebben, zeker nu ze weer wat langer haar heeft.

Ze vindt het eng om dicht bij het hek te komen. Als je het aanraakt kom je op een afschuwelijke manier aan je eind. Eén keer zag ze hoe een gevangene er vastbesloten op afliep en werd geëlektrocuteerd. Er zijn er meer die op deze manier een eind aan hun leven hebben gemaakt, maar alleen die ene keer heeft ze gekeken. Als ze daarna iemand met een wezenloze blik op het schrikdraad zag aflopen, keek ze meteen de andere kant uit en maakte zich snel uit de voeten om dat afgrijselijke geschreeuw niet te horen. Het knetterende geluid en het beeld van die broodmagere vrouw, de haren die recht overeind gingen staan, en de akelige lucht van verschroeid vlees die uit haar verkoolde huid kwam, staan in haar geheugen gegrift.

Liever blijft ze dus bij dat hek vandaan, maar de honger knaagt onophoudelijk. Aan een homp brood met een karig likje margarine heb je echt niet genoeg, en als je de pech hebt dat er niets in je soep drijft, moet je nog een halve dag wachten tot je vast voedsel binnenkrijgt. Dita begrijpt de Pool niet goed, maar wil de kans om iets te eten te bemachtigen ook niet mislopen.

Om te zorgen dat de soldaten in de wachttorens haar niet zien, gebaart ze naar de jongen dat hij moet wachten en loopt de barak van de latrines in. Ze rent het stinkende kot snel door en komt aan de achterkant weer naar buiten. Dat is de onopvallendste manier om dicht bij het hek achter de barak te komen. Ze hoopt dat ze geen doden op de grond vindt; degenen die 's nachts overlijden worden daar verzameld zodat de dodenkar ze mee kan nemen naar de crematoria. Gelukkig ligt er niets. De Poolse jongen is met zijn haakneus en flaporen niet bepaald een knappe verschijning, maar zijn vrolijke glimlach maakt veel goed. Hij gebaart dat ze even moet wachten en verdwijnt in de barak.

De enige andere persoon die verder nog te zien is in dat gedeelte van BIIb is een uitgemergelde gevangene die een eindje verderop kleren aan het verbranden is. Van veraf lijkt het een oude man, maar waarschijnlijk is hij nog geen veertig. Dita weet niet of hij dat werk moet doen omdat de kleren vol luizen zitten, of omdat ze van iemand zijn geweest die aan een besmettelijke ziekte is overleden. Het is geen prettig werk, maar je kunt het veel slechter treffen, bijvoorbeeld als je de hele dag greppels moet uitbaggeren of stenen en bouwmateriaal sjouwen.

Terwijl ze wacht tot de jongen terugkomt, kijkt ze toe hoe de kleren in dikke rook opgaan. Dan voelt ze ineens dat er iemand naast haar staat, iemand die heel zacht naar haar toe is geslopen. Als ze zich omdraait staat ze oog in oog met de grote, donkere gestalte van dokter Mengele. Hij fluit niet, beweegt niet, praat niet. Hij kijkt alleen maar. Misschien is hij haar tot daar gevolgd. Misschien denkt hij wel dat die Poolse jongen een contact van het verzet is. De man die kleren aan het verbranden is schrikt en maakt zich uit de voeten. Het is zover: ze is alleen met Mengele.

Ze vraagt zich af wat voor verklaring ze voor de binnenzakken in haar jurk zal geven als ze wordt gefouilleerd. Of ze er wel een verklaring voor moet geven. Mengele ondervraagt zijn gevangenen niet, dat vindt hij zonde van zijn tijd. Het enige wat hem interesseert zijn hun organen, die als onderzoeksmateriaal dienen voor zijn bizarre wetenschappelijke theorieën.

Nog steeds heeft de kamparts geen woord gezegd. Ze heeft het idee dat ze haar aanwezigheid daar bij het hek moet verantwoorden.

'Ich wollte mit dem Mann dort sprechen,' zegt ze niet erg overtuigend. Maar de man van het vuur is verdwenen.

Mengele kijkt haar strak aan en Dita ziet dat hij zijn ogen een beetje dichtknijpt, alsof hij probeert zich iets te herinneren. Ze weet nog dat de naaister tegen haar zei dat ze slecht kon liegen. Nu weet ze zeker dat hij haar niet gelooft, en ze voelt haar lichaam ineens koud worden, alsof ze de kou al kan voelen van die marmeren tafel waarop hij haar als een kalf van boven tot onder gaat opensnijden.

Mengele knikt langzaam. Blijkbaar probeerde hij zich iets te herinneren, en is dat gelukt. Ze meent zelfs een triomfantelijke glimlach op zijn gezicht te zien. Dan gaat hij met zijn hand naar zijn riem, naar de holster van zijn pistool. Vanuit de menselijke neiging om op het laatste moment een beroep te doen op God, vraagt zij Hem om een heel kleine gunst: dat ze niet ineens begint te beven, dat ze het niet in haar broek doet, dat ze in elk geval haar waardigheid kan bewaren.

Meer verlangt ze niet.

Mengele knikt nog steeds en begint ten slotte wat te fluiten. Dita merkt dat zijn blik niet echt op haar is gericht, maar eerder dwars door haar heen gaat. Blijkbaar is ze zo onbeduidend dat hij haar niet eens opmerkt. Dan draait hij zich om en loopt opgewekt fluitend weg.

Dita ziet de lange, donkere, tragische gestalte weglopen. En dan snapt ze het. Hij herinnert zich haar helemaal niet. Hij weet niet wie ze is. Hij heeft haar nooit achtervolgd...

Hij heeft haar nooit bij de deur van de barak staan opwachten en hij heeft naar haar nooit anders gekeken dan naar anderen. Haar in zijn boekje noteren, haar dreigen met de autopsiezaal... Dat waren gewoon de gebruikelijke macabere grappen van de man die zich door de kinderen oom Josef laat noemen. Hij aait hen glimlachend over hun bol en vervolgens injecteert hij hen met zoutzuur om het effect te bestuderen. Ze was zo bang voor hem dat ze was gaan geloven dat deze nazi, die volkomen geobsedeerd is door zijn genetische theorieën, zich bezighield met een snotneus als zij en niets beters te doen had dan haar achtervolgen.

Weer ziet de waarheid er anders uit.

Opgelucht haalt ze adem want nu kan ze die schaduw tenminste van zich afwerpen. Maar ze is natuurlijk nog altijd in levensgevaar.

Dit is Auschwitz...

Als ze verstandig is, gaat ze meteen naar haar barak, want als Mengele terugkomt zou het lot wel eens een andere wending kunnen nemen. Maar ze wil te graag weten wat die Poolse timmerman wil. Zou het alleen maar een liefdesverklaring zijn? Ze is niet bepaald geïnteresseerd in verkering of romances, en al helemaal niet met een Pool die ze niet kan verstaan en die oren als schoteltjes heeft. Ze wil geen vriendjes die haar vertellen wat ze moet doen.

Toen de Poolse jongen Mengele zag aankomen, ging hij de lege barak in om daar een lekkage te repareren. Zodra de kamparts wegloopt, komt hij weer tevoorschijn. Als Dita ziet dat hij met lege handen naar buiten komt, is ze teleurgesteld. De jongen kijkt om zich heen en loopt snel met grote passen naar het hek. En hij blijft maar glimlachen. Ze vindt zijn oren al niet zo groot meer, bij die glimlach van hem valt alles in het niet.

Ze houdt haar adem in terwijl de jonge klusjesman zijn gebalde vuist door een opening in het hek steekt. Wanneer hij zijn vuist opent, valt er iets wits op de grond dat naar Dita's voeten rolt. Op het eerste gezicht lijkt het een reusachtige parel. En het ís een parel.

Een gekookt ei. Ze heeft al twee jaar geen ei meer gegeten. Ze weet haast niet meer hoe ze smaken. Heel voorzichtig pakt ze het ei met twee handen van de grond en kijkt omhoog naar de jongen, die zijn hand weer heeft teruggetrokken van het hek met de duizenden volts.

Ze kunnen elkaar niet verstaan, hij spreekt alleen Pools en dat begrijpt zij niet. Maar de manier waarop Dita haar hoofd buigt en haar van blijdschap fonkelende ogen zeggen meer dan welke mooie woorden ook. Geamuseerd maakt hij een plechtige buiging, alsof ze niet in een nazivernietigingskamp maar in de hal van een paleis staan.

Dita bedankt hem in alle talen die ze kent.

Hij knipoogt naar haar en zegt heel langzaam: 'Y-a-y-k-o'. Zij werpt hem een kushand toe voordat ze naar haar barak terugholt. De Pool springt in de lucht om de kus op te vangen en blijft maar lachen.

Terwijl ze naar haar moeder rent om de witte schat samen op te peuzelen, denkt ze aan het Poolse woord dat ze heeft geleerd en dat haar de rest van haar leven zal bijblijven: yayko.
Woorden hebben zo hun betekenis.

Dat wordt vooral de volgende dag duidelijk. Tijdens het ochtendappèl krijgen ze te horen dat iedere volwassene een kaart krijgt om aan zijn dierbaren te schrijven. De Oberkapo, een Duitser met de driehoek van gewone gevangene op zijn jasje, loopt langs de rijen en herhaalt steeds dat negatieve berichten en laster ten aanzien van het Derde Rijk zijn verboden. In dat geval worden de kaarten vernietigd en de afzenders streng gestraft. En de bijtende manier waarop hij het woord 'streng' uitspreekt is een voorproefje van de straf.

De kapo's en blokoudsten krijgen nog preciezere instructies. Woorden als 'honger', 'dood' en 'executie' zijn verboden... Elk woord dat afbreuk doet aan de valse waarheid dat ze de eer hebben om voor de glorieuze Führer en zijn Rijk te mogen werken, is taboe. Lichenstern legt tijdens de eetpauze uit dat de Oberkapo heeft geëist dat ze in hun barakken moeten zeggen dat er vrolijke kaarten moeten worden geschreven. De blokoudste van barak 31, die er door zijn dieet van sigaretten en koolsoep met de dag slechter, magerder en grauwer uitziet, zegt dat ze mogen schrijven wat ze willen, dat hij het niet over zijn hart kan verkrijgen om zoiets van hen te vragen.

Het is het gesprek van de dag. Sommigen zijn verrast door het menselijke gebaar van de nazi's en zijn haast dankbaar dat ze hun familie mogen vragen om voedselpakketten. Maar de oudgedienden helpen hen al snel uit de droom en zeggen dat de nazi's zeer pragmatisch zijn. Het komt hun heel goed uit als er pakketten naar het kamp worden gestuurd, omdat zij er dan het beste voor zichzelf uit kunnen pikken. Als ze van elk van die honderden of duizenden pakketten vier of vijf artikelen achterhouden, kunnen ze een enorme voorraad levensmiddelen aanleggen. En tegelijkertijd krijgen de Joden buiten het kamp geruststellende berichten van hun familieleden die lijnrecht tegenover allerlei geruchten staan, zodat niemand meer weet wat er werkelijk gaande is in Auschwitz.

Maar er is ook angst. De mensen van het septembertransport kregen kaarten om te schrijven, maar zijn meteen daarna naar de gaskamers gestuurd. De mensen van het decembertransport zijn er nu bijna zes maanden, precies de tijd die hun vermoorde kampgenoten kregen voor ze vermoord werden. Zij gaan hetzelfde lot tegemoet. Duizelingwekkend.

Nu wordt er echter niet geselecteerd op basis van transporten; ook degenen van het meitransport moeten kaarten schrijven. Dat is anders dan hoe het eerder ging, en dat is weer aanleiding voor speculaties. Bij de de honger en de angst komt nu ook onzekerheid, waardoor de dag in blok 31 nog chaotischer verloopt dan anders. Het lukt niet eens om 's middags de spelletjes en het zingen behoorlijk te organiseren.

Na het avondappèl worden de kaarten eindelijk uitgedeeld, alleen aan volwassenen. Er staan veel mensen in de rij bij zwarthandelaar Arkadiusz, die de kaarten is komen brengen en discreet heeft laten weten dat hij potloden verhuurt voor een snee brood. Anderen halen ze bij Lichtenstern, die de potloden voor de school met tegenzin uitleent.

Dita is bij de deur van haar barak naast haar moeder gaan zitten en ziet hoe iedereen nerveus met zijn kaart in de hand rondloopt. Liesl geeft haar kaart aan Dita en vraagt of ze haar tante wil schrijven, van wie ze ook al bijna twee jaar niets meer hebben gehoord. Dita vraagt zich af wat er van haar nichtjes is geworden, wat er in de buitenwereld intussen allemaal is gebeurd.

Ze schat dat er hooguit dertig woorden op de kaart passen. Als na deze kaart de gaskamer wacht, zijn dat hun laatste dertig woorden. In dat geval is het haar enige kans om vast te leggen dat ze in haar korte leven op het verkeerde moment op de verkeerde plek is geweest. Maar ze kan niet schrijven wat er werkelijk in haar omgaat, want dan mogen ze de kaart zeker niet versturen en wordt haar moeder gestraft. Zouden ze echt al die vierduizend kaarten gaan lezen? Het zou haar niet verbazen.

De nazi's gaan gruwelijk systematisch te werk.

En ze piekert verder over die dertig woorden. Ze heeft een van de leraressen horen zeggen dat ze ging schrijven dat ze een boek van Knut Hamsun aan het lezen was, in de hoop dat haar familie zou begrijpen dat ze daarmee verwees naar de titel van zijn beroemdste boek: *Honger.* Dat vindt ze te ver gaan. Sommigen willen proberen in een soort codetaal te vertellen over de genocide waarvan ze dagelijks getuige zijn. Dat gebeurt soms heel inventief, maar soms ook met zulke vergezochte beeldspraken dat niemand er iets van zal kunnen begrijpen. Weer anderen willen om zoveel mogelijk voedsel vragen, of om nieuws van de buitenwereld, maar de meesten willen alleen maar laten weten dat ze nog leven. De leraren hebben een soort prijsvraag uitgeschreven: wie kan de subversieve boodschappen aan hun dierbaren het beste camoufleren?

Dita zegt tegen haar moeder dat ze eigenlijk de waarheid moeten vertellen.

'De waarheid...'

Haar moeder herhaalt het woord 'waarheid' enigszins geschokt, alsof het een vloek is. De waarheid vertellen betekent in dit geval vreselijke zonden en dwalingen opschrijven. Hoe kun je ook maar iets van die weerzinwekkende toestanden vertellen?

Liesl Adlerova schaamt zich voor haar eigen lot, alsof degene die zoiets overkomt zich ergens schuldig over moet voelen. Ze keurt het niet goed dat haar dochter zo impulsief is en soms zo mal doet, dat ze niet denkt aan de gevolgen van haar handelen en niet wat discreter is. Uiteindelijk pakt ze de kaart uit Dita's hand en besluit zelf te schrijven dat het goddank goed met hen tweeën gaat. Dat hun geliefde Hans, God hebbe zijn ziel, is bezweken aan een besmettelijke ziekte. Dat ze iedereen heel graag weer zouden zien. Even kijkt Dita haar uitdagend aan, waarop haar moeder zegt dat ze nu tenminste zeker weten dat die kaart aankomt en ze zo nog contact met hun familie kunnen hebben.

'Dan horen ze tenminste iets van ons.'

Maar haar moeder zal haar doel niet bereiken, zelfs niet met die lafhartige omzichtigheid van haar; wanneer de kaart op zijn bestemming aankomt, zal er niemand meer zijn om hem in ontvangst te nemen.

Er komen steeds meer luchtaanvallen van de geallieerden, er gaan geruchten dat de Duitsers zware verliezen lijden aan het front, dat de oorlog een andere wending heeft genomen en het einde van het Derde Rijk misschien nabij is. Als hun transport die mijlpaal van zes maanden overleeft, kunnen ze het einde van de oorlog misschien meemaken en naar huis terugkeren. Maar niemand heeft er veel vertrouwen in. Al jaren horen ze mensen praten over het einde van deze oorlog, die intussen aan zoveel levens een voortijdig einde heeft gemaakt.

De volgende ochtend stalt Dita haar bibliotheekboeken weer op het houten bankje uit. Terwijl de kinderen op hun plaats gaan zitten komt Miriam Edelstein naar haar toe.

'Ze komen niet,' fluistert ze.

Dita maakt een niet-begrijpend gebaar.

'Dat heeft Schmulewski gehoord. Het schijnt dat de internationale waarnemers in Theresienstadt zijn geweest en dat de nazi's het heel goed hadden georganiseerd. Ze hoefden verder dus niets meer te zien. De waarnemers van het Rode Kruis komen niet naar Auschwitz.'

'Dus... en ons moment dan?'

'Ik weet het niet, Edita. Ik hoop met hart en ziel dat de waarheid ooit aan het licht komt. We moeten op onze hoede zijn, we moeten volhouden. Als het Rode Kruis niet komt, heeft Himmler het familiekamp niet meer nodig.'

Dita voelt zich bedrogen. Iedereen dacht dat het Rode Kruis met een operatiemes de ingewanden van de Holocaust zou blootleggen om die aan de wereld te tonen, maar ze zijn alleen maar met wat pleisters komen aanzetten. Hun levens waren toch al niet veel waard, maar nu doen ze er helemaal niet meer toe.

'Dat is niet best,' mompelt ze.

Miriam krijgt gelijk. Alles gaat nu heel snel. Op een schijnbaar gewone ochtend maakt Lichtenstern vijf minuten voor tijd een einde aan de lessen, maar omdat hij de enige in het kamp is met een horloge heeft niemand dat in de gaten. Miriam Edelstein voegt zich bij hem en samen klimmen ze met enige moeite op het muurtje in het midden van de barak. De kinderen denken dat het tijd is voor de soep en stoeien wat met elkaar. Niemand verwacht dat de blokoudste hard op zijn fluitje blaast om aandacht te vragen.

Door dat fluitje moeten de kinderen even aan Fredy Hirsch denken en worden ze stil; er moet wel iets ernstigs aan de hand zijn dat Lichtenstern het fluitje gebruikt dat zo bij de oprichter van de school hoorde.

Met een peinzend gezicht zegt hij dat Miriam Edelstein iets belangrijks te vertellen heeft. Ze oogt vermoeid maar klinkt helder.

'Beste leraren, leerlingen, assistenten... ik moet jullie vertellen dat de leiding van Auschwitz-Birkenau ons heeft meegedeeld dat het familiekamp per direct wordt opgeheven. Dit was de laatste schooldag van blok 31.' De barak vult zich met nerveus gemompel. 'Morgen zal de SS een selectie maken. Er worden twee groepen gevormd: een groep die naar een ander kamp wordt overgebracht en een groep die hier blijft.'

'Wat voor selectie?' vraagt een van de leraren.

'Dit is alles wat ons is verteld, meer weet ik niet.'

Angst en onzekerheid nemen bezit van de barak. Selectie is een woord dat niemand wil horen. De nazi's laten de roulette draaien. Als het geluk je in de steek laat, is het over en uit.

Door het rumoer heen waarschuwt Miriam dat iedereen het ochtendappèl voor zijn eigen barak heeft en dat de Oberkapo daarna meer informatie over de selectie zal geven. Alleen degenen die vlakbij staan horen hoe Miriam haar korte toespraak afsluit en iedereen uit de grond van haar hart het beste wenst.

Dita schudt langzaam haar hoofd. Misschien valt het doek nu echt.

's Middags is de barak leeg. Het is weer een opslagplaats geworden. Dita heeft een paar keer op de deur van de blokoudste geklopt, maar krijgt geen antwoord. Ze gaat naar binnen met de sleutel die ze een paar weken eerder heeft gekregen. Er liggen wat lege conservenblikjes, vieze lappen stof en kledingstukken op een paar kartonnen dozen met etensresten.

Nu Lichtenstern er niet is en het nog even duurt voordat de avondklok ingaat, heeft ze de gelegenheid haar boeken tevoorschijn te halen.

Ze heeft al in geen dagen de atlas doorgebladerd en ze geniet ervan om met haar vinger de kustlijnen te volgen, bergketens te beklimmen en af te dalen, de namen te fluisteren van steden als Londen, Montevideo, Ottawa, Lissabon, Peking... en intussen hoort ze in gedachten de stem van haar vader die aan de wereldbol draait. Dan pakt ze het vergeelde exemplaar van *De graaf van Montecristo*. Zachtjes spreekt ze de naam van Edmond Dantès uit en ze oefent net zo lang op het Franse accent tot ze tevreden is. Het moment om de strafgevangenis van If te verlaten is aangebroken.

Ze neemt H.G. Wells erbij, haar privéleraar geschiedenis gedurende die maanden. Dan de Russische grammatica, het boek van Sigmund Freud en het meetkundeboek. En die roman in het Russisch zonder omslag, waarvan ze het mysterieuze cyrillische schrift niet heeft kunnen ontcijferen. Met uiterste behoedzaamheid pakt ze het laatste boek uit de geheime bergplaats, het half kapotte *De lotgevallen van de brave soldaat Švejk*. Ze kan de verleiding niet weerstaan een stukje te lezen om zich ervan te overtuigen dat die koddige Švejk er nog is, verborgen tussen de pagina's. En jawel, hij is er nog, hij is weer in topvorm en probeert luitenant Lukás te kalmeren na zijn laatste blunder.

Dat bord soep dat je voor me uit de regimentskeuken hebt gehaald is halfleeg! Melde gehorsamst, *luitenant. Het was zo heet dat het onderweg verdampt is. Het is verdampt in je maag zeker, godvergeten parasiet! Maar luitenant, ik kan u verzekeren dat het echt verdampt is, dat soort dingen gebeurt nu eenmaal. Een muilezeldrijver was eens op weg naar Karlstad met een paar vaten warme wijn en... Ga uit mijn ogen, ellendeling!*

Ze omhelst het gehavende boek als een oude vriend.

Uiterst behoedzaam lijmt ze met wat Arabische gom de losgeraakte ruggen van een paar boeken. Met een schone doek en wat speeksel poetst ze de omslagen schoon, die vuil zijn geworden in de geheime bergplaats. Ze verzorgt hun wonden, waarschijnlijk voor de laatste keer. Daarna strijkt ze de bladzijden glad, haalt de vouwen en ezelsoren eruit en strijkt er keer op keer met haar hand overheen. Eigenlijk is het meer strelen dan gladstrijken.

Het is maar een klein rijtje boeken, een bescheiden defilé van veteranen. Maar de afgelopen maanden hebben ze honderden kinderen door de geografie en de geschiedenis van de wereld geleid en hen kennis laten maken met wiskunde. Ook hebben ze hen meegenomen over de kronkelpaadjes van de fictie en zo hun leven verrijkt. Geen slechte prestatie voor een handvol oude boeken.

27

Juli 1944

De werkplaatsen en blok 31 zijn al dicht. Haar moeder is in gesprek, of liever gezegd, ze neemt deel aan de conversatie die de vrouwen onder leiding van mevrouw Turnovská voeren. Dita zit met haar rug tegen de achterkant van de barak. Er zijn zoveel mensen dat het lastig is om een plekje te vinden. Margit wil naast haar komen zitten op het stuk deken dat Dita haar aanbiedt. Aan de manier waarop ze op haar onderlip bijt is te zien dat ze onrustig is.

'Denk je echt dat ze ons ergens anders naartoe brengen?'

'Dat is een ding dat zeker is. Ik hoop alleen dat het niet naar de andere wereld is.'

Margit zit onrustig te wippen. Ze pakken elkaars hand.

'Ik ben bang, Ditinka.'

'We zijn allemaal bang.'

'Nee, jij bent zo rustig. Je lacht zelfs om de overplaatsing. Ik wou dat ik zo dapper was als jij, maar ik ben zo bang. Moet je kijken hoe ik zit te trillen. Het is warm en ik heb het koud.'

'Toen mijn benen een keer ontzettend trilden, zei Fredy Hirsch tegen me dat juist dappere mensen bang zijn.'

'Hoe kan dat nou?'

'Omdat je moedig moet zijn om bang te kunnen zijn en toch door te gaan. Als je niet bang bent, wat heeft het dan voor zin om iets te doen?'

'Ik zag meneer Hirsch wel eens over de Lagerstrasse lopen. Ik vond hem heel knap! Ik had hem graag gekend.'

'Hij was niet iemand die zich makkelijk liet kennen. Hij zat de hele tijd in zijn kamer. Op vrijdag vertelde hij verhalen, hij organiseerde sportwedstrijden, als er een probleem was kwam hij om het op te lossen, hij was altijd aardig tegen iedereen... maar dan verdween hij weer in zijn kamer. Het was alsof hij er niet echt bij wilde horen.'

'Denk je dat hij gelukkig was?'

Dita kijkt haar vriendin ongelovig aan.

'Wat is dat nou voor vraag, Margit? Hoe kun je dat nou weten? Ik weet het niet... ik denk van wel. Hij heeft het niet makkelijk gehad, maar ik denk dat hij van uitdagingen hield. En hij deinsde nergens voor terug.'

'Je had veel bewondering voor hem, hè?'

'Natuurlijk heb je bewondering voor iemand die je leert hoe je dapper kunt worden!'

'Maar...' Margit weegt haar woorden zorgvuldig omdat ze weet dat ze iets pijnlijks gaat zeggen, 'op het laatst deinsde hij wel terug, ik bedoel, hij heeft het niet tot het einde volgehouden.'

Dita slaakt een diepe zucht.

'Ik heb vaak aan zijn dood gedacht. Ze hebben me van alles verteld. Maar ik blijf het gevoel houden dat er iets niet klopt. Hirsch zich overgeven? Neeeee.'

'Maar registrator Rosenberg heeft hem zien sterven...'

'Ja, en?'

'Hoewel ik ook heb gehoord dat je niet alles moest geloven wat Rosenberg zei...'

'Er wordt zoveel gezegd... Maar ik geloof dat er op die achtste maart iets is gebeurd waardoor alles anders werd voor hem. Het vervelende is dat we het hem nooit meer kunnen vragen.'

Dita zwijgt en heel even blijft Margit ook stil.

'En wat gaat er nu met ons gebeuren, Ditinka?'

'Dat weet niemand. Dus heeft het geen zin om je al te veel zorgen te maken. Jij en ik kunnen niets doen. Als er iemand een revolutie wil organiseren, horen we het wel.'

‘Denk je dat er een opstand komt?’

‘Ik geloof van niet. Als het er met Fredy niet van gekomen is, komt het er nu zeker niet van.’

‘Dan moeten we bidden.’

‘Doe je best maar.’

‘Ga jij niet bidden dan?’

‘Bidden? Tot wie?’

‘Tot God natuurlijk, wie anders? Dat moet jij ook doen.’

‘Naar de honderdduizenden Joden die sinds 1939 tot hem gebeden hebben heeft hij ook niet geluisterd.’

‘Misschien hebben we niet genoeg gebeden, of niet hard genoeg, en heeft hij ons niet gehoord.’

‘Kom op, Margit. God weet wel dat je op sabbat een knoop aan je jas hebt genaaid om je daar vervolgens voor te straffen, maar heeft zeker niet gehoord dat er vele duizenden onschuldige mensen worden vermoord en dat er nog eens duizenden andere gevangen worden gehouden en slechter behandeld worden dan honden. Denk je nou echt dat hij dat niet heeft gehoord?’

‘Ik weet het niet, Dita. Het is zondig om te vragen waarom God doet wat hij doet.’

‘Oké, dan ben ik een zondares.’

‘Dat moet je niet zeggen! God zal je straffen!’

‘Nog meer?’

‘Straks ga je naar de hel.’

‘Doe niet zo naïef, Margit. We zijn al in de hel.’

Het kamp gonst van de geruchten. Er zijn mensen die zeggen dat de selectie een wassen neus is, dat ze iedereen gaan vermoorden. Anderen zeggen dat ze alleen degenen die kunnen werken eruit pikken en de rest vermoorden.

Volkomen onverwacht komt de Priester met twee gewapende bewakers naar het kamp. De mensen doen alsof ze de andere kant op kijken, maar houden ondertussen hun blik gericht op deze ongeluksbode. Zijn komst buiten de appèls om betekent nooit veel goeds. Het drietal blijft bij een barak staan, waarop de vrouwelijke kapo onmiddellijk naar buiten komt.

Nerveus loopt ze om de barak heen en wijst ten slotte een gevangene aan die tegen de zijmuur zit, met naast zich een jongen die zijn hoofd in haar schoot heeft gelegd. Het zijn Miriam en haar zoon Ariah. De sergeant zegt dat hij orders heeft van commandant Schwartzhuber. Ze worden overgeplaatst; Miriam Edelstein wordt samen met haar zoon overgeplaatst naar het kamp waar haar man zit.

Eichmann heeft haar dus voorgelogen. Haar man Yakub is niet in Berlijn. In feite heeft hij Auschwitz nooit verlaten. Eichmann zei toen ook dat ze snel samen zouden zijn. In zekere zin heeft hij de waarheid gezegd. Maar de waarheden van Eichmann zijn nog erger dan zijn leugens.

Miriam en haar zoon worden in een jeep naar Auschwitz I gebracht, dat op drie kilometer van Birkenau ligt en waar politieke gevangenen en verzetslieden opgesloten zitten, samen met spionnen en anderen die een bedreiging voor het Derde Rijk vormen.

Miriam wordt naar de kamer gebracht waar twee bewakers een geboeide Yakub stevig bij zijn armen vasthouden. Ze heeft moeite hem te herkennen in zijn vieze streepjespak. Maar erger nog is zijn kapotte huid waar de botten haast doorheen komen. Ook hij herkent haar niet meteen, waarschijnlijk omdat hij zijn bril niet opheeft. Die is hij waarschijnlijk kwijtgeraakt toen hij daar aankwam. Sinds die tijd moet alles heel wazig voor hem zijn geweest.

Miriam en Yakub Edelstein zijn intelligente mensen. Ze begrijpen meteen waarom ze herenigd worden. Wat er op dat moment door hen heen gaat, gaat elk voorstellingsvermogen te boven.

Een SS-officier haalt een pistool tevoorschijn en richt het op de kleine Ariah. Hij schiet de jongen van dichtbij neer. Vervolgens schiet hij op Miriam. Wanneer Yakub Edelstein wordt getroffen, is hij emotioneel waarschijnlijk al dood.

Bij het begin van de ontmanteling van kamp BIIb op 11 juli 1944 waren er twaalfduizend gevangenen. Dokter Mengele organiseerde de selectie, die drie dagen zou duren. Daarvoor koos hij barak 31 uit omdat daar geen stapelbedden stonden. Mengele zei tegen zijn assistenten dat dat de enige barak was waar het niet zo walgelijk stonk. Hoewel hij een groot liefhebber van lijkschouwingen was, was hij ook een fijngevoelig man die niet tegen stank kon.

Het is voorbij met het familiekamp. Dita Adlerova en haar moeder bereiden zich voor op de schifting van dokter Mengele, die zal beslissen of ze blijven leven of moeten sterven. Na het slootwater van het ontbijt hebben ze het bevel gekregen zich per barak in rijen op te stellen. De mensen lopen onrustig heen en weer. Mannen rennen naar hun vrouw en vrouwen rennen naar hun man om afscheid van elkaar te nemen. Veel echtparen staan midden in de Lagerstrasse, precies tussen de mannen- en de vrouwenbarakken in. Er wordt omhelsd, gekust, gehuild, en verwijten worden er ook gemaakt. Een enkeling zegt nog: 'Ik zei toen nog dat we naar Amerika moesten gaan...!' Iedereen besteedt zijn misschien wel laatste minuten op zijn eigen manier. De kapo's blazen verwoed op hun fluitjes en onder de onverschillige blik van de SS'ers gaat iedereen terug naar zijn eigen barak.

Mevrouw Turnovská komt Liesl sterkte wensen.

'Sterkte, mevrouw Turnovská?' zegt een andere vrouw. 'Wat wij nodig hebben is een wonder!'

Dita zondert zich af van het nerveuze gedrang. Ze voelt dat iemand vlak achter haar komt staan, ze kan zelfs zijn adem in haar nek voelen.

'Niet omkijken,' zegt de stem.

Dita, die inmiddels wel gewend is aan bevelen, blijft staan en kijkt niet om.

'Jij hebt vragen gesteld over de dood van Hirsch, is het niet?'

'Ja.'

'Nou, ik weet dingen... maar blijf voor je kijken!'

'Het enige wat ik tot nu toe te horen heb gekregen is dat hij bang was, maar ik weet dat hij niet terugkrabbelde omdat hij bang was voor de dood.'

'Het klopt wat je daar zegt. Ik heb de lijst gezien waarop de gevangenen stonden die van de SS vanuit het quarantainekamp naar het familiekamp moesten worden teruggebracht. Daar stond Hirsch bij. Hij zou niet sterven.'

'Maar waarom heeft hij dan zelfmoord gepleegd?'

'Dat klopt dan weer niet,' klinkt de stem nu aarzelend, alsof hij niet weet hoeveel hij precies wil vertellen. 'Hirsch heeft geen zelfmoord gepleegd.'

Dita wil alles weten en draait zich om naar haar mysterieuze gesprekspartner, maar die verdwijnt snel in de menigte. Ze herkent hem, het is de jongen die als boodschappenjongen voor de ziekenbarak werkt.

Ze wil achter hem aan gaan, maar haar moeder pakt haar bij de schouders.

'We moeten opstellen!'

Er volgen zweepslagen en bewakers geven links en rechts klappen met hun geweerkolven. Er is geen tijd meer. Schoorvoetend volgt Dita haar moeder naar de rij.

Wat betekent het dat Fredy Hirsch geen zelfmoord heeft gepleegd? En wat nu? Is hij niet gestorven zoals ze haar verteld hebben? Ze bedenkt dat die jongen het misschien allemaal heeft verzonnen. Maar waarom zou hij dat doen? Is het gewoon een grap en rende hij daarom zo hard weg toen zij zich omdraaide? Dat kan. Maar iets zegt haar van niet; ze heeft gedurende dat korte moment dat ze hem aankeek immers geen pretlichtjes in zijn ogen gezien. Nee, hij was serieus. Meer dan ooit is ze ervan overtuigd dat het die middag in het quarantainekamp niet is gegaan zoals de verzetslieden haar hebben verteld. Maar waarom zouden ze liegen? Of weten zij misschien ook niet hoe het werkelijk is gegaan?

Te veel vragen op een moment dat alle antwoorden misschien te laat komen, nu het lot van al die duizenden mensen uit het familiekamp afhangt van de klinische blik van Mengele.

Bij blok 31 is het al een paar uur een komen en gaan van groepen mensen, maar niemand weet precies wat er gaande is. Rond het middaguur hebben ze soep gekregen en hebben ze even op de grond kunnen uitrusten, maar de vrouwen van haar groep zijn uitgeput en op van de zenuwen. En natuurlijk gaan er allerlei geruchten. Het schijnt dat er echt geselecteerd gaat worden. De gezondste gevangenen worden gescheiden van de zieke en degenen die niet in staat zijn om te werken. Er wordt gezegd dat dokter Mengele op zijn gebruikelijke onbewogen manier beslist wie er blijft leven en wie er sterft. De gevangenen moeten naakt de barak in zodat de kamparts hen kan onderzoeken. Hij heeft tenminste het fatsoen gehad mannen en vrouwen apart te laten komen, zegt men, en hij kijkt niet eens wellustig naar de naakte vrouwen, maar bekijkt iedereen met de grootst mogelijke onverschilligheid, af en toe gaapt hij zelfs verveeld.

Een kordon van SS'ers zorgt ervoor dat er geen anderen bij blok 31 kunnen komen. De gevangenen die op die dag niet door de selectie gaan, lopen rusteloos over het kampterrein. Tot op het laatst proberen de leraren de kinderen bezig te houden. Sommige groepen zitten achter de barakken en doen spelletjes om de angst te verdrijven. Zelfs de stijve juffrouw Markéta doet mee en speelt het zakdoekenspel met een paar van haar meisjes. Steeds wanneer zij de zakdoek in haar hand heeft brengt ze hem onopvallend naar haar gezicht en droogt haar tranen. Haar elfjarige meisjes die vol levenslust rondrennen, kibbelen en vechten om wie het eerst de zakdoek heeft... Zullen er meisjes bij zijn die groot genoeg bevonden worden om te werken, of zullen ze allemaal omgebracht worden?

Ten slotte staat Dita met de vrouwen van haar barak in de rij voor blok 31. Zij zijn de volgenden die naar binnen moeten. Ze moeten zich uitkleden en hun kleren op een hoop leggen, die gaandeweg een bergketen op de modder vormt.

Dat ze haar naakte lichaam in het openbaar moet vertonen, vindt ze al erg genoeg, maar veel erger vindt ze het om haar moeders naakte lichaam zo in het openbaar te zien. Dita wendt haar hoofd af om haar verlepte borsten, haar geslacht en haar uitstekende botten niet te zien. Sommige vrouwen kruisen hun armen om zich zo goed mogelijk te bedekken, maar de meeste kan het niets meer schelen. Aan weerszijden van de rijen staan groepjes SS'ers zich te verkneukelen om de naakte vrouwen. Ze hebben het erover wie ze het lekkerst vinden. Hun lichamen zijn vel over been en je kunt hun ribben tellen; er zijn jonge meisjes bij met nog maar heel pril schaamhaar.

Maar de soldaten zijn zo gewend aan de uitgemergelde lichamen van de gevangenen dat ze naar de vrouwen joelen alsof het schoonheidskoninginnen zijn.

Dita gaat op haar tenen staan en probeert over de bewakers heen te kijken om te zien wat er binnen gebeurt. Haar moeder en zij zijn nu in acuut levensgevaar. Ze denkt gedurende het wachten met weemoed aan haar bibliotheek. De boeken liggen in hun geheime bergplaats onder de grond in een diepe slaap tot iemand ze toevallig vindt en ze weer tot leven wekt, net als de Golem uit de Praagse legende, die onbeweeglijk op een geheime plaats bleef staan tot iemand hem wakker maakte. Ze heeft er spijt van dat ze geen boodschap bij de boeken heeft achtergelaten voor het geval een andere gevangene ze vindt. Ze had diegene graag willen zeggen: zorg goed voor ze, dan zullen zij voor jou zorgen.

Dita's benen beginnen zeer te doen van het urenlange staan in de rij. Een vrouw is gaan zitten omdat ze het niet meer volhoudt en weigert op te staan, ondanks het geschreeuw en de dreigementen van de jonge kapo. Twee bewakers sleuren haar als een zak aardappelen naar de barak. Vermoedelijk smijten ze haar meteen op de vuilnishoop.

Eindelijk zijn ze aan de beurt. Uit de menigte klinkt gemompel en hier en daar wordt gebeden. Zo gaat Dita met haar moeder blok 31 binnen. De vrouw voor hen is in snikken uitgebarsten.

'Niet huilen, hoor, Edita,' fluistert haar moeder. 'Je moet nu laten zien dat je sterk bent.'

Ze knikt. Ondanks de spanning, ondanks de aanwezigheid van gewapende SS'ers en van Mengele, die van achter een tafel zijn oordeel velt, voelt Dita zich daar op de een of andere manier veilig. De SS'ers hebben de kindertekeningen niet van de muren gehaald. Daar hangt Sneeuwwitje met haar dwergen in verschillende versies, er hangen prinsessen, wilde dieren, kleurige boten uit de tijd dat ze nog wat verf hadden... Ze realiseert zich hoe ze het schilderen heeft gemist in Auschwitz; in Theresienstadt deed ze het vaak, daar verwerkte ze haar angsten in landschappen.

Ook al zijn de krukken en de tekeningen er nog, blok 31 bestaat niet meer. Het is geen school meer. Het is geen toevluchtsoord meer. Nu stuit je bij binnenkomst meteen op een bureau waarachter dokter Mengele zit met een registrator, en twee bewakers met machinepistolen. Achter in de barak worden de gevangenen die al door de selectie zijn gegaan in twee groepen verdeeld. De linkergroep blijft in Auschwitz en de rechter wordt in een ander kamp te werk gesteld. In de rechtergroep zitten de jonge en oudere vrouwen die er nog gezond uitzien, dat wil zeggen, die nog kunnen werken. De andere groep, die veel groter is, bestaat uit kleine meisjes, oude en zieke vrouwen. Toen ze zeiden dat de linkergroep in Auschwitz zou blijven, spraken ze de waarheid: hun as zal op de drassige bodem van het bos neerslaan en voor altijd vermengd worden met de modder van Birkenau.

De naziarts beweegt zijn witgehandschoende hand onverstoorbaar naar links en naar rechts en leidt de mensen naar de deze of gene zijde van het leven. Hij doet dat met verbazingwekkend gemak. Zonder enige aarzeling.

De rij voor haar wordt korter. De snikkende vrouw is naar links gestuurd, naar de zwakken en de nuttelozen.

Dita haalt diep adem. Het is haar beurt.

Ze doet een paar passen naar voren en staat stil voor het bureau van de kamparts. Dokter Mengele kijkt naar haar. Ze vraagt zich af of hij haar herkent als lid van blok 31, maar het is onmogelijk te weten wat hij denkt. Wat ze in de ogen van de arts ziet, doet haar huiveren: er is helemaal niets te zien, geen enkele emotie. Zijn blik is zo leeg en zo onbewogen dat je er bang van wordt.

Hij dreunt de vragen op die hij al urenlang aan elke gevangene stelt: naam, nummer, leeftijd en beroep.

Dita weet dat het voor een volwassenene zaak is een beroep te noemen dat de Duitsers van nut kan zijn (timmerman, boer, monteur, kokkin...) en dat kinderen moeten bluffen en zeggen dat ze ouder zijn om erdoorheen te komen. Dita's verstand zegt dat ze voorzichtig moet zijn, maar haar hart wil iets anders.

Rechtop staand voor de almachtige dokter Josef Mengele, die als een god over leven en dood gaat, noemt ze haar naam, Edita Adlerova; haar nummer, 73305; leeftijd, zestien jaar (ze telt er een jaar bij op). Wanneer ze haar beroep moet noemen, aarzelt ze even en in plaats van iets nuttigs, wat de SS'er met het ijzeren kruis op de borst zal bevallen, zegt ze ten slotte:

'Schilderes.'

Mengele, die zichtbaar genoeg heeft van wat voor hem slechts routine is, kijkt haar ineens aandachtig aan, zoals een slang zijn kop opricht als hij een mogelijke prooi bespeurt.

'Schilderes? Wat schilder je, muren of portretten?'

Dita voelt haar hart bonzen, maar antwoordt in onberispelijk Duits en met een vastberadenheid die op die plek gelijkstaat met rebellie.

'Ik schilder portretten, meneer.'

Mengele knijpt zijn ogen een beetje dicht; een ironische glimlach krult om zijn lippen.

'Zou je mij kunnen schilderen?'

Nog nooit is Dita zo bang geweest en heeft ze zich zo kwetsbaar gevoeld. Vijftien jaar oud, naakt, en alleen tegenover mannen met machinepistolen die ter plekke beslissen of ze haar zullen doden of nog even laten leven. Het zweet loopt over haar naakte huid, de druppels vallen op de grond. Maar ze antwoordt verrassend krachtdadig.

'Jazeker meneer!'

Mengele blijft haar aankijken. Het is geen goed teken dat de kamparts moet nadenken. Iedereen wacht gespannen af wat er gaat gebeuren. Het is doodstil in de barak. Ten slotte glimlacht Mengele geamuseerd naar haar en met zijn gehandschoende hand stuurt hij haar naar rechts, naar de groep van de productieven.

Maar Dita kan nog niet opgelucht ademhalen, want haar moeder is aan de beurt. Ze vertraagt haar pas en kijkt om.

Liesl is een vrouw bij wie de treurnis aan haar hele houding is af te lezen. Met haar hangende schouders ziet ze er nog brozer en zieker uit dan ze al is. Ze weet zeker dat ze niet door de selectie komt; ze geeft zich al gewonnen voordat de strijd begonnen is. Ze maakt geen enkele kans en de arts heeft haast.

'Links!'

De linkergroep, de grootste, die van de improductieven.

Maar uit pure verdwazing, althans dat denkt Dita, want haar moeder is er niet de persoon naar om tegen bevelen in te gaan, loopt Liesl naar de rechterkant en gaat achter haar dochter in de rij staan. Het meisje hapt naar adem. Wat doet haar moeder nou? Ze zullen haar zeker met geweld wegsleuren, dat wordt een vreselijke scène. Maar ze zal haar moeder met hand en tand verdedigen, wat er ook gebeurt. Dan sleuren ze hen maar samen weg.

Maar het toeval wil dat de bewakers, die zich aan de onderdanige houding van de gevangenen beginnen te ergeren en liever naar de jongste meisjes kijken, precies op dat moment niet opletten. Ook Mengeles aandacht verslapt; hij wordt afgeleid door de registrator die een nummer dat de kamparts heeft gedicteerd niet goed heeft verstaan. Eerder begonnen vrouwen die naar de linkerrij werden gestuurd te gillen en te smeken of wierpen zich op de grond, waarna ze door de bewakers naar de linkerrij werden gesleept. Maar Liesl heeft geen kik gegeven. Met een kalmte en een vanzelfsprekendheid die zelfs de allerdappersten op de zenuwen zou werken is ze naakt en kwetsbaar voor de ogen van de dood langs gelopen.

Dita's hart klopt in haar keel. Geschokt kijkt ze naar haar moeder, die afwezig terugstaart, zich schijnbaar niet bewust van wat ze heeft gedaan: tegen Mengeles bevel ingaan, even blijven staan en dan precies naar de kant lopen waar ze niet naartoe is gestuurd, terwijl de kamparts en de registrator naar de lijsten keken en de soldaten druk waren de meisjes te keuren. Het komt natuurlijk doordat haar moeder in de war is, ze heeft het vast niet goed begrepen. Haar moeder zou zoiets nooit met voorbedachten rade doen, al weet Dita inmiddels niet meer wat ze ervan moet denken. Zonder een woord te wisselen pakken ze elkaars hand stevig vast en knijpen zo hard mogelijk. Ze wisselen een veelbetekenende blik. Dan komt de volgende vrouw in hun rij staan, achter haar moeder, die op die manier aan het zicht van de bewakers wordt onttrokken.

Ze worden naar het quarantainekamp geleid. Tegenover de opluchting en uitbundige omhelzingen van degenen die voorlopig gered zijn, staan de bedrukte gezichten van gevangenen die bij de ingang op familie en vrienden wachten die nooit komen. Mevrouw Turnovská is er niet bij, noch de andere vriendinnen van haar moeder. Van de kinderen en Miriam Edelstein is evenmin iets vernomen. Er heerst grote verwarring en de eerste groepen worden al naar het perron gebracht terwijl de laatste selecties in BIIb nog moeten plaatsvinden. Ook heeft Dita Margit nog niet gezien.

Voorlopig zijn ze weliswaar aan de dood ontkomen, maar als zoveel onschuldige mensen achterblijven om te sterven, is dat een schrale troost.

28

Voorjaar 1945

Opnieuw in de trein. Er zijn acht maanden voorbijgegaan sinds de ontruiming van het familiekamp en weer zitten ze in een trein met onbekende bestemming, nu een veewagon. Eerst was het van Praag naar Theresienstadt. Daarna van Theresienstadt naar Auschwitz. Later van Auschwitz naar Hamburg. Dita weet niet waar deze treinreis haar zal brengen.

Op het perron van Auschwitz waren ze destijds in een goederenwagon geduwd en met een groep vrouwen naar Duitsland gestuurd. Het was een reis getekend door honger en dorst, met moeders zonder kinderen, dochters zonder moeder, zussen zonder zus. Toen de wagon in Hamburg openging kwamen ze er als gebroken poppen uit.

Overplaatsing van Polen naar Duitsland betekende niet dat ze erop vooruitgingen. In Duitsland kregen de SS'ers meer informatie over het verloop van de oorlog, waardoor de sfeer gespannen raakte. Het Duitse leger was zich overal aan het terugtrekken en de droom van het Derde Rijk begon langzaamaan te vervliegen. Woede en frustratie werden afgereageerd op de Joodse gevangenen, die de schuld kregen van de inmiddels onafwendbare nederlaag.

In het kamp waar ze uiteindelijk terechtkwamen moesten ze zoveel uren maken in de werkplaatsen, dat het leek of de dagen meer dan vierentwintig uur hadden. Als ze eindelijk naar hun barak terug mochten, hadden ze zelfs de puf niet meer om te klagen. Ze speelden het nog net klaar om hun soep naar binnen te werken en gingen daarna meteen naar bed in de hoop een beetje op krachten te komen voor de volgende dag.

Van de tijd in Hamburg heeft Dita een herinnering die haar altijd zal bijblijven: het beeld van haar moeder achter de verpakkingsmachine in de steenfabriek. Het zweet liep in straaltjes onder haar hoofddoek uit, maar haar blik was zo neutraal, zo geconcentreerd en kalm, dat het leek of ze een salade stond klaar te maken.

Dita had met haar te doen, ze was zo mager en kwam zelfs geen grammetje aan van het eten dat iets beter was dan in Auschwitz. Het was verboden te praten onder het werk, maar altijd als Dita iets moest ophalen vlak bij de machine van haar moeder, gebaarde ze naar haar om te vragen hoe het ging; dan knikte en glimlachte Liesl. Het ging altijd goed met haar.

Dita geeft toe dat ze daar soms razend van wordt. Als haar moeder altijd zegt dat het prima gaat, hoe kan ze er dan achter komen hoe ze zich echt voelt?

Met mevrouw Adlerova gaat het altijd goed, zegt ze.

In de trein met nog onbekende bestemming doet Liesl alsof ze slaapt. Ze weet dat Edita wil dat ze slaapt, hoewel ze al maanden nauwelijks een oog dichtdoet 's nachts. Maar dat vertelt ze haar dochter niet. Die is nog te jong om te begrijpen hoe vreselijk het is voor een moeder om haar dochter geen gelukkige jeugd te kunnen geven.

Het enige wat Liesl Adlerova voor haar dochter kan doen, die sterker, slimmer en moediger is dan zij, is haar niet bezorgder maken dan ze al is, daarom zegt ze altijd dat alles in orde is, ook al heeft ze sinds de dood van haar man een wond vanbinnen die niet wil helen.

Het werk in de fabriek was van korte duur. Doordat de nazikopstukken steeds zenuwachtiger werden, gaven ze tegenstrijdige bevelen. Na een week werden ze naar een andere fabriek overgeplaatst, waar militair materieel voor hergebruik geschikt werd gemaakt. In een van de werkplaatsen werden defecte bommen die niet tot ontploffing waren gekomen, gerepareerd. Niemand leek het erg te vinden om daar te werken, ook Dita en haar moeder niet. Ze zaten binnen en werden dus niet nat als het regende.

Toen ze op een middag na het werk naar haar barak liep, zag ze René Naumann vrolijk met andere meisjes pratend uit een werkplaats komen. Dita stopte en wilde naar haar toe lopen. Ze was echt blij haar weer te zien. Uit de verte glimlachte René en zwaaide even snel, maar ze stopte niet en liep door, druk in gesprek met haar vriendinnen. Ze had nieuwe vriendinnen gemaakt, dacht Dita, nieuwe mensen die niet wisten dat ze ooit een vriend bij de SS had gehad en aan wie ze niets had uit te leggen. Ze wilde niet met haar verleden worden geconfronteerd.

Nu zijn ze opnieuw gemobiliseerd en weet niemand waar ze heen gaan. Weer zijn ze een veestapel die op transport moet.

'We worden behandeld als lammeren die naar de slachtbank worden geleid,' moppert een vrouw met een Sudetisch accent.

'Was dat maar waar! Lammeren die naar de slachtbank gaan hebben tenminste goed te eten gehad.'

Schokkend en schommelend dreunt de veewagon over de rails. Dita en haar moeder zitten op de grond bij een groep vrouwen van verschillende nationaliteit; de meeste zijn Duitse Jodinnen. Van de duizend vrouwen die acht maanden eerder uit het familiekamp van Auschwitz-Birkenau zijn vertrokken, is de helft in Hamburg achtergebleven om te werken in een buitenwijk van de stad, vlak bij de Elbe. Iedereen is uitgeput. Het werk in de fabrieken van de laatste maanden was zwaar; ze maakten eindeloos lange dagen onder barre omstandigheden. Dita kijkt naar haar handen; ze zien eruit als die van een oude vrouw.

Maar misschien is dat niet de enige reden dat ze zo moe zijn. Ze worden al jaren met geweld en onder doodsbedreigingen van hot naar her gestuurd, ze slapen slecht, eten nog slechter en weten niet waar dit alles toe leidt en of ze het einde van deze oorlog zullen meemaken.

Het ergste van alles is nog dat Dita onverschillig begint te worden. Apathie is een verontrustend symptoom.

Nee, nee, nee… ik zal me niet gewonnen geven.

Ze knijpt in haar arm tot het pijn doet. Ze knijpt nog harder, bijna tot bloedens toe. Als het pijn doet voel je tenminste nog iets.

Ze denkt aan Fredy Hirsch. De afgelopen tijd heeft ze minder aan hem gedacht, maar ze vraagt zich nog steeds af wat er die middag is gebeurd. De jongen met de lange benen zei dat hij geen zelfmoord heeft gepleegd… Heeft hij dan per ongeluk te veel kalmeringsmiddelen geslikt? Ze wil graag geloven dat hij er niet zelf een eind aan heeft willen maken, dat het een ongeluk was. Maar ze weet dat Hirsch heel precies en ordelijk was. Hoe heeft hij in hemelsnaam per ongeluk twintig pillen kunnen slikken?

Ze slaakt een diepe zucht. Misschien doet het er ook allemaal niet meer toe. Hij is er niet meer en komt ook niet meer terug. Wat maakt het uit.

In de trein gaat het gerucht dat ze naar een plek worden gebracht die Bergen-Belsen heet. Meteen wordt er druk gespeculeerd over het nieuwe kamp. Sommigen hebben gehoord dat het een werkkamp is, dat het heel anders is dan Auschwitz of Mauthausen, waar de kerntaak bestond uit het vermoorden van mensen. Ze worden dus niet naar de slachtbank geleid. Dat klinkt geruststellend, maar de meesten durven nergens meer op te hopen en houden hun mond. Steeds wanneer ze denken dat het misschien wat beter zal worden, blijkt het nog erger te kunnen.

'Ik kom uit Auschwitz,' zegt iemand. 'Erger kan het niet worden.'

De andere vrouwen zeggen niets. Ze vertrouwen het niet. Ze reageren terughoudend op die al te logische redenering. De afgelopen jaren hebben wel aangetoond dat de verschrikking geen grenzen kent. Gerust zijn ze er zeker niet op. Ze zijn als katten die door schade en schande wijs zijn geworden en het koude water ontwijken. Ze vrezen het ergste. En het ergste is dat ze gelijk krijgen.

Hoewel Bergen-Belsen niet ver van Hamburg ligt, komt de trein pas na uren knarsend tot stilstand. Ze lopen van het perron naar de ingang van het vrouwenkamp onder begeleiding van vrouwelijke SS'ers, die schelden en duwen. Een gevangene die een bewaakster iets te lang aankijkt, wordt onder een hoop gescheld in haar gezicht gespuwd.

'Getver, wat smerig,' mompelt Dita zacht. Haar moeder knijpt haar zachtjes in haar arm ten teken dat ze haar mond moet houden.

Dita vraagt zich af waarom de bewaaksters hun woede steeds op hen koelen, terwijl zij toch degenen zijn die worden vernederd, van wie alles is afgenomen. Ze hebben nog amper een stap in het kamp gezet en hebben niemand kwaad gedaan, ze zijn gehoorzaam en werken hard voor het Derde Rijk zonder er iets voor terug te vragen. Maar die weldoorvoede, goed geklede bewaaksters zijn furieus. Ze begrijpt er niets van. Die bewaaksters jagen hen op, slaan hen met stokken op de rug, maken hen uit voor alles wat mooi en lelijk is. Ze kan er met haar verstand niet bij. Waarom zijn ze zo agressief, waarom moeten ze zo nodig hun frustratie afreageren op onschuldige mensen?

Als ze eenmaal in rijen staan opgesteld, verschijnt de hoofdbewaakster. Het is een lange, blonde vrouw met brede schouders en hoekige kaken. Ze beweegt zich met de zelfverzekerdheid van iemand die gewend is bevelen te geven en onvoorwaardelijk gehoorzaamd wenst te worden. Met luide stem deelt ze mee dat het verboden is na de avondklok van zeven uur nog buiten de barakken te komen, op straffe des doods. Ze zwijgt even en probeert oogcontact met de gevangenen te maken, maar die blijven strak voor zich uit kijken.

Een jong meisje maakt de fout terug te kijken, waarna de hoofdbewaakster meteen voor haar gaat staan en haar stevig bij haar haren grijpt. Ze sleurt het meisje de rij uit en gooit haar voor de anderen op de grond. Hoewel zo op het eerste gezicht niemand kijkt, zien ze het allemaal. Ze slaat het meisje met haar stok. Dan nog een keer. En nog een keer. Het meisje schreeuwt niet, ze snikt alleen maar. Na de vijfde klap snikt ze niet meer maar kreunt alleen nog heel zacht. Ze horen niet wat de hoofdbewaakster tegen haar zegt, en even later staat ze hevig bloedend op en wankelt terug naar haar plaats in de rij.

De hoofdbewaakster van Bergen-Belsen heet Elisabeth Volkenrath. Na haar opleiding tot bewaakster in Ravensbrück werkte ze in

Auschwitz, waar ze een goede reputatie opbouwde omdat ze gevangenen om de kleinste overtredingen zonder pardon liet ophangen. Begin 1945 werd ze overgeplaatst naar Bergen-Belsen.

Onderweg zijn ze langs omheinde terreinen gekomen waar verschillende subkampen liggen: het kamp voor mannen; het sterkamp, voor gevangenen die tegen krijgsgevangenen uitgewisseld kunnen worden; het neutrale kamp, waar een paar honderd Joden uit neutrale landen zitten; het quarantainekamp, waar tyfuslijders in afzondering zitten; het Hongarenkamp, voor Joden uit Hongarije; en het gevreesde gevangeniskamp, dat in feite een vernietigingskamp is, waar zieke gevangenen uit andere kampen worden geïnterneerd en gedwongen worden onder barre omstandigheden te werken om de Duitsers zelfs in hun laatste dagen nog van nut te zijn.

De groep waar Dita en haar moeder deel van uitmaken, komt uiteindelijk terecht in een klein vrouwenkamp dat in allerijl is opgebouwd op een braakliggend terrein naast het grote kamp. Hier wordt de enorme stroom vrouwen opgevangen die de laatste maanden naar Bergen-Belsen zijn gedeporteerd. Het is een tijdelijk kamp met noodbarakken, zonder riolering of afwatering; in feite bestaan de barakken slechts uit vier dunne houten wanden.

In de barak, die ze met zo'n vijftig vrouwen delen, wordt geen avondeten uitgedeeld. Er zijn geen bedden en de dekens ruiken naar urine; ze moeten op de houten vloer slapen, waar nauwelijks genoeg ruimte is voor iedereen.

Bergen-Belsen was oorspronkelijk een krijgsgevangenkamp dat onder de Wehrmacht viel, maar door de opmars van de Russische troepen zijn veel gevangenen uit de kampen in Polen naar Bergen-Belsen overgeplaatst en heeft de SS het commando overgenomen. Voortdurend komen er nieuwe transporten aan en het kamp barst bijna uit zijn voegen. Door de concentratie van mensen en het gebrek aan voedsel en hygiëne is het aantal doden onder de gevangenen sterk toegenomen.

Moeder en dochter kijken elkaar aan. Liesl trekt een treurig gezicht als ze hun nieuwe barakgenoten ziet, die allemaal broodmager en ziek zijn. Maar het ergst zijn de vertrokken gezichten van veel vrouwen, de lege blikken; de meesten zijn zo apathisch dat het lijkt of ze het al hebben opgegeven. Dita weet niet of haar moeder zo verdrietig kijkt vanwege de uitgemergelde gevangenen of vanweg henzelf, want binnenkort zullen zij er ook zo uitzien. Er wordt nauwelijks op de komst van de nieuwelingen gereageerd. De meeste vrouwen blijven gewoon liggen op hun geïmproviseerde bedden van opgestapelde dekens. Sommige kunnen niet eens meer opstaan, als ze dat al zouden willen.

Dita spreidt de deken van haar moeder op de grond uit en zegt dat ze moet gaan liggen. Mevrouw Adlerova gehoorzaamt. Ze merkt dat er een heel leger vlooien rondspringt, maar ze geeft geen krimp. Het kan haar niet meer schelen. Een van de nieuwe vrouwen vraagt aan een oudgediende wat voor werk ze daar doen.

'Hier wordt niet meer gewerkt,' antwoordt ze met tegenzin. 'We proberen hier alleen maar te overleven.'

Overdag horen ze de bombardementen van de geallieerde luchtvloot, en 's nachts kunnen ze de gloed van de bommen zien. Het front is nu heel dichtbij. Er heerst een zekere opwinding onder de gevangenen. Het geluid van de luchtaanvallen is als onweer dat steeds dichterbij komt. Hier en daar worden plannen gemaakt voor als de oorlog voorbij is. Een vrouw die geen tand meer in haar mond heeft zegt dat ze haar hele tuin vol tulpen gaat zetten.

'Wat een onzin,' zegt een ander zuur. 'Als ik een tuin had, zou ik er aardappelen poten zodat ik nooit van mijn leven meer honger heb.'

's Ochtends wordt duidelijk wat die vrouw bedoelde die zei dat er in Bergen-Belsen niet meer werd gewerkt, maar alleen overleefd. Ze worden wakker geschreeuwd en geschopt door een paar SS-bewaaksters en haasten zich naar buiten om zich op te stellen. Maar de bewaaksters verdwijnen en de gevangenen blijven een tijdlang bij de ingang van de barak wachten op instructies die nooit komen. Sommige oudgedienden zijn niet eens opgestaan en hebben het getrap lijdzaam over zich heen laten komen.

Meer dan een uur later komt er een bewaakster die schreeuwt dat ze zich moeten opstellen zodat ze de presentielijst kan aflopen, maar dan merkt ze dat ze de lijst niet bij zich heeft en vraagt naar de kapo. Niemand reageert. Ze vraagt het tot drie keer toe en wordt steeds kwader.

'Stelletje stomme trutten! Waar is verdomme de kapo van deze rotbarak?'

Niemand zegt wat. Rood van woede grijpt de bewaakster een gevangene bij de keel en vraagt haar waar de kapo is. De vrouw is een nieuwkomer en antwoordt dat ze het niet weet. Dan wendt de bewaakster zich tot een andere gevangene en zwaaiend met haar stok herhaalt ze de vraag.

'Nou?'

'Ze is twee dagen geleden overleden.'

'En de nieuwe kapo?'

De gevangene haalt haar schouders op.

'Die is er niet.'

Even blijft de bewaakster peinzend staan. Ze zou een van deze vrouwen tot kapo kunnen benoemen, maar in deze barak zijn geen gewone gevangenen, alleen maar Jodinnen, en dat zou wel eens problemen kunnen geven. Uiteindelijk draait ze zich om en beent weg. De oudgedienden verlaten de rij en gaan weer naar binnen. De nieuwkomers kijken elkaar onzeker aan en blijven op hun plek staan. Dita wil ook liever buiten blijven. Binnen wemelt het van de vlooien en de luizen, ze heeft overal jeuk. Maar haar moeder is moe en wenkt haar mee naar binnen. Daar vragen ze aan een oudgediende hoe laat ze te eten krijgen. De enorme grimas spreekt boekdelen.

'Eten? We mogen blij zijn als we middageten krijgen.'

De hele ochtend hebben ze niets te doen. Ineens roept er iemand vijandig 'Achtung!', en iedereen gaat snel staan. De hoofdbewaakster komt de barak binnen met een paar adjudantes in haar kielzog. Haar stok richt ze op een oudgediende en ze vraagt of er uitvallers zijn. De vrouw gebaart naar achteren en een andere gevangene die achterin staat wijst naar de grond. Eén vrouw is niet opgestaan toen het bevel werd gegeven, ze is dood.

Volkenrath werpt een snelle blik op de vrouw en wijst vier gevangenen aan: twee oudgedienden en twee nieuwelingen. Ze zegt geen woord, de oudgedienden weten wel wat er moet gebeuren. Verbazingwekkend enthousiast rennen ze naar het lijk en pakken ieder een voet. Ze weten wat de beste plek is om beet te pakken. Bij de benen zijn ze minder zwaar en is het ook minder onsmakelijk. De kaak van de dode is uit de kom geraakt en mond en ogen zijn extreem wijd opengesperd. De twee oudgedienden geven de nieuwelingen een teken dat ze de dode bij de schouders moeten pakken. Met z'n vieren slepen ze het lichaam tussen een haag van gevangenen door naar buiten.

De bewaaksters verdwijnen weer en tot de avond komt er niemand naar de barak. Dan wordt er een hoofd om de deur gestoken en worden vier gevangenen aangewezen die naar de keuken moeten komen om een pan met soep te halen. Iedereen is opgetogen.

'We krijgen eten!'

'Goddank! Mijn hemel!'

Om zich niet te branden dragen de gevangenen de soeppan op twee lange planken. Die avond eten ze soep.

'Volgens mij heeft deze kok op dezelfde school gezeten als die van Birkenau,' zegt Dita tussen twee happen door.

De dagen erna wordt de chaos allengs groter. Er zijn dagen dat ze tussen de middag een bord soep eten, maar er 's morgens en 's avonds geen eten is; een enkele keer krijgen ze tussen de middag en 's avonds eten; maar het komt ook voor dat er een hele dag niets te eten is. Het is één grote marteling. Het enige wat ze doen is smachten naar voedsel. Daar worden ze steeds onrustiger van en op een gegeven moment kunnen ze niet meer nadenken. Met zoveel honger, ontreddering en niets omhanden lijkt dit het begin van het einde.

29

De daaropvolgende weken komen er nog meer gevangenen en krijgen ze nog minder te eten. Het aantal sterfgevallen neemt schrikbarend toe. Zelfs zonder gaskamers is Bergen-Belsen een moordmachine geworden. Elke dag moeten er tenminste vijf doden uit de barak worden gesleept. Officieel zijn ze een natuurlijke dood gestorven. In Bergen-Belsen is de dood net zo natuurlijk als een vlieg in een stal.

Als de bewaaksters komen om gevangenen aan te wijzen die de doden moeten wegbrengen, verstijft iedereen; niemand wil die loterij winnen. Dita probeert te doen alsof haar neus bloedt.

Maar die ochtend is ze aan de beurt.

De stok van de SS-bewaakster wijst overduidelijk naar haar. Ze is als laatste geselecteerd; de plaatsen bij de voeten zijn dus al bezet wanneer ze bij het lijk aankomt. Samen met een heel donkere vrouw, waarschijnlijk een zigeunerin, moet ze de dode bij de schouders pakken. De afgelopen jaren heeft ze al heel wat lijken gezien, maar ze heeft er nog nooit een aangeraakt. Ze kan het niet laten de hand van de overledene even aan te raken, en de marmeren kilte bezorgt haar kippenvel.

De donkere vrouw en zij dragen de zwaarste last. Dita vindt het eng dat de armen niet slap naar beneden hangen, maar half gebogen blijven, als die van een ledenpop.

Een van de vrouwen die het lichaam bij de voeten draagt wijst de weg en ze komen bij een stuk grond met draadversperring. Ze worden geflankeerd door twee gewapende bewakers met machinepistolen. Ze lopen door naar een open terrein en worden daar opgewacht door een Duitse officier in hemdsmouwen die hun beveelt te stoppen. Zonder de dode vrouw los te laten blijven ze staan, waarna hij het lichaam vluchtig onderzoekt. Hij vraagt naar het baraknummer en de naam van de overledene, noteert alles en geeft vervolgens een teken dat ze kunnen doorlopen. Een oudgediende zegt dat het dokter Kline is en dat hij de tyfusuitbraken onder controle moet houden. Als ze ergens een ziekte constateren voeren ze in die barak een strenge selectie uit en sturen ze de zieke vrouwen naar een quarantainekamp om daar te sterven.

Naarmate ze verder lopen wordt de stank steeds erger. Een eindje verderop is een stel gespierde mannen aan het werk. Met de vieze doeken die ze voor hun neus hebben gebonden zien ze eruit als struikrovers. Een groepje vrouwen legt een lichaam bij de lijken die er al liggen. Een van de mannen gebaart dat ze het lijk op de grond moeten leggen. De levenloze lichamen worden als aardappelzakken in een reusachtige kuil gegooid. Als Dita erheen loopt en in de kuil kijkt, wordt ze zo duizelig van de aanblik dat ze een van de andere vrouwen moet vastgrijpen.

'Mijn god...'

Het is een immense kuil vol lijken. Alleen de lichamen die onderop liggen zijn verbrand. Het is één grote kluwen van gelige armen, benen en hoofden. De dood heeft hier alle waardigheid verloren, mensen zijn gereduceerd tot afval.

Dita's maag draait zich om. Is dat wat wij zijn? Een hoop materie in ontbinding? Een verzameling atomen, zoals een boom of een schoen?

Zelfs een oudgediende die er al een paar keer is geweest, lijkt geschokt. Zwijgend lopen ze terug naar de barak. Op deze manier met de dood geconfronteerd worden is ontwrichtend en ondermijnt een van de belangrijkste menselijke waarden: dat het leven heilig is.

Op deze manier bekeken lijkt het niets waard te zijn.

Mensen die een paar uur eerder nog dachten en voelden eindigen als afval in een kuil. De arbeiders hebben sjaals over hun mond en neus gebonden, waarschijnlijk tegen de stank. Maar Dita denkt dat ze het doen om hun gezicht te verbergen.

Ze schamen zich ervoor dat ze op een menselijke vuilnisbelt werken.

Wanneer Dita terugkomt en haar moeder haar vragend aankijkt, slaat ze haar handen voor haar gezicht. Het liefst zou ze even alleen zijn. Maar haar moeder slaat een arm om haar heen en laat haar niet meer los.

De chaos wordt steeds groter. Nu de werktroepen zijn verdwenen, hebben ze het bevel gekregen om de hele dag bij de barak te blijven om zo nodig ingezet te worden. Af en toe komt er een vrouwelijke SS'er langs om met veel verbaal geweld vrouwen aan te wijzen die greppels moeten uitbaggeren of lege plekken in een werkplaats moeten opvullen. Soms wordt Dita gerekruteerd voor een werkplaats waar riemen en gordels van uniformen worden geponst. De machines zijn stokoud en er is veel kracht nodig om de pons met voldoende druk op de repen leer te laten slaan.

Op een ochtend, tegen het einde van het appèl, komt hoofdbewaakster Volkenrath voor de groep staan. Ze is gemakkelijk te herkennen aan haar extravagante knotje, waar altijd aan alle kanten haren uitsteken. Het lijkt wel of ze eerst naar een dure kapper is geweest en vervolgens op een hooizolder heeft liggen stoeien. Dita heeft gehoord dat ze in haar burgerbestaan kapster was, wat dat overdreven kapsel verklaart waarmee ze zich nu tussen de viezigheid, de luizen en de tyfus van Bergen-Belsen moet begeven.

Volkenrath heeft haar woedende gezicht weer opgezet, waarmee ze zelfs haar eigen adjudanten angst aanjaagt. Dita vraagt zich af of deze meedogenloze vrouw, die hier met een moordlustige glans in haar ogen verschijnt, een vriendelijke, gemoedelijke kapster zou zijn geweest die pijpenkrullen zet bij kleine meisjes en de buurtroddels bespreekt met de klanten, als Hitler niet aan de macht was gekomen. Vrouwen, ook Duitse Jodinnen, zouden nietsvermoedend hun haren laten knippen zonder zich af te vragen wat zij met die schaar nog meer zou kunnen aanrichten. Als iemand dan zou insinueren dat Elisabeth Volkenrath misschien wel een moordenares was, zou iedereen verbolgen reageren. 'Die lieverd van een Beth? Die vrouw doet nog geen vlieg kwaad!' zouden ze verontwaardigd zeggen. Ze zouden eisen dat de lasteraar onmiddellijk zijn woorden terugnam. En misschien terecht. Maar het is allemaal anders gelopen. Als een vrouw nu naar haar zaak komt en zich niet naar haar zin gedraagt, legt die allervriendelijkste kapster een strop om haar nek om haar op te knopen.

Dat zijn wat van de gedachten die ze heeft wanneer er opeens een geluid tot haar doordringt, een geluid als de metalen pons van de werkplaats die door het leer heen prikt.

'Elisabeth Adlerova!'

Vanwege alle administratieve rompslomp noemen ze in Bergen-Belsen de gevangenen weer bij hun naam en niet bij hun nummer. Opnieuw klinkt de autoritaire stem van de SS-bewaakster... 'Elisabeth Adlerova!'

Haar moeder is lichtelijk in de war. Ze wil uit de rij stappen, maar Dita is haar voor en gaat in haar plaats.

'Adlerova, present.'

Adlerova present? Liesl zet grote ogen op en is zo verrast door haar dochters moedige actie, dat ze even niet weet wat ze moet doen. Net als ze besluit naar voren te lopen en de bewaaksters de situatie uit te leggen, klinkt het bevel 'Ingerukt!'. Mevrouw Adlerova komt niet door het gekrioel van de vrouwen heen, en wanneer de menigte zich verspreidt is haar dochter al in de barak verdwenen om de doden van de dag weg te slepen. Even later komen Dita en drie andere gevangenen met een lijk naar buiten. Haar moeder staat inmiddels helemaal alleen in het midden van de drassige straat en kijkt verdrietig toe hoe haar dochter wegloopt.

Weer op weg naar de grenzen van het menselijk tekort.

Dita kijkt weer over de rand van het massagraf en komt onpasselijk terug. Iedereen zegt onpasselijk te worden van de stank, maar het schokkendst is toch wel de aanblik van al die levens die op een hoop zijn gegooid, een beeld waaraan niemand echt kan wennen.

Dita hoopt dat ze er nooit aan zal wennen.

Wanneer ze bij de barak terugkomt staat haar moeder nog steeds bij de ingang, alsof ze nog steeds voor het appèl staat opgesteld. Ze is woedend.

'Ben je nou helemaal gek geworden? Je weet toch dat je vermoord kunt worden als je je voordoet als een andere gevangene?' schreeuwt ze.

Dita kan zich niet herinneren wanneer haar moeder voor het laatst zo tekeerging. Een passerende gevangene draait zich om en kijkt naar haar, en Dita voelt haar wangen warm worden. Ze vindt het niet eerlijk en hoewel ze niet wil huilen, springen de tranen haar in de ogen. Alleen door haar trots lukt het haar om die tranen terug te dringen. Ze knikt en draait zich om.

Ze vindt het vreselijk dat haar moeder haar zo behandelt. Dat is niet terecht. Ze heeft het juist gedaan omdat ze weet dat Liesl zwak is en niet meer de kracht heeft om met een lijk te sjouwen. Maar ze heeft niet eens de kans gekregen om het uit te leggen. Dita dacht dat haar moeder trots zou zijn om wat ze gedaan heeft, maar in plaats daarvan heeft ze de ergste uitbrander gekregen die ze zich kan herinneren sinds de klap in Praag.

Ik doe ook niets goed...

Ze voelt zich onbegrepen. Hoewel ze in een concentratiekamp zit, is ze niet anders dan miljoenen andere pubers waar ook ter wereld.

Toch heeft Dita het helemaal mis als ze denkt dat haar moeder niet trots op haar is. Ze is juist heel trots op haar dochter. Maar dat zegt ze niet. Al die jaren heeft ze zich zorgen gemaakt over hoe haar dochter zou worden nu ze opgroeide onder militaire repressie, zonder goede opleiding, in een van haat en geweld doordrenkte omgeving. En die edelmoedige daad van haar dochter bevestigt haar intuïtie en haar hoop: nu weet ze dat Edita, als ze dit allemaal overleeft, een integere vrouw zal worden.

Maar dat kan ze allemaal niet tegen haar zeggen. Als ze positief zou reageren op zo'n gevaarlijke actie zou dat Dita alleen maar aanmoedigen om haar leven keer op keer in de waagschaal te stellen om haar moeder voor ellende te behoeden. Als moeder wil zíj haar dochter juist beschermen. Voor Liesl wordt het leven toch niet beter of slechter. Voor haar heeft het leven geen kleur en geen smaak meer. Het enige waar ze nog geluk uit put, is de schittering in de ogen van haar dochter. Maar Dita is nog te jong om dat te begrijpen.

De volgende dag komt er een bewaakster, die Dita De Raaf heeft gedoopt, met het bevel dat iedereen moet opstaan en zich moet opstellen.

'Opstaan jullie, allemaal! Degene die blijft liggen krijgt een kogel door de kop!'

Met tegenzin staan de vrouwen op.

'Pak je dekens!'

Dat is iets nieuws. Even kijken ze elkaar aan, maar al snel begrijpen ze het. Ze worden naar het grote vrouwenkamp overgebracht om plaats te maken voor een nieuw contingent dat zojuist is aangekomen. In het grote kamp zijn de gevangenen al net zo uitgehongerd en omdat het water schaars is, is het alleen maar op rantsoen te krijgen en is het verboden om wat dan ook te wassen. De chaos is zo groot dat sommige gevangenen niet eens hun streepjespak dragen. Andere hebben een vest of een ander kledingstuk over hun gevangenishemd aangetrokken. Door alle viezigheid is de huid van de vrouwen zo aangetast dat het verschil tussen flarden stof en vellen van hun zwart geworden huid soms niet meer is te zien. Een bewaakster houdt een groep vrouwen in de gaten die zwijgend in de greppels werken; hun armen zijn nauwelijks van de stelen van de spaden te onderscheiden.

De barak is overvol, maar net als in Auschwitz staan er in elk geval wat stapelbedden, en al liggen er smerige stromatrassen vol ongedierte op, ze voelen tenminste even hun eigen botten niet. Er liggen veel vrouwen; de meeste zijn ziek en kunnen eenvoudig niet meer opstaan. De bewaaksters komen niet bij hen in de buurt omdat ze bang zijn besmet te raken met tyfus. En om met rust gelaten te worden, doen sommige alsof ze ziek zijn.

Dita en haar moeder gaan op een leeg bed zitten waarin ze samen zullen slapen. Haar moeder is doodmoe, maar Dita is onrustig en staat op om het kamp te verkennen. Er is eigenlijk weinig te zien: barakken en afrastering. Hier en daar staan wat vrouwen in een kringetje met elkaar te praten. Zij zijn met het laatste transport meegekomen en hebben nog een restje energie in hun lijf, al zijn er ook die geen kracht meer hebben om te praten. Als je ze aankijkt, kijken ze niet terug. Ze zijn volkomen uitgeblust.

Dan ziet Dita naast een van de barakken een meisje in een gestreepte gevangenenjurk met een witte hoofddoek die wel erg wit is voor de mestvaalt waarop ze leven. Ze kijkt naar haar en sluit even haar ogen omdat ze denkt dat ze het niet goed heeft gezien. Maar als ze haar ogen weer opendoet ziet ze dat het geen hallucinatie is geweest. Daar zit ze.

Margit...

Ze rent naar haar toe en roept haar naam met een kracht waarvan ze niet dacht dat ze die nog had.

'Margit!'

Haar vriendin kijkt op en wil opstaan, maar wordt bijna verpletterd door Dita, die zich op haar werpt, en lachend rolt het tweetal over het kampterrein. Ze pakken elkaar heel stevig vast en kijken elkaar aan. Als je in die omstandigheden van geluk kunt spreken, zijn zij op dat moment gelukkig.

Hand in hand lopen ze naar Liesl toe. Zodra Margit haar ziet, rent ze op haar af en omhelst haar, iets wat ze nooit eerder heeft gedaan. Ze slaat haar armen heel stevig om de vrouw heen; ze heeft al zo lang behoefte aan een veilige plek om te kunnen huilen.

Nadat ze haar tranen de vrije loop heeft gelaten, vertelt ze dat de selectie in het familiekamp voor hen afschuwelijk is verlopen. Haar moeder en haar zus werden naar de groep van de verdoemden gestuurd. Met de precisie van iemand die een gebeurtenis in gedachten vele malen herbeleeft, legt ze uit hoe haar dierbaren naar de rij van de improductieven werden gestuurd.

'Ik kon ze de hele tijd in de barak zien staan tot de selectie klaar was. Ze zaten hand in hand en waren heel kalm. Later kreeg de kleinste groep, die van de vrouwen die konden werken en waarin ik zat, het bevel de barak te verlaten. Ik wilde niet weg, maar ik werd in het gedrang naar buiten geduwd. Ik zag Helga en mama steeds kleiner worden tussen de kinderen en oude vrouwen. Ze zagen me weggaan. Weet je, Ditinka, terwijl ik van hen wegliep, lachten ze naar me! Ze zwaaiden en glimlachten. Kun je het je voorstellen? Ze waren gedoemd te sterven en ze lachten.'

Margit denkt terug aan dat moment en schudt haar hoofd alsof ze het nog steeds niet kan geloven.

'Zouden ze zich hebben gerealiseerd dat ze in die groep van oude mensen, zieken en kinderen, vrijwel zeker ten dode waren opgeschreven? Misschien wisten ze het en waren ze blij voor mij omdat ik naar de groep ging die het misschien nog zou redden.'

Dita haalt haar schouders op en Liesl aait Margit over haar hoofd. Ze proberen zich Margits moeder en zus voor te stellen op dat moment waarop ze al aan gene zijde zijn, wanneer de strijd om te overleven is gestreden en er geen angst meer is.

'Ze lachten...' fluistert Margit.

Ze vragen naar haar vader; sinds die ochtend in BIIb heeft ze hem niet meer gezien.

'Ik ben bijna blij dat ik niet weet wat er met hem is gebeurd.'

Mevrouw Adlerova zegt dat Margit haar deken moet gaan halen. Het is zo'n chaos dat niemand het zal merken en dan kunnen ze met zijn drieën slapen.

'Dat is niet prettig voor jullie,' zegt Margit.

'Maar dan zijn we in elk geval samen.' Liesl duldt geen tegenspraak.

Ze zorgt voor haar als voor een tweede dochter. Voor Dita is Margit de oudere zus die ze altijd heeft willen hebben. Aangezien ze allebei donker haar, een lieve glimlach en enigszins uit elkaar staande tanden hebben, waren veel mensen in het familiekamp ervan overtuigd dat ze zussen waren; zij vonden die verwarring wel leuk.

Niemand zal er iets van zeggen dat ze naar Dita's barak verhuist. Niemand wil meer iets weten. Het maakt allemaal niet meer uit. Het is geen gevangenenkamp, het is een kamp voor verslagenen.

Die middag kunnen ze hun ogen niet van elkaar afhouden.

'We zien er niet erg verleidelijk uit in deze soepjurken,' zegt Dita terwijl ze de enorme mouwen van haar gestreepte, veel te grote gevangenisjurk laat zien.

Ze bekijken elkaar nog eens goed. Ze zien er duidelijk magerder en slechter uit, maar dat zeggen ze niet tegen elkaar. Ze beuren elkaar op. Ze praten, al is er niet veel te vertellen. Chaos en honger, totale lamlendigheid, infecties en ziektes. Niets nieuws onder de zon.

Een paar bedden verderop zijn twee zussen die tyfus hebben de strijd voor het leven al aan het verliezen. De jongste van de twee, Anne, ligt te woelen in een koortsdroom. Haar zus Margot is er nog slechter aan toe. Ze ligt onbeweeglijk in het onderste bed en het enige wat haar nog in deze wereld houdt is het lijntje van haar steeds zwakker wordende ademhaling.

Als Dita was gaan kijken bij Anne had ze kunnen zien dat ze heel erg op haar lijkt. Jong, een lieve glimlach, donker haar, donkere ogen, dromerige blik. Net als Dita was het een energiek, spraakzaam en een beetje rebels meisje met veel fantasie. Achter haar dwarse, ongedwongen verschijning ging echter iemand schuil met een bedachtzame, melancholische innerlijke stem. In oktober 1944 waren de twee zusjes vanuit Auschwitz in Bergen-Belsen aangekomen. Van Amsterdam waren ze naar Auschwitz gedeporteerd. Hun misdaad was dezelfde als die van alle anderen, ze waren Joods. Vijf maanden is te lang geweest om aan de dood te ontkomen in deze modderpoel. Tyfus heeft geen genade gehad voor de jeugd.

Een dag na haar zus sterft Anne in totale eenzaamheid op haar miserabele bed. Haar resten zullen altijd in die menselijke schroothoop van de massagraven van Bergen-Belsen blijven liggen. Maar Anne heeft iets gedaan wat een klein wonder zal blijken: haar nagedachtenis en die van haar zus Margot blijven voortleven. In Amsterdam heeft ze twee jaar lang een dagboek bijgehouden over het leven van haar familie in een achterhuis. Daar lagen een paar kamers, achter het kantoor van haar vader, die ze onopvallend konden afsluiten en die hun geheime schuilplaats werd. Twee jaar lang heeft haar familie daar met Fritz Pfeffer en de familie Van Pels ondergedoken gezeten, dankzij de hulp van vrienden die hun van voedsel voorzagen. Kort voordat ze daar introkken, vierden ze haar verjaardag en een van de cadeaus was een dagboek. Omdat ze daar geen hartsvriendin had met wie ze haar gevoelens kon delen, zou ze dat doen in het dagboek, dat ze Kitty doopte. Het kwam niet in haar hoofd op om een titel te geven aan die sfeertekening van het leven in het achterhuis, maar daar heeft het nageslacht voor gezorgd. Het is de geschiedenis in gegaan als *Het Achterhuis*.

30

Het middageten is inmiddels een zeldzaamheid geworden. Ze krijgen nauwelijks meer dan een paar stukken brood om de dag door te komen. Heel soms komt er in de middag een pan soep. Dita en haar moeder zijn nog magerder geworden dan ze in Auschwitz al waren. De gevangenen die er het langst zijn, lijken wel houten marionetten met armen en benen als stokjes. Er is nauwelijks water en ze moeten uren in de rij staan om een kommetje onder een druppelende kraan te kunnen houden.

En dan komt er nog een vrouwentransport naar dat overvolle kamp waar infecties en ziekten schering en inslag zijn. Het zijn Hongaarse Jodinnen. Een van de nieuwelingen vraagt waar de latrines zijn. Groentje.

'We hebben badkamers met gouden kranen. Vraag Volkenrath maar of ze wat badzout voor je meeneemt.'

Een paar vrouwen barsten in lachen uit.

Er zijn geen latrines. Er zijn wat gaten in de grond gemaakt, maar die zitten al vol.

Een andere nieuwkomer loopt woedend naar een bewaakster om te zeggen dat ze zijn gekomen om te werken, dat ze hen naar een fabriek moeten brengen en hen van die mestvaalt moeten halen. Ongelukkig genoeg heeft ze precies de verkeerde uitgekozen. Een oudgediende fluistert haar nog in dat het hoofdbewaakster

Volkenrath is, dat ze die moet mijden als de pest, maar het is al te laat.

IJzig kalm schikt de SS-vrouw haar knotje, dat een beetje scheef is gaan hangen, maar dan krijgt ze een verwilderde blik in haar ogen, trekt een lugerpistool en richt het op het voorhoofd van de vrouw. De gevangene steekt haar handen omhoog en begint zo hevig te trillen dat het lijkt of ze aan het dansen is. Volkenrath lacht.

Zij is de enige die het grappig vindt.

Als de gevangene het koude pistool tegen haar voorhoofd voelt, loopt er een warme straal langs haar benen. Het is niet netjes om ten overstaan van een hoofdbewaakster te gaan staan plassen. De anderen houden hun adem in en bereiden zich voor op het schot. Sommige vrouwen slaan hun ogen neer om niet te hoeven zien hoe haar hoofd aan flarden wordt geschoten. De groef die over Volkenraths wenkbrauwen tot aan de haargrens loopt, is zo diep dat het wel een litteken lijkt. Ze houdt het wapen zo krampachtig op de vrouw gericht dat haar knokkels wit zijn geworden. De vrouw huilt en plast tegelijk. Dan trekt Volkenrath haar pistool terug en op het voorhoofd van de vrouw blijft een rode kring achter. Met een autoritair knikje maakt de hoofdbewaakster duidelijk dat ze terug moet naar haar plaats.

'Zo makkelijk kom je er niet vanaf, vuile Joodse teef. Jammer, volgende keer beter.'

En ze barst in een vals gierend lachen uit.

Een oudere vrouw heeft de hele dag lopen huilen om de dood van haar dochter. Ze weet niet eens waaraan ze gestorven is. 's Ochtends is ze achter de barak op haar knieën gaan zitten om met haar blote handen een graf voor het meisje te graven. Ze is niet verder gekomen dan een minuscuul kuiltje waar net een mus in past. De vrouw laat zich op de grond vallen, iemand probeert haar te troosten.

'Is er dan niemand die me wil helpen om mijn dochter te begraven?' schreeuwt ze.

Ze zijn allemaal aan het eind van hun Latijn en niemand ziet er het nut van in om zijn laatste krachten te gebruiken voor iets waar niets meer aan te doen is. Toch schieten verschillende vrouwen haar te hulp en beginnen te graven. Maar de grond is hard en hun magere handen beginnen al snel te bloeden. Na een tijd zwoegen zien ze dat het onbegonnen werk is en laten het kuiltje moedeloos voor wat het is.

Een vriendin probeert de vrouw over te halen haar dochter naar de grafkuil te brengen.

'Die kuil... Ik heb hem gezien. Nee, alsjeblieft niet daarin. Dat is een belediging van God...'

'Maar dan ligt ze bij de andere onschuldigen. Dan is ze tenminste niet alleen.'

Langzaam schudt de vrouw haar hoofd. Ze is ontroostbaar.

In het hele kamp hangt een vreselijke stank: ontlasting van gevangenen met dysenterie of van gevangenen die in hun eigen ontlasting liggen te creperen zonder dat iemand hen helpt. Als er familie of vrienden zijn, brengen die de overledene naar de grafkuil. Zo niet, dan blijft het lichaam midden op de aarden straten liggen tot een SS'er haar pistool trekt en een paar gevangenen dwingt het naar de kuil te slepen.

Langzaam lopen Dita, Margit en Liesl over het kamp, overal is het beeld even troosteloos. Dita gaat tussen Margit en haar moeder in lopen en geeft hun een hand. Liesl beeft, van koorts of van ellende. Het maakt ook allemaal niet meer uit.

Ze gaan terug naar de barak, maar daar is het nog erger. De zure lucht, het gejammer en gekreun, het monotone gelispel van biddende mensen. Veel zieken kunnen niet meer uit hun bed komen en doen hun behoefte ter plekke. De stank is ondraaglijk.

De barak lijkt wel een opvanghuis voor stervenden. En in feite is het dat ook. Dita kijkt naar de troosteloze hoopjes ellende; sommigen hebben nog wat familieleden en vrienden bij zich, maar de meesten lijden in hun eentje en blazen hun laatste adem in eenzaamheid uit.

Dita en haar moeder gaan naar buiten. Het is inmiddels april, maar het is nog steeds bitter koud in Duitsland; het is een kou waarvan je tanden pijn doen, je vingers stijf worden en je neus bevriest.

'Ik sterf nog liever van de kou dan dat ik stik in die smerige stinklucht.'

'Dita, wees toch niet zo grof!'

Veel andere gevangenen blijven net als zij liever buiten. Liesl en de meisjes hebben een vrij stukje buitenmuur gevonden en zijn daartegenaan gaan zitten, gewikkeld in dekens die ze liever niet al te goed bekijken. Het kamp is gesloten, er gaat niemand meer in of uit; vanuit de wachttorens houden bewakers met machinepistolen toezicht. Ze zouden moeten proberen te vluchten – als ze gepakt zouden worden, zouden ze tenminste sneller sterven – maar zelfs daar hebben ze geen kracht meer voor. Ze hebben niets meer.

Naarmate de dagen verstrijken grijpt de verloedering om zich heen. Het kamp is één groot open riool geworden en de SS-bewakers laten zich niet meer zien. Er is al dagen geen voedsel meer en het water is definitief afgesloten. Sommigen drinken uit de plassen op de grond en sterven binnen de kortste keren aan cholera. Dita kijkt om zich heen en sluit haar ogen om niet te hoeven zien hoe al die mensen voor haar ogen wegkwijnen. Omdat het geleidelijk aan warmer wordt, beginnen de lijken sneller te rotten, en er is niemand meer die ze kan weghalen.

Bijna niemand komt nog in beweging. Velen zullen nooit meer een stap verzetten. Sommigen proberen het nog, maar hun dunne benen houden het niet en midden tussen de uitwerpselen zakken ze in elkaar. Anderen vallen neer op een lijk. Het is bijna niet meer te zien wie dood is en wie nog leeft.

De gevechten komen dichterbij en klinken steeds luider. De schoten zijn nu harder, de bominslagen trillen na in hun benen en de enige hoop die ze nog hebben is dat deze hel op tijd voorbij is. Maar de dood voert zijn eigen oorlog en rukt veel sneller op.

Dita slaat een arm om haar moeder heen. Ze kijkt naar Margit, die haar ogen gesloten heeft en besluit dat ze ophoudt met vechten. Ook Dita sluit haar ogen: het doek valt. Ze had Fredy Hirsch beloofd dat ze zou volhouden. En dat heeft ze ook gedaan, tot nu toe. Maar haar lichaam kan niet meer. Hirsch heeft uiteindelijk ook de moed opgegeven... Of toch niet? Wat maakt het nu nog uit?

Zodra ze haar ogen sluit, verdwijnt de verschrikking van Bergen-Belsen en komt ze terecht in sanatorium Berghof uit *De to-*

verberg. Het lijkt zelfs wel of ze een koude, schone windvlaag uit de Alpen voelt.

Na de lichamelijke aftakeling volgt onherroepelijk de geestelijke uitputting. De geest is als een vervallen bovenkamer waar ramen en deuren uit het lood zijn geraakt en de herinneringen stuurloos ronddwarrelen. In Dita's hoofd wordt het een onontwarbare kluwen van momenten, plaatsen en personages uit het echte leven en uit boeken; er is bijna geen verschil meer tussen echte en gefantaseerde herinneringen.

Ze weet niet wie waarachtiger is: Hans Castorps arrogante dokter Behrens in sanatorium Berghof, of dokter Mengele. Op een bepaald moment ziet ze hen samen door de tuinen van het sanatorium wandelen. Zo te zien zijn ze in een geanimeerd gesprek verwikkeld. Plotseling komt ze in een eetzaal en daar zitten de nobele dokter Manson, de knappe Edmond Dantès met zijn open overhemd met kanten biezen, en de immer elegante en bekoorlijke madame Chauchat. Als ze wat beter kijkt ziet ze aan het hoofd van de tafel dokter Pasteur zitten, die een gebraden kalkoen met een operatiemes opensnijdt. Mevrouw Krizková, alias mevrouw Lubbervel, komt voorbij en vaart uit tegen een ober die probeert weg te glippen; het blijkt Lichtenstern te zijn. Een andere, enigszins dikke ober komt aan met een dienblad met een heerlijke vleespastei, maar onbeholpen als hij is struikelt hij en komt het gerecht kletterend op de tafel terecht, waardoor de gasten onder de vetspetters komen en hem woedend aankijken. Met veel omhaal excuseert de ober zich en schuldbewust buigt hij meerdere malen het hoofd terwijl hij snel de resten van de pastei bij elkaar raapt. Dan herkent Dita hem: het is die schavuit van een Švejk die weer eens bezig is! Het zou haar niet verbazen als hij in de keuken samen met de kokshulpjes de brokstukken van die vleespastei opsmikkelt.

Langzaamaan valt haar bewustzijn weg. Ze merkt dat ze geleidelijk aan wegglijdt uit de werkelijkheid. Maar dat vindt ze niet erg. Ze voelt zich gelukkig, net als toen ze klein was en de boze buitenwereld achter haar slaapkamerdeur bleef en niets haar kon deren. Ze wordt draaierig, de wereld wordt wazig en alles ebt weg. Ze ziet het einde van de tunnel.

Ze hoort vreemde stemmen uit een andere wereld. Ze voelt dat ze de grens al over is en aan de andere kant is, op een plek waar krachtige mannenstemmen een onbegrijpelijke taal spreken, een mysterieus koeterwaals dat misschien alleen de uitverkorenen kunnen ontcijferen. Nooit heeft ze zich afgevraagd welke taal er in de hemel zou worden gesproken. Of in het vagevuur. Of in de hel. Het is in elk geval een taal die zij niet verstaat.

Ze hoort ook hysterisch geschreeuw. Maar dat scherpe gegil... dat kan niet van het hiernamaals zijn, er zit te veel gevoel in. Het is gegil van deze afschuwelijke wereld. Dus ze is nog niet dood. Ze opent haar ogen en ziet een paar gevangenen opstaan en schreeuwen alsof ze ineens krankzinnig zijn geworden. De mensen schreeuwen en brullen, er is lawaai, ze hoort gefluit en gedreun van passen. Ze begrijpt er niets meer van.

'Wat is hier aan de hand?' fluistert ze. 'Het lijkt wel of iedereen gek is geworden.'

Margit opent haar ogen en kijkt haar geschrokken aan. Ze tikt Dita's moeder op haar arm, en ook zij opent haar ogen.

Dan zien ze het. Er lopen soldaten over het kamp. Ze zijn gewapend, maar het zijn vast geen Duitsers, want ze dragen heel andere uniformen. Eerst richten de soldaten hun wapens alle kanten op maar al snel laten ze die weer zakken; sommige hangen hun geweer schuin over hun rug en slaan hun handen voor hun gezicht.

'Oh my God!'

'Wie zijn dat, mama?'

'Dat zijn Engelsen, Edita.'

'De Engelsen...'

Margit en Dita zetten grote ogen op.

'Engelsen?'

Een jonge onderofficier klimt op een houten kist en zet zijn handen als een toeter aan zijn mond. Hij spreekt eenvoudig Duits.

'In naam van het Verenigd Koninkrijk van Groot Brittannië en zijn bondgenoten, dit kamp is bevrijd. U bent vrij!'

Dita stoot Margit aan. Haar vriendin is met stomheid geslagen en kan geen woord uitbrengen. Hoewel ze dacht dat ze geen kracht meer had, lukt het Dita op te staan; met één hand leunt ze op Margit en met de andere op haar moeder, die ook sprakeloos is. Eindelijk spreekt ze de zin uit die ze al zo lang hoopte uit te kunnen spreken.

'De oorlog is voorbij.'

De bibliothecaresse van blok 31 begint te huilen. Ze huilt om al diegenen die het niet gered hebben: haar grootvader, haar vader, Fredy Hirsch, Miriam Edelstein, meneer Morgenstern... al diegenen die er niet zijn om dit moment te beleven. Dat is de wrange kant van de blijdschap.

Een soldaat komt naar een paar overlevenden toe en roept met een zwaar Engels accent in het Duits dat het kamp is bevrijd, dat ze vrij zijn.

'Vrij! Vrij!'

Een vrouw kruipt over de grond en slaat haar armen om de benen van de soldaat. Die hurkt glimlachend neer en denkt dankbare woorden in ontvangst te kunnen nemen. Maar de uitgemergelde vrouw zegt op zeer verwijtende toon:

'Waarom zijn jullie zo laat?'

De Britse soldaten dachten dat ze door een uitgelaten mensenmassa zouden worden ontvangen. Ze hadden hoerageroep en vreugdekreten verwacht. Wat ze niet hadden verwacht was een ontvangst van jammerklachten, zuchten en steunen, van mensen die door hun tranen heen lachen omdat ze zijn gered, maar tegelijkertijd verdrietig zijn om hun echtgenoten, kinderen, broers en zussen, ooms en tantes, neven en nichten, vrienden, buren... alle mensen die het niet hebben gered.

Sommige soldaten tonen medelijden, andere kijken ongelovig; de meeste zijn vooral geschokt. Ze hadden er geen idee van dat de gevangenen er zo erbarmelijk aan toe waren, dat de doden nauwelijks van de levenden waren te onderscheiden. De Engelsen dachten dat ze een gevangenenkamp zouden bevrijden, maar wat ze hebben aangetroffen lijkt meer op een knekelhof.

Hier en daar zijn nog wat overlevenden die een laatste restje energie overhebben om blij te zijn, maar de meeste overlevenden kunnen alleen maar ongelovig kijken. Wanneer ze even later een groep gevangenen voorbij zien komen, is de verwarring compleet. Dita kan haar ogen niet geloven; voor het eerst in jaren zijn het geen Joden. Geflankeerd door gewapende Britse soldaten, loopt vooraan Elisabeth Volkenrath, met de haren piekend uit haar knotje, dat zwaar uit het lood langs haar gezicht hangt.

31

De eerste dagen na de bevrijding zijn onwerkelijk. Er gebeuren dingen die zelfs Dita met haar levendige fantasie nooit heeft kunnen bedenken, zoals nazibewaaksters die met lichamen lopen te slepen. De vroeger altijd zo onberispelijke Volkenrath draagt eigenhandig lijken naar de kuil; haar knotje is losgeraakt en hangt in vette slierten over haar gezicht en haar uniform zit onder de modder. De SS'ers zijn nu dwangarbeiders geworden.

De vrijheid is een feit, maar in Bergen-Belsen is niemand blij. Het aantal doden is dramatisch. Al snel wordt duidelijk dat er niet zo respectvol met de doden omgegaan kan worden als men zou willen, want nog steeds verspreiden allerlei ziektes zich in duizelingwekkend tempo. Uiteindelijk worden SS'ers ingezet die de lichamen in bulldozers naar de grafkuilen moeten brengen. De vrede vereist soms bijzondere maatregelen: de effecten van de oorlog moeten zo snel mogelijk worden uitgewist.

Terwijl ze in de rij staat voor het middageten voelt Margit opeens een hand op haar schouder. Het is een schijnbaar onbeduidend gebaar, maar er is iets mee waardoor haar leven ineens weer kleur krijgt. Nog voor ze zich omdraait weet ze het: het is haar vader.

Dita en Liesl zijn erg blij voor Margit. Het doet hun goed haar zo gelukkig te zien. Wanneer ze zegt dat haar vader van de Engelsen een plaats in de trein naar Praag toegewezen heeft gekregen en dat hij heeft kunnen regelen dat zij mee mag, wensen ze haar veel geluk in haar nieuwe leven. Ineens gaat alles heel snel.

Met een ernstig gezicht kijkt Margit hen doordringend aan.

'Mijn deur zal altijd voor jullie openstaan .'

Dat is geen beleefdheidsformule. Dita weet dat het de liefdesverklaring van een zus is. Margits vader schrijft het adres van vrienden op een stukje papier. Hij hoopt dat het goed met hen gaat en dat ze onderdak voor hem en Margit in Praag kunnen regelen.

'We zien elkaar in Praag!' zegt Dita terwijl ze elkaars hand pakken om afscheid te nemen.

Deze keer is het een vrolijker afscheid. Een afscheid waarbij ze uit de grond van hun hart 'Tot snel!' kunnen zeggen.

De verwarring duurt nog wel even. De Britten zijn getraind om vanuit de loopgraven te vechten, maar niet om hulp te verlenen aan honderdduizenden gedesoriënteerde en vaak ondervoede of zieke mensen die zich niet kunnen legitimeren. Het Engelse bataljon heeft een kantoor om de repatriëring van de gevangenen te regelen, maar dat is overbelast, waardoor de toewijzing van voorlopige papieren tergend langzaam gaat. In elk geval krijgt iedereen goed eten en schone dekens en zijn er veldhospitaals ingericht voor de duizenden zieken.

Omdat Dita Margits dag niet wil verpesten, zegt ze niet dat ze zich zorgen maakt. Het gaat niet goed met haar moeder. Ze eet nu wel goed, maar komt geen gram aan. En ze heeft koorts. Er zit niets anders op dan haar te laten opnemen. Dat betekent dat hun vertrek moet worden uitgesteld.

In het veldhospitaal dat de geallieerden in de oude ziekenboeg van het kamp hebben ingericht om de overlevenden van Bergen-Belsen te behandelen, lijkt het of de oorlog nog niet is afgelopen. Het Duitse leger heeft zich overgegeven, Hitler heeft zelfmoord gepleegd en de ss-officieren zijn gevangengenomen en wachten op berechting, of zijn gevlucht. Maar in de veldhospitaals houdt de oorlog hardnekkig zijn bloedende poot stijf. De wapenstilstand laat geamputeerde ledematen niet aangroeien, verzacht de pijn van de wonden niet, roeit de tyfus niet uit, redt de stervenden niet, brengt de overledenen niet terug. Vrede heelt niet alle wonden, althans niet meteen.

Liesl Adlerova, die zich met de veerkracht van een jonge twijg door alle ontberingen, drama's en ellende van deze jaren heen heeft geslagen, wordt ernstig ziek nu de oorlog is afgelopen. Dita kan niet geloven dat ze na alles wat ze heeft doorgemaakt deze laatste hindernis voor een leven in vrede niet kan nemen. Dat zou niet eerlijk zijn.

Ze ligt op een veldbed, maar de lakens zijn tenminste schoon. Dita pakt haar moeders hand en fluistert bemoedigende woorden in haar oor. De medicijnen houden haar in slaap.

Na verloop van tijd raken de verplegers vertrouwd met de aanwezigheid van het Tsjechische meisje met haar ondeugende engelengezicht dat niet van haar moeders zijde wijkt. Ze proberen zich ook zoveel mogelijk om Dita te bekommeren. Ze zorgen dat ze op tijd eet en dat ze soms even naar buiten gaat en dat ze een mondkapje voordoet als ze bij haar moeder komt.

Op een van die middagen ziet ze verpleger Francis, een sproeterige jongeman met een rond gezicht, een boek lezen. Ze loopt naar hem toe en kijkt nieuwsgierig naar de titel. Het is een wildwestroman; op het omslag staat een indianenopperhoofd met een opvallende verentooi, zijn gezicht is beschilderd met oorlogstekens en hij heeft een geweer in zijn hand. Zodra de verpleger merkt dat hij bespied wordt, kijkt hij op van zijn boek en vraagt of ze van wildwestromans houdt. Dita heeft wel eens een boek van Karl May gelezen over de dappere Old Shatterhand en zijn Apache-vriend Winnetou; ze genoot van de bijzondere avonturen van het tweetal op de uitgestrekte prairies van Amerika. Ze laat haar vingers over het boek glijden en langzaam strijkt ze over de rug, van boven naar beneden. De verpleger kijkt haar enigszins verbaasd aan. Hij vraagt zich af of het meisje misschien een beetje gestoord is. Na al die tijd in deze hel zou dat helemaal niet verwonderlijk zijn.

'Francis...'

Dita wijst naar het boek en daarna naar zichzelf. De verpleger heeft begrepen dat ze het van hem wil lenen. Hij glimlacht naar haar. Hij staat op en uit zijn achterzak haalt hij nog twee boeken die er ongeveer net zo uitzien: klein, buigzaam, vergeeld papier en felgekleurde omslagen. Het ene is een wildwestboek en het andere een detective. Hij geeft ze aan Dita. Als die ermee wegloopt, schiet hem iets te binnen en roept hij haar met luide stem.

'Hey sweetie! They're in English!'

Even kijkt Dita om, waarna ze glimlachend doorloopt. Ze weet wel dat ze in het Engels zijn en dat ze er niet veel van zal begrijpen. Maar dat kan haar niet schelen. Terwijl haar moeder slaapt gaat ze op een leeg bed zitten en snuift de geur van het papier op, laat de bladzijden snel langs haar duim gaan; het geluid, dat haar doet denken aan een stapel ritsende speelkaarten, ontlokt haar een glimlach. Ze slaat het boek open, het papier ritselt. Ze strijkt nog eens over de rug en voelt de bobbeltjes van de lijm waarmee de band is vastgeplakt. De namen van de auteurs vindt ze mooi, Engelse namen die haar exotisch in de oren klinken. Nu ze een boek in haar handen heeft, krijgt ze het gevoel dat het alles weer op zijn plaats komt, dat de puzzelstukjes die iemand door elkaar heeft gegooid langzaamaan weer op hun plek komen.

Maar één stukje is vervormd en wil maar niet passen: haar moeder gaat niet vooruit. De dagen gaan voorbij en het gaat steeds een beetje slechter met haar, ze wordt steeds zwakker en haar lichaam wordt steeds lichter. De arts die haar behandelt spreekt geen Duits, maar maakt gebaren waaruit Dita goed begrijpt hoe het ervoor staat: niet goed.

Op een avond gaat Liesl plotseling erg hard achteruit, ze ademt snel en ligt te woelen in haar bed. Dita besluit nog een laatste poging te doen, haar laatste kaart uit te spelen, alles of niets. Ze gaat naar buiten en loopt net zo lang tot ze de generators van het hospitaal niet meer ziet knipperen. Ze zoekt de duisternis op en vindt die op een vlak terrein dat een paar honderd meter verderop ligt. Als ze de absolute eenzaamheid heeft gevonden, richt ze haar hoofd naar een bewolkte nachtelijke hemel. Ze valt op haar knieën en vraagt God haar moeder te sparen. Na alles wat er is gebeurd mag ze niet sterven voordat ze naar Praag heeft kunnen terugkeren, nu het alleen nog maar een kwestie is van in de trein stappen. Dat kan hij haar niet aandoen. Hij is het haar verschuldigd. Die vrouw heeft nooit iemand kwaad gedaan, heeft van niemand ook maar een broodkruimel afgenomen. Waarom moet ze dan op deze manier gestraft worden? Ze verwijt, smeekt, bidt nederig tot God dat hij haar moeder niet mag laten doodgaan. Ze doet allerlei beloften in ruil voor haar genezing: ze zal de godvruchtigste vrouw op aarde worden, op bedevaart naar Jeruzalem gaan, haar hele leven wijden aan het loven van de Heer en zijn oneindige barmhartigheid.

Wanneer ze terugkomt ziet ze in de verlichte deuropening van het hospitaal een lange, dunne gestalte de nacht in kijken. Het is Francis, de verpleger. Hij staat op haar te wachten. Hij loopt haar met een ernstig gezicht tegemoet en legt teder een hand op haar schouder. Een zware hand. Hij kijkt haar aan en schudt zijn hoofd, waarmee hij wil zeggen dat het niet heeft mogen zijn.

Ze rent naar het bed van haar moeder, waar de arts juist zijn tas dichtdoet. Haar moeder is er niet meer. Er ligt alleen nog maar een hoopje botten, een verpieterd vogeltje. Meer niet.

Verslagen gaat ze op een bed zitten. De verpleger loopt naar haar toe.

'Are you OK?' Ze steekt haar duim omhoog om hem duidelijk te maken dat ze begrijpt dat hij vraagt of het goed met haar gaat.

Hoe kan het nu goed gaan met haar? Het lot, of God, of de duivel, of wie of wat dan ook heeft haar moeder geen minuut gespaard in die zes jaar oorlog, en in ruil daarvoor heeft ze niet eens een dag in vrede mogen leven. De verpleger kijkt haar nog steeds vragend aan.

'Scheisse,' antwoordt ze.

De verpleger trekt het grappige gezicht dat Engelsen opzetten als ze iets niet begrijpen, met gestrekte hals en hoog opgetrokken wenkbrauwen.

'Shit… scheisse,' zegt Dita.

Dan knikt de verpleger.

'Shit,' herhaalt hij. En zwijgend gaat hij naast haar zitten.

Dita's enige troost is dat haar moeder haar laatste adem tenminste als een vrije vrouw heeft uitgeblazen. Al vindt ze dat maar een schrale troost voor zo'n groot verdriet. Maar ze draait zich naar de verpleger, die haar enigszins bezorgd aankijkt, en steekt nu haar duim omhoog. De jongeman is geruster en staat op om een glas water naar een andere patiënt te brengen.

Waarom zeg ik toch tegen de verpleger dat het goed met me gaat, terwijl ik me verschrikkelijk voel, terwijl het niet slechter kan gaan, vraagt ze zich af. Maar eigenlijk weet ze het antwoord al: omdat hij mijn vriend is en ik hem niet wil lastigvallen.

Ik begin me al als mijn moeder te gedragen...

Het lijkt wel of ik het stokje van haar overneem.

De volgende dag zegt de arts dat ze de procedure gaan versnellen zodat ze eerder naar huis terug kan. Hij hoopt dat ze daar blij mee is, maar Dita hoort het als verdoofd aan.

Terug? vraagt ze zich af. Waarheen?

Ze heeft geen ouders, geen huis, en ze heeft zelfs geen papieren waaruit blijkt wie ze is. Is er nog wel een plek waar ze naar terug kan?

32

In de etalage van het Hedva-warenhuis in de Na Příkopě ziet ze een onbekende staan: een jonge vrouw in een blauwe linnen jurk en een vilten hoedje met een lint erom. Dita kijkt aandachtig, maar herkent haar nog steeds niet. Ze kan maar moeilijk accepteren dat zijzelf die vreemde vrouw is, weerspiegeld in een etalageruit.

Op de dag dat de Duitsers Praag binnenvielen was ze een meisje van negen jaar dat aan haar moeders hand over straat ging, nu is ze een eenzame jonge vrouw van zestien. Als ze denkt aan het gedreun van de tanks die door de stad reden, gaat er nog steeds een rilling door haar heen. Dat alles is voorbij, maar in haar hoofd is het nog niet afgelopen. Voor haar zal het nooit afgelopen zijn.

Na de blijdschap van de overwinning en de feestelijkheden van de bevrijding, na de door de geallieerde troepen georganiseerde bals en de ronkende toespraken, toont de naoorlogse realiteit haar ware gezicht: stil, bitter, zonder franje. De muziekkapellen zijn weg, de defilés zijn voorbij en de grote speeches zijn verstomd. Achter de vrede ligt de realiteit van een land in puin, zonder ouders, broers en zussen, zonder huis, zonder studie, zonder andere bezittingen dan de kleren die ze van een hulporganisatie heeft gekregen en zonder andere middelen van bestaan dan de bonnenboekjes die ze na een eindeloze bureaucratische procedure heeft kunnen bemachtigen. Die eerste avond in Praag slaapt ze in een herberg voor gerepatrieerden.

Het enige wat ze nog overheeft is een stukje papier met daarop een in hanenpoten neergekrabbeld adres. Ze heeft er zo vaak naar gekeken dat ze het uit haar hoofd kent. Oorlog verandert alles. Vrede ook. Wat zal er, nu alles voorbij is, overblijven van de zusterlijke genegenheid die er in de concentratiekampen tussen Margit en haar was? Ze dachten dat zij en haar moeder na een dag of twee ook het kamp zouden verlaten, maar omdat haar moeder ziek werd is Dita pas een paar weken later teruggegaan. Misschien heeft Margit in die tijd al andere vriendinnen gemaakt en wil ze alles van vroeger vergeten. Net als René, die Dita uit de verte groette zonder even te stoppen voor een praatje, alsof ze bang was door het verleden besmet te worden.

Het adres dat Margits vader had opgeschreven is van niet-Joodse vrienden met wie hij al jaren geen contact meer had. Eigenlijk wisten zij ook niet waar ze zouden gaan wonen en wat ze met hun nieuwe leven gingen doen. Ze wisten niet eens of die vrienden daar nog wel woonden en of ze nog hen nog wel wilden zien. Het briefje raakt verkreukeld in haar hand en begint onleesbaar te worden.

Op zoek naar het adres dwaalt ze rond in het noorden van de stad; ze vraagt de weg en probeert de aanwijzingen op te volgen die haar door straten leiden waar ze nooit is geweest. Ze kan zich niet meer oriënteren in Praag. De stad komt op haar over als een oneindig groot labyrint.

Ten slotte bereikt ze het plein met de drie kapotte bankjes dat ze haar hebben gewezen; de straat die op het briefje staat is vlakbij. Ze gaat de hal van nummer 16 binnen en drukt op de bel van 1b. Een blonde, nogal dikke vrouw doet open. Ze is zeker niet Joods; dikke Joden zijn uitgestorven.

'Neemt u me niet kwalijk, mevrouw. Wonen meneer Barnash en zijn dochter Margit hier?'

'Nee, die wonen hier niet. Ze zijn een heel eind hiervandaan gaan wonen.'

Dita knikt. Ze neemt het hun niet kwalijk. Misschien hebben ze nog een paar dagen op haar gewacht, maar is ze nu te laat. Waarschijnlijk zijn ze ergens anders opnieuw begonnen. Na alles wat er is gebeurd moet je niet alleen de bladzijde omslaan, maar het hele boek dichtslaan en aan een nieuw beginnen.

'Blijf daar niet zo staan,' zegt de vrouw. 'Kom binnen, dan krijg je een lekker stuk taart, ik heb er net een gemaakt.

'Nee, dank u. Dat is heel vriendelijk van u, maar ik moet weg, er wordt op me gewacht, echt. Een familiebijeenkomst, snapt u. Ik moet gaan. Een andere keer...'

Ze draait zich om en wil zo snel mogelijk weg. Ook zij moet opnieuw beginnen. Maar de vrouw roept haar terug.

'Jij bent Edita... Edita Adlerova.'

Met een voet al op de trap blijft ze staan.

'U weet mijn naam?'

De vrouw knikt.

'Ik heb op je gewacht. Ik heb iets voor je.'

De vrouw stelt haar voor aan haar man, die er nog goed uitziet voor zijn leeftijd, en geeft haar vervolgens een groot stuk bosbessentaart en een envelop met haar naam erop.

Het zijn zulke aardige mensen dat ze het geen probleem vindt de envelop in hun bijzijn te openen. Er zit een adres in Teplice in, twee treinkaartjes en een briefje van Margit, in dat typische schoolse handschrift van haar:

Lieve Ditinka, we wachten op jullie in Teplice. Kom snel. Een dikke zoen van je zus... Margit.

Iemand die ergens op je wacht is als een lucifer die 's nachts op een open vlakte wordt aangestoken. Misschien kan hij niet de duisternis wegnemen, maar hij kan je wel de weg naar huis wijzen.

Terwijl ze haar taart eet, vertelt het echtpaar dat meneer Barnash in Teplice werk heeft gevonden en daar met Margit is gaan wonen. Volgens hen raakte Margit niet over haar uitgepraat.

Voordat ze naar Teplice gaat moet ze haar papieren in orde maken, zoals ze haar bij de Joodse Raad hebben gezegd. Daarom staat ze de volgende ochtend al vroeg in de eindeloze rij voor de afgifte van identiteitspapieren.

Uren wachten. Alweer een rij. Maar het is anders dan in Auschwitz, want hier maken de mensen plannen terwijl ze staan te wachten. Er zijn ook mensen die boos zijn, nog kwader zelfs dan in de rijen in het kamp, waar ze tot hun enkels in de sneeuw stonden en uiteindelijk alleen maar een kom waterige soep of een homp oud brood kregen. Nu ergeren ze zich omdat het lang duurt of omdat ze zoveel papieren nodig hebben. Dita moet lachen. Als mensen zich druk kunnen maken om kleine dingen, neemt het leven zijn gewone loop weer.

Er komt iemand achter haar in de rij staan. Uit haar ooghoek ziet ze dat het een bekend gezicht is. Het is een van de jonge leraren uit het familiekamp. Ook hij lijkt verrast.

'De bibliothecaresse met de dunne benen!' roept hij uit.

Het is Ota Keller, de jonge leraar van wie werd gezegd dat hij communist was en die zijn leerlingen zelfverzonnen verhalen over Galilea vertelde. Zijn ironische, intelligente blik waardoor ze zich altijd een beetje geïntimideerd had gevoeld, herkent ze meteen.

Maar nu ziet ze ook een zekere hartelijkheid in de blik van de jonge leraar. Het is alsof hij haar niet alleen als voormalig kampgenote ziet, maar ook als iemand met wie hij iets speciaals deelt. In barak 31 hebben ze nauwelijks met elkaar gesproken. Niemand heeft hen ooit aan elkaar voorgesteld, dus eigenlijk kennen ze elkaar amper. Maar nu ze elkaar in Praag tegen het lijf lopen, is het alsof twee oude vrienden elkaar terugvinden.

Ota kijkt het meisje lachend aan. Zijn sprankelende, enigszins ondeugende ogen zeggen haar: ik ben blij dat je nog leeft, ik ben blij dat ik je weer zie. Zij lacht ook naar hem, maar weet niet goed waarom.

Hij vertelt vrolijk over zijn nieuwe leven.

'Ik heb werk gevonden als boekhouder bij een fabriek, en heb ook een huisje... Nou ja, als je bedenkt waar we vandaan komen is het eigenlijk meer een paleis!'

Dita glimlacht.

'Maar ik hoop nog iets beters te vinden. Ze hebben me werk als vertaler aangeboden.'

De rij is lang, maar kan nu voor Dita niet lang genoeg zijn. Ze praten aan een stuk door en het voelt zo vertrouwd dat het lijkt of ze elkaar al jaren kennen. Ota vertelt over zijn vader, de serieuze zakenman die eigenlijk zanger had willen worden.

'Hij had een heel bijzondere stem,' zegt hij met een trotse glimlach. 'In 1941 werd de fabriek van hem afgenomen en werd hij gevangengezet. Daarna werden we allemaal naar Theresienstadt gestuurd. En vandaar gedeporteerd naar het familiekamp. Toen kamp BIIb in juli 1944 werd opgeheven, kwam hij niet door de selectie.'

Ota krijgt een brok in zijn keel, maar hij vindt het niet erg dat Dita dat ziet.

''s Nachts denk ik wel eens dat ik hem hoor zingen.'

Als een van hen terugdenkt aan een moeilijk of pijnlijk moment uit die jaren en wegkijkt, richt de ander zijn blik ook op dat verdwijnpunt, waar alleen degenen worden toegelaten me wie we lief en leed hebben gedeeld. Samen laten ze de momenten de revue passeren die hen voor altijd hebben veranderd. Ze zijn zo jong dat ze elkaar daarmee bijna hun hele levensgeschiedenis vertellen.

'Hoe is het eigenlijk met Mengele afgelopen? Hebben ze hem opgehangen?'

'Nog niet, maar ze zijn naar hem op zoek.'

'Denk je dat ze hem zullen vinden?'

'Natuurlijk vinden ze hem! Hij wordt overal gezocht. Ik weet zeker dat hij gepakt wordt en voor de rechter wordt gesleept.'

'Laten ze hem maar meteen ophangen, het is een misdadiger.'

'Nee, Dita, hij moet berecht worden.'

'Waarom zouden we al die tijd aan een rechtszaak verspillen?'

'Omdat wij beter zijn dan zij.'

'Dat zei Fredy Hirsch ook al!'

'Hirsch...'

'Mis jij hem ook zo?'

Dita is aan de beurt en haar papieren worden in orde gemaakt. Dat is dat. Het is tijd om afscheid te nemen en elkaar alle goeds te wensen. Maar Ota vraagt waar ze naartoe gaat. Naar het kantoor van de Joodse Raad, zegt ze. Ze wil weten of het klopt dat ze een wezenpensioen kan aanvragen.

Ota zegt dat hij wel met haar mee kan lopen, als ze dat goedvindt.

‘Ik kom er toch langs,’ zegt hij zo ernstig dat ze niet weet of ze hem moet geloven.

Het is een excuus om langer bij haar te kunnen zijn, maar het is geen leugen. Dita’s weg is ook zijn weg geworden.

In Teplice, dat niet ver van de hoofdstad ligt, is Margit Barnash een paar dagen later bezig het portiek van haar huis te vegen. Ze is in gedachten verzonken, ze denkt aan een jongen die op de fiets boodschappen rondbrengt en altijd vrolijk belt als hij langsfietst. Ze bedenkt dat ze zich ’s ochtends beter moet kammen en een nieuwe strik in moet doen. Plotseling ziet ze vanuit haar ooghoek iemand in het portiek staan.

‘Je bent dik geworden, meid!’ klinkt het.

Haar eerste ingeving is om die lompe buurvrouw flink van repliek te dienen. Maar even later laat ze de bezem haast uit haar handen vallen.

Het is de stem van Dita.

Margit is de oudste van de twee, maar heeft zich altijd het kleine zusje gevoeld. Ze werpt zich spontaan in Dita’s armen zoals kleine kinderen dat doen, zonder zich in te houden.

‘Straks vallen we nog!’ zegt Dita lachend.

‘Wat maakt het uit, we zijn toch samen!’

Dat is waar, eindelijk is er iets waar. Ze hebben echt op haar gewacht.

Epiloog

Ota was een bijzondere vriend die soms met de trein naar Dita toe kwam als ze een middag vrij had. Ze vond allerlei tijdelijke baantjes, die ze combineerde met lessen op de school van Teplice, waar Margit en zij voor zover mogelijk iets van de verloren tijd inhaalden.

Teplice is een eeuwenoud kuuroord dat bekendstaat om zijn geneeskrachtige bronnen. Uiteindelijk vond Dita haar eigen Berghof. Al waren het niet de Alpen, de Boheemse bergen waren dichtbij. En hoewel de oorlog flink had huisgehouden in die prachtige stad met zijn statige huizen, genoot ze ervan om door de geplaveide straten te lopen. Soms vroeg ze zich af wat er was geworden van de mysterieuze madame Chauchat, die het kuuroord had verlaten op zoek naar nieuwe horizonten. Ze zou haar graag vragen wat ze met haar leven aan moest.

De prachtige synagoge was in vlammen opgegaan en de zwartgeblakerde resten herinnerden aan de verschrikkingen van de oorlogsjaren. Tijdens de lange wandelingen die ze 's zaterdags met Ota maakte praatte ze honderduit. Hij was een jongeman met een grenzeloze nieuwsgierigheid, hij vond alles interessant. Soms mopperde hij omdat hij een paar keer moest overstappen op dat kleine stuk van Praag naar Teplice, maar eigenlijk was dat meer een genoeglijk geprruttel.

Gedurende die maanden brachten ze samen veel tijd door. De pleinen in de stad waren inmiddels opgefleurd met kleurige bloemperken, waardoor Teplice weer het charmante kuuroord van weleer werd. Ze zwierven eindeloos door de stad en Dita en Ota raakten steeds meer aan elkaar gehecht. Een jaar nadat ze elkaar in de rij voor de documenten weer waren tegengekomen, vroeg Ota haar iets wat alles veranderde.

'Waarom kom je niet naar Praag? Ik wil je graag dicht bij me hebben!'

Tijdens hun ontmoetingen hadden ze elkaar alles over hun verleden verteld. Dit was het moment om dat alles achter zich te laten en samen een nieuw leven te beginnen.

Ota en Dita trouwden in Praag en in 1949 werd hun eerste kind geboren.

Na allerlei ingewikkelde procedures lukte het Ota om de lingeriefabriek van zijn vader terug te krijgen en bouwde hij het bedrijf opnieuw op. Het was een mooi project, omdat het familiebedrijf deed denken aan het vooroorlogse Praag. Maar hij wist niet zeker of het bedrijfsleven hem zou blijven aantrekken; het verging hem min of meer als zijn vader, die operapartituren boeiender vond dan balansrekeningen. Ota sprak liever de taal van dichters dan die van advocaten.

Hij kreeg echter niet eens de tijd om teleurgesteld te raken in het zakenleven. De sporen van de nazi's waren nog niet uitgewist, of de Sovjets marcheerden alweer door de straten van Praag. De geschiedenis heeft de hardnekkige gewoonte zich steeds te herhalen, en de fabriek werd opnieuw in beslag genomen. Die keer niet in naam van het Derde Rijk, maar in die van de communistische partij.

Opnieuw bleven ze met lege handen achter. Ieder ander zou de hoop hebben opgegeven, maar Ota liet zich niet ontmoedigen. En Dita evenmin. Ze waren geschapen om tegen de stroom in te zwemmen. Dankzij zijn beheersing van het Engels en zijn kennis van de literatuur kreeg Ota een baan bij het ministerie van Cultuur. Het was zijn taak uit te zoeken welke nieuwe uitgaven interessant genoeg waren om naar het Tsjechisch vertaald te worden. Hij was de enige werknemer die geen lid van de communistische partij was. Velen hadden in die tijd de mond vol van het leninisme. Maar hem hoefden ze daar niets over te vertellen, hij wist meer van het communisme dan wie ook. Hij had er meer over gelezen dan alle anderen bij elkaar. Als geen ander wist hij dat het communisme een mooie weg was die onherroepelijk naar de afgrond leidde.

Na een tijd werd hij mikpunt van laster en intriges. Hij werd ervan beschuldigd vijand van de partij te zijn. Uiteindelijk werd de situatie onhoudbaar, en in 1949 emigreerden Ota en Dita naar Israël om daar opnieuw te beginnen. Zo maakten zij de droom van Fredy Hirsch waar.

In Israël werkten ze in een kibboets en maakte Dita haar studie af. Ze ontmoetten er nog een oude bekende uit blok 31, Avi Ofir, die in een barak met jeugdige gevangenen een vrolijk kinderkoor had geleid. Hij was degene die ervoor zorgde dat Ota en Dita als leraar Engels aan de slag konden op de Hadassim-school, vlak bij Netanya. Het was een van de meest prestigieuze onderwijsinstellingen van Israël, waar veel kinderen van de naoorlogse immigratiegolf terechtkwamen. Later bekommerde de school zich om kinderen uit probleemgezinnen en leerlingen die buiten de boot dreigden te vallen. Er was een heel team van betrokken leraren, maar Ota en Dita waren degenen die het meeste oog hadden voor het menselijk lijden.

Het paar kreeg drie kinderen en vier kleinkinderen. Ota, die in blok 31 een geweldige verhalenverteller was geweest, schreef verschillende boeken. Zijn roman *The Painted Wall* beschrijft de belevenissen van een aantal personages in familiekamp BIIb. Dita en Ota hebben vijfenvijftig jaar lang lief en leed gedeeld, tot Ota in 2000 overleed. Ze hielden van elkaar en hebben elkaar door dik en dun gesteund. Ze deelden de liefde voor boeken, ze deelden een onverwoestbaar gevoel voor humor, ze deelden het leven.

Ze werden samen oud. De ijzersterke band die was gesmeed in de gruwelijkste periode die een mens kan beleven, kon alleen door de dood worden verbroken.

Slotwoord

Er zijn nog belangrijke zaken te vertellen over de bibliothecaresse van blok 31 en Fredy Hirsch.

Deze roman is fictie gebaseerd op bestaand feitenmateriaal. De echte naam van de bibliothecaresse van blok 31, wier leven de inspiratie voor dit boek is geweest, was – voor haar huwelijk – Dita Polachova, en de leraar Ota Keller uit de roman is geïnspireerd op degene die later haar man zou worden, de leraar Ota Kraus.

In zijn boek *Bibliotheek bij nacht* maakt Alberto Manguel melding van het bestaan van een minuscule bibliotheek in een concentratiekamp, het uitgangspunt voor het journalistieke onderzoek waaruit dit boek is voortgekomen.

Waarschijnlijk deelt niet iedereen de fascinatie voor het gegeven dat sommige mensen hun leven hebben geriskeerd om in Auschwitz-Birkenau een geheime school en een clandestiene bibliotheek op te zetten. Er zullen mensen zijn die denken dat het een nutteloze heldendaad in een vernietigingskamp is geweest, en er wel dringender problemen zijn. Met boeken genees je immers geen ziektes en je kunt ze ook niet als wapen inzetten om een leger beulen te verslaan, je kunt er je maag niet mee vullen en je dorst niet mee lessen. Het is een feit dat cultuur niet van levensbelang is; alleen water en brood zijn dat. Het is waar dat de mens met brood en water overleeft, maar als dat het enige voedsel is, betekent dat de dood voor de hele mensheid. Als de mens niet wordt geraakt door schoonheid, als hij zijn fantasie niet laat werken, als hij niet in staat is zichzelf vragen te stellen en een idee te krijgen van de grenzen van zijn onwetendheid, is hij een man, of een vrouw, maar geen mens. Dan onderscheidt niets hem van een zalm, een zebra of een muskushert.

Op internet wemelt het van de informatie over Auschwitz, maar die zegt alleen iets over de plek. Als je wilt dat een plek gaat spreken, moet je erheen en er lang genoeg blijven om te luisteren naar wat hij je te zeggen heeft. Om een indruk te krijgen van het familiekamp, ben ik naar Auschwitz gegaan. Er waren niet alleen cijfers en data nodig, het was nodig de atmosfeer van die gruwelijke plek te voelen.

Ik ben naar Krakau gevlogen en heb vandaar de trein genomen naar Oświęcim. Niets in dit vriendelijke stadje doet denken aan de gruwelen die daar in de buurt hebben plaatsgevonden. Alles ziet er vreedzaam uit, tot je met de bus bij de poorten van het kamp komt.

Auschwitz I heeft een parkeerplaats voor bussen en een ingang als van een museum. Het is een voormalige kazerne van het Poolse leger, en de rechthoekige bakstenen gebouwen met daartussen brede geplaveide lanen waar vogels rondscharrelen, doen op het eerste gezicht niets van de verschrikkingen vermoeden. Maar er zijn enkele gebouwen voor publiek toegankelijk. Een ervan is ingericht als een soort aquarium: je loopt door een donkere gang met aan weerszijden reusachtig verlichte ruimtes waarin versleten schoenen liggen opgestapeld, hele bergen. Twee ton mensenharen vormen een obscure zee. Kapotte prothesen. Duizenden kapotte brillen, bijna allemaal rond, zoals die van meester Morgenstern.

In Auschwitz II-Birkenau, drie kilometer verderop, werd het *Familienlager* BIIb ingericht. Nu rest nog de spookachtige wachttoren bij de ingang, met een poort waar de treinen onderdoor konden rijden tot in het kamp. De originele barakken werden na de oorlog in brand gestoken. Er zijn een paar barakken gereconstrueerd en voor publiek toegankelijk gemaakt: het zijn stallen die zelfs nu ze schoon en goed geventileerd zijn somber overkomen. Achter die eerste rij barakken in wat het quarantainekamp is geweest, strekt zich een enorme leegte uit waar vroeger de rest van het kamp was.

Om te zien waar BIIb destijds precies lag, moet je afwijken van de rondleiding met een gids, die niet verder gaat dan de replica's van de barakken van de eerste rij. Je moet het hele terrein alleen verkennen. In je eentje door Auschwitz-Birkenau lopen betekent dat je een ijskoude wind moet trotseren waarin de echo's van de stemmen te horen zijn die daar voor altijd zijn gebleven en deel uitmaken van de grond waarop we lopen. Het enige wat rest van BIIb is de metalen toegangspoort en een immense verlatenheid. Er zijn alleen kiezels, wind en stilte. Een vredige of huiveringwekkende plek, afhankelijk van hoeveel de bezoeker ervanaf weet.

Eenmaal terug van die reis had ik veel vragen en bijna geen antwoorden; wel enig idee van wat de Holocaust inhield, en een belangrijk boek: *Je me suis évadé d'Auschwitz*, de Franse vertaling van de memoires van Rudi Rosenberg (*I Cannot Forgive*) dat ik puur toevallig in de boekhandel van het Shoa-museum in Krakau heb gevonden.

Er was nog een boek waarin ik geïnteresseerd was en waarnaar ik bij thuiskomst meteen op zoek ben gegaan. Dat was een roman van ene Ota B. Kraus die zich afspeelt in het familiekamp, met de titel *The Painted Wall.* Op een webpagina werd het boek te koop aangeboden en het kon onder rembours worden verzonden. De pagina kwam niet erg professioneel over; zo kon je niet met een creditcard betalen, maar er stond wel een contactadres. Ik schreef dat ik belangstelling had voor het boek en vroeg waar ik het kon betalen. Toen ontving ik een zeer beleefde e-mail waarin stond dat ik het bedrag via Western Union kon overmaken. Het was een adres in Netanya (Israël) en de afzender was D. Kraus.

Zo diplomatiek mogelijk vroeg ik of zij Dita Kraus was, het meisje uit het familiekamp van Auschwitz-Birkenau. Dat was ze. De bibliothecaresse van blok 31 leefde nog en had me een e-mail gestuurd! Het leven zit vol verrassingen, maar sommige verrassingen zijn wel heel bijzonder.

Dita is inmiddels 83 jaar, maar nog altijd net zo gepassioneerd en strijdbaar als destijds; haar missie is ervoor te zorgen dat de boeken van haar man meer bekendheid krijgen.

Vanaf dat moment schreven we elkaar regelmatig. Dankzij haar eindeloze geduld en vriendelijkheid begrepen we elkaar ondanks mijn slechte Engels. Uiteindelijk spraken we af elkaar persoonlijk te ontmoeten in Praag, waar ze enkele weken per jaar verblijft. Vandaar heeft ze me het getto van Theresienstadt laten zien. Dita is een aimabele, zeer kordate vrouw, die in een oogwenk vlak bij haar huis onderdak voor me had gevonden en verder ook alles voor me regelde. Toen ik bij de receptie van hotel Triska kwam, zat ze al op de bank in de hal op me te wachten. Ze was precies zoals ik me haar had voorgesteld: slank, fel, actief, ernstig en goedlachs tegelijk, een heel charmante vrouw.

Ze heeft geen makkelijk leven gehad, noch tijdens de oorlog, noch daarna. Ota en zij kregen twee zoons en een dochter. Het meisje overleed op haar achttiende na een langdurig ziekbed. Ota overleed in 2000. Maar ze is niet bij de pakken neer gaan zitten, dat deed ze toen niet en zal ze nooit doen.

Het is verbazingwekkend hoe iemand met zoveel leed op haar schouders in staat is te blijven lachen. 'Dat is het enige wat ik nog heb,' zegt ze. Maar ze heeft nog veel meer: haar energie, haar waardigheid en strijdlust, haar trots en haar passie. Ze weigert mijn voorstel om met de taxi ergens heen te gaan categorisch, en ik durf niet in te gaan tegen haar zuinigheid, een logische eigenschap van iemand die de barre oorlogsjaren heeft meegemaakt. We verplaatsen ons per metro en zij blijft staan. Er zijn genoeg zitplaatsen, maar ze gaat gewoon niet zitten. Deze vrouw is niet te vermurwen. Dat is het Derde Rijk in elk geval niet gelukt.

Ze vroeg me haar te helpen vijftig exemplaren van *The Painted Wall* naar de winkel van de gedenkplaats van Theresienstadt te brengen, omdat ze daar uitverkocht waren. Met de bus gingen we erheen, legden dezelfde route af die zij haast zeventig jaar daarvoor had afgelegd, maar nu had ze een koffer vol boeken bij zich. Ik vreesde dat ze door deze reis terug in de tijd geëmotioneerd zou raken, maar ze is een sterke vrouw. Op dat moment was haar grootste zorg dat de voorraad boeken in de boekhandel van het getto werd aangevuld.

In de felle meizon ziet Theresienstadt eruit als een rustig plaatsje met veel groen tussen de rechte straten. Strijdlustig als Dita is, levert ze niet alleen de boeken af, maar regelt ze ook nog dat ik gratis toegang krijg tot de gedenkplaats.

Het is een dag vol emoties. Tussen de schilderijen van gevangenen van het getto hangt er een van Dita zelf, een somber schilderij dat een veel minder zonnige stad toont dan die waarin we nu rondlopen. Er is ook een kamer met de namen van de kinderen die in Theresienstadt zijn geweest. Als Dita bekende namen ziet, glimlacht ze. Inmiddels zijn ze bijna allemaal dood.

Op enkele beeldschermen getuigen overlevenden van hun ervaringen in Theresienstadt. Op een ervan verschijnt een oudere man met een zware stem. Het is Ota Kraus, Dita's man. Hij spreekt Tsjechisch, en hoewel hij in het Engels wordt ondertiteld let ik daar niet op; ik word helemaal gegrepen door zijn stem, zo wilskrachtig dat je blijft luisteren. Dita zit er zwijgend bij. Ze kijkt ernstig maar laat geen traan. Ze wil me ook het huisje laten zien waar ze toen woonde. Ik vraag of dat niet moeilijk voor haar zal zijn. 'Ja,' zegt ze, maar ze stopt niet, ze loopt met ferme pas door. Nooit eerder heb ik zo'n moedige vrouw gezien.

Het oude blok waar ze tijdens haar verblijf in het getto van Theresienstadt woonde ziet eruit als een gewone huurkazerne. Ze kijkt omhoog naar de derde verdieping. Ze vertelt me allerlei verhalen uit die tijd, onder meer hoe een neef van haar, die timmerman was, een boekenrekje voor haar had gemaakt. Vervolgens lopen we naar een ander gebouw, waar een woning als museum is ingericht, met kamertjes vol stapelbedden, net zoals het in de tijd van het getto was. Het is een benauwde ruimte, veel te klein voor zoveel bedden. Zelfs de aardewerken waskom die ze als gemeenschappelijk toilet gebruikten was er nog.

'Kun je je voorstellen hoe het stonk?'

Nee, dat kan ik niet.

We komen in een zaal waar schilderijen en affiches uit die tijd aan de muren hangen. Er klinkt een opera van Viktor Ullmann, een bekende pianist en componist, en een belangrijke animator van het culturele leven in Theresienstadt. Dita blijft in het midden van de lege zaal staan, waar zich slechts een verveelde suppoost ophoudt, en begint zachtjes met de opera van Ullmann mee te zingen. De suppoost durft er niets van te zeggen, waarschijnlijk omdat ze onder de indruk is: het is alsof de stemmen van alle kinderen van Theresienstadt in die van Dita samenkomen. Dat is nog zo'n moment waarop de tijd wordt teruggedraaid en Dita weer even Ditinka is, met haar wollen kousen en haar dromerige ogen.

Op de terugweg naar Praag vraagt Dita aan de chauffeur of hij het schuifdak wil openen omdat het erg heet is in de bus. Omdat de chauffeur niet reageert, begint Dita zelf aan het luik te trekken. Samen krijgen we het uiteindelijk open.

Zittend in de bus breng ik ter sprake wat me al maanden bezighoudt: wat is er die middag op 8 maart precies gebeurd, toen Fredy Hirsch zich terugtrok om na te denken over het verzoek de leiding op zich te nemen bij de opstand in het kamp, die de vergassing van het septembertransport moest tegenhouden. Waarom heeft een moedig mens als Fredy Hirsch zelfmoord gepleegd met een overdosis Luminal?

Dita kijkt me aan en haar ogen spreken boekdelen. Ik begin het te begrijpen. Ik lees in haar ogen wat ik heb gelezen in Ota's boek, maar toen als dichterlijke vrijheid of een persoonlijke hypothese heb opgevat. Was *The Painted Wall* immers geen fictie? Of zei Ota dat het fictie was om moeilijkheden te voorkomen?

Dita vroeg me er discreet mee om te gaan, omdat ze dacht dat ze misschien problemen zou kunnen krijgen met wat ze me vertelde.

Daarom zal ik hier niet zeggen wat ze me toen vertelde, maar neem ik een fragment over uit *The Painted Wall*. Een van de weinige personages die met hun echte naam in de roman voorkomen is de leider van blok 31, Fredy Hirsch. Over dat cruciale moment waarop het verzet Hirsch vraagt een opstand te leiden en hij om bedenktijd vraagt, schrijft Ota dit:

> Na een uur staat Hirsch op om een arts te zoeken.
>
> 'Ik heb een beslissing genomen,' zei hij. 'Zodra het donker wordt, geef ik het bevel. Ik heb iets kalmerends nodig.'

Muiterij tegen de Duitsers was gekkenwerk, dacht de arts. Dat zou ieders dood betekenen: het septembertransport, alle andere gevangenen van het familiekamp en zelfs Mengeles ziekenbarakpersoneel. Die man was niet goed bij zijn hoofd en wist niet wat hij deed. Als hij niet werd tegengehouden, zouden de Joodse artsen met de rest van de gevangenen sterven.

'Ik haal wel wat voor je,' zei de arts en liep naar de apotheker.

Ze hadden een chronisch gebrek aan medicijnen, maar er was wel een voorraadje kalmeringsmiddelen. De apotheker gaf hem een flesje slaappillen. De arts goot de inhoud in een kom thee die hij toevallig had staan en roerde net zo lang tot de tabletten waren opgelost.

Wat Fredy Hirsch op die middag in 1944 werkelijk is aangedaan, is feitelijk strafbaar. Soms gaan er achter fictie feiten schuil die niet op een andere manier verteld kunnen worden.

Er zijn meer getuigenissen die de officiële zelfmoordtheorie ontkrachten. Michael Honey, een overlevende uit het familiekamp die boodschappenjongen van de ziekenbarak was, zet vraagtekens bij de verklaring die Rudi Rosenberg aflegt in zijn boek over het gebeurde op 8 maart 1944: 'He was given an overdose of Luminalets when he asked for a pill because of a headache.'

Hopelijk dient dit boek ook als rehabilitatie van Fredy Hirsch, wiens reputatie is beschadigd omdat hij zelf een einde aan zijn leven zou hebben gemaakt. Feit is dat Fredy Hirsch geen zelfmoord heeft gepleegd. Hij zou zijn kinderen nooit uit vrije wil alleen achterlaten. Hij was een kapitein die met zijn schip ten onder zou zijn gegaan. Dat is hoe hij herinnerd moet worden, als een buitengewoon moedig strijder.

En natuurlijk is dit boek een eerbetoon aan Dita, van wie ik zoveel heb geleerd.

Onze bibliothecaresse van blok 31 is nog in leven en woont in Netanya. Een paar dagen per jaar gaat zij naar haar etage in Praag en ze zal dat blijven doen zolang haar gezondheid dat toelaat. Ze is een nieuwsgierige, intelligente, beminnelijke en buitengewoon integere vrouw. Tot nu toe geloofde ik nooit in helden, maar nu weet ik dat ze bestaan, en Dita is een van hen.

Bijlage

Wat is er geworden van…?

RUDI ROSENBERG

Na de oorlog veranderde hij zijn naam in Rudi Vrba. Nadat hij in april 1944 uit Auschwitz was ontsnapt, dicteerde hij meteen een eerste rapport aan de Joodse leiders van de Slowaakse stad Zilina over wat er werkelijk gebeurde met de gedeporteerden van Auschwitz. Zijn versie stond lijnrecht tegenover de leugens van de nazi's. Het rapport werd naar Boedapest gezonden, maar daar werd er aanvankelijk niets mee gedaan. Vanaf mei stuurden de nazi's tot wel 12.000 Hongaarse Joden per dag naar Auschwitz. Toen Rudi Rosenberg in Groot-Brittannië aankwam, maakte hij samen met zijn vluchtmaat Fred Wetzler nog een gedetailleerd rapport op waarmee hij de vreselijke waarheid over de concentratiekampen wereldkundig wilde maken. De tekst van dit rapport is als bewijs gebruikt tijdens de processen van Neurenberg. Na de oorlog werd Rosenberg onderscheiden. Hij studeerde scheikunde aan de universiteit van Praag en werd een gerespecteerd professor in de neurochemie. Hij emigreerde naar Canada en overleed in 2006. Vanwege zijn scherpe kritiek op vooraanstaande leden van de Joods-Hongaarse gemeenschap, die naderhand een grote rol zouden spelen bij de oprichting van de staat Israël, zijn Rosenbergs persoon en verklaringen daar decennialang in twijfel getrokken, en is hij daar nog altijd een controversieel figuur.

ELISABETH VOLKENRATH

Zij was kapster van beroep, maar haar lidmaatschap van de nazipartij bracht haar ertoe zich bij de SS aan te melden. Ze doorliep een trainingsperiode in het kamp van Ravensbrück en in 1943 werd ze in als SS-*Aufseherin* in Auschwitz gestationeerd. In november 1944 werd ze gepromoveerd tot *Oberaufseherin*, en in die functie heeft ze opdracht gegeven tot een groot aantal executies. Begin 1945 werd ze als hoofdbewaakster naar Bergen-Belsen overgeplaatst. Toen de geallieerden het kamp bevrijdden werd ze door de Britse troepen gearresteerd en voor het gerecht gedaagd. Bij het proces waarbij de verantwoordelijkheden van de bewakers van Bergen-Belsen werden behandeld, werd ze veroordeeld tot de strop. Ze werd op 13 december 1945 in Hamelen opgehangen.

RUDOLF HÖSS

De kampcommandant van Auschwitz had een streng katholieke opvoeding genoten; zijn vader wilde zelfs dat hij priester werd. Uiteindelijk koos Höss voor het leger. Hij was gefascineerd door orde en hiërarchie. Tijdens zijn bewind werden tussen de een en twee miljoen mensen vermoord. Na de oorlog ontkwam Höss aan de geallieerden door zich met valse papieren als soldaat van de landmacht voor te doen. Hij werkte bijna een jaar als boer tot de geallieerden zijn vrouw dwongen zijn verblijfplaats prijs te geven en ze hem konden arresteren. Hij werd in Polen berecht en kreeg de doodstraf. In de gevangenis schreef hij zijn memoires, waarin hij zijn misdaden niet ontkende en zelfs rechtvaardigde met als argument dat hij gezien zijn militaire rang simpelweg bevelen moest opvolgen. Hij was zelfs trots op zijn organisatietalent om een zo complexe moordmachine als die van Auschwitz te leiden. Hij werd in Auschwitz I geëxecuteerd; daar staat de galg nog waaraan hij is opgehangen.

ADOLF EICHMANN

Eichmann was een van de belangrijkste ideologen van de zogeheten *Endlösung der Judenfrage*. Hij hield zich bezig met de logistiek van de deportaties naar de concentratiekampen. Hij was ook het brein achter de *Judenräte*, de Joodse Raden, die aan de deportaties meewerkten. Na de oorlog werd hij door Amerikaanse troepen gevangengenomen, maar omdat hij zich uitgaf voor Otto Eckmann werd niet opgemerkt dat hij in werkelijkheid een van de meest gezochte nazi's was. Hij dook onder in Duitsland en vluchtte vervolgens naar Italië. In 1950 nam hij de boot naar Argentinië. Daar haalde hij ook zijn gezin naartoe en leefde hij verder onder een valse naam als monteur in een autofabriek. In 1960 werd hij dankzij informatie van nazi-jager Simon Wiesenthal door een elitegroep van de Mossad in Buenos Aires opgespoord. Tijdens een gewaagde actie werd Eichmann en plein public gearresteerd, in een auto geduwd en in volle vaart naar het vliegveld gebracht. Hij werd gedrogeerd en met een El Al-vliegtuig het land uit gesmokkeld. De kwestie veroorzaakte een ernstig diplomatiek conflict tussen Israël en Argentinië. De ss-luitenant-kolonel werd in Jeruzalem ter dood veroordeeld. De terechtstelling vond plaats op 1 juni 1962.

PETR GINZ

De hoofdredacteur van het tijdschrift *Vedem*, dat op vrijwillige basis door jongeren in Theresienstadt werd gemaakt, werd op 1 februari 1928 in Praag geboren. Zijn ouders waren fervente esperantisten en hadden grote culturele ambities. In oktober 1942 werd Petr op bevel van de Gestapo samen met honderden buurtgenoten naar Theresienstadt gedeporteerd. Zijn ouders en zijn zus bleven voorlopig in Praag. Petr was een van de weinige kinderen die zonder familie in Theresienstadt waren, maar zijn ouders stuurden hem regelmatig voedselpakketten en papier. In een brief die bewaard is gebleven vroeg Petr om kauwgom, notitieboekjes, een lepel, brood, sjablonen... en een boek over sociologie. Hij deelde de pakketten met zijn kamergenoten. Zijn vrijgevigheid, intelligentie en prettige omgangsvormen maakten hem tot een van de meest geliefde jongeren van Theresienstadt. In 1944 werd hij vanuit Theresienstadt gedeporteerd en na de oorlog is hij niet teruggekeerd. Zijn naam is in geen enkel register van overledenen gevonden en tien jaar lang heeft zijn familie nog gehoopt hem terug te zien. Maar later nam ene Jehuda Bacon, die met hetzelfde transport was gedeporteerd, contact met hen op en vertelde dat ze naar Auschwitz waren gestuurd. Op het station aldaar werd een selectie gemaakt: degenen in de rechterrij gingen naar het kamp, degenen in de linkerrij gingen direct naar de gaskamers. Jehuda zag Petr in de linkerrij lopen.

DAVID SCHMULEWSKI

De Poolse verzetsleider in Auschwitz was al een linkse veteraan voordat hij werd gearresteerd. Tijdens de Spaanse Burgeroorlog had hij bij de Internationale Brigades gevochten en later streed hij tegen de nazi's. Na de oorlog bekleedde hij belangrijke posities in de Poolse communistische partij. Vanwege zijn betrokkenheid bij een schimmige kwestie – iets met illegale kunsthandel – werd hij uit de partij gezet. Hij ging uiteindelijk in ballingschap naar Parijs, waar hij tot zijn dood bleef wonen. Het is niet bekend in hoeverre die kunstsmokkelkwestie een manoeuvre van de communistische partijtop was om hem in diskrediet te brengen, aangezien hij vanwege zijn status van oorlogsheld onaantastbaar was geworden. Zijn achterneef, de briljante polemische intellectueel Christopher Hitchens, die in 2011 overleed, heeft daar in zijn boek *Hitch-22* het een en ander over verteld.

SIEGFRIED LEDERER

Hij was de vluchtmaat van Viktor Pestek, eerste luitenant van de SS die zijn desertie met de dood moest bekopen. Lederer ontsnapte ternauwernood aan de Gestapo en werd actief lid van het verzet. In Zbraslav gaf hij zich uit voor SS-generaal om lokale verzetsgroepen te helpen. Hij ging ten slotte naar Slowakije, waar hij de rest van de oorlog lokale partizanen hielp.

HANS SCHWARTZHUBER

Hij werd in november 1943 benoemd tot commandant van het mannenkamp van Auschwitz-Birkenau (waar het familiekamp onder viel). In 1944 werd hij als plaatsvervangend commandant overgeplaatst naar kamp Ravensbrück. In 1945 werd hij door het Britse leger gearresteerd en er werden ter plekke bewijzen gevonden dat hij die laatste maanden ten minste 2400 personen naar de gaskamers heeft gestuurd. Hij werd berecht en ter dood veroordeeld. In 1947 werd hij geëxecuteerd middels zijn favoriete methode uit de tijd waarin hij commandant was: hij werd opgehangen.

JOSEF MENGELE

In januari 1945, enkele dagen voordat de geallieerde troepen Auschwitz bevrijdden, liep Mengele mee met een infanteriebataljon het kamp uit. Op die manier was hij een van de honderden soldaten die krijgsgevangene werden en viel hij niet op. Maar er was nog een reden waarom hij niet werd opgespoord: de geallieerden konden SS'ers identificeren omdat die hun bloedgroep op hun arm getatoeëerd hadden, maar Mengele had die tatoeage nooit gezet. Met financiële hulp van zijn invloedrijke familie wist hij Duitsland te ontvluchten en uit te wijken naar Argentinië. Daar leidde hij een comfortabel leven als vennoot van een farmaceutisch bedrijf. Aan het eind van de jaren vijftig kwam nazi-jager Simon Wiesenthal hem op het spoor dankzij een door Mengele ondertekende echtscheidingsakte; de kamparts had de procedure per post met zijn vrouw geregeld. Maar iemand had hem gewaarschuwd dat ze hem hadden gevonden en Mengele vluchtte naar Paraguay. Daar nam hij weer een valse identiteit aan, maar hier leefde hij met minder financiële middelen in een bescheiden huisje en met de angst van iemand die weet dat hij gezocht wordt. Toch is hij nooit gepakt. Hij overleed in 1979 op 68-jarige leeftijd terwijl hij in zee aan het zwemmen was (vermoedelijk aan een hartaanval).

In Mengeles biografie vertellen de auteurs Gerald Posner en John Ware dat zijn zoon Rolf hem vlak voor zijn dood heeft opgezocht na een jarenlang spaarzaam briefcontact. Rolf heeft hem toen eindelijk de vraag kunnen stellen die hem van jongs af heeft beziggehouden: of hij werkelijk schuldig was aan de gruweldaden waarvan hij werd beschuldigd. Voor een zoon was het moeilijk te accepteren dat zijn vader, die in zijn brieven altijd attent en belangstellend was geweest, dat bloeddorstige monster kon zijn waarover de media berichtten. Toen hij hem recht op de man af vroeg of hij echt bevel had gegeven duizenden mensen te laten doden, verzekerde Josef Mengele hem dat het precies het tegenovergestelde was. Vol overtuiging en ijskoud zei hij dat hij met zijn selecties duizenden Joden van de dood had gered door hen naar de rij van degenen die nog konden werken te sturen.

SEPPL LICHTENSTERN

Seppl Lichtenstern kwam door de selectie van juli 1944 in het familiekamp en werd naar het kamp van Schwarzheide in Duitsland overgebracht. Daar werd hij te werk gesteld in een fabriek waar bruinkool in diesel werd omgezet. Aan het eind van de oorlog organiseerden de nazi's macabere marsen met gevangenen uit kampen die in handen van de geallieerden dreigden te vallen; het was een vlucht met onbekende bestemming. Het werden dodenmarsen genoemd omdat er tijdens die gedwongen tochten zo'n kwart miljoen gevangenen het leven lieten. Volkomen verzwakt bezweken ze onderweg of werden ter plekke doodgeschoten als ze niet meer in staat waren om verder te lopen. Lichtenstern stierf tijdens deze laatste daad van waanzin van het nazisme; zijn resten liggen op de begraafplaats van Saupsdorf in Duitsland.

MARGIT BARNAI

Ze trouwde en is haar hele leven in Praag blijven wonen. Hoewel Dita naar Israël emigreerde, hebben ze altijd contact gehouden. Ze stuurden elkaar brieven en foto's van hun kinderen. Margit kreeg drie dochters. De derde kwam onverwacht, toen ze al veertig was; Margit noemde haar Dita. Margit stierf te vroeg, ze werd 54 jaar. Dita Kraus heeft nog steeds contact met Margits dochters, voor wie ze een tante is, en ze zien elkaar altijd wanneer Dita naar Praag komt.

Geraadpleegde werken

Adler, Shimon, *Block 31: The Children's Block in the Family Camp at Birkenau*, Yad Vashem Studies XXIV, 1994.

Demetz, Peter, *Prague in Danger*, Farrar, Straus and Giroux, 2009.

Gutman, Yisrael, en Michael Berenbaum (eds.), *Anatomy of the Auschwitz Death Camp*, Indiana University Press, 1994.

Kraus, Ota B., *The Painted Wall*, Yaron Golan Publ., 1994.

Krizková, Marie Rút, Kurt Jirí Kotouc en Zdenek Ornest, *We Are Children Just the Same. Vedem, the Secret Magazine by the Boys of Terezin*, Aventinum Nakladatelství, 1995.

Levine, Alan J., *Captivity, Flight and Survival in World War II*, Praeger, 2000.

Millu, Liana, *El humo de Birkenau*, Acantilado, 2005.

Posner, Gerald L., en John Ware, *Mengele*, La Esfera de los Libros, 2002.

Venezia, Sholomo, *Sonderkommando*, RBA, 2010.

Vrba, Rudolf, en Alan Bestic, *Je me suis évadé d'Auschwitz*, Éditions J'ai Lu, 1998.